Женщина-Богиня

HAYDEN HERRERA

FRIDA
A biography of Frida Kahlo

Фрида Кало

ХЕЙДЕН ЭРРЕРА

Москва
«Эксмо»
2007

ББК 85.103(3)-8(7США)
Э 74

Hayden HERRERA

FRIDA
A biography of Frida Kahlo

Перевод с английского *К. Сошинской*

Оформление художника *Е. Савченко*

Эррера Х.

Э 74 Фрида Кало. — М.: Эксмо, 2007. — 544 с.: ил.

ISBN 978-5-699-20881-4

Необыкновенно живая и яркая биография знаменитой мексиканской художницы Фриды Кало — это зачаровывающая история бунтарского искусства, романтических убеждений, эксцентричных любовных связей и нескончаемых физических страданий.

После ее смерти остались не только холсты, но и жгучие строчки этой биографии, в которых несгибаемая воля, бесконечная боль и, конечно, любовь, которая дана далеко не каждому.

Молодежь зачитывается ее дневниками, геи и лесбиянки подняли на щит ее высказывания, феминистки воспринимают саму ее жизнь как руководство к действию. Так многолика и велика Фрида.

И хотя со дня ее смерти в 1954 году прошло уже более пятидесяти лет, восхищение этой легендарной женщиной не угасает до сих пор.

ББК 85.103(3)-8(7США)

ISBN 978-5-699-20881-4

ПРЕДИСЛОВИЕ

Первая персональная выставка живописи Фриды Кало в родной Мексике состоялась меньше чем за год до ее смерти. К этому времени здоровье Фриды настолько ухудшилось, что невозможно было представить, что она будет присутствовать на вернисаже. Но в восемь часов вечера, сразу же после того, как двери галереи современного искусства города Мехико распахнулись для посетителей, у здания остановилась машина «Скорой помощи». Художницу, одетую в ее любимый народный костюм, на носилках перенесли на ложе, которое еще днем было установлено в зале выставки. Ложе было украшено фотографиями, точно так, как любила это делать художница. Это были фотографии ее мужа, великого художника-монументалиста Диего Риверы, и ее политических кумиров — Маленкова и Сталина. С балдахина, покоящегося на четырех столбах кровати, покачиваясь, свисали скелеты из папье-маше, а зеркало, укрепленное внутри балдахина, отражало лицо художницы, одновременно и радостное, и удрученное. Один за другим подходили с поздравлениями друзья и почитатели Фриды Кало, затем двести человек встали в круг у ее кровати и далеко за полночь пели для нее мексиканские баллады.

Выставка явилась кульминацией совершенно необычайного жизненного пути этой женщины, свидетельством удивительных свойств характера человека и художника: ее отваги и неукротимого жизнелюбия перед лицом физических страданий; ее настойчивости в проявлении своей неординарности; ее способности носить маску, которая должна была скрыть

ХЕЙДЕН ЭРРЕРА

ее истинную сущность. И, самое главное, — выставка вывела на сцену главный объект — ее саму, Фриду Кало. Большинство из двухсот картин, которые она создала за свою короткую жизнь (она умерла в сорок семь лет), были автопортретами.

В юности Фриде, почти красавице, было присуще нечто драматичное — легкий изъян придавал ей лишь бóльший магнетизм. У нее были сросшиеся на переносице брови, темные миндалевидные глаза с чуть приподнятыми внешними уголками, чувственный рот венчала полоска темного пушка. Люди, которые хорошо ее знали, говорят, что в глазах Фриды светились ум и чувство юмора, они также говорят, что по этим глазам можно было определить и ее настроение — желает ли она уничтожить, очаровать, подвергнуть скептической оценке или кого-либо испепелить. В ее глазах было нечто такое пронзительное, что собеседник чувствовал, как взгляд этой пантеры обнажает всю ее сущность.

Смеялась Фрида глубоким заразительным смехом, который вырывался наружу то от восторга, то от неизбежности признания абсурдности боли. Голос ее был насмешливым, чуть хриплым. Слова произносились с напряжением, мягко, многозначительно, подчеркивались изящными жестами. В английском языке, на котором Фрида говорила очень бегло, она тяготела к сленгу. При чтении ее писем поражает то, что один из друзей назвал «несговорчивостью» по отношению к языку. Говоря по-испански, она любила употреблять крепкие выражения — такие слова, как *pendejo* (что, очень мягко выражаясь, означает «идиот») и *hijo de su chingada madre* (сукин сын). Ей нравилось наблюдать эффект, который производили на аудиторию слова из лексикона низов общества, произносимые дамой с высоко поднятой головой на стройной шее, звучащие с благородством, достойным королевы.

Она носила яркие, пышные одежды, явно отдавая предпочтение подлинным народным мексиканским нарядам, а не туалетам *haute couture*. Всюду, где бы она ни появлялась, она производила сенсацию. Один человек из Нью-Йорка вспоминает, что, бывало, дети бежали вслед за ней и спрашивали: «Где цирк?» Фриду Кало нисколько это не заботило.

В 1929 году она стала третьей женой Диего Риверы. Что это была за парочка! Кало — маленькая и темпераментная, если хотите, этакий персонаж Габриэля Гарсии Маркеса. И Ривера — огромный, экстравагантный, прямо из Рабле. Казалось, они знакомы со всеми. Их приятелем был Троцкий, во всяком случае, некоторое время, а также друзьями были Генри Форд и Нельсон Рокфеллер, Долорес дель Рио и Полетт Годар. Дом Риверы в Мехико был Меккой для интеллигенции всего мира, начиная с Пабло Неруды и кончая Андре Бретоном и Сергеем Эйзенштейном. В Париже Фрида жила у Марселя Дюшана, Исаму Ногучи был ее любовником, а Миро, Кандинский и Кэндзо Тангэ — ее поклонниками. В Нью-Йорке она встречалась с Альфредом Стиглицем и Джорджией О'Киф, а в Сан-Франциско ее фотографировали Эдвард Уэстон и Имоджин Канингэм.

Диего Ривера обладал маниакальным стремлением к публичности, благодаря этому их брак стал достоянием общественности. Все приключения этой пары, их любовь, их битвы, разводы со всеми живописными деталями описывались алчными журналистами. Их называли только по именам. Все знали, кто такие Фрида и Диего: он был величайшим художником мира, она — временами бунтующей жрицей в храме. Живая, умная, сексуальная, она привлекала мужчин (и делала многих из них своими любовниками). Что же касается женщин — есть свидетельства того, что у нее были и лесбийские связи. На последние Диего не обращал внимания, но жестко протестовал против первых. «Я не желаю делить с кем-то свою зубную щетку», — сказал он и припугнул своим револьвером того, кто этого не понял.

Всех, кто знал Фриду, постоянно поражало то, как ее любили люди. Да, она была импульсивной и едкой. Но часто о ней вспоминали со слезами на глазах. Эти трепетные воспоминания делают из нее героиню рассказов Скотта Фицджеральда — ее яркая, великолепная, веселая жизнь заканчивается трагедией. Реальность была гораздо более мрачной. 17 сентября 1925 года, когда Фриде было восемнадцать лет, в автобус, который развозил школьников по домам, врезался троллейбус. Металлическая штанга пронзила ее насквозь, раздробив позвоночник, таз и сломав ей ногу. И с того дня и до самой смерти она двадцать девять лет жила с постоянной болью и в непрестанных мучениях. «Я поставила рекорд по количеству операций», — говорила она. К тому же все эти годы она жила в тоске по ребенку, которого так и не родила — из-за переломанного таза у нее случались выкидыши, и ей пришлось из-за этого перенести три аборта, — и одновременно терзаясь тем, что человек, которого она любила, постоянно обманывал ее, а то и на сутки уходил из дома. Фрида красовалась и блистала, будто павлин, который распускает свой хвост, но все это лишь маскировало глубокую печаль и истинную силу ее самообладания.

«Я пишу на холсте свою собственную действительность, — говорила она. — Единственное — я точно знаю, что мне это необходимо. Я пишу то, что проходит в моем сознании, не слишком размышляя об этом».

То, что происходило в сознании Фриды и в ее искусстве, являет собою самые драматические и самобытные образы двадцатого века. Изображая себя кровоточащей, проливающей слезы, с развороченными внутренностями, она превращала свою боль в искусство и делала это с поразительной откровенностью, смягчая страдания юмором и фантазией. Живопись Фриды — автобиография художницы, она всегда очень проникновенна, отображение этой специфической личности ломает все условности, оно обладает особой интенсивностью и силой — силой, которая притягивает зрителя и не отпускает его из своих неуютных объятий.

Главные ее картины невелики по размерам — обычно это двенадцать на пятнадцать дюймов. Такие размеры как раз соответствовали интимности содержания. Работая очень маленькими собольими кисточками, которые Фрида всегда содержала в изумительном порядке, она тщательными мазками наносила краску на холст, заставляя фантазию пронизывать риторику реализма.

Ее живопись была оценена сюрреалистами, и

они приняли ее в свое сообщество в конце 1930 года. Картины привлекали внимание разных коллекционеров, но по большей части до недавних пор так и оставались в незаслуженном забвении.

В конце 1977 года правительство Мексики устроило ретроспективную выставку работ Фриды Кало в самой большой и самой престижной галерее во Дворце изящных искусств. В этом почетном внимании была некая странность, поскольку казалось, что отмечается жизнь художника и его экзотическая личность, а не его искусство. Огромные комнаты с высоченными потолками были увешаны громадными фотографиями дорожного происшествия, которое искалечило жизнь Фриды, а картины, подобно произведениям ювелирного искусства, смотрелись как маленькие вкрапления.

Однако искусство — легенда, созданная самой Фридой, — в конце концов победило. Поскольку картины были совсем крошечными в сравнении с гигантскими фотографиями, приходилось подходить к ним поближе, чтобы рассмотреть, и тут зрителя завораживал их магнетизм. Сгусток эмоций, отображенных в картинах, которые являют собой самые горькие моменты жизни, был так плотен, так напряжен, что возникало ощущение, будто вот-вот произойдет взрыв. Эти картины превратили нагромождение фотографий в архитектурном пространстве залов в картонные стены.

2 ноября 1978 года, когда отмечается День поминовения усопших, один из самых значительных праздников в Мексике, галерея де ла Раса открыла свою собственную выставку под названием «В честь Фриды Кало». Там были выставлены работы — в самых разных техниках — пятидесяти художников, приглашенных сделать свой вклад в «символы духа Фриды Кало». У задней стены галереи была сооружена традиционная *ofrenda*, жертвенный алтарь, уставленный свечами, черепами из карамели, соломенными крестами, «хлебом смерти» в форме человеческих костей, гробиками, наполненными сахарными птицами. Там же стояло миниатюрное ложе, на котором лежала крошечная Фрида. На остальных стенах висели работы художников, многие из которых сопо-

ставляли свои портреты с портретами Фриды, как бы идентифицируя себя с ней. На портретах Фрида была представлена как политический герой и боец революции, как страдающая, бездетная женщина, как обманутая жена и «мексиканская Офелия». Многие видели в ней мученицу, которая бросила вызов смерти. Одна из художниц так объясняла свое поклонение Фриде: «Фрида воплощала собою женщину культуры чикано. Она вдохновляла нас. В ее работах нет жалости к себе. В них есть сила».

С этого времени прибавилось число людей, увидевших работы Фриды Кало. Выставка ее работ путешествовала в 1978—1979 годах по шести музеям Соединенных Штатов. В 1982 году лондонская «Уайтчепел Арт Гэллери» организовала выставку, названную «Фрида Кало и Тина Модотти», которая потом проехала Германию и добралась до Нью-Йорка. Дело в том, что женщина, особенно такая, как чрезвычайно сильная и сексуальная Фрида Кало, стала востребована.

Фрида в своем искусстве никогда не соревновалась с Риверой, и довольно часто критики чувствовали, что как живописец — она лучше, чем Диего. Пикассо в одном из писем к Ривере писал: «Ни Дерен, ни я, ни ты не в состоянии написать голову, подобную тем, которые писала Фрида Кало».

Фрида может быть благодарна за все те воспоминания, которые остались о ней у людей. Она фактически была одним из создателей легенды о себе, и от того, что она была столь сложной натурой и так замысловато воспринимала саму себя, ее миф о себе был полон умолчаний, двусмысленностей и противоречий. По этой причине существуют колебания, сомнения в том, что можно открыть всю правду о ее жизни, нарушив этим тот образ, который был создан ею самой. Но правда не развеивает миф. После всех исследований история Фриды Кало все равно остается похожей на фантастическую историю.

ЧАСТЬ 1

1

ГОЛУБОЙ ДОМ НА УЛИЦЕ ЛОНДРЕС

История Фриды Кало начинается и заканчивается в одном и том же месте. Снаружи дом на углу улицы Лондрес и улицы Альенде выглядит точно так же, как и другие дома в Койоакане, старом жилом районе юго-западного пригорода Мехико. Он представляет собою одноэтажное строение с оштукатуренными стенами, выкрашенными ярко-голубой краской, и нарядными высокими окнами с зелеными ставнями. На его стенах постоянно движутся неспокойные тени от листвы деревьев, название «Музей Фриды Кало» вынесено на портал. Внутри этот дом — одно из самых экстравагантных мест во всем городе. Это дом женщины со всеми ее картинами и ее вещами, превращенный в музей.

Вход в дом охраняют два гигантских Иуды, фигуры двадцати футов высотою из папье-маше, которые жестикулируют так, будто приглашают друг друга к разговору[1]. Пройдя мимо них, вы попадаете в сад с тропическими растениями, фонтанами и маленькой пирамидой, уставленной идолами доколумбовой эпохи.

Интерьер дома замечателен тем, что посетитель чувствует: бывший владелец дома оживил все карти-

[1] Сделанные специально так, чтобы взорваться в Сабадо де Глориа — в субботнюю ночь перед Пасхой, — такие фигуры обозначали больше, чем христопродавца Иуду. Они символизировали могущественных угнетателей и принимали разные обличья: полицейского, наемника, политикана и помещика — «любого, кто заслужил ненависть народа» (Бертрам Д. Вулф и Диего Ривера, «Портрет Мексики»).

ны и предметы, выставленные на обозрение. Палитра и кисти Фриды Кало лежат на рабочем столе так, будто она только что их там положила. У кровати Диего Риверы лежит его стетсоновская шляпа, его рабочий халат и стоят огромные ботинки. В большой угловой спальне, окна которой выходят и на улицу Лондрес, и на улицу Альенде, расположена стеклянная витрина, где висит разноцветный костюм Фриды, сделанный в Теуантепеке. Над витриной написано: «Здесь 7 июля 1910 года родилась Фрида Кало». Надпись появилась через четыре года после смерти художницы, когда ее дом стал музеем. Ярко-голубые и красные стены патио украшает еще одна надпись: «Фрида и Диего жили в этом доме с 1929 по 1954 год». Как это мило! — подумает посетитель. В этих надписях три самых главных факта жизни Фриды Кало — ее рождение, ее брак и ее смерть.

К сожалению, все эти надписи не совсем точны. Как показывает свидетельство о рождении Фриды, родилась она 6 июля 1907 года. Выбрав нечто более значительное, чем ничтожные факты, она решила, что родилась не в 1907 году, а в 1910-м, в год начала мексиканской революции. Поскольку в годы революционного десятилетия она была ребенком и жила среди хаоса и залитых кровью улиц Мехико, то решила, что родилась вместе с этой революцией.

Вторая надпись на стенах Музея Фриды Кало отражает сентиментальное, идеальное отношение к браку и к дому Кало — Ривера. И снова это расходится с реальностью. До 1934 года, когда Диего и Фрида вернулись в Мексику после четырех лет жизни в Соединенных Штатах, в койоаканском доме они жили очень мало. С 1934 до 1939 года они жили в двух домах, построенных специально для них в жилом районе Сан-Анхел. Затем последовали долгие периоды времени, когда, предпочитая жить независимо в студии в Сан-Анхеле, Диего вовсе не жил вместе с Фридой, не говоря уже о том годе, когда Риверы разъезжались, разводились и снова сочетались браком.

Эти надписи приукрашивали действительность. Как и сам музей, они были частью легенды о Фриде.

Дом в Койоакане был построен за три года до рождения Фриды. Ее отец построил дом на маленьком клочке земли, который он приобрел после того, как гасиенда «Эль Кармен» была разрушена и продана. Толстые стены наружного фасада, плоская крыша, один жилой этаж, планировка, при которой комнаты всегда были прохладными и все открывались в патио, — являли собой образец дома в колониальном стиле. Дом стоял всего лишь в нескольких кварталах от центральной городской площади с церковью Св. Иоанна Крестителя, где у матери Фриды была своя собственная скамейка, которую она с дочерьми занимала на воскресных службах. Из этого дома Фрида могла ходить на прогулку по узкой немощеной улице в Виверос де Койоакан, парк с вьющейся между деревьями узкой речкой.

Когда Гильермо Кало строил дом в Койоакане, он был преуспевающим фотографом, который только что получил заказ от правительства Мексики на фотографирование памятников архитектуры. Получение такого заказа было выдающимся достижением для человека, прибывшего в Мексику всего лишь тринадцать лет назад, не особенно рассчитывая на успех. Его родители, Якоб Хенрих Кало и Генриетта Кауфман Кало, были венгерскими евреями из Арада, теперь являющегося частью Румынии, которые переехали в Германию и поселились в Баден-Бадене, где в 1872 году родился Вильгельм. Якоб Кало был ювелиром, но также занимался и фотографией. К тому времени, когда пришло время отправить сына на учебу, Якоб был уже достаточно богат, чтобы мальчик мог учиться в университете Нюрнберга.

Вероятно, уже в 1890 году многообещающая карьера студента Вильгельма Кало закончилась, так и не успев начаться, поскольку он стал страдать от эпилептических припадков. В это же время умерла его мать, и отец снова женился на женщине, которая не нравилась Вильгельму. В 1891 году отец дал сыну денег на путешествие в Мексику. Вильгельм изменил свое имя, теперь его звали Гильермо, и уже не вернулся в страну своего рождения.

Он прибыл в Мехико почти без денег и без бага-

ХЕЙДЕН ЭРРЕРА

жа. Благодаря связям с другими немецкими эмигрантами он нашел работу — стал кассиром в «Кристалерия Лоэб», в магазине стеклянной посуды. Затем он работал в ювелирном магазине «Ла Перла», который держал человек, бывший спутником Гильермо на пути из Германии в Мексику.

В 1894 году Гильермо женился на мексиканке, которая умерла спустя четыре года, родив вторую дочку. Затем он полюбил Матильду Кальдерон, служившую в «Ла Перла». По словам Фриды, «в ночь, когда умерла жена, мой отец пригласил к себе мою бабушку Исабель, которая пришла с моей мамой. Моя мама и отец работали в одном магазине. Он был очень влюблен в мою маму, и позже они поженились».

Нетрудно понять, почему Гильермо Кало полюбил Матильду Кальдерон. Ее фотографии того времени показывают, что она была поразительно красивой женщиной с огромными темными глазами, полными губами и четко очерченным подбородком. «Она была как колокольчик из Оахаки, — однажды сказала Фрида. — Когда она шла на рынок, она туго затягивала пояс на талии и очень кокетливо несла корзину». Родившаяся в 1876 году в Оахаке, Матильда Кальдерон-и-Гонсалес была старшей среди двенадцати детей Исабель Гонсалес-и-Гонсалес, дочери испанского генерала, и Антонио Кальдерона, фотографа, происхождением из Морелии, Мексика. Как утверждала Фрида, мать ее была сообразительной, неглупой, но неграмотной. Недостаток образования она возмещала добродетельностью.

Гораздо труднее понять, чем Гильермо Кало, двадцатишестилетний эмигрант, еврей, убежденный атеист, который вдобавок страдал эпилепсией, пленил набожную Матильду Кальдерон. Хотя его светлая кожа и культура европейца могли в те дни иметь определенную привлекательность. Тогда все европейское превалировало над мексиканским. Более того, он был умным, работящим и даже симпатичным, несмотря на оттопыренные уши. У него были пышные русые волосы, чувственный рот, маленькие усики с кончиками, закрученными вверх по моде тех лет, и изящная, гибкая фигура. «Он был очень интересным и имел элегантную походку», — говорила Фрида. Быть может, взгляд его огромных карих глаз был слишком настойчивым — а с годами он стал тревожно возбужденным, — однако при этом во взгляде этом была некая романтичность.

Матильде было двадцать четыре года, обычно замуж выходили раньше. По поводу ее прошлого существовали определенные подозрения, поскольку она пережила роман, который закончился трагически. Фрида вспоминала, что, когда ей было одиннадцать лет, мать показала ей книгу в переплете из кожи, «где она хранила письма от ее первого возлюбленного. На последней странице было написано, что письма писал молодой немец, который совершил самоубийство в ее присутствии. Этот человек продолжал жить в ее памяти». Естественно, молодая женщина могла увлечься другим немцем, и если она не любила его — а Фрида говорила, что не любила, — то, по крайней мере, могла считать, что он хорошая пара для нее.

Именно Матильда Кальдерон настояла на том, чтобы муж стал заниматься фотографией, что было профессией ее отца. Фрида говорила, что дедушка одолжил отцу фотоаппарат, «и первое, что они сделали, они отправились в путешествие по республике. Они создали коллекцию фотографий местной и колониальной архитектуры и, вернувшись, открыли свою первую фотографическую мастерскую на Авениде 1 сентября».

Фотографии заказал Хосе Ив Лимантур, казначей диктатора Порфирио Диаса, и они стали иллюстрациями в серии роскошных большеформатных альбомов, изданных в 1910 году в честь столетия независимости Мексики. Полностью работа была завершена за четыре года. С 1904 по 1908 год, используя немецкие фотоаппараты и более чем девятьсот стеклянных пластинок, которые он сам подготавливал к съемкам, Гильермо Кало сфотографировал памятники архитектуры Мексики и заслужил звание «первого официального фотографа Мексики, фотографирующего культурные памятники страны».

Действительно, Лимантур сделал хороший вы-

 ХЕЙДЕН ЭРРЕРА

бор: Гильермо Кало был дотошным специалистом, он с упрямой настойчивостью снимал то, что видел; в его фотографиях, как и в картинах его дочери, нет эффектных трюков, нет романтического флера. Он пытался представить как можно больше информации об архитектуре, которую фиксировал на пластинках, тщательно выбирал ракурс и старался выявить архитектурные формы, используя свет и тени. В рекламе его работ, напечатанной на английском и испанском языках, говорилось: «Гильермо Кало — специалист по пейзажам, зданиям, интерьерам, фабрикам и т.д., и тот, кто закажет у него фотографии, побывает в Мехико и в разных других местах Республики».

Случалось, что он делал прекрасные портреты членов правительства Диаса или портреты своего собственного семейства. Он говорил, что не хочет фотографировать людей, потому что не желает улучшать то, что Бог сотворил безобразным.

Шутил ли Гильермо Кало, произнося эти слова, трудно сказать, но в воспоминаниях Фриды всегда говорится о том, что у него была яркая речь, в ней присутствовали прямота, злая насмешливость и великолепный, на пределе допустимого, юмор.

Это не значит, что отца Фриды отличала беззаботность. Напротив, он был немногословен, молчание его было многозначительным, его окружала аура горечи. В Мексике ему никогда не было легко и просто, и хотя он отчаянно хотел, чтобы его воспринимали как мексиканца, но так и не изжил свой тяжелый немецкий акцент. Фрида вспоминала: «У него было всего лишь два друга. Один был старый *largote* (высокий мужчина), который всегда оставлял свою шляпу на верхней полке. Мой отец и этот старик проводили долгие часы, попивая кофе и играя в шахматы».

В 1936 году Фрида изображает место своего рождения и свое родословное дерево в восхитительной, причудливой картине «Мои прародители, мои родители и я» (илл. 2). Она представляет себя маленькой девочкой (она говорила, что ей там два года), девочка обнажена и уверена в себе, она стоит посреди патио их голубого дома, у ее ног — детский стульчик, в руках она держит алую ленту, олицетворяющую кровеносный сосуд, который поддерживает ее родословное дерево с такой легкостью, будто это воздушный шарик. Портреты родителей написаны по их свадебной фотографии, на которой семейная пара, подобно ангелам, парит в облаках. Этот старомодный фотографический прием должен был забавлять Фриду, в картине портреты своих бабушек и дедушек она расположила в таких же мягких гнездышках облаков. Предки Фриды по материнской линии, индеец Антонио Кальдерон и *gachupina* (из испанцев) Исабель Гонсалес-и-Гонсалес, помещены над матерью Фриды. Со стороны отца — европейская пара, Якоб Хенрих Кало и Генриетта Кауфман-Кало. И теперь не остается сомнений в происхождении наиболее ярких черт Фриды Кало, вот от кого она унаследовала тяжелые, соединенные на переносице брови — от матери своего отца. Фрида говорила, что она похожа на обоих своих родителей: «У меня глаза отца и фигура матери».

На картине у Гильермо Кало тяжелый, пронзительный взгляд, который со всей своей упрямой настойчивостью проявился и в глазах его дочери.

Фрида скрупулезно скопировала все гофрировки, строчки и бантики на свадебном платье матери, создав юмористический контраст невинной белой юбке в виде розового эмбриона на ней. Эмбрион — это Фрида, что, кстати, допускает возможность того, что к моменту свадьбы мать уже была беременна. Фриде всегда доставляло удовольствие иметь разные мнения по одному поводу. Под эмбрионом располагается пародийный свадебный портрет: большой сперматозоид, проникающий в яйцеклетку. С ними соседствует еще одна сцена оплодотворения: алый цветок кактуса раскрылся, чтобы получить пыльцу, принесенную ветром.

Фрида помещает свой дом не в пригороде, а на высоком Мексиканском плоскогорье, усеянном кактусами. На отдаленном расстоянии видны изрезанные ущельями горы, этот пейзаж она часто использует потом в своих автопортретах. Прямо под изображением предков по линии отца она располагает океан. Земля символизирует ее мексиканских прародителей, объясняла Фрида, а немецких — вода, море. К дому Кало примыкает скромный мексиканский домик, а на полях в отдалении видны примитивные домишки индейцев. Глядя на мир глазами ребенка, художница помещает Койоакан внутрь собственного дома, который затем размещает, не принимая в расчет реальности, посреди дикой природы.

Фрида стоит в середине своего дома, в середине Мексики, посреди — так можно почувствовать — всего мира.

2
ДЕТСТВО В КОЙОАКАНЕ

Магдалена Кармен Фрида Кало-и-Кальдерон, третья дочь Гильермо и Матильды Кало, родилась 6 июля 1907 года, в половине девятого утра. Была середина сезона дождей, когда на высоком плато, где расположен город Мехико, холодно и сыро. Два первых имени были даны Фриде, чтобы ее можно было окрестить под христианским именем. Ее третье имя, то, которое употребляли в доме, по-немецки значит «мир». (Хотя в свидетельстве о рождении указано «Фрида», сама она произносила свое имя на немецкий лад — Фриде, а затем, с приходом нацизма в Германию, снова пишет имя так, как было в свидетельстве о рождении.)

Вскоре после рождения Фриды ее мать заболела, и ребенка некоторое время кормила индейская няня.

«Меня кормила индейская няня, чьи груди омывали каждый раз, как только я требовала молока», — гордо заявляла Фрида друзьям. Спустя много лет, когда сам факт того, что она была вскормлена индейской женщиной, стал для нее значительным, она изобразила свою кормилицу в виде мифического символа своих мексиканских корней, а себя — ребенком у груди кормилицы.

Матильда Кало, достигнув среднего возраста, стала страдать от «спазм» и «приступов», похожих на приступы ее мужа. Может быть, виной тому был ее темперамент. За Фридой и ее младшей сестрой Кристиной по большей части ухаживали и присматривали старшие сестры, Матильда и Адриана, а если их не было дома, то в этой роли выступали сводные се-

ХЕЙДЕН ЭРРЕРА

стры Мария-Луиза и Маргарита, которые, как и положено, после второй женитьбы отца жили в том же доме.

Через три года после рождения Фриды произошла Мексиканская революция. Она началась с восстаний в разных частях страны, затем собрались две армии бунтовщиков, одна в Чиуауа (под руководством Паскуаля Ороско и Панчо Вильи), другая в Морелии (под водительством Эмилиано Сапаты). Борьба тянулась десять лет. В мае 1911 года пал старый диктатор Порфирио Диас. И в октябре 1912 года был избран президент — лидер революционеров Франсиско Мадеро, но в феврале 1913 года, после трагических «десяти дней», противоборствующие отряды столкнулись в Национальном дворце и в Сьюдаделе, это повлекло множество разрушений и смертей, а Мадеро был предан генералом Викториано Уэртой и убит. На севере, чтобы отомстить за убийство Мадеро, поднялся Венустиано Карранса. Он назвал себя первым предводителем Конституционной армии и с небольшими силами двинулся против Уэрты. Было пролито море крови, пока наконец не произошла инаугурация президента Альваро Обрегона, одного из генералов Каррансы. Это случилось в ноябре 1920 года.

В своем дневнике, который написан Фридой в последнее десятилетие ее жизни, а теперь он выставлен в ее музее, она с гордостью — и можно предположить, с большими поэтическими вольностями — вспоминает, что была свидетельницей боев революционной армии в Мехико.

«Я помню, что мне было четыре года (на самом деле ей было пять), когда наступили трагические «десять дней». Я своими глазами видела сражение между крестьянами Сапаты и войсками Каррансы, потому что моя мама открыла окна, выходящие на улицу Альенде, впустила сапатистов, они, раненые, голодные, прыгали через окна моего дома в гостиную. Мама оказала им кое-какую помощь и дала толстые тортильи (лепешки), единственную пищу, которую можно было достать в Койоакане в те дни... Нас было четыре сестры: Матита, Адри, я (Фрида) и Кристи-круглолицая...

В 1914 году свист пуль был обыденным делом. Я все

еще слышу их необычайный звук. На рынке Койоакана агитировали за Сапату с помощью *corridos* (революционных песен), которые издавал художник и типограф Хосе Гуадалупе Посада. По пятницам эти стихи-баллады стоили один сентаво, и, закрывшись в большом гардеробе, где пахло ореховым деревом, мы с Кристи пели их, в то время как мама и папа внушали нам, чтобы мы остерегались партизан. Я помню каррансиста, бегущего к своим укреплениям около реки Койоакан. Из окна я подсматривала за сапатистом, раненным в ногу».

Здесь Фрида рисует каррансиста и сапатиста.

Для родителей Фриды революция была не избавлением, а бедой. Заказы, которые Гильермо Кало получил от правительства Диаса, давали ему достаточно денег, для того чтобы построить удобный дом в фешенебельной части Койоакана. Падение этого правительства и последовавшие затем десять лет гражданской войны привели их в крайнюю бедность. Было очень трудно получать заказы на фотографии, как говорила Фрида, «жизнь в доме поддерживалась с великим трудом».

Матильда Кальдерон вышла замуж за человека, у которого были хорошие перспективы. Сейчас же она оказалась в положении, когда пришлось жестко экономить и во всем себя ограничивать, муж оказался неспособным к зарабатыванию денег, ему часто не на что было купить фотографические принадлежности. Они заложили дом, продали французскую мебель из гостиной и взяли жильцов. В то время как Гильермо Кало становился все более мрачным и неразговорчивым, его жена взяла на свои плечи все домашнее хозяйство, она ругалась со слугами, торговалась с лавочниками, ссорилась с молочником, привозившим молоко.

«Она не умела ни писать, ни читать, — вспоминала Фрида. — Она только знала, как считать деньги».

Матильда Кало знала гораздо больше. Она учила дочерей искусству ведения домашнего хозяйства и молитвам, которые были частью традиционного мексиканского воспитания, пыталась внушить им религиозность, которая так много значила для нее самой, каждый день водя их в церковь и не пропуская ночную службу перед Пасхой. Фрида училась шить, вышивать, готовить и наводить чистоту — и всю свою жизнь очень гордилась красотой и порядком в своем доме, — но и она, и Кристина протестовали против набожности матери, старших сестер (Маргарита стала монашкой) и теток.

«Моя мать была религиозной фанатичкой, — говорила Фрида. — Мы должны были молиться перед едой, и, пока все были погружены в молитву, мы с Кристи переглядывались и изо всех сил старались не рассмеяться». Фрида и Кристина ходили в класс катехизиса для подготовки к первому причастию, — «но мы убегали оттуда и шли есть боярышник, айву и *capulines* (фрукты, похожие на вишню) в ближайших садах».

Пришло время идти в школу, Фрида и Кристина отправились туда вместе.

«Когда мне было три или четыре года, они отдали Кристи и меня в детский сад, — вспоминала Фрида. — Воспитательница была старомодной, она носила парик и странные платья. Именно эта женщина является моим первым воспоминанием. Она стояла в неосвещенном, темном классе, держа в одной руке подсвечник со свечой, в другой — апельсин, и объясняла, как устроен мир, как движутся Солнце, Земля, Луна. Это произвело на меня такое впечатление, что я описалась. Они сняли мои мокрые панталоны и надели на меня штанишки девочки, которая жила напротив моего дома. Из-за этого я так невзлюбила эту девочку, что подстерегла ее у моего дома и начала ее душить. У нее уже вывалился наружу язык, когда проезжавший мимо булочник освободил ее из моих рук».

Наверняка Фрида преувеличивает свою злость, но она, без сомнения, была шалуньей. Однажды ее сводная сестра Мария-Луиза сидела на ночном горшке. «Играя, я толкнула ее, и она упала вместе с горшком». В этот раз жертва отплатила ей: «Ты не дочь моей мамы и моего папы. Они нашли тебя на помойке». Это уверение так подействовало на меня, что я совершенно переменилась и замкнулась. С того времени у меня были приключения только лишь с воображаемыми друзьями».

Но это недолго продолжалось. Она часто подшучивала над отцом, насмехаясь над его немецкой пунктуальностью, называя его «герр Кало». И именно она играла лидирующую роль в эпизоде, который, возможно, более чем что-либо другое демонстрирует несчастливую жизнь в доме Кало в то время, когда сестры взрослели.

«Когда мне было семь лет, я помогала сестре Матильде, которой было пятнадцать, сбежать с ее возлюбленным в Веракрус. Я открыла окно на балкон, а позже снова его закрыла, так что казалось — ничего не произошло. Матита была маминой любимицей, и ее побег довел маму до истерики... Когда Мати убежала, мой отец не сказал ни слова...

Мы не видели Матиту несколько лет. Однажды, когда мы ехали в автобусе, папа сказал мне: «Мы никогда ее не найдем!» Я утешала его, и, по правде сказать, мои надежды были искренними, потому что друзья мне рассказывали: «В районе Докторес живет одна замужняя женщина, очень похожая на тебя. Ее зовут Матильда Кало». Я отправилась туда, в этот дом. В конце патио, в четвертой комнате, пройдя по длинному коридору, я нашла ее. Комната была полна света и птиц в клетках. Матильда купалась. Она там жила с Пако Эрнандесом, за которого впоследствии вышла замуж. У них была вполне благополучная семья, хотя не было детей. Первым делом я рассказала папе, что нашла ее. Я навещала их несколько раз и пыталась убедить маму повидаться с ними, но она не пожелала».

Прошло много времени, прежде чем мать Фриды простила свою старшую дочь. Матильда, бывало, приходила к дому с подарками, фруктами и деликатесами, но, поскольку мать отказывалась впустить ее в дом, она оставляла свои приношения у дверей. Потом, когда Матильда уходила, сеньора Кало забирала подарки. И только в 1927 году, через двенадцать лет после того, как Матильда сбежала из дома, Фрида смогла написать друзьям, что «Мати теперь приходит в дом. Мир восстановлен».

У Фриды было двойственное отношение к матери — и любовь, и презрение. Это проявилось, когда в интервью она описывала мать и как «жестокую» (за

ХЕЙДЕН ЭРРЕРА

то, что та топила маленьких крысят), и как «очень славную, деятельную, умную». И хотя сражения с женщиной, которую она называла «mi Jefe» (мой Шеф), с возрастом становились все интенсивнее, когда мать умерла, Фрида «не могла остановить рыдания».

Маленькая Фрида была круглолицей проказницей, с ямочками на щеках и лукавым блеском в глазах. На семейной фотографии, где ей семь лет, уже видны перемены: там она худенькая, долговязая, с мрачным, скрытным выражением лица. Она стоит за кустом, будто хочет спрятаться.

Причиной перемен были болезни. В шесть лет Фриду поразил полиомиелит. Она провела девять месяцев, не выходя из своей комнаты.

«Все началось с ужасной боли в мускулах правой ноги, — вспоминала она. — Мою маленькую ногу мыли в тазике с ореховой водой, вытирая ее потом горячими полотенцами».

Любопытная комбинация самовлюбленности и скрытности, которая характеризовала взрослую Фриду, была заложена в детстве больного ребенка, раздраженного несоответствием между внутренним миром сновидений и внешним миром с его ограничениями. Мечты о воображаемом друге, которому можно было довериться, никогда ее не покидали. Объясняя в дневнике свой двойной портрет, названный ею «Две Фриды» (цв. илл. XIV), она пишет:

«Мне, вероятно, было лет шесть, когда я впервые точно вообразила себе, что дружу с девочкой более или менее своего возраста. Я подышала на оконное стекло комнаты, которая в то время была моей, оно выходило на улицу Альенде. Стекло запотело, и я пальцем нарисовала «дверь»...»

Здесь Фрида нарисовала окно своей комнаты.

«Полная восторга, я в своем воображении выходила через эту «дверь». Я переходила все пространство, лежащее перед моими глазами, и добиралась до молочной под названием «Пинсон»... Я входила в букву О этого Пинсона и, торопясь, спускалась **внутрь земли**, где меня всегда ждала моя воображаемая подруга. Я не помню, как она выглядела, какого цвета были ее кожа и волосы. Но я знала, что она веселая — она много смеялась. Беззвучно. Она была подвижной и танцевала так, будто ничего не весила. Я повторяла все ее движения и, пока она танцевала, рассказывала ей о своих тайных проблемах. О каких? Я не помню. Но по моим рассказам она знала все обо мне... Когда я возвращалась к окну, то входила через ту же «дверь» в оконном стекле. Когда? Сколько времени я проводила с ней? Не знаю. Это могло длиться секунду или тысячу лет... Я была счастлива. Я стирала рукой «дверь», и она исчезала. Я бежала со своей тайной, со своей радостью в самый дальний угол патио дома, всегда в одно место, под кедровое дерево, там я плакала и смеялась, пораженная тем, что была одна, и тем, что так живо помню маленькую девочку. С той поры, как я воображала эту волшебную дружбу, прошло тридцать четыре года, и всякий раз, когда я вспоминаю об этом, все оживает и становится все более значительным для моего мира».

Когда Фрида наконец встала на ноги, доктор порекомендовал упражнения, которые должны были укрепить ее правую ногу, и Гильермо Кало, который был необычайно нежен и озабочен во время болезни дочери, был уверен, что Фрида должна заниматься всеми видами спорта, считавшимися очень необычными для девочек Мексики того времени. Фрида играла в футбол, занималась боксом, борьбой и стала чемпионкой по плаванию.

«У меня были те же игрушки, что и у мальчиков, — вспоминала она, — коньки, велосипеды». Она любила лазить по деревьям, заниматься греблей на озере Чапультепек-парка и играть в мяч.

И тем не менее она пишет: «Нога оставалась очень худой. Когда мне было семь лет, я носила маленькие ботиночки. Вначале я считала, что шутки [о моей ноге] не будут меня задевать, но потом они стали меня злить, и чем дальше, тем больше». Подруга детства Фриды Аурора Рейес говорит: «Мы были очень жестоки по отношению к ее физическому недостатку. Когда она ехала на своем велосипеде, мы кричали ей: «*Frida, pata de palo!*» (Фрида — деревянная нога), и она в ярости отвечала проклятьями».

Для того чтобы спрятать ногу, Фрида надевала на нее три-четыре носка и туфли с высоким правым

 ХЕЙДЕН ЭРРЕРА

каблуком. Другие друзья обожали ее за то, что легкий недостаток не удерживал ее от физической активности, и она как демон носилась на велосипеде по Центральному парку.

«Ее отличали прекрасная координация движений и грациозность. Когда она шла — она слегка подпрыгивала, и казалось, что это летит птица».

Но это была раненая птица. И, будучи раненой, Фрида отличалась от других детей и часто испытывала одиночество. Как раз в то время, когда девочка должна была бы открывать для себя мир, кроме семьи, и находить «лучших друзей», она настаивала на том, чтобы оставаться дома. Когда Фрида выздоровела и вернулась в школу, то там ее стали дразнить и третировать. И она отреагировала на это (Фрида сказала, что стала «интровертом») тем, что превратилась в отчаянного сорванца с мальчишескими повадками.

Как и на семейной фотографии, где девочка стоит отдельно от собравшейся вместе семьи, так и на картинах, где Фрида изображает себя ребенком, она в одиночестве (даже рисуя свое родословное дерево, она отделяет девочку от остальных персонажей). Хотя подобная изолированность от людей во многом зависит от ее переживаний того времени, когда создавалась эта картина, изображение также говорит о том, что память художника хранит многое из прошлого: одинокий взрослый человек помнит одиночество ребенка.

В картине 1938 года, названной «Они просили аэропланов, а им дали лишь соломенные крылья», Фрида соединяет воспоминания об огорчениях детства, связанных с ограничением в движениях из-за полиомиелита, с крушением надежд того времени, когда ей нельзя было двигаться из-за хирургических операций. Биограф Диего Риверы, Бертрам Д. Вулф, рассказывал, что эта картина напоминает время, «когда родители надевали на нее белое платье и крылья, чтобы представлять ангела (крылья, послужившие причиной ее глубокого разочарования, поскольку она не смогла летать)». На этой картине Фриде лет семь, в руках — модель аэроплана. Соломенные крылья, которые на нее надели, приделаны с помощью лент, спускающихся с неба. Ясно, что она сможет летать. Чтобы усилить впечатление, Фрида обвязывает ленту вокруг своей юбки и приколачивает концы ленты гвоздями к земле. Другая картина, где Фрида показывает себя одиноким ребенком, — это «Четыре жителя Мексики» (илл. 5), датируемая 1938 годом. В картине есть подтекст, которого нет в автопортрете с соломенными крыльями, и на первый взгляд она выглядит безобидной иллюстрацией мексиканского фольклора. Но фактически здесь возникает образ обиженного ребенка, обращенного лицом к символам его культурного наследия.

Не защищенная стенами своего дома, Фрида сидит на грязной земле, сосет средний палец, сжав другой рукой подол юбки, и бесстрастно взирает на все происходящее во взрослом мире. Рядом с ней располагаются четыре странных создания: идол доколумбовой эпохи, фигура Иуды, глиняный скелет и соломенный всадник. Каждый из персонажей сделан по образу артефактов, которые на самом деле были у Риверы. Сцена, должно быть, представляет собой Койоакан; вдали виднеется *pulque* — ресторанчик «Ла Розита», который находился рядом с домом Фриды. «Деревенская площадь «пустынна, там всего лишь несколько человек, — говорила Фрида, — потому что слишком долгая революция опустошила Мексику». При всей своей любви к родной стране Фрида написала весьма амбивалентный пейзаж, идентифицируя страдания Мексики со своими собственными страданиями.

Маленькая Фрида уставилась на глиняную скульптуру обнаженной беременной женщины-идола, которая одновременно является символом и мексиканского индейского наследия, и собственного будущего девочки, которая станет взрослой, способной рожать женщиной. Как и взрослая Фрида, идол искалечен; у женщины нет ступней, а отколотая голова приклеена. Фрида говорила друзьям, что идол-женщина беременна потому, что, будучи мертвой, она несет в себе что-то живое, «это соответствует всему связанному с индейцами». И она обнажена,

ХЕЙДЕН ЭРРЕРА

...они не испытывают стыда из-за призна-
...тому подобных глупостей».

...а Иуды, большого, усатого небритого муж-
...етого в синий рабочий комбинезон, выгля-
... будто он объявляет о вооруженном восста-
...держит предохранитель от взрывателя в таком
...жении, которое подразумевает поднятый пенис.
С...вляет собою мужчину-антагониста пассивному беременному идолу, лидера-разрушителя, полного ярости, готового взорвать самого себя. Длинная тень, падающая от него на землю, проходит как раз между ног женщины-идола и ложится рядом с ее тенью, что связывает их как пару. Его тень также касается девочки, и таким образом, она, вместе с Иудой и статуей, становится членом семьи. Фрида говорила, что в фигуре Иуды находит больше веселья, чем угрозы, объясняя, что Иуда олицетворяет собою балаган и безответственность и не имеет ничего общего с религией.

«Он вспыхнет, — говорила она, — это наделает столько шуму, это прекрасно, и оттого, что он разлетится на кусочки, он такой разноцветный».

Гримасничающий скелет, увеличенная версия игрушечного, которого мексиканские дети любят нянчить и тормошить в День усопших, обозначает «смерть — очень веселую, шутливую», говорила Фрида. Как и беременный идол, скелет также представляет ее будущее.

Позади скелета, невдалеке, расположен всадник из соломы, возможно, это бандит-революционер, наподобие Панчо Вильи. На нем шляпа и патронташ, и он сидит на соломенном ослике. Он символизирует неустойчивость и тщетность мексиканской жизни, горькую смесь нищеты, гордости и мечтаний. Фрида говорила, что она поместила его в картине потому, что «он слабый, но в то же время элегантный, и его так легко сломать».

Этот странный взгляд на Мексику подразумевает, что люди, ее населяющие, — словно сделанные из папье-маше, глины и соломы, — ведут эфемерное существование, но история народа — ужасна. Однако эти персонажи очень много значат для повзрослевшей Фриды, так же как и обезьянки и другие домашние животные, которыми она окружала себя, что создавало видимость семьи и заполняло возникавшую вокруг нее пустоту. Четыре персонажа, трое из которых снова появляются в картине «Раненый стол», 1940 г. (илл. 55), где они становятся товарищами Фриды в красочной и печальной драме. Для создания более сильного эффекта Фрида и себя делает типичной мексиканкой, пятой жительницей Мексики.

Из всех шестерых детей Гильермо Кало больше всех любил Фриду. Изредка, приходя домой в Койоакан после работы в городе, он бормотал: «Фрида, *liebe Frida*». Он видел в ней собственную восприимчивость, погруженность в себя и беспокойство. «Фрида самая умная и сообразительная из моих дочерей, — говаривал Кало. — Она больше всех похожа на меня».

У него была жестко расписана работа, и он не мог тратить много времени на детей. Рано утром он уходил из дома в свою студию на углу улиц Мадеро и Мотолина, которая располагалась над «Ла Перла», ювелирным магазином, где он когда-то работал. Это был центр Мехико. Из-за того что студия была далеко от дома, он не следовал мексиканскому обычаю ходить домой посреди дня, чтобы пообедать. Вместо этого сеньора Кало приготавливала ему *comida* (еду) в мексиканской корзинке и посылала с мальчиком, служившим в доме.

Студия, состоящая из маленькой комнаты для приема посетителей и темной комнаты, была его собственным, личным миром. В ней были предметы, необходимые для портретного фотографирования (восточный ковер, французские кресла, задник с пейзажем), большие немецкие фотоаппараты, увеличители и стеклянные пластины. И — модель локомотива с замысловатыми деталями, которые он старательно поддерживал в полном порядке. Как приличествовало культурному европейцу в Мексике того периода, он имел и небольшую, но тщательно подобранную библиотеку — в основном это были не-

ХЕЙДЕН ЭРРЕРА

мецкие книги, среди которых были Шиллер и Гёте, а также сколько-то томов книг по философии; однажды он нравоучительно сказал дочерям, что «философия делает людей благоразумными и помогает им исполнять свои обязанности». Над письменным столом, доминируя над всем в комнате, висел портрет идеала сеньора Кало — Артура Шопенгауэра.

Каждый вечер Гильермо Кало в один и тот же час возвращался домой. Чопорный, вежливый, несколько строгий, он здоровался с семьей, шел прямо к себе в комнату, где стояло немецкое фортепиано, и закрывался в этой комнате на час. Он обожал Бетховена, на втором месте был Штраус, особенно его «Голубой Дунай». Звуки музыки проникали сквозь толстые стены дома. После музицирования он садился есть, и рядом с ним сидела, наблюдая, молчаливая жена. После ужина он снова играл на фортепиано и, отходя ко сну, всегда читал.

Хотя Кало и не был близок с детьми, он был привязан к своей любимице. Он поощрял интеллектуальное развитие Фриды, давал ей книги из своей библиотеки и поддерживал разделяемое им с нею любопытство к литературе, а также ее страсть — к камням, цветам, животным, птицам, насекомым, раковинам. Время от времени Фрида с отцом ходили в близлежащие парки, и, пока Кало (он был живописцем-любителем) рисовал свои акварели, Фрида часами собирала камешки, насекомых и редкие растения на берегу реки. Все это она тащила домой, чтобы разложить и посмотреть на добычу в микроскоп.

Когда Фрида достаточно повзрослела, отец внушил ей интерес к археологии и мексиканскому искусству, научил пользоваться фотоаппаратом, печатать и ретушировать цветные фотографии. Хотя Фриде не особенно нравилось это занятие, но дотошность отца при выявлении мельчайших деталей впоследствии проявилась в ее живописи. Именно точечные касания тончайших кистей и маленькие размеры пластинок, которые она ретушировала, стали для Фриды второй натурой, а налет жесткого формализма, который присутствовал в портретах отца, отразился и в ее живописных портретах. Понимая, что существует связь между ее искусством и искусством отца, Фрида однажды сказала, что ее живопись похожа на фотографии отца, которые тот делал для иллюстрированных календарей, только вместо внешней реальности, необходимой для календарей, она пишет календари, которые видит внутренним зрением. И хотя скрупулезные, реалистические картины Гильермо Кало, по большей части натюрморты и сентиментальные сельские сцены, не оказали влияния на Фриду, но то, что отец был и художником, и фотографом, безусловно, повлияло на нее. Фрида — еще один пример женщины-художника, другие примеры — это Мариэтта Робусти (дочь Тинторетто), Артемизия Джентиллечи, Анжелика Кауфман, чьи отцы-художники поддерживали дочерей в их карьере.

Когда Фрида заболела полиомиелитом, отец и дочь стали еще ближе друг к другу, их теперь связывали и общие переживания по поводу болезни и одиночества. Фрида вспоминала, что у отца приступы случались по большей части ночью, как раз перед тем, как ее укладывали спать. Когда она была маленькой, ее уводили, ничего не объясняя, и она в страхе и недоумении прислушивалась ко всему, лежа в кровати. Наутро ее озадачивал нормальный вид отца, он вел себя так, будто ничего и не было. Он становился, говорила Фрида, «своего рода пугающей тайной, и я жалела его». Позже она часто сопровождала отца, когда он фотографировал на природе, чтобы быть рядом, если она может ему понадобиться.

«Много раз, когда он шел с фотоаппаратом на плече, держа меня за руку, он внезапно падал. Я знала, что надо делать, если у него случается приступ на улице. С одной стороны, я должна была быть уверена, что он немедленно понюхает нашатырный спирт, с другой — должна была проследить, чтобы у него не украли камеру».

Спустя годы Фрида писала в своем дневнике:

«Детство мое было изумительным, потому что, хотя мой отец был болен (у него раз в полтора месяца случались приступы), он был для меня великолепным примером трепетного отношения к работе (к фотографии и к живописи), а самое главное, он понимал все мои проблемы».

Другим свидетельством дочерней любви является «Портрет дона Гильермо Кало» (илл. 7). Он основан на фотографии, которая, возможно, была автопортретом, и написан в 1952 году, спустя одиннадцать лет после его кончины от сердечного приступа и всего за два года до смерти самой Фриды. Нахмуренные брови, седина в черных волосах придают герру Кало серьезность. Морщинистый лоб и странный взгляд его преувеличенно больших глаз, которые такие же круглые и сияющие, как линзы его камеры, — все это намекает на эмоциональную неустойчивость. Удивительно, что однажды Фрида употребила слово «спокойный», описывая отца, поскольку его внешнее спокойствие было всего лишь результатом самоконтроля и замкнутости, а вовсе не истинного отношения к миру. Точно так же Фрида всегда писала свои портреты в виде бесстрастной маски, для того чтобы спрятать внутреннее напряжение. Соотнося круглые зрачки персонажа и объектив аппарата, Фрида на фоне картины пишет преувеличенно большие шары, наполненные темными ядрами, вокруг которых плавают черные точки, изображающие сперматозоиды. Быть может, она просто хотела засвидетельствовать этим тот факт, что отец является ее биологическим предком? Или этот фон показывает, что Фрида видела связь между отцом и первичной энергией? Что бы это ни означало, множество точек на фоне картины только усиливает ощущение взволнованности Гильермо Кало.

Текст под изображением отца гласит:

«Я написала своего отца Гильермо Кало, по происхождению он наполовину венгр, наполовину немец, он был фотографом-художником по профессии, по характеру — великодушным и интеллигентным, он был героем, потому что шестьдесят лет страдал эпилепсией, однако никогда не переставал работать и был против Гитлера. Его дочь Фрида Кало».

3

ГОСУДАРСТВЕННАЯ НАЧАЛЬНАЯ ШКОЛА

В 1922 году Фрида Кало поступила в Государственную начальную школу, без сомнения, лучшее место для образования в Мехико. Вырвавшись из-под опеки матери, от сестер, теток, из ласковой медлительной жизни Койоакана, она оказалась в самом сердце города, где бурлила новая, современная жизнь, и студенты были частью этой жизни. Среди ее друзей были сливки мексиканской молодежи, сыновья и дочери деловых людей столицы и провинции, которые хотели подготовить своих детей к получению образования в разных профессиональных школах и в Государственном университете. К тому времени, когда обучение было закончено, эти бывшие студенты и студентки вышли во взрослую жизнь, и многие из них стали выдающимися деятелями своей страны.

Неудивительно, что, когда Фрида переменила дату своего рождения, она выбрала год начала Мексиканской революции. Если это решение пришло от внутреннего порыва, то в основе его лежали шумные годы в Начальной школе.

С самого начала эта школа производила сильное впечатление. Школа была основана в 1868 году, после казни императора Максимилиана, когда Иезуитский колледж Сан-Ильдефонсо был преобразован в часть республиканской системы светского образования по указу президента Бенито Хуареса. Первый директор школы, Габино Барреда, описывал учебный процесс в виде лестницы знаний, где одна ступень вела к следующей, где восхождение начиналось с математики, а заканчивалось логикой. Между этими ступенями студенты должны были пройти множество дисциплин: физику, биологию, иностранные языки — сначала французский, затем английский, в некоторых случаях — немецкий, а в финале — два года латыни. Барреда говорил: «Вот что должно быть нашим девизом: свобода, порядок, прогресс. Свобода — как средство, порядок — как основание и прогресс — как завершение». Эти слова были выбиты в камне: «Любовь, Порядок и Прогресс».

В 1910 году, когда в провинции прозвучали первые выстрелы революции, Хусто Сьерра, последний министр образования в правительстве Порфирио Диаса, создал Государственный университет Мексики и сделал Начальную школу частью университета; к 1920 году учащиеся школы получали образование у таких умов, как биолог Исаак Очотерена, историк Даниэль Коссио Вильегас, преподаватель литературы Эрасмо Кастельянос Кинто, Хайме Торрес Бодет и Нарсисо Бассолс, двое последних позже стали министрами образования. Учиться в этой школе значило быть в самом центре культурного и политического брожения умов.

За тридцать четыре года диктаторства Порфирио Диаса направление движения страны во многом было определено группой юристов, экономистов и интеллектуалов, известных как *cientificos* («ученых»; большинство из этих людей были учениками философа-позитивиста Аугусто Комте). Они в поисках культурной и экономической модели смотрели за границу, на «современную» Европу, и отдали большую часть мексиканской промышленности и полезных ископаемых в руки дельцов из Северной Америки или Европы. Местная мексиканская культура ими презиралась, а индейцы, которые ее создавали, принижались. Искушенные мексиканцы предпочитали имитацию: живопись, которая выглядела похожей на произведения испанских художников Мурильо и Сулоаги; улицы, которые копировали Елисейские Поля; здания, напоминавшие французский неоклассический именинный пирог. Порфирио Диас даже припудривал свою бронзовую кожу, чтобы утаить тот факт, что в его индейской крови есть лишь незначительная доля испанской.

Понадобилось целое революционное десятилетие, чтобы вернуть Мексику мексиканцам. Но к 1920 году польза от произошедшей битвы стала очевидной. Прошли земельная и трудовая реформы, могущество католической церкви значительно поубавилось, законы установили переход полезных ископаемых в государственное пользование. Как только мексиканцы начали испытывать гордость от принадлежности к своей нации, они стали отказываться от прежних идей, заимствованных во Франции и Испании, и поверили в богатства собственной культуры.

«Идеалисты настаивают на спасении Республики, — убеждал студентов Антонио Касо. — Обратите свои взоры на почву Мексики, на наши обычаи и наши традиции, на наши надежды и наши упования, на то, чем мы являемся на самом деле!»

На выборах 1920 года президент Альваро Обрегон назначил министром образования Хосе Васконселоса, блестящего юриста и философа из поколения *cientificos*, который участвовал в революции против Диаса. Васконселос поставил своей целью сделать мексиканское образование истинно мексиканским: оно должно быть основано на «нашей крови, нашем языке и на наших людях». Начиная крестовый поход за грамотность в Мексике, он приказал построить тысячу сельских школ и возглавил армию учителей с книгами (и флагами), направившуюся в отдаленные районы страны. Он оборудовал библиотеки, спортивные площадки и бассейны, он организовал школы живописи на открытом воздухе. Он приказал издать такие классические сочинения, как «Диалоги» Платона, «Божественную комедию» Данте и «Фауста» Гёте по ценам, доступным для людей, а для тех, кто не умел читать, организовал бесплатные концерты и заключил контракты с такими художниками, как Диего Ривера, Хосе Клементе Ороско и Давид Альфаро Сикейрос, с тем чтобы они расписывали стены общественных сооружений фресками, которые прославляли бы мексиканскую исто-

 ХЕЙДЕН ЭРРЕРА

рию и культуру. Искусство, считал Васконселос, может вдохновить на социальные перемены. Он исповедовал философию интуиции, против логики и эмпирики, перед которой обычно благоговели.

«Человек гораздо более податлив, если взывают к его чувствам, — говорил он, — и это случается, когда он созерцает прекрасные формы и образы или слушает прекрасные ритмы и мелодии».

Состояние энтузиазма, активности, яростного реформистского усердия охватило и Фриду, когда она покинула стены своего патио, изменила темпу жизни своей семьи. Час езды на троллейбусе, и она уже была в своей новой школе.

«Мы не говорим о временах лжи и иллюзий, о временах сновидений, — писал Андрес Идуарте (директор Института изящных искусств в начале 1950 года), который знал Фриду в Начальной школе. — Это было время правды, веры, страсти, благородства, прогресса, небесного воздуха и вполне земной силы. Мы вместе с Фридой были счастливы, мы — молодые люди, мальчики, дети моего времени, наша жизнеспособность совпадала с тем же состоянием Мексики. Мы росли духовно, в то время как страна развивалась морально».

Похожее на крепость здание Начальной школы, построенное из красновато-коричневого вулканического камня, стояло всего лишь в нескольких кварталах от Зокало, центральной площади Мехико (говорят, там раньше находились храмы ацтеков), где были расположены собор и правительственные учреждения, включая Национальный дворец. В дни, когда там училась Фрида, это был университетский район, и рядом с Начальной школой находилось множество магазинов, ресторанов, скверов и кинотеатров, а также и другие школы, такие, как школа Мигеля Лердо, позади которой каждый день в пять часов собирались мальчики Начальной, чтобы дождаться, когда появятся их подружки-девочки. Торговцы поджидали голодных едоков с *carinitas* (жареное мясо), или *nieve* (шербет), или *churros* (оладьи), а проигрыватели услаждали молодые романтические уши томными мелодиями Агустина Лары.

Аркады патио Начальной школы окружали поле для игр и сражений. Учитель гимнастики выкрикивал: «Раз-два, раз-два!» — множество ног прыгало под его команду, а стены резонировали, когда школьники кричали: «Ши... тс... пам /Хойя, Хойя,/ Качун, ка-чун, ра, ра/ Хойя, Хойя,/ Начальная!» В патио слышались также страстные речи ораторов, выступающих за права студентов или декларировавших о своей принадлежности к правым, левым или центру, в то время как на темных лестницах проказники задумывали свои каверзы. Состояние всеобщего возбуждения иногда выплескивалось из школы на улицу; однажды, в дни карнавала, мальчик, одетый купидоном, угнал городской автобус и проехал на этом «сумасшедшем доме на колесах» по всему Мехико. Иногда взрывались бомбы, и приходилось звать пожарных. Стреляли ружья, однажды выстрел прогремел прямо под носом у главного пожарника.

«Ужасный скандал в Начальной школе!», «Нападение на министра образования!» — кричали газетные заголовки.

Когда Фрида поступала в Начальную, девочек едва только допустили в это учебное заведение. Неудивительно, что девочек там было совсем немного. Фрида была в числе тридцати пяти девочек среди двух тысяч учащихся (чей-то отец позволил своей дочери учиться в этой школе с одним условием: она обещала ему не разговаривать с мальчиками). Возможно, Матильда Кальдерон де Кало не хотела посылать свою дочь в такое опасное место, но у Гильермо Кало не было сомнений. Поскольку у него не было сына, который осуществил бы все мечты об образовании самого герра Кало, а ему так этого не хватало, то он все надежды теперь связывал со своим любимым ребенком. Фрида, как и всякий многообещающий сын, соответственно благородным традициям, должна была получить профессию. То, как она прошла вступительные экзамены в Начальную,

ХЕЙДЕН ЭРРЕРА

явилось подтверждением самых радужных надежд. Фрида выбрала курс, который через пять лет должен был привести ее в медицинскую школу.

В четырнадцать лет Фрида была очень изящной и складненькой — «хрупким подростком», удивительным образом сочетавшим в себе нежность и пылкое упрямство. Лоб ее украшала прямая линия челки (позже она стала носить распущенными свои буйно разлетавшиеся кудри). Полные, чувственные губы, ямочки на щеках придавали ей вид пылкого бесенка, который очаровывал сияющими темными глазами под сросшимися бровями. Она надевала в школу, в которой в то время не было единой формы одежды, наряд, свойственный студентам немецкой высшей школы, — темно-синюю габардиновую юбку в складку, плотные чулки, ботинки и широкополую соломенную шляпу с широкой лентой, концы которой свисали ей на спину. Алисия Галант, которая встретилась с Фридой в 1924 году и была ее подругой (и моделью для портрета), вспоминает ее в голубой накидке, на велосипеде, который несется по Койоакану. Необычная одежда плюс мальчишеская стрижка Фриды заставляли буржуазных мамаш, которые видели, как она гоняет на велосипеде в компании мальчиков, восклицать: «*Que nina tan fea!*» («Что за безобразная девочка!») Но Фридины друзья находили ее очаровательной. Многие вспоминают, что она всегда таскала школьный ранец. Там лежали книги, тетради, рисунки, бабочки и засушенные цветы, краски и книги с готическим шрифтом из библиотеки ее отца.

С самого начала сорванца Фриду редко видели на верхнем этаже патио Начальной, где царила совершенная Долорес Анхелес Кастильо. Считалось, что девочки именно там должны были проводить время, свободное от классных занятий. Фрида решила, что большинство девочек *cursi* (банальные, вульгарные) и раздражают ее бесконечными сплетнями и никчемностью, она называла их *escuinclas* (уничижительно — «дурехи»; *escuincles* — это мексиканская голая собака). Фрида предпочитала возню в школьных коридорах, была членом многих компаний, которые определяли социальную жизнь школы. Эти группы ребят интересовались спортом, политикой, литературой, искусством, философией, пробовали себя в журналистике. Некоторые из них считали, что реформы Васконселоса были равноценны национальному возрождению. Другие думали, что демократизация культуры способствует ее падению. Кое-кто из них читал Маркса, другие были озлоблены революционными реформами. В то время как радикально настроенные студенты отрицали религию, консервативные отчаянно защищали католическую церковь. Фракции сражались в стенах школы и на страницах бесчисленных школьных изданий.

У Фриды были друзья в разных группировках Начальной. Среди объединения литераторов она была знакома с поэтом Сальвадором Ново и эссеистом, поэтом и новеллистом Ксавьером Вилларутия. Позже она стала близким другом известного поэта Карлоса Пелиссера, и, разумеется, она знала критика Хорхе Куесту (который женился на второй жене Диего Риверы, Люпе Марин). Известные в анналах мексиканской литературы как элита, пуристы и авангард на пути к европеизации (они любили Андре Жида, Кокто, Паунда, Элиота), современники были против соцреализма и идеализации народной, местной культуры. Другой группой, которая привлекала Фриду, была группа *Маистрос*, членами которой были два самых заядлых провасконселиста: Сальвадор Асуэла (сын новеллиста Мариано Асуэлы, который написал «Побежденные», самый известный роман о Мексиканской революции) и леворадикал Герман де Кампо.

Но лучшими *cuates* (дружками) Фриды были *качучас*, названные так по форме шляп, которые все они носили. Качучас прославились своим умом и озорством. Семеро мальчиков и две девочки — Мигель Н. Лира (которого Фрида называла «Чонг Ли», поскольку его очень уважали за знание китайской поэзии), Хосе Гомес Робледа, Агустин Лира, Хесус Риос-и-Вальес (Фрида называла его Чучо Пайсахес, «пейзаж», из-за его фамилии — «реки и долины»), Альфонсо Вилья, Мануэль Гонсалес Рамирес, Але-

ХЕЙДЕН ЭРРЕРА

хандро Гомес, Кармен Хайме и Фрида. Они образовали группу, члены которой впоследствии стали высококлассными профессионалами. Теперь Александро Гомес — уважаемый интеллектуал, юрист и политический журналист; Мигель Н. Лира стал юристом и поэтом; Хосе Гомес Робледа был профессором психиатрии в университетской медицинской школе; Мануэль Гонсалес Рамирес стал историком, писателем и юристом (он помогал и Фриде, и Диего в разных ситуациях).

Хотя они сами не были вовлечены в политику (они считали, что политики действуют лишь в своих собственных интересах), члены этой группы признавали своего рода романтический социализм, смешанный с национализмом. Как последователи Васконселоса, они верили в высокие идеалы будущего их страны и восторгались реформами школы. Но при этом их радовала анархия, которую они создавали в классных комнатах, качучас устраивали неистовые, а иногда и опасные эскапады. Однажды классные комнаты опустели, потому что они затащили в школу осла. В другой раз они оплели проводом с ракетами для фейерверка собаку, подожгли шутихи и выпустили псину в школьный коридор. Один из членов группы вспоминает: «Шутки, которые мы устраивали над людьми, привлекли к нам Фриду не потому, что она привыкла над людьми смеяться, но потому, что это увлекло ее, она стала этому у нас учиться и в конце концов выросла в мастера розыгрышей и острот». В компании качучас Фрида научилась преданности товарищам, дружбе, и это она пронесла через всю свою жизнь. В то время природное озорство Фриды углубилось, превратившись в удовлетворение от ниспровержения авторитетов.

Самую отвратительную выходку качучас устроили по отношению к Антонио Касо, одному из наиболее уважаемых профессоров университета. Но, с точки зрения качучас, он был чрезмерно консервативен.

«Милая, — обратилась Фрида к школьной подруге, — это больше нельзя терпеть. Он говорит и говорит, очень красиво, но бессмысленно. Хватит с нас

Платона, Аристотеля, Канта, Бергсона, Комте, он даже и не думает коснуться Гегеля, Маркса и Энгельса. Надо что-то делать!»

Пока профессор читал лекцию об эволюции в Генералито, большом зале, где раньше была церковь, качучас снаружи, за окном, расположенным как раз рядом с кафедрой, прикрепили шутиху шести дюймов длиной, которая должна была гореть двадцать минут. Они бросили монетку, чтобы выяснить, кто должен шутиху поджечь. Выбор пал на Хосе Гомеса Робледу. Он вспоминает:

«Гомес Ариас, Мигель Н. Лира и Мануэль Гонсалес Рамирес вышли из школы. Я остался [поджег шутиху] и снова сел в Генералито рядом с классной дамой девочек. Довольно скоро раздался взрыв. Бумм! Стекло в фрамуге разбилось и посыпалось на Антонио Касо».

Красноречивый оратор отреагировал с поразительным самообладанием. Он слегка пригладил растрепавшиеся волосы и продолжал читать лекцию, будто бы ничего не произошло. Как и всегда, качучас приготовили для себя алиби, большинство из них были вне стен школы или невинно сидели в лекционном зале, и так они избегали наказания «бомбометателям», которых должны были бы выгнать, если бы их уличили.

Существует легенда, по которой Фриду однажды выгоняли из школы (причина неизвестна). Ничуть не смущаясь, она направилась прямо к Васконселосу, чье враждебное соперничество с директором Начальной, Ломбардо Толедано, было хорошо известно. Министр потребовал восстановить Фриду.

«Если вы не можете справиться с такой девушкой, как эта, — говорят, сказал он Толедано, — то вы не годитесь быть директором такого учебного заведения».

Любимым местом качучас была Иберо-Американская библиотека, которая находилась совсем рядом со школой. Хотя она и помещалась в Старой церкви Воскресения, там было тепло, это было очень приветливое место с лабиринтом невысоких книжных полок под сводами высокого нефа, который был расписан фресками Роберто Монтенегро и увешан флагами стран Латинской Америки. Два добрых библиотекаря не препятствовали качучас, и «Иберо» стала постоянным местом их встреч. Каждый из качучас имел свой угол. Там они спорили, флиртовали, воевали, писали письма, рисовали картинки и читали книги.

Они постоянно читали — все, от Дюма до Мариано Асуэла, от Библии до «Зозобра» (опубликованного в 1919 году поэтом Рамоном Лопесом Веларде, чьи работы поднимали дух в годы революции). Они поглощали великие произведения испанской и русской (в переводе) литературы (Пушкина, Гоголя, Андреева, Толстого) и следили за современной мексиканской. Естественно, Фрида училась читать на трех языках: на испанском, английском и немецком. Поразительная биография флорентийского художника пятнадцатого века Паоло Учелло настолько тронула ее, что она запомнила ее наизусть. Будучи знакома с философией по книгам из отцовской библиотеки, она любила поговорить о них так, как если бы Гегеля и Канта было так же легко читать, как комические истории.

«Алехандро! — бывало, кричала она, высунувшись из окна. — Одолжи мне твоего Шпенглера, а то мне нечего читать в автобусе!»

Качучас и их друзья устраивали соревнования, нужно было первым достать интересную книгу и первым ее прочитать; часто они инсценировали книги. Аделина Сендехас, одна из девочек школы, которую Фрида не называла *cursi*, была приглашена на представление, где Анхел Салас, Фрида и Хесус Риос-и-Вальес рассказывали о своих воображаемых путешествиях. Их импровизации основывались на прочитанных книгах — Г. Уэллса, Виктора Гюго, Достоевского, Жюля Верна. Они рассказывали о том, как взбирались на Гималаи, странствовали по России и Китаю, проникли на Амазонку и достигли глубин океана. Их рассказы были полны реалистических деталей, там было и то, как они собирали деньги на путешествия, как укладывали вещи в багаж, как выбирали способы передвижения. Анхел Салас, который

 ХЕЙДЕН ЭРРЕРА

стал потом музыкантом, композитором, сопровождал представления тарасканскими песнями.

Товарищей мальчиков, и качучас, и других, Фрида называла *cuates*, или *manis* (братья), а девочек (кроме «бродяжек») — *manas* (укороченное *hermanas*, или сестры). *Hermana* — Фрида чаще всего употребляла в письмах к другой высокодуховной сорвиголове — к Агустине Рейне (уменьшительно «ла Рейна» или «Рейнита»). Обе девочки любили бродить по городским паркам, где они слушали музыку механического органа, болтали с такими же прогульщицами и газетчиками. Фрида выигрывала у торговцев сладости, подбрасывая монетку — она никогда не проигрывала — и там обучилась уличному жаргону. Иногда Анхел Салас ходил с ними в сад Лорето, где он играл на скрипке, а Фрида, сняв свою шляпу, обходила слушателей, собирая деньги.

Фрида получала удовольствие от бесконечного состязания в остроумии с другой девочкой — Кармен Хайме, которая читала любую подвернувшуюся книгу по философии (она стала затем ученым, специалистом по испанской литературе семнадцатого века) и общение с которой само по себе являлось образованием. Кармен была весьма эксцентричной особой, она небрежно носила темный мужской костюм и заслужила прозвище «Джеймс» или «вампир». Она изобрела свой собственный язык, который восприняли и другие качучас, они говорили, например, «проседамос аль камс» — «продолжаем есть».

Фрида жадно поглощала книги, но ее не слишком занимала учеба. Ее интересовали биология, литература и искусство, но гораздо больше ее интересовали люди. К счастью, она без особых усилий получала высокие отметки, могла только раз прочесть текст, и этого ей было достаточно, чтобы все запомнить. Она считала своим правом не посещать лекции плохих или скучных преподавателей. Вместо этого сидела где-то с друзьями и читала им вслух. Если же она присутствовала в классе, то всегда старалась оживить процесс обучения. Однажды, утомившись от объяснений профессора теории сна, она передала Аделине Сендехас записку: «Прочти, пере-

ХЕЙДЕН ЭРРЕРА

верни и передай Рейне. Не смейся, иначе тебя могут выгнать из класса».

На обороте записки была карикатура на преподавателя, он был изображен в виде спящего слона. Разумеется, никто из девяноста учеников не мог удержаться от смеха, когда записка пошла по рядам.

Непочтительность Фриды к учителям доходила до того, что она обращалась к директору с петицией, чтобы убрать кого-то из них. «Он не учитель, — говорила она. — [Он] не понимает, о чем говорит, а когда мы задаем ему вопросы, он не в состоянии ответить на них. Увольте его и обновите профессорский состав».

Столь же вольно качучас относились и к художникам. Когда Васконселос в 1921—1922 годах заказал нескольким художникам роспись стен Начальной, художники, взобравшиеся на леса, стали замечательной мишенью. «Мы должны их поджечь, — сказал Хосе Гомес Робледа, — тогда художники сбегут, а все их картины сгорят».

Из всех художников, которым было заказано расписать аудиторию Начальной, называвшуюся Амфитеатром Боливара, наиболее колоритной фигурой был Диего Ривера. В 1922 году ему было тридцать шесть лет, он обладал всемирной известностью и был фантастически толстым. Он любил поговорить во время работы, и его личность, вкупе со сходством с лягушкой, привлекала слушателей. Он притягивал еще одним — в те дни учителя и государственные служащие носили черные костюмы, жесткие воротнички и шляпы — своей особенной одеждой: стетсоновская шляпа, большие шахтерские ботинки и широкий кожаный пояс (иногда патронташ), который небрежно удерживал мешковатую одежду, выглядевшую так, будто он целую неделю не снимал ее на ночь.

Фрида особенно любила подшутить над Риверой. Пока он работал, амфитеатр был полон студентов, но она умудрялась проскользнуть незамеченной. Она таскала еду из его корзинки, а однажды намылила ступени лестницы, ведущей на леса, сама спряталась за колонной, чтобы наблюдать за тем, что случится. Но Ривера ходил очень медленно, рассчитывая каждый шаг, аккуратно ставя ступню, в ходьбе он будто перетекал, как некая жидкость, и поэтому он не упал. Однако на следующий день на той же лестнице поскользнулся профессор Антонио Касо.

Риверу всегда сопровождали прекрасные модели, натурщицы. Одной из них была его любовница, Люпе Марин (Ривера женился на ней в 1922 году). Другой моделью была известная красавица Науи Олин, тоже художница, которая позировала для фигуры, олицетворяющей эротическую поэзию. Фрида любила спрятаться в укромном уголке, и, когда Люпе была на лесах, Фрида кричала: «Эй, Диего, пришла Науи!» Или, когда с ним не было никого, а Фрида видела, что приближается Люпе, Фрида громко шептала, как будто Диего могли бы уличить в чем-то его компрометирующем: «Осторожно, Диего, идет Люпе!»

То, что Фрида увлеклась Диего во время его работы в Начальной, является частью мифа Фриды. Однажды, когда группа студентов обсуждала свои жизненные планы, сидя в кафе-мороженом, Фрида сделала поразительное заявление: «А я рожу ребенка от Диего Риверы. Я собираюсь как-то об этом ему сказать». Когда Аделина Сендехас возразила ей, сказав, что Диего «пузатый, грязный, отвратительный» старик, Фрида ответила: «Диего такой добрый, такой нежный, такой умный, такой сладкий. Я посажу его в ванну и отмою».

Сама Фрида вспоминала, что в то время как она насмешливо называла его «старый толстяк», про себя она всегда говорила: «Слушай, *panzon* (толстопузый), сейчас ты не обращаешь на меня внимания, но наступит день, когда я рожу от тебя ребенка».

В своей автобиографии «**Мое искусство, моя жизнь**» Ривера рассказывает другую историю:

«Однажды ночью, когда я писал, стоя высоко на лесах, а Люпе сидела рядом, раздался шум у дверей в аудиторию. Внезапно дверь распахнулась, и девочка, которой, казалось, лет десять-одиннадцать, влетела в зал.

Она была одета так же, как одеваются все студенты, но манерами резко отличалась от других. В ней было необыч-

ХЕЙДЕН ЭРРЕРА

ное благородство, и в глазах горел странный огонь. Она была красива красотой ребенка, но у нее уже была вполне развитая грудь.

Она смотрела прямо на меня. «Вас не будет раздражать, если я понаблюдаю за вашей работой?» — спросила она.

«Нет, милая барышня, мне это будет приятно», — ответил я.

Она села и молча стала следить за мной, ее глаза следовали за каждым движением моей кисти. Спустя несколько часов Люпе больше не смогла скрывать своей ревности, и она стала обижать девочку. Но девочка не обращала на нее никакого внимания. Это, конечно, только еще больше раззадоривало Люпе. Уперев руки в бока, Люпе встала и объявила девочке войну. Девочка просто окаменела и уставилась на Люпе, не произнося ни слова.

Это явно удивило Люпе, она еще какое-то время смотрела на девочку, затем уже с некоторой симпатией рассмеялась и сказала мне: «Посмотри-ка на эту девочку! Такая маленькая, а не боится такой высокой, сильной женщины, как я. Она мне понравилась».

Девочка оставалась в зале около трех часов. Когда она уходила, она только сказала: «Доброй ночи!»

Через год я узнал, что это ее голос раздавался из-за колонны, где она пряталась, и что ее зовут Фрида Кало. Но мне и в голову не приходило, что наступит день, когда она станет моей женой».

Несмотря на то что Фрида была очарована Риверой, она в школьные годы была подругой неоспоримого лидера качучас Александро Гомеса Ариаса. Известный как блестящий оратор, поразительный рассказчик, эрудированный знаток и хороший спортсмен, Александро был также очень привлекательным, с высоким лбом, добрыми темными глазами, аристократической формы носом и изящным ртом. У него были изысканные манеры. Когда он говорил о политике или о Прусте, о живописи или о школьных сплетнях, речь его лилась с необычайной легкостью. Для него беседа была искусством, он тщательно обдумывал паузы и всегда управлял восхищенной аудиторией.

Его острая сообразительность, жесткая самодисциплина и критическая проницательность иногда с трудом воспринимались друзьями. Он мог жонглировать словами, но уколы его сатиры были разрушительными. Он презирал вульгарность, глупость, продажность, злоупотребление силой. Он любил знания, моральную чистоту, справедливость и иронию. Медоточивый голос молодого оратора, его грациозные руки, вздымающиеся аркой в воздухе или скрещенные на груди, глаза, полные страсти, вдохновенно глядящие вперед, были очаровательны.

«Оптимизм, жертвенность, чистота, любовь, *alegria* (радость) — являются общественной целью оратора», — выкрикивал он, когда убеждал друзей посвятить себя своей «судьбе», тому, что он называл «моя Мексика».

Фрида, которая, казалось, выросла для того, чтобы полюбить великого человека, вдруг увлеклась Алехандро. Он был старше ее на несколько классов в Начальной и временами становился ее ментором, ее *cuate*, и в конечном счете стал ее близким другом. Фрида называла его своим *novio*, этот термин в те дни обозначал романтическую привязанность, которая часто заканчивалась браком (*novio* означает «жених»). Но Гомес Ариас считал, что термины *novio* и *novia* придают отношениям буржуазную окраску, он предпочитал называться ее «интимным другом» или ее «молодым возлюбленным». Фрида-подросток, вспоминал он, «обладала свежими, простодушными и ребяческими манерами, но в то же самое время она очень остро и драматично воспринимала жизнь». Алехандро, нежный и рыцарственный, задаривал свою «девочку из Начальной», как она сама себя называла, цветами и шутками. После школы их постоянно видели на прогулках, где они вели нескончаемые беседы. Они обменивались фотографиями, а если им приходилось разлучаться, то и письмами.

У Алехандро до сих пор хранятся письма Фриды; они рисуют картину ее жизни и живо свидетельствуют о ее превращении из ребенка в подростка, а затем и в женщину. Они также показывают, как ей было необходимо высказаться о своих чувствах, о своей жизни, эта потребность позже, очевидно, выразилась в том, что она по большей части писала свои портреты. Ее письма отличает эмоциональная непосредственность, удивительная для девочки-подростка, а характерная для Фриды импульсивность отражается моментами на литературном стиле: *полет слов* редко прерывается запятыми или абзацами. При этом часто письма оживляются подобиями карикатур. Она нарисовала множество смеющихся или плачущих физиономий и лиц, в которых были и улыбка, и слезы одновременно (Алехандро иногда называл ее *Lagrimilla*, «плакса»). Фрида иллюстрировала все, что с ней происходило, — сражения, поцелуи, себя, лежащую в постели во время болезни. Она рисовала модных красавиц с длинными шеями, уложенными волосами, ниточками бровей, нарисованных карандашом, и пухлыми губами. Рядом с одной из них она написала, мешая испанский с английским: «Один *tipo* идеал» (один идеальный тип) — и предупреждение: «Не выбрасывай ее, потому что она очень хорошенькая... По этой куколке ты можешь видеть, каковы мои успехи в рисовании, разве не так? Теперь ты знаешь, какая я одаренная! Поэтому будь настороже, если собака окажется рядом с этим восхитительным рисунком».

Качучас Мануэль Гонсалес Рамирес вспоминает, что Фрида создала свою личную эмблему, которую она ставила вместо подписи: равнобедренный треугольник вершиной вниз, что она часто превращала в портрет, добавляя свои черты, а нижний угол иногда становился бородой. Многие письма к Алехандро завершаются этим символом, но вершина треугольника поднята вверх, и там нет лица.

В первом письме Фриды к Алехандро, датированном 15 декабря 1922 года, она выглядит благовоспитанной маленькой католичкой; она еще не нашла своей остроумной и интимной интонации. Письмо утешает Алехандро в какой-то беде:

Алехандро, меня так опечалило то, что случилось с тобой, и мое сердце в самом деле полно огромного сочувствия к тебе.

Единственное, что я как друг могу тебе посоветовать, это найти в себе достаточно сил и желания вынести эту боль, поскольку Отец Наш посылает нам испытания, дающие понять, что мы посланы в этот мир для страданий.

Я чувствую эту боль всей душой и прошу Бога, чтобы он даровал тебе силы выдержать и принять все.

Фрида.

Летом 1923 года Фрида и Алехандро окончательно влюбились друг в друга, и письма стали более личными, в них появились ее лукавое заигрывание и настойчиво декларируемые собственнические мотивы.

Койоакан, 10 августа, 1923

Алекс, я получила твою записку вчера в семь часов вечера, когда меньше всего могла ждать, что кто-то вспоминает обо мне, и меньше всего др. Алехандро, но, к счастью, я ошибалась... Ты и не знаешь, сколько радости мне доставило то, что ты уверен во мне как в своем **истинном друге** и говоришь со мной так, как никогда раньше не разговаривал. С той поры, как ты внушаешь мне с легкой иронией, что ***я настолько превосходна*** и ***я так далеко впереди тебя***, я вижу основание для этих утверждений, но не убеждена, что другие могли бы увидеть это... и ты спрашиваешь моего совета, что я могла бы предложить, исходя из опыта моих пятнадцати (шестнадцати. — *Прим. авт.*) лет и от всего сердца, и если этот незначительный опыт значит хоть что-нибудь, если добрые намерения достаточны для тебя, то не только мой смиренный совет — твой, но и вся я — твоя...

Итак, Алекс, пиши мне часто и помногу, чем больше, тем лучше и при этом получи всю любовь от

Фриды.

P.S. Привет Чонг Ли и твоим маленьким сестрам.

Поскольку их отношения не были одобрены родителями Фриды, пара встречалась тайно. Фрида придумывала предлоги, которые объясняли бы ее

ХЕЙДЕН ЭРРЕРА

позднее возвращение из школы. Поскольку мать могла поинтересоваться, кому она пишет письма, то часто Фрида писала ночью, в кровати. Иногда писала записки прямо на почте. Когда она бывала больна, ей приходилось обращаться за помощью к Кристине, та не всегда охотно, но все-таки переправляла письма Алехандро. А тот, в свою очередь, должен был подписывать свои письма именем Агустины Рейны. Фрида обещала писать Алехандро каждый день, как залог того, что она не забывает его.

«Скажи мне, может быть, ты меня больше не любишь, Алекс? Я же люблю тебя, даже если ты меня не любишь так же, как блоху».

Чтобы доказать это, она заполняла письма поцелуями и выражениями привязанности. Иногда около подписи она рисовала круг и объясняла: «Здесь поцелуй от твоей Фридучи» или «Мои губы были долго прижаты к этому месту». Когда она повзрослела и стала пользоваться губной помадой, ей не нужно было больше делать подписи под картинками, но она продолжала всю жизнь обводить кружочком отпечатки своих губ.

В течение декабря 1923 года и января 1924-го Фрида и Алехандро были в разлуке не только из-за каникул между зимними и весенними семестрами, но и потому, что 30 ноября 1923 года началось восстание против президента Обрегона. На Рождество в Мехико стреляли. Васконселос в январе подал в отставку, протестуя против жестокости подавления восстания, однако его убедили остаться на своем посту. Революция растянулась до марта 1924 года, жертвами ее стали семь тысяч человек. Но политическая обстановка все равно оставалась неспокойной, и в июне Васконселос (в последний раз) снова подал в отставку в знак протеста против выборов президента Плутарко Элиаса Кальеса (поддержанного президентом Обрегоном и Соединенными Штатами). Когда Васконселос ушел, консервативно настроенные студенты Начальной выплеснули свой гнев на стены, расписанные фресками, они исцарапали и заплевали те сюжеты, которые особенно их раздражали.

Хотя качучас пренебрегали политикой и политиками, они должны были принимать участие в демонстрациях в поддержку Васконселоса. Говорят, что в Сочельник 1923 года некоторые из них облепили троллейбус, идущий в Десиерто-де-лос-Леонес (между Мехико и Койоаканом) с намерением ввязаться в схватку. (То ли всполохи от пушечных выстрелов, то ли полная луна изменили их планы, и они пересели на какой-то городской транспорт, идущий назад в город.) Фрида очень сожалела, что ей не удалось принять участие в этих приключениях, поскольку мать не выпускала ее из дому из-за политических волнений и опасности появления на улицах. Фрида не терпела ограничения свободы.

«Мне грустно и скучно в этом городе, — писала она Алехандро, — и хотя все очень живописно [меня интересует], *nose quien* (я не знаю кто) каждый день ходит в Иберо-Американ». И в другой записке: «Расскажи мне, что нового в Мехико, о своей жизни и обо всем, что ты хотел бы рассказать мне, поскольку ты знаешь, что здесь нет ничего, кроме полей и пастбищ, индейцев и индианок, шляп и шляпок, так что отсюда невозможно выбраться, и, если ты мне и не веришь, я ужасно соскучилась... Когда ты, во имя Господа, приедешь, принеси что-нибудь почитать, потому что с каждым днем я становлюсь все более невежественной. (Прости меня за то, что я такая ленивая.)»

16 декабря, 1923

Алекс, я очень сожалею, что вчера в четыре часа не смогла быть в университете, но моя мама не позволила мне поехать в Мехико, потому что ей сказали, что там было *bola* [восстание]. Более того, я не смогла записаться (на следующий семестр), и теперь я не знаю, что делать. Умоляю тебя простить меня, ведь ты скажешь, что я такая неотесанная, но это не моя вина, что бы я ни делала, моя мама забрала себе в голову, что не позволит мне выйти из дому. И с этим ничего не поделаешь, приходится это принять.

Завтра, в понедельник, я собираюсь сказать ей,

что у меня экзамен (глиняная скульптура) и я весь день проведу в Мехико. В этом нет уверенности, потому что прежде я должна увидеть, что моя мамочка в хорошем настроении, а потом уж обманывать, если я поеду, то увижу тебя в 11.30 у Лейес (Начальная школа, частое место свиданий Фриды и Алехандро. — *Прим. авт.*), поэтому ты не ходи в университет, пожалуйста, жди меня на углу у кафе-мороженого. Все еще продолжается *posada* [празднование Рождества] в доме Роуа (в семье друзей, которые жили в Койоакане. — *Прим. авт.*), я не планирую ходить туда, но кто знает, что будет, когда придет время...

Но даже несмотря на то что мы собираемся повстречаться, я хочу, чтобы ты писал мне, потому что, если ты не будешь писать, я тоже не собираюсь писать тебе, и если тебе нечего мне сказать, то пришли мне два пустых листа бумаги или скажи мне то же самое 50 раз, потому что это покажет мне, по крайней мере, что ты вспоминаешь меня...

Получи множество моих поцелуев и мою любовь.

Твоя Фрида

Извини за разные чернила.

19 декабря, 1923

...Я расстроена, потому что они меня наказали из-за этой идиотки *escuincla* (дурехи) Кристины, потому что я ударила ее (дело в том, что она взяла коечто из моих вещей) — и она вопила полтора часа, и они запретили мне выходить из дома, и не пустили меня на вчерашнюю *posada*, и вообще не выпускают на улицу, поэтому я не могу писать тебе очень длинное письмо, но пишу тебе это так, чтобы ты увидел: я всегда помню о тебе, даже несмотря на то, что я, не видя тебя, опечалена сильнее, чем ты себе это можешь представить, и я наказана и не могу ничего делать целый день от того, что у меня ужасный характер. Днем я спросила маму, могу ли я выйти на площадь, чтобы купить какую-то тесьму, и пошла на почту, так что могу писать тебе. Получи множество поцелуев от твоей *chamaca*, которая очень скучает по тебе. Передай привет Кармен Джеймс и Чонг Ли (пожалуйста).

Фрида.

22 декабря, 1923

Алекс, вчера я не писала тебе, потому что мы очень поздно вернулись домой из Наварро, и теперь у меня уйма времени, чтобы все тебе описать, танцы вчера были о'кей; они были скорее грубыми и безобразными, но мы повеселились. Этим вечером состоится *posada* в доме миссис Рока, и мы с Кристиной собираемся там наесться, я думаю, будет симпатично, потому что соберется много девочек и мальчиков, и сама миссис Рока очень славная, завтра я расскажу тебе, как это все происходило.

На танцах у Наварро я мало танцевала, потому что чувствовала себя не очень счастливой. Больше всего я танцевала с Роуа, все остальные были отвратительные.

Теперь *posada* в доме Рока, но кто знает, поедем ли мы.

НЕ задумываясь, пиши мне.

Множество поцелуев.

Твоя Фрида.

Мне дали «Портрет Дориана Грея». Пожалуйста, пришли мне адрес Гевары, чтобы я могла послать ему его Библию.

1 января, 1924

Мой Алекс,

...Где ты провел новогоднюю ночь? Я ходила в дом к Кампос, и там все было как обычно, все время молилась, и потом оттого, что я была совсем сонной, я пошла спать и совсем не танцевала. В это утро я причащалась и молила Господа за всех вас...

Вообрази, вчера я после полудня пошла на исповедь и забыла о трех грехах, и так и причащалась, а грехи были большими, а теперь посмотрим, что я

ХЕЙДЕН ЭРРЕРА

сделаю, но суть в том, что я начала не верить в исповедь, и, хотя мне и хотелось, я не могу полностью исповедоваться в своих грехах. Я очень глупа, верно?

Итак, *mi vida* (моя жизнь), обрати внимание, я написала тебе. Я думаю, что это должно быть потому, что она тебя совсем не любит, твоя

Фрида.

Прости меня за то, что пишу на такой бумаге, но Кристина поменяла это на мою белую бумагу, и, хотя я потом сожалела об этом, дело было сделано. (Она не такая уж плохая, не слишком безобразная.)

12 января, 1924

Мой Алекс... Дело с регистрацией в школе весьма зеленое (плохое. — *Прим. авт.*), один мальчик рассказал мне, что она началась 15-го числа этого месяца, там путаница, и моя мама говорит, что я не пойду на регистрацию, пока все не успокоится, поэтому у меня нет надежды попасть в Мехико, и я должна смириться и сидеть в Койоакане. Что ты знаешь о революции? Расскажи мне что-нибудь, чтобы я была более или менее информирована о том, что происходит, поскольку здесь я все больше и больше тупею... Я полагаюсь на тебя, *chiquito* [малыш], поскольку мне очень стыдно. Ты скажешь мне, чтобы я читала газеты, но вся трудность в том, что я слишком ленива, чтобы читать газеты, и я начала читать другие вещи. Я нашла прекрасные книги, в которых много интересного о восточном искусстве, и это то, что твоя Фрида теперь читает.

Ну, *mi lindo* (мой прекрасный), поскольку я начала тебе писать и наговорила множество глупостей, заставив тебя скучать, я прощаюсь и посылаю тебе 1000000000000 поцелуев (с твоего разрешения), которые никто не услышит, потому что люди в Сан-Рафаэле (район, в котором жил Алехандро. — *Прим. авт.*) пребывают в таком возбуждении. Пиши мне и рассказывай все, что происходит с тобой.

Твоя Фрида.

Передай мою любовь Рейнилле (Агустина Рейна. — *Прим. авт.*), если ее увидишь. Прости мне мой плохой почерк.

В следующий раз Фрида и Алехандро находились в разлуке, когда в апреле Фрида ушла в обитель. Несмотря на свои сомнения в исповеди, она явно еще не утратила веру.

«То, что мы делаем в обители, — прекрасно, потому что священник, который этим руководит, очень умен и почти святой, — писала она. — Нам дали общее благословение, и каждый получил индульгенции, и ты мог просить столько индульгенций, сколько хотел, я по большей части молилась за Мати (Матильду), свою сестру, и, поскольку священник знал ее, он сказал, что и он будет за нее молиться. Также я молила Бога и Деву Марию, чтобы у тебя все было хорошо и чтобы ты всегда любил меня, и еще я молилась за твою маму и твоих сестер...»

Во второй половине 1924 года тон писем Фриды меняется. Любовь ее к Алехандро усиливается, в них виден намек на печаль и ощущение ненадежности, поэтому ей постоянно нужно, чтобы он уверял ее в своей любви. Хотя Фрида все еще по-девчачьи игрива и откровенна, она также говорит о планах поездки со своим другом в Соединенные Штаты. (Однажды она упоминает о желании расширить свой мир и изменить жизнь, уехав в Сан-Франциско.) Она теперь становится его «маленькой женщиной». Он вспоминает: «Фрида рано созрела сексуально. Для нее секс был способом радоваться жизни, своего рода живительным импульсом».

Четверг, 25 декабря, 1924

Мой Алекс, я полюбила тебя, как только увидела. Что ты говоришь? Оттого, что мы несколько дней не сможем видеться, умоляю тебя не забывать твою «миленькую, маленькую женщину», а?.. Иногда по ночам мне бывает страшно, мне бы хотелось, чтобы

ХЕЙДЕН ЭРРЕРА

ты был со мной, тогда я не так боялась бы, и тогда ты мог бы говорить, что любишь меня так же, как и прежде, так же, как в прошлом декабре, даже несмотря на то, что я «легкомысленная», правда, Алекс? Ты должен быть более легкомысленным... Я хотела бы быть еще легче, быть малюсенькой, чтобы ты мог всегда, всегда носить меня в своем кармане... Алекс, скорее пиши мне и, даже если это неправда, говори мне, что очень любишь меня, что не можешь без меня жить...

Твоя *chamaca, escuincla* (милая, дурочка), или женщина, или все, что ты хочешь. (Здесь Фрида нарисовала три маленькие фигурки, которые представляли собою три разных типа женщин. — *Прим. авт.*)

Фрида.

В субботу принесу твой свитер и твои книги и много фиалок, потому что их очень много у меня дома...

1 января, 1925

ответь ответь ответь ответь ответь ответь
мне мне мне мне мне мне
« « « « « «
« « « « « «
« « « « « «
« « « « « «

Знаешь новости? (Здесь Фрида нарисовала девочку со спиральками кудрей и в короне. Вокруг девушки, как вуаль, шли слова: «pelonas — перестаралась». Под *pelonas* подразумевается некто с растрепанными кудрявыми волосами-париком. — *Прим. авт.*)

Мой Алекс, я получила твое письмо сегодня в 11, но до сих пор не отвечала тебе, потому что, как ты понимаешь, невозможно писать или делать что-нибудь еще, когда вокруг тебя толпа, но теперь 10 вечера, я наконец одна и наступил самый благоприятный момент рассказать тебе, что я думаю. Размышляя о том, что ты рассказал мне об Аните Рейне, естественно, я чуть было не сошла с ума, потому что ты всего лишь сказал правду, которая состоит в том, что она хорошенькая и всегда будет хорошенькой и очень остроумной, и, во-вторых, от того, что я люблю всех людей, которых любишь или любил (?) ты, по очень простой причине, что ты любишь их, тем не менее мне не очень нравится твое внимание, потому что, несмотря на тот факт, как я понимаю, что все это чистая правда, что она *chulisima* (очень остроумна), я чувствую себя несколько... ну, как это сказать, будто я завидую? Но это естественно. В день, когда ты хочешь проявить внимание к ней, даже если это часть твоего внимания ко мне, все равно это внимание к ней, а? Мой Алекс?

...Послушай, братец, теперь, в 1925 году, мы собираемся крепко любить друг друга, да? Прости за повторение слова «любовь». Пять раз в один заход, но я не могу сдержаться. Не думаешь ли ты, что нам нужно тщательно спланировать наше путешествие в Соединенные Штаты, я хочу знать от тебя, что ты думаешь насчет того, чтобы отправиться в декабре этого года, тогда у нас есть много времени, дабы все устроить, ты согласен? Выскажи мне все *про* и *контра* и можешь ли ты в самом деле поехать, потому что, смотри-ка, Алекс, хорошо, что мы что-то можем сделать в жизни, разве ты так не думаешь? Мы будем не что иное, как болваны, если проведем всю жизнь в Мексике, потому что для меня нет ничего более приятного, чем путешествие, и мне на самом деле больно думать, что я не обладаю достаточной силой воли, чтобы сделать то, о чем я говорю тебе, ты скажешь «нет», скажешь, что нужны, помимо воли, еще и деньги, но можно за год, работая, собрать их, а остальное все уже проще, верно? Но поскольку правда состоит в том, что я мало что понимаю в этих вещах, хорошо, если бы ты рассказал мне обо всех достоинствах и недостатках, и в самом ли деле гринго (американцы. — *Прим. пер.*) очень противные. Ты должен видеть, что все, что я тебе писала, начиная от звездочки до этой строчки, скорее всего воздушные замки, и мне было бы полезно, если бы сразу были развеяны мои иллюзии...

В 12 часов прошедшей ночи я думала о тебе, мой Алекс, а ты? Я думаю, ты думал обо мне тоже, потому что у меня звенело в левом ухе. Итак, поскольку ты уже знаешь, что Новый год означает новую жизнь, то в этом году твоя маленькая женщина не собирается быть лопоухим ребенком в 7 килограммов, а будет самой сладкой и самой лучшей вещью из всего, что ты знал, поэтому ты съешь ее, но только с поцелуями.

Твоя *chamaca* обожает тебя.

Фридучита.

(Самого счастливого Нового года твоей маме и твоим сестрам.)

Фрида сказала, что смогла бы скопить денег на поездку в Соединенные Штаты, работая целый год; правда же состояла в том, что она должна была зарабатывать деньги, чтобы вносить их на домашние расходы. Работа во время каникул и после школы была менее обременительной, чем могла бы быть, потому что давала ей большую свободу. Часто бывало так, что Фрида оставляла матери записку, что ее не будет дома допоздна, что она собирается помогать отцу в его студии. А поскольку студия была в центре Мехико, оттуда было нетрудно выскользнуть на свидание с Алехандро.

«Я не знаю, что сделать, чтобы получить какую-нибудь работу, — писала Фрида на каникулах, — поскольку это единственная возможность видеть тебя ежедневно, возможность, которую раньше предоставляла школа».

Нелегко было найти работу в другом месте, не в студии у отца. Недолгое время Фрида работала кассиром в аптеке, но это было не для нее, к концу дня оказывалось, что в кассе или слишком много, или слишком мало денег, в таком случае ей приходилось вносить свои. Затем она работала на лесном складе за шестьдесят песо в месяц. В 1925 году в поисках работы Фрида овладела пишущей машинкой и стенографией в Оливер Академии. Вдохновленная возможностью получить работу в библиотеке Министерства образования, Фрида писала:

«Они платят 4 или 4,50, и мне кажется, это совсем неплохо, но, во-первых, мне необходимо уметь печатать и очаровывать. Только представь себе, какой у тебя отсталый дружок!..»

В соответствии с воспоминаниями Алехандро Гомеса Ариаса, это было в тот период, когда Фрида искала работу, и женщина, служащая в библиотеке Министерства образования, совратила ее. Возможно, именно об этом случае упоминает Фрида в разговоре с друзьями в 1938 году, когда рассказывает о посвящении ее в гомосексуальные отношения одной из ее школьных учительниц, что очень ее травмировало, особенно потому, что родители обнаружили эту связь, вслед за чем последовал скандал.

«Я переполнена ужасающей печалью, — пишет она Алехандро в августе, — но ты знаешь, что не все получается так, как хотелось бы, и что за смысл говорить об этом...» В конце письма она нарисовала плачущее лицо.

В том же письме к Алехандро она говорит:

«Я работала на фабрике, на той, о которой я тебе говорила, целый день, потому что нечего больше делать, пока не найдется что-нибудь получше, вообрази, каково мне, но что прикажешь делать, даже если эта работа меня не радует, ничего не поделаешь, я должна вынести, хочу я того или не хочу».

Работа на фабрике была недолгой, следующим было платное обучение гравюре у друга ее отца, преуспевающего профессионального гравера Фернандо Фернандеса, и это ее больше заинтересовало. Фернандес учил ее рисовать, делать копии с гравюр шведского импрессиониста Андерса Зорна. Учитель обнаружил, что Фрида делает это «необычайно талантливо». По воспоминаниям Алехандро Гомеса Ариаса, Фрида ответила на это мимолетным романом.

В восемнадцать лет Фрида уже больше не была *niña dela Preparatoria* (девчушкой из Начальной). Девочка, которая три года назад вошла в Государственную начальную школу с косичками, в немецкой школьной форме, теперь была современной молодой женщиной, живущей под влиянием безудержной жизнерадостности двадцатых годов, не повинующейся общепринятой морали, на которую ее более консервативные школьные друзья смотрели с недоумением.

На фотографиях, сделанных Гильермо Кало 7 февраля 1926 года, видна пронзительная оригинальность Фриды. На этих фотографиях она прячет более тонкую правую ногу за здоровой левой, и видно, что она одета в странное атласное платье, которое совсем не соответствует моде 20-х годов. Тогда же было сделано несколько фотографий, на которых Фрида, одетая в мужской костюм с жилеткой, с платочком в нагрудном кармане и в галстуке, стоит в стороне от семейной группы. И поза у нее — мужская, одну руку она засунула в карман, другую положила на спинку плетеного кресла. Она могла в шутку надеть мужской костюм, но в любом случае эта молодая женщина уже больше не невинное дитя. На всех фотографиях она смотрит прямо на нас взглядом, который заставляет смущаться, в ее взгляде есть нечто большее, чем просто смесь чувственности и мрачной иронии, и это потом проявится в ее многочисленных автопортретах.

ЧАСТЬ 2

4
НЕСЧАСТНЫЙ СЛУЧАЙ И ЕГО ПОСЛЕДСТВИЯ

Это был один из тех несчастных случаев, которые приводят в ужас человека, даже отдаленного от данного события многими годами. Троллейбус врезался в автобус с тонкими деревянными стенками, и это переменило всю жизнь Фриды Кало.

Подобный инцидент не был исключительным явлением тех дней в Мехико, такое случалось настолько часто, что даже изображалось на множестве *retablos*[1]. Автобусы были относительным новшеством в городе и из-за этого всегда ходили переполненными, в то время как троллейбусы оставались полупустыми. Тогда, как и теперь, ими управляли отважные «тореадоры», считавшие, что образок Девы Марии Гвадалупской, висящий на ветровом стекле, охраняет водителя. Автобус, в котором ехала Фрида, был совсем новеньким, и от свежей краски на его стенках он казался еще более беспечным.

Несчастный случай произошел во второй половине дня 17 сентября 1925 года, на следующий день после празднования годовщины объявления независимости Мексики от Испании. Только что кончился легкий дождик, величественные серые здания правительственных учреждений, окружающие район Зокало, выглядели еще более серыми и суровыми, чем обычно. Автобус, идущий в Койоакан, был почти полон, но Алехандро и Фрида нашли место на

[1] Маленькие, исполненные по заказу картинки религиозного содержания благодарили высшие силы, особенно Деву Марию, за спасение от несчастий. Эти изображения показывали и сам несчастный случай, и святого посланника, явившего чудо.

 ХЕЙДЕН ЭРРЕРА

заднем сиденье. Когда они подъехали к углу Куаутемотзин и 5 де Майо и были готовы повернуть на Кальсада-де-Тлалпан, к ним приблизился троллейбус, шедший от Хочимилко. Он ехал медленно, но не уменьшил скорости, будто у него не было тормозов, словно намереваясь врезаться в автобус. Фрида вспоминала:

«Все произошло почти сразу же, как мы сели в автобус. Сначала мы хотели ехать в другом автобусе, но оттого, что я потеряла маленький зонтик, мы сошли с него, чтобы поискать зонтик, и вот почему так случилось, что мы были в автобусе, который искалечил меня. Несчастный случай произошел на углу перед рынком Сан-Хуан, как раз перед ним. Троллейбус двигался медленно, но водитель нашего автобуса был очень нервным молодым человеком. Когда троллейбус завернул за угол, автобус врезался в стену.

Я была девушкой молодой, интеллигентной, но непрактичной, несмотря на всю свободу, которую я завоевала. Возможно, по этой причине я не поняла ситуации, не оценила, как меня ранило. Первое, о чем я подумала, была *balero* (мексиканская игрушка. — *Прим. пер.*), прелестно раскрашенная, которую я купила в этот день и которую держала в руках. Я пыталась смотреть на нее, не допуская, что то, что случилось, будет иметь серьезные последствия.

Неправда, что опасность осознается, неправда, что льются слезы. Во мне не было слез. Столкновение бросило нас вперед, и поручень, за который держатся в автобусе, пронзил меня, как меч пронзает быка. Мужчина увидел, как я истекаю кровью. Он поднял меня и положил на какой-то бильярдный стол, пока не приехала «Скорая помощь».

Когда инцидент описывает Алехандро Гомес Ариас, голос его становится монотонным, почти неслышным, будто бы он избегает всего, что может оживить его память, и поэтому говорит излишне спокойно:

«Этот троллейбус с двумя салонами надвигался на автобус медленно. Он ударил автобус прямо в середину. Троллейбус медленно вдвигался в автобус. Автобус был на удивление податливым. Он вдавливался все больше и больше, но какие-то мгновения не ломался. В этом автобусе были длинные скамьи по обеим сторонам. Я помню, что иногда мои колени касались коленей пассажира напротив, я сидел рядом с Фридой. Когда прочность автобуса дошла до предела, он разрушился на тысячи кусков, а троллейбус продолжал двигаться. Было много жертв.

Я оказался под троллейбусом. Не Фрида. Поручень, одна из металлических частей троллейбуса, сломался и пронзил Фриду на уровне таза. Когда я смог встать на ноги, я выбрался из-под троллейбуса. Я оказался цел, только был контужен. Естественно, первым делом я стал искать Фриду.

Случилось нечто странное. Фрида была полностью обнажена. Столкновение стянуло с нее всю одежду. У кого-то в автобусе, возможно у маляра, был пакет с золотым порошком. Этот пакет разорвался, и золотая пудра засыпала истекающее кровью тело Фриды. Когда люди смотрели на нее, она кричала: «*La bailarina, la bailarina!*» С этим золотом на красном, кровавом теле она казалась им танцовщицей.

Я поднял ее, в те дни я был сильным парнем, — и тогда в ужасе увидел, что в теле Фриды застрял кусок железа. Какой-то мужчина сказал: «Надо вытащить это из нее!» Когда он это вытаскивал, Фрида кричала так громко, что ее крик был сильнее, чем сирена прибывшей «Скорой помощи». Еще до того как «Скорая помощь» приехала, я положил Фриду на окно бильярдной комнаты. Я снял свое пальто и накрыл ее. Два или три человека умерли сразу при этом несчастном случае, многие скончались потом».

Приехала «Скорая помощь» и увезла ее в больницу Красного Креста, который в те дни находился на улице Сан-Иеронимо, в нескольких кварталах от места происшествия. Состояние Фриды было настолько тяжелым, что доктора думали, что им не удастся ее спасти. Они считали, что она умрет на операционном столе.

Фриду прооперировали в первый раз. В течение первого месяца не было уверенности, что она выживет.

Девушка, чей стремительный бег по школьным коридорам напоминал полет птицы, которая на ходу впрыгивала в троллейбусы и автобусы, была теперь неподвижна, опутана бинтами и другими хитроумными приспособлениями.

«Это было странное происшествие, — говорила Фрида. — В нем не было жестокости, оно было медленным, тихим, изуродовало людей. А меня — больше всех».

Ее позвоночник был сломан в трех местах поясничного отдела. Сломаны также были ключица и третье и четвертое ребра. На правой ноге было одиннадцать переломов, ступня вывихнута и раздроблена. На левом плече порвались связки, поясница была разбита в трех местах. Стальной поручень буквально пронзил ее тело на уровне живота, войдя с левой стороны, он прошел через влагалище.

«Я потеряла девственность», — говорила Фрида.

В больнице, в старом женском монастыре с темными, унылыми комнатами и высокими потолками, доктора оперировали и, совещаясь, качали головами: выживет ли она? Будет ли она снова ходить?

«Они складывали ее из частей, будто делали фотомонтаж», — говорит один из ее старых друзей.

«Моя мама на несколько месяцев лишилась речи, такое сильное впечатление все это произвело на нее, — вспоминала Фрида, которая попросила позвать родственников, после того как пришла в сознание. — А папа от этого заболел, и я не видела его двадцать дней. В моем доме еще не было смертей».

Адриана, которая теперь жила со своим мужем Альберто Верасом около голубого дома в Койоакане, была так потрясена, что упала в обморок; из всей семьи пришла Матильда. Все еще отрезанная от семьи, потому что мать до сих пор не простила ее, Матильда была рада возможности помочь своей младшей сестре. Как только она прочитала в газетах о происшествии, она тут же отправилась к Фриде, и, поскольку жила ближе к госпиталю, могла приходить каждый день.

«Они ужасно обходились с нами... На двадцать пять пациентов приходилась только одна медицинская сестра. Матильда поднимала мне настроение, развлекала меня. Она была толстая и некрасивая, но у нее было прекрасное чувство юмора. Она всех в комнате заставляла хохотать. Она делала перевязки и помогала медицинской сестре заботиться о пациентах». Целый месяц Фрида лежала на спине, заключенная в гипсовую форму, напоминающую саркофаг.

Кроме Матильды, Фриду навещали подруги и знакомые; но по ночам, когда Матильда и приятели расходились по домам, Фридой овладевали мысли о смерти. Смерть была в памяти о золотых пятнах на кровавом обнаженном теле, в криках, в четком осознании шока от вида других жертв, выкарабкивающихся из-под троллейбуса, и в образе женщины, бегущей с собственными кишками в руках.

«В этом госпитале по ночам, — говорила Фрида Алехандро, — смерть танцевала вокруг моей кровати».

Как только Фрида смогла писать, она стала изливать свои чувства и мысли в письмах к Алехандро, который лежал дома с повреждениями гораздо более серьезными, чем просто «контузия». Фрида сообщала о прогрессе в ее выздоровлении, смешивая в письмах реальные события, фантазию и сильные чувства, что стало потом таким характерным для образов ее картин. В письмах были нотки юмора и веселья, но в них также присутствовал и мрачный рефрен: no hay remedio — нечего ждать помощи.

«Я должна подняться, — говорила она. — Я начинаю привыкать к страданию».

С этого несчастного случая и на всю дальнейшую жизнь центральной темой ее существования становятся боль, стойкость, сила духа.

Вторник, 13 октября, 1925

Алекс, *de mi vida* (моя жизнь), ты больше чем кто-либо другой знаешь, как мне грустно в этой свинской, отвратительной больнице, поскольку ты это можешь вообразить, а также мальчики должны все тебе рассказать. Все говорят, что я не должна отчаиваться, но они не знают, что значит для меня провести три месяца в постели, мне, *callejera* (человеку, который любит бродить по улицам. — *Прим. пер.*). Но что же делать, по крайней мере, la pelona

ХЕЙДЕН ЭРРЕРА

(«лысая», так Фрида называла смерть — здесь она нарисовала маленький череп и скрещенные кости. — *Прим. авт.*) не забрала меня отсюда. Правда?

Представь себе, как я мучилась в тот день и на следующий день, не зная, что с тобой произошло. После операции пришли [Анхел] Салас и Ольмедо (Агустин Ольмедо был ее другом, и его портрет Фрида сделала в 1928 году), я так радовалась, когда увидела их! Особенно Ольмедо, ты себе не можешь представить. Я спросила их о тебе, и они сказали, что то, что случилось с тобой, болезненно, но не опасно, и ты не знаешь, как я плакала из-за тебя, мой Алекс, и плакала от боли, за время лечения мои руки стали как бумажные, и меня заливает потом от боли в ране... я была пронзена от бедра и дальше вперед, из-за чего я останусь развалиной до конца моей жизни или умру, но теперь все в прошлом, одна рана уже затянулась, и доктор говорит мне, что скоро и другая затянется, они, должно быть, уже сказали тебе, что со мной, правда? Теперь вопрос в том, сколько времени понадобится, чтобы трещины в пояснице срослись, левое плечо восстановилось и другие небольшие раны, которые у меня есть, зажили...

Что касается визитеров, меня приходит навестить толпа народу в облаке дыма, даже Чучо Риос-и-Вальес справлялся несколько раз обо мне по телефону, и мне сказали, что он однажды приходил, но я его не видела.

...Фернандес (Фернандо Фернандес, гравер. — *Прим. авт.*) продолжает давать мне *la moscota* (деньги), и теперь, оказывается, я больше гожусь для рисования, чем прежде, поскольку он говорит, что, когда мне станет лучше, он будет платить мне 60 в неделю, бесполезные обещания, но в результате и все мальчики города приходят навестить меня каждый день, мистер Роуа даже плакал (отец, не думай, что я имею в виду сына), ну, ты все это можешь представить...

Но я отдала бы все, если бы вместо всего народа из Койоакана и старух, которые тоже приходят, однажды пришел ты. Я думаю, что в день, когда ты придешь, я поцелую тебя, с этим ничего не поделаешь, теперь больше чем когда-либо я вижу, как сильно, всей душой я тебя люблю и не променяю ни на кого, теперь ты видишь, в страданиях есть смысл.

Помимо того, что я испытываю физические неудобства, хотя, как я сказала Саласу, я не верю, что мое состояние является опасным, больше я страдаю морально, потому что ты знаешь, как слаба моя мать, и отец — тоже. То, что я нанесла им такой удар, заставляет меня мучиться сильнее, чем сорок ран, вообрази, моя бедная маленькая мама, говорят, как сумасшедшая плакала три дня, и отец, которому стало лучше, теперь очень болен, с того момента, как я оказалась здесь, маму приводили посмотреть на меня всего два раза, а отца — только один раз, а я здесь уже 25 дней, поэтому я хочу попасть домой как можно скорее, но это невозможно до тех пор, пока не пройдет воспаление и пока все мои раны не заживут, чтобы не было никакой инфекции и я бы не умерла, так ведь? В любом случае, я думаю, не на этой неделе... Я буду ждать тебя, считая часы, где бы это ни произошло, здесь или дома, потому что если я буду видеть тебя, то месяцы в кровати пройдут гораздо быстрее.

Слушай, Алекс, если не можешь прийти, пиши мне, ты не знаешь, как твои письма помогают мне чувствовать себя лучше, потому что, получив письмо, я читаю, думаю, перечитываю и всегда чувствую это как в первый раз.

Я должна сказать тебе очень многое, но не могу об этом писать, потому что все еще очень слаба, у меня болит голова, болят глаза, когда я много читаю; но скоро я тебе все расскажу.

Если говорить о чем-то еще — то у меня невероятный аппетит, братец... и мне нельзя есть ничего, кроме немногих отвратительных вещей, о которых я тебе раньше говорила, когда ты придешь, принеси мне шоколадное пирожное, леденцы и balero, как то, что мы потеряли тогда.

Скоро будет лучше. Я пробуду в госпитале еще пятнадцать дней. Расскажи мне, как поживает твоя славная масочка и Элис (младшая сестра Алехандро, Алисиа. — *Прим. авт.*).

 ФРИДА КАЛО

ХЕЙДЕН ЭРРЕРА

Твоя *cuate*, которая стала тоненькой, как ниточка. (Здесь Фрида нарисовала себя в виде палочки. — *Прим. авт.*).

Фридуча.

Я очень печалюсь о [потерянном] маленьком зонтике. [Здесь она нарисовала плачущее и при этом «улыбающееся» лицо.] Жизнь начинается завтра!.......

Я ОБОЖАЮ ТЕБЯ.

Фрида покинула больницу Красного Креста 17 октября, ровно через месяц после происшествия. Предполагалось, что она несколько месяцев должна будет находиться дома, что ужасало ее больше, чем физические страдания. В отличие от больницы, которая находилась недалеко от Начальной, Койоакан был отдаленным районом Мехико, и ее школьные друзья не могли часто совершать такое длинное путешествие. Кажется, она также боялась, что по крайней мере некоторых из друзей отпугнет эксцентричность ее семьи: раздражительность матери и молчаливость отца. Это, говорила она, «один из самых печальных домов, какой я когда-либо видела».

Вторник, 20 октября, 1925

Мой Алекс. В час дня субботы я выбралась в город, Салитас видел меня покидающей госпиталь, и он должен рассказать тебе, как это было, рассказал? Они несли меня очень медленно, но все равно у меня два дня была дьявольская температура, но теперь я гораздо счастливее, потому что я в своем собственном доме с мамой, теперь собираюсь объяснить тебе все, что случилось со мной, не пропуская никаких деталей, о чем ты просишь в письме. Судя по тому, что говорил доктор Диас Инфанте, который наблюдал меня в «Красном Кресте», мне уже не угрожает серьезная опасность, и я буду чувствовать себя более или менее хорошо... [но] уже 20-е, и Ф. Луна (имя одного из докторов Фриды, она использовала это имя, как кодовое слово, чтобы обозначить менструацию. — *Прим. пер.*) не навещает меня, и это очень печально... [Доктор] сомневается в том, что я могу разработать руку, потому что хотя сустав в порядке, но сухожилие очень сократилось, и это не даст мне возможности двигать руку вперед, и если я буду в состоянии ее выпрямить, то это следует проделывать очень медленно, требуется массаж и горячие ванны, это так больно, что ты не можешь себе представить, при каждом резком движении я проливаю кварту слез, несмотря на то, что говорят, будто нельзя верить в хромоту собаки и слезам женщины, нога моя тоже поранена, ведь ты видел, как ее раздавило, и у меня постоянные стреляющие боли во всей ноге, и я очень обеспокоена, ты себе можешь представить, но мне говорят, что кости скоро срастутся и после этого я постепенно смогу ходить.

А ты, как ты поживаешь, и я точно так же хочу знать, что было с тобой, поскольку ты видишь, что там, в больнице, я могла расспрашивать обо всем мальчиков, а теперь мне их гораздо труднее видеть, но я не знаю, хотят ли они приходить ко мне домой, да и ты, кажется, не хочешь прийти... не надо смущаться при виде кого-то из моей семьи, по крайней мере при виде моей мамы, спроси у Саласа, какие хорошие люди Адриана и Мати, сейчас Мати не может часто бывать у нас дома, потому что, как только она приходит, моя мама удаляется, бедняжка [Матильда], после всего того хорошего, что она сделала, пока я была там [в больнице], но ты знаешь, что все люди устроены по-разному, и с этим ничего не поделать. Точно так же я говорю тебе, что никуда не годится, что ты только пишешь мне и не приходишь повидаться со мной, я печалюсь об этом больше, чем о чем-либо другом в своей жизни, ты можешь в какое-то из воскресений прийти вместе со всеми мальчиками или в любой день, когда захочешь, не будь таким плохим, просто поставь себя на мое место, 5 месяцев убожества, и еще хуже то, что вокруг только старухи и *escuincles* [дурачки] из округи, и помни, что я существую, и вынуждена быть одна и еще больше страдаю, видя только одну Кити (Кристину. — *Прим. авт.*), которая, как ты уже знаешь, со мной, я попрошу Мати прийти в тот день, когда ты и мальчики захотите прийти, она уже знакома с ними, и она очень хороший человек. Такая же и Адриана, «Гуеро» (блондин Альберто Вераса. — *Прим. авт.*) не бывает здесь, так же как и папа; мама не любит со мной об этом разговаривать. Я не могу понять, чего ты стыдишься, если не сделал ничего дурного, каждый день меня вытаскивают на моей постели в коридор (в патио), потому что Педро Кальдерас (ее доктор. — *Прим. авт.*) хочет, чтобы я бывала на воздухе и на солнце, поэтому я не нахожусь теперь в замкнутом пространстве, как это было в той проклятой больнице...

Итак, мой Алекс, я по тебе скучаю и прощаюсь с тобой в надежде, что скоро увижу тебя, эй? не забудь *bolero* и мои леденцы — предупреждаю тебя, что хочу чего-нибудь поесть, потому что теперь могу съесть больше, чем ела раньше.

Передай привет окружающим тебя людям и, пожалуйста, скажи мальчикам, чтобы они не были такими гадкими, чтобы не забывали меня, оттого что я дома.

Твоя *chamaca* Фридуча. (Здесь она нарисовала улыбающееся лицо со слезами. — *Прим. авт.*)

Извини за почерк, но я не могу писать.

Понедельник, 26 октября, 1925

Алекс, я только что получила твое письмо, и, хотя я ожидала большего, оно помогло уняться моей боли, которая меня мучила, вообрази, вчера, в воскресенье, они в третий раз давали мне хлороформ, чтобы расправить сухожилие в руке, которое очень сократилось, но пока хлороформ не подействовал, что произошло только в десять часов, я кричала до шести часов вечера, когда мне сделали инъекцию седола, и это мне не помогло, боль не уходила, хотя стала немного слабее, после этого мне дали кокаин, и вот тогда боль почти ушла, но приступ тошноты не оставлял меня целый день, после этого все зеленое, зеленое (Фридино выражение, означающее «ужасное, ужасное». — *Прим. авт.*), жуткая хандра, потому что, представь, на другой день после того, как Мати приходила меня навестить, в субботу вечером у мамы был приступ, и я была первой, кто услышал, как она кричит, поскольку я не спала, на какой-то момент я забыла, что я нездорова, и хотела вскочить, и тут же почувствовала ужасную боль, это было так мучительно, что ты себе этого не можешь представить. Алекс, ведь я хотела встать и не смогла, в конце концов я позвала Кити, от всего этого мне было очень плохо, я сильно нервничала, ну, я рассказала тебе о вчерашнем дне, в течение всей ночи меня все время рвало, и я жутко расстроилась, бедный [качуча Альфонсо] Вилья пришел навестить меня, но его не пустили ко мне в комнату, оттого, что я очень устала от этой боли. Верастик (прозвище мужа Адрианы. — *Прим. авт.*) тоже пришел, но я и его не повидала. Этим утром я проснулась с воспалением в области таза (как мне отвратительно это слово), я не знаю, что делать, я выпила воды, и меня тут же вырвало, весь желудок тоже воспален, а все из-за того, что я кричала прошлой ночью. Сейчас голова больше не болит, но, скажу тебе, я в отчаянии, ведь я так долго лежу в кровати и все в одном положении, я так хочу, чтобы хотя бы понемножку могла бы сидеть, но ничто мне не помогает, остается только терпеть.

При всем моем уважении к тем, кто навещает меня, а, как я тебе говорила, таких немного, букет старых дам и девочек, которые приходят скорее из любопытства, чем из любви ко мне, из мальчиков приходят те, кого ты знаешь... но они нисколько не уменьшают моей скуки, когда бывают у меня, они приносят мне Вистролу, исследуют все полки. Только подумай, Блондинка Олагибель подарила мне себя, в субботу Лало Ордоньес, прибывший из Канады, принес ужасные пластинки из США, но я не могла выслушать больше одной мелодии, поскольку, когда стала слушать вторую, у меня заболела голова, почти каждый день приходят семейства Далант, Кампос, Итальяно, Канет и т.д., все солидные люди из Койоакана, включая Патиньо и Чава, который приносит мне книги наподобие «Трех мушкетеров»

ХЕЙДЕН ЭРРЕРА

и тому подобное, ты можешь себе представить, насколько я счастлива, я уже сказала маме и Адриане, что хочу, чтобы пришел ты.

...Слушай, Алекс, я хочу, чтобы ты сказал мне, в какой день ты придешь, чтобы если так получится, что и компания дураков захочет прийти в тот же день, то я их не приму, потому что хочу болтать только с тобой, и все. Пожалуйста, скажи Чонг Ли (Князю Маньчжурскому) и Саласу, что я их тоже очень хочу видеть, что они не такие уж и плохие люди, чтобы не навестить меня, то же самое скажи Ла Рейне, но мне не по душе, чтобы она пришла в один день с тобой, потому что я не хочу болтать с ней и не болтать свободно с тобой и мальчиками, но, если тебе легче прийти с ней, ты уже знаешь, будет правильно, если ты придешь с *puper* (Фрида употребила это слово как нечто уничижительное. — *Прим. авт.*) Долорес Анхелой...

Алекс, приходи скорее, как только сможешь, скорее, не скромничай со своей *chamaca*, которая так любит тебя.

Фрида.

Но Алекс не приходит так часто, как хотелось бы Фриде. Быть может, он обнаружил ее роман с Фернандесом. Как бы там ни было, Алехандро чувствует себя преданным. В ярости от того, что она теряет его любовь, Фрида со все возрастающим отчаянием умоляет его прийти навестить ее.

5 ноября, 1925

Алекс — ты скажешь, что я не пишу тебе, потому что забыла тебя, но это не так. В прошлый раз, когда ты ко мне приходил, ты сказал, что очень скоро придешь еще, в один из следующих дней, разве не так? Я ничего не делала, только ждала этого дня, который так и не наступил...

Панчо [Альфонсо] Вилья приходил в воскресенье — но Ф. Луна не появился, и я сдалась, перестала надеяться. Сейчас я сижу в кресле и уверена, что

18-го встану, но у меня совсем нету сил, поэтому кто знает, как это получится — моя рука такая же, [она не движется] ни вперед ни назад, я полна отчаяния от «д» (дантиста. — *Прим. авт.*).

Приходи навестить меня, не стесняйся, мужчина, есть нечто фальшивое в том, что теперь, когда я так в тебе нуждаюсь, ты исчез, — скажи Чонг Ли, что он должен помнить Якопо Вальдеса, который так прекрасно сказал: «Узнаешь, кто твой друг, когда ты в постели или в тюрьме» (у слов «постель» и «тюрьма» Фрида нарисовала крошечные картиночки. — *Прим. авт.*), — и скажи ему, что я все еще жду — ТЕБЯ.

...если ты не приходишь — это потому, что больше меня совсем не любишь, а? Тем не менее пиши мне, и передаю тебе любовь от твоей сестры, которая обожает тебя.

Фрида.

Четверг, 26 ноября, 1925

Мой обожаемый Алекс, не могу объяснить тебе всего, что сейчас произошло, вообрази, у мамы случился приступ, и я была с ней, поскольку Кристина вышла на улицу, когда ты пришел, и негодная служанка сказала тебе, что меня нет дома, и я пришла в такую ярость, что ты себе не можешь представить, я хотела хотя бы немного побыть с тобой наедине, потому что прошло столько времени с тех пор, как мы были с тобою вместе. Я наговорила все ругательства, какие знаю, этой несчастной проклятой служанке, потом вышла, чтобы позвать тебя с балкона, и послала служанку, чтобы она тебя нашла, так что мне ничего не остается, как плакать от злости и от страданий...

Поверь мне, Алекс, я хочу, чтобы ты пришел, потому что я готова обратиться за помощью к дьяволу, больше не к кому, но еще хуже пребывать в отчаянии, как ты думаешь? Я хочу, чтобы ты пришел и поболтал со мной, как раньше, и чтобы ты забыл все, во имя любви к твоей святой маме, приди, навести меня и скажи, что ты любишь меня, даже если это и неправда, а? (Перо в слезах не может писать хорошо.)

Я хотела бы так много рассказать тебе, Алекс, но теперь хочу только плакать и не могу, скажи мне, что ты придешь. Прости меня, но это не моя вина, что ты напрасно приходил, мой Алекс.

Скорее пиши мне.

Твоя дорогая Фридуча.

18 декабря, спустя три месяца после несчастного случая, Фрида настолько удовлетворительно себя чувствовала, что смогла поехать в Мехико. Ее выздоровление выглядело невероятным. Мать заказала благодарственную мессу за то, что Фрида не умерла, и опубликовала на страницах газеты благодарность от семейства Кало больнице Красного Креста за ту заботу и помощь, которую там оказали их дочери.

26 декабря Фрида пишет:

«В понедельник начинается работа, то есть в понедельник через неделю от сегодняшнего дня».

Пропустив экзамены в конце 1925 года, она не записалась в классы на новый год. Ее лечение стоило очень дорого, семье были нужны деньги, и, вероятно, поэтому она стала снова помогать отцу в его студии и нанялась на почасовую работу.

К этому времени трения между Фридой и Алехандро перерастают в серьезную ссору. Из нижеследующего письма становится понятно, что он обвиняет ее в «распущенности». В другом она признавалась: «Хотя я слишком часто говорила, что люблю тебя, у меня были свидания, и я целовалась с другими, но в глубине души я никого не любила, кроме тебя».

19 декабря, 1925

Алекс, вчера я одна ездила в Мехико, чтобы побродить в одиночестве, первое, что я сделала, я пошла к твоему дому (не знаю, хорошо или плохо я поступила, но я пошла), потому что искренне хотела тебя увидеть, я пошла в 10, но тебя не было там, до четверти второго я прождала в библиотеке и около четырех снова вернулась к твоему дому, но тебя все так же там не было, не знаю, где бы ты мог быть, разве твой дядя до сих пор болен?

Я весь день бродила с Агустиной Рейной, она говорит, ей больше не хочется бывать со мной, потому что ты сказал ей, что она такая же, как я, и даже хуже меня, ее это унижает, и я согласна с ней, поскольку я начала понимать, что «сеньор Ольмедо» говорил правду, когда сказал, что я не стою ни *centavo* (мелкая монета. — *Прим. пер.*), это говорится для всех тех, кто называл себя моими друзьями, но для себя, естественно, я стою много больше, чем *centavo*, потому что мне нравится вести себя так, как я себя веду.

Она говорит, что в разных ситуациях ты рассказывал то, что я доверяла тебе, с такими деталями, которые я никогда не обсуждала с Рейной, поскольку не было необходимости в том, чтобы она об этом знала, и я не могу понять, с какой целью ты все это ей выбалтывал. Теперь фактически никто не хочет быть моим другом, потому что я ПОТЕРЯЛА СВОЮ РЕПУТАЦИЮ. И этого я не могу и исправить. Я буду дружить с теми, кто любит меня такой, какая я есть...

Лира лжет, утверждая, что я его целовала, и если вспомнить все, что я делала, то этот список займет несколько страниц; все это, естественно, огорчало меня поначалу, но позже перестало иметь для меня какое бы то ни было значение (вот что действительно плохо), понимаешь?

От них я бы все приняла, Алекс, считая это неважным, потому что это то, что делают ВСЕ, тебе это понятно? Но я никогда не забуду, что ты, которого я любила как себя или даже больше, считаешь меня такой же, как Науи Олин (студенты считали модель Риверы «легкомысленной» или «распущенной». — *Прим. пер.*) или даже хуже, чем она. Каждый раз, когда ты говоришь мне, что больше не хочешь со мной разговаривать, ты делаешь это так, будто тебе от этого тяжело. Оскорбляя меня, ты изливаешь свою желчь, ты говоришь, что я кое-что делала с кем-то еще, но я делала это впервые в жизни, потому что любила тебя так, как не люблю никого.

И я для вас врунья, потому что никто мне не

 ХЕЙДЕН ЭРРЕРА

верит, даже ты, и так постепенно, не ощущая этого, для вас я становлюсь помешанной. Итак, Алекс, я бы хотела рассказать тебе все-все, потому что верю в тебя, но, к сожалению, ты мне не веришь и никогда не будешь верить.

Во вторник я, вероятно, поеду в Мехико, если ты хочешь увидеть меня, то я буду у дверей библиотеки Министерства образования в 11. Я буду ждать тебя там целый час.

Твоя Фрида.

Всю жизнь Фрида будет пользоваться своим умом, магнетическим очарованием и своей болью, чтобы удерживать тех, кого она любит, и в закапанных слезами письмах, написанных в долгие месяцы ссоры с Алексом, она пытается снова завоевать своего *novio*.

«Ничто в этой жизни не сможет остановить меня от желания говорить с тобой, — пишет она 27 декабря 1925 года, — я не буду твоей *novia*, но я всегда буду разговаривать с тобой, даже если ты не станешь мне отвечать... потому что я еще больше люблю тебя теперь, когда ты покинул меня».

В феврале 1926 года она говорит, что «готова принести любую жертву, чтобы тебе было хорошо, поскольку только так я могу компенсировать то плохое, что сделала тебе... я буду твоей в тот день, когда ты этого захочешь, так что это, по крайней мере, хоть немного послужит доказательством моего извинения».

Фрида пытается убедить Алехандро в том, что она изменилась. Она должна «переделаться», чтобы стать той девушкой, в которую он влюбился три года назад. Иногда она злится.

«Ты сказал мне в среду, что пришло время все закончить и что я должна идти своей собственной дорогой, — пишет она 13 марта. — Ты думаешь, что это вовсе не ранит меня — дескать, многие обстоятельства заставляют тебя считать, что у меня нет ни капли стыда, что я ничего не ценю и мне нечего терять, но мне кажется, что я тебе однажды говорила, что даже если я ничего и не стою, то для себя я ценнее многих других девушек, а ты это интерпретировал так, будто я претендую на то, чтобы быть особенной девушкой (когда-то ты так и считал, теперь я не понимаю почему), и по этой причине меня обижает то, что ты так искренно это говоришь».

Несколько дней спустя, 17 марта, она умоляет:

«Я ждала тебя у Конвента до 6 $^{1}/_{2}$ и прождала бы всю жизнь, но должна была вовремя вернуться домой... Оттого, что ты был так хорош со мной, поскольку ты единственный любил меня, я не считаю своих родителей, молю тебя от всей души не бросать меня, потому что ты прекрасно знаешь, в какой я [ситуации], поэтому ты единственный, кто внимателен ко мне, и ты покинул меня, потому что вообразил худшее, просто подумай, как это мне больно — ты сказал, что больше не хочешь быть моим *novio*... Что же ты делаешь со мной, куда мне идти (как печально, что я воображала себя той девушкой, которую ты будешь «носить в своем кармане», и это не исполнилось), хотя ты не говорил этого, но ты понимаешь, что неважно, сколько глупостей я натворила... пройдет много времени, прежде чем мы сможем забыть, прежде чем мы будем хорошими *novios*, добрыми супругами, и не говори мне «нет», во имя Господа... Я буду ждать тебя каждый день до 6 у Чапабаско, может быть, когда-нибудь ты сжалишься и поймешь, что ты чувствуешь, твоя Фрида».

12 апреля она обещала: «Если когда-нибудь мы поженимся, ты увидишь, ты увидишь, какой я буду хорошей».

Первый портрет Фриды — «Автопортрет», ее первая серьезная живописная работа (цв. илл. 1) — был подарком Алехандро. Фрида начала его приблизительно в конце лета 1926 года, когда опять заболела и вновь оказалась в заточении в доме в Койоакане. К 28 сентября портрет был почти закончен; как и многие ее автопортреты, он был знаком того, что Фрида хочет, надеется привязать к себе своего возлюбленного.

«Через несколько дней портрет будет у тебя в доме, — писала она. — Прости, что я посылаю его без рамы. Я умоляю тебя повесить его на такое место, где ты можешь смотреть на него так же, как смотрел бы на меня».

Первый «Автопортрет» был своего рода визуальной мольбой, любовным предложением, в то время как Фрида чувствовала, что потеряла человека, которого очень любила. Это темная, меланхоличная работа, в которой она делает себя прекрасной, хрупкой и трепетной. Она протягивает правую руку так, будто просит, чтобы ее взяли; думая, что никто, даже охладевший к ней Алехандро, не сможет отказаться от своей *novia.*

Фрида одета в романтическое винно-красное бархатное платье с расшитыми золотом воротником и манжетами. Она ненавязчиво подчеркивает свою женственность, драматизируя свою бледную плоть, длинную шею и груди с выпуклыми сосками. Нежный абрис груди намекает на ранимость, прямо не говоря об этом; в контрасте к этому выражение ее лица говорит о холодности и скрытности. По обеим сторонам от фигуры оставлено пустое пространство. Так же, как в «Девушке в розовом» Ханса Мемлинга, изящное, одухотворенное состояние сидящей подчеркивается сознательно, и стройная, удлиненная фигура девушки выглядит еще более одинокой на фоне темного океана и мрачного неба.

Возможно, подарок и в самом деле тронул сердце Алехандро, потому что вскоре после того, как он принял подарок, они с Фридой помирились. В письме, написанном, когда он был в Европе, Фрида открывает, насколько сильно она идентифицирует себя с первым «Автопортретом». Она называет его «Твой Боттичелли».

«Алекс, — пишет она 29 марта 1927 года, — твой Боттичелли очень печалится, но я сказала ей, что до тех пор, пока ты не вернешься, она должна быть «спящей красавицей», однако, несмотря на это, она всегда помнит о тебе»; 6 апреля: «Говоря о живописи — твой «Боттичелли» в порядке, но в глубине души ее видна печаль, которую она не может скрыть, в треугольнике... который ты знаешь, в саду... появилась зелень, разумеется, так и должно быть весной, но они не расцветут, пока ты не приедешь, — и тебя ожидает еще и многое другое». И 15 июля, когда она ждет его скорого возвращения: «Ты не можешь себе представить, как это изумительно — ждать тебя, так же ждет тебя и портрет».

Живопись была альтернативна ей самой, портрет делил и отражал чувства художника, это было сродни тому, как Фрида в детстве дружила с воображаемой девочкой. На оборотной стороне портрета написано: «Фрида Кало в возрасте 17 лет в сентябре 1926 года. Койоакан». (На самом деле ей было девятнадцать.) В нескольких дюймах от этой надписи, внизу, она написала по-немецки: *Heute ist immer noch* — «Сегодня все еще продолжается».

ХЕЙДЕН ЭРРЕРА

5
СЛОМАННАЯ КОЛОННА

С 1925 года жизнь Фриды начинает изнурительную борьбу с медленным разрушением. Она постоянно испытывает усталость и почти непрекращающуюся боль в позвоночнике и в правой ноге. Бывали периоды, когда она чувствовала себя более или менее сносно и почти не ощущала ног, но постепенно ее скелет разрушался. Подруга всей ее жизни, Ольга Кампос, у которой хранилась медицинская карта Фриды с детства до 1951 года, говорит, что у Фриды, прежде чем та умерла спустя двадцать девять лет после несчастного случая, было, по крайней мере, тридцать две операции: на позвоночнике и правой ноге.

«Она жила — умирая», — сказал писатель Андрес Энтероса, другой ее близкий друг.

Первый рецидив, свидетельствуют письма к Алехандро от сентября 1926 года, случился через год после инцидента. Исследования ее скелета показали, что сместились три позвонка; Фрида должна была носить гипсовый корсет, а также специальный аппарат на правой ноге, отчего она неподвижно пролежала несколько месяцев. По-видимому, во время первого этапа лечения доктора в больнице Красного Креста упустили что-то в состоянии ее позвоночника и отправили ее домой. Фрида говорила: «Никто не обращал на меня внимания, более того, мне не делали рентгена». Ее письма говорят о том, что не были предприняты необходимые медицинские действия, потому что ее семья была не в состоянии за них заплатить. А когда они уже могли платить, лечение часто бывало неэффективным.

«Второй гипсовый корсет, который надели на меня, больше не помогает мне, — писала Фрида Алехандро во время этого рецидива, — так что сотни выброшены на улицу, поскольку они дали песо паре жуликов, которыми являются большинство докторов».

Когда Фрида лечилась от полиомиелита, она заставляла себя двигаться и стала спортсменкой. Для того чтобы выжить после аварии, ей пришлось научиться находиться в покое. Почти случайно тогда она стала заниматься тем, что должно было вернуть ее к жизни.

«Поскольку я была молода, — говорила она, — это несчастье в то время не носило характера трагедии; я чувствовала, что у меня достаточно энергии для другого, вместо того чтобы полностью погрузиться в лечение. И, не придавая этому большого значения, я начала заниматься живописью».

Хотя в то время, как она была ученицей Фернандеса, у нее проявились способности, нет никаких свидетельств того, что в школьные годы она проявляла интерес к искусству. В Начальной она прошла обязательные курсы рисования и лепки (педагогом был Фиденсио Л. Наба, который учился в Париже и получил «Приз де Рома»). Вдобавок к этому ее привлекала идея зарабатывать на жизнь иллюстрациями в медицинских книгах, и, глядя на стеклянные слайды, а также на биологические образцы под микроскопом, она делала с них рисунки. Но при этом соученики вспоминают, что ее «интересовало искусство», что она любила следить за работой художников-монументалистов, что у нее был «артистический дух» и она никогда не прекращала рисовать затейливые рисунки в школьных учебниках.

«Ее страстью, — вспоминал Мануэль Гонсалес Рамирес, — было рисовать линии, которые встречались друг с другом, и после превращения их в две-три арки она заставляла их снова пересекаться».

 ХЕЙДЕН ЭРРЕРА

Когда бы Фрида ни рассказывала свою версию того, как она стала заниматься живописью — что характерно, рассказ этот часто варьировался, — она явно не следовала знакомому для многих художников мифу, будто бы родилась «с карандашом в руке» или что «врожденная гениальность» неудержимо влекла ее к искусству с трехлетнего возраста. Она писала Жюльену Леви, в то время, когда он готовил ее выставку в Нью-Йорке (писала на английском):

> «Я никогда не задумывалась о живописи, вплоть до 1926 года, когда я лежала в постели из-за автомобильной аварии. Мне, закованной в гипс, было до чертиков скучно в кровати (у меня были переломы позвоночника и многих костей), поэтому я решила чем-то заняться. Я стащила (sic) у отца несколько масляных красок, и моя мать заказала для меня специальный столик, потому что я не могла даже сидеть, и я начала рисовать».

Своему другу, занимавшемуся историей искусств, Фрида эту историю приукрашивает:

> «У моего папы в углу его маленькой фотографической студии много лет хранились коробка с масляными красками, несколько кистей в старой вазе и палитра. Для собственного удовольствия он ходил рисовать на берег Койоакана, писал пейзажи и фигуры, иногда что-то копировал. Как говорят, будучи маленькой девочкой, я посматривала на коробку с красками. Не могу объяснить почему. Лежа так долго в кровати, я воспользовалась представившимся случаем и попросила отца дать мне краски. Как маленький мальчик, у которого забирают игрушку и отдают больному брату, он «одолжил» мне их. Моя мать попросила плотника сделать мне мольберт, если так можно назвать специальное приспособление, приделанное к тому месту кровати, где я лежала, поскольку гипсовый корсет не позволял мне сидеть. И таким образом я начала заниматься живописью».

Ее первыми объектами были те, что доступны инвалиду: она писала портреты друзей (двух подруг и двух сверстниц-приятельниц из Койоакана), членов семьи (сестру Адриану) и себя. Три картины известны только по фотографиям, и одна, портрет 1927 года качучи Хесуса Риоса, оказалась настолько плохой, что Фрида ее уничтожила. Хотя в этих работах проглядывало что-то интересное, они еще виделись лишь намеком на причудливый, особый стиль, который проявится позже. Все картины характеризовал темный, мрачный тон, грубый, любительский мазок и неуклюжее обращение с пространством, в котором не было никакой логики. Хотя портрет Адрианы — Фрида называла его «Ла Боттичеллинда Адриана» (илл. 12) — и портреты Рут Куинтанильи и Алисии Галант несли в себе некую элегантность, картина с Мигелем Н. Лирой, на которой он окружен объектами, символизирующими его усилия в литературе, похожа на «картонную аппликацию», как говорила сама Фрида. Как гласит легенда, Фрида проводила часы, рассматривая книги по искусству. Ясно видно, какое влияние оказала на нее живопись Ренессанса, особенно картины Боттичелли. В письме к Алехандро Фрида упоминает о своем восторге по поводу портрета Элеоноры де Толедо, написанного итальянским маньеристом Бронзино, и грациозный жест этой царственной дамы виден в изящном, аристократическом жесте «Автопортрета» Фриды. При этом есть и следы влияния английских прерафаэлитов и элегантных, удлиненных фигур Модильяни. Такие стилизованные мотивы, как вытянутые деревья и гребешки облаков, подразумевают источником средневековые манускрипты или иллюстрации арт-нуво; спирали, превращающиеся в море в первом «Автопортрете», напоминают японские ширмы и резьбу по дереву.

Читая письма Фриды и Алехандро во время рецидива ее болезни, в 1926—1927 годах, поражаешься ее жажде жизни — не только терпению и выносливости, а жажде радоваться жизни. Но также поражает и ее унылое одиночество и постоянная боль. И то, как этим она привязывает к себе своего возлюбленного.

«Как бы мне хотелось объяснить тебе мои ежеминутные страдания», — писала она, поняв, как это определил один из друзей, что «жалость сильнее, чем любовь».

10 января, 1927

Алекс, я хочу, чтобы ты пришел, ты не знаешь, как нужен мне в эти дни и как я с каждым днем все больше люблю тебя.

Я все еще больна, и ты понимаешь, как это мне наскучило, просто не знаю, что делать, ведь это продолжается уже больше года, и я сыта по горло болезнями, будто я старуха, не знаю, что со мной будет в 30 лет, ты должен будешь целыми днями носить меня, укутанную в вату, на руках...

Слушай, расскажи мне о том, как ты был в Оахаке, что тебя там поразило, ведь мне так хочется услышать что-нибудь новое, потому что я родилась, чтобы быть цветочным горшком и никогда не покидать столовой...

Мне так скучно!!!!!! (Здесь она рисует плачущее лицо. — *Прим. авт.*) Мне каждую ночь снится моя спальня независимо от того, сколько раз все прокручивается в моей голове, не знаю, как избавиться от этого образа (более того, каждый день это все больше смахивает на восточный базар). Итак! Что можно поделать, надеяться и надеяться... Единственный, кто обо мне помнит, это Кармен Джеймс [Хайме], и только однажды она написала мне письмо, и все — никто, никто больше — это той, которая столько раз мечтала быть мореплавателем и путешественником! Патиньо ответил мне, что это ирония судьбы — ха, ха, ха, ха! (не смейся). Но я всего лишь 17 (на самом деле девятнадцать. — *Прим. авт.*) лет живу в этом городе. Уверена, что позже я смогу сказать — Я собираюсь в путешествие — У МЕНЯ НЕТУ ВРЕМЕНИ, ЧТОБЫ ПОГОВОРИТЬ С ТОБОЙ... (Здесь она нарисовала нотный стан, с семью нотами. — *Прим. авт.*) Хорошо, в конце концов, знать Китай, Италию и другие страны — не главное. Главное, когда ты приедешь?.. Надеюсь, что это будет очень, очень скоро, не могу предложить тебе чего-нибудь новенького, а только то, что та же самая старушка Фрида сможет тебя поцеловать.

Слушай, может быть, кто-то из твоих знакомых знает рецепт обесцвечивания волос — не забудь.

И не забудь, что с тобой в Оахаке — твоя

Фрида.

Алехандро в марте отправился в Европу. Он планировал пробыть там четыре месяца, путешествуя и изучая немецкий язык; говорят, что его родные послали его за границу «для того чтобы остудить его близкие отношения с Фридой». Быть может, и сам Алехандро хотел освободиться от все более сильных, собственнических притязаний Фриды. Хотя он был очень привязан к своей *novia* и всю жизнь продолжал о ней заботиться, измена Фриды и ужас от ее болезни могли послужить причиной бегства молодого человека.

Понимая, каким трудным было бы для них обоих расставание, Алехандро покинул Мехико, даже не попрощавшись. Вместо этого он написал, что должен срочно оказаться рядом с тетей, которую оперировали в Германии (недавно он вспоминал, что эта операция была поводом, чтобы оправдать перед Фридой его путешествие). Он сказал, что вернется в июле, но июль пришел и прошел, и Фрида продолжала писать ему, пока он не вернулся в ноябре.

Воскресенье, 27 марта, 1927

Мой Алекс, ты не можешь себе представить, с какой радостью я ждала тебя в субботу, потому что была уверена, что ты должен прийти, а в пятницу ты что-то должен делать... в четыре часа дня я получила твое письмо из Веракруса... вообрази мою печаль, я просто не знаю, как тебе это объяснить. Я не хочу тебя мучить и хочу быть сильной, главным образом, из-за нашей друг другу верности, но никак не могу

ХЕЙДЕН ЭРРЕРА

успокоиться и теперь боюсь, что, как ты не сказал мне, когда уезжаешь, так же ты и обманываешь меня, говоря, что собираешься отсутствовать четыре месяца... Я не могу забыть тебя ни на минуту, ты везде, во всех моих вещах, царишь в моей комнате, в моих книгах и моих картинах. Твое письмо я получила только 12-го. Кто знает, когда ты получишь мое, но я собираюсь писать тебе дважды в неделю, и ты скажешь мне, доходят ли они до тебя или на тот адрес, на который я их посылаю...

Теперь, поскольку ты уехал, я не могу ничего делать, даже не могу читать... потому что, когда ты был со мной, все, что я делала, я делала для тебя, ты должен был об этом знать, но теперь не хочу ничего делать, и тем не менее я понимаю, что нельзя так себя вести, напротив, я собираюсь заниматься как можно больше и, как только буду чувствовать себя лучше, хочу заняться живописью и делать много разных вещей, так что, когда ты вернешься, я стану немного лучше, все зависит от того, как долго я буду больна.

Кто знает, сколько времени я пробуду в этой клетке, поэтому в настоящее время я не делаю ничего, только плачу и плохо сплю, потому что по ночам, когда остаюсь одна и когда могу более свободно думать о тебе, я отправляюсь в путешествие вместе с тобой.

Слушай, Алекс, наверняка ты будешь в Берлине 24 апреля, и в этот день как раз будет месяц, как ты покинул Мехико. Надеюсь, это будет не пятница и ты проведешь этот день более или менее счастливым. Что за ужас быть так далеко от тебя, я все думаю о том, как туман относит тебя все дальше и дальше от меня, мне так хочется бежать и бежать, пока я не догоню тебя, но все то, что я чувствую и думаю, побуждает меня, как и любую другую женщину, плакать и плакать, что я могу сделать — ничего. «Я плачущая». Что же, Алекс, в среду, когда я снова буду писать тебе, я скажу почти то же самое, что и в этом письме, чуть более печальное и в то же время чуть менее печальное, потому что тогда уже пройдут три дня и тремя днями будет меньше — и так, мало-помалу, в безмолвных страданиях, день, в который я снова увижу тебя, приблизится — и тогда, да, ты больше никогда не поедешь в Берлин.

Δ.

Страстная пятница, 22 апреля, 1927

Мой Алекс, Алисия писала мне, но с 28 марта ни она, ни кто другой не получал от тебя известий... Ничто не может сравниться с отчаянием от того, что я целый месяц ничего не знаю о тебе.

Я продолжаю болеть и очень похудела, и доктор все еще считает, что я должна быть в гипсовом корсете еще три или четыре месяца, поскольку тот, который был с выемками, хотя и менее неудобный, чем гипсовый, дал плохой результат, пациенту можно к нему привыкнуть, и гораздо труднее лечить осложнение, чем саму болезнь; в гипсовом корсете я буду ужасно страдать, поскольку его нельзя будет снимать, а для того чтобы надеть его, нужно меня подвесить и ждать таким образом, пока все засохнет, потому что в другом случае он будет абсолютно бесполезным, а подвешивая меня, они собираются как можно лучше выпрямить мой позвоночник, по всему этому ты можешь себе представить, как я буду страдать. СТАРЫЙ доктор говорит, что корсет даст очень хороший результат, если будет хорошо подогнан, но это еще надо посмотреть, а если не получится, пусть все идет к дьяволу. Они собираются все проделать в понедельник, во французской больнице. В этой отвратительной вещи есть одно преимущество: то, что я смогу ходить. Это преимущество имеет и обратную сторону, я не собираюсь в таком виде выходить на улицу, поскольку меня такую наверняка запрячут в сумасшедший дом. В дальнейшем, если от корсета не будет никакой пользы, меня будут оперировать, и операция будет заключаться в том — как говорит доктор, — что, взяв кость из колена, ее поставят в мой *espinazo* (так Фрида обозначает позвоночник. — *Прим. пер.*), но прежде чем все это слу-

ХЕЙДЕН ЭРРЕРА

чится, я устранюсь с этой планеты... Все идет к тому. Не могу сказать тебе ничего нового; я скучаю. Ай-ай-ай-ай! Одна надежда — увидеть тебя...

Пиши мне
«
«
«
и главное, люби меня.
«
«
«
«
«
Δ.

Суббота, 4 июня, 1927

Алекс, *mi vida* (жизнь моя), сегодня получила твое письмо... Я не надеюсь, что ты будешь здесь в июле, ты очарован, влюблен в Кельнский собор, во все, что ты увидел! Я, с другой стороны, считаю дни до того невообразимого дня, когда ты вернешься... Мне грустно думать, что ты полагаешь, будто увидишь перед собой больную; в понедельник в третий раз собираются поменять всю систему, в этот раз меня оденут так, что все будет зафиксировано, поэтому я не смогу ходить два или три месяца, до тех пор пока позвоночник совершенно не укрепится, я не знаю, нужна ли после этого будет операция, в любом случае я уже тоскую и множество раз думала, что было бы лучше, если бы *tia de las muchachas* (тетка-смерть) забрала меня отсюда, как ты думаешь? Я никогда ничего не смогу делать с этой мерзкой болезнью, и если это так в 18 лет, я не понимаю, что же будет дальше, я с каждым днем становлюсь все худее, и ты, когда приедешь, увидишь, как ужасно я выгляжу с этим громадным мерзким аппаратом. (Здесь она рисует себя в гипсовом корсете, закрывающем ее торс и плечи. — *Прим. авт.*) Впоследствии я стану в тысячу раз хуже, ты только представь, после того как я пролежала месяц (как ты меня оставил), еще два месяца с разными аппаратами и теперь следующие два, лежачей, упакованной в гипсовый футляр, после еще 6 месяцев снова с маленьким аппаратом, таким, чтобы я могла ходить, и с великолепной надеждой на то, что меня прооперируют и я скончаюсь на операции... как медведь. (Здесь она рисует медведя, идущего по дороге к горизонту — предположительно, она имеет в виду смерть. — *Прим. авт.*) Разве этого не достаточно, чтобы довести человека до отчаяния? Возможно, ты скажешь мне, что я пессимист и *lagrimilla* (плакса), и особенно теперь, когда ты, совершенный оптимист, увидел Эльбу, Рифу, множество картин Кранаха и Дюрера, да еще и Бронзино и соборы, в таком случае я могла бы быть всецело оптимистом и всегда.

Но если ты скоро приедешь, обещаю тебе, буду с каждым днем чувствовать себя все лучше.

Твоя,

не забывай меня

Δ.

22 июля, 1927, День Магдалены

Мой Алекс... Несмотря на многочисленные страдания, я думаю, что чувствую себя лучше, что могло бы быть и неправдой, но я *хочу верить в это*, так или иначе, мне лучше, как ты думаешь? Прошли четыре месяца непрерывной боли, день за днем, теперь мне почти стыдно за мое неверие, но никто не может себе представить, как я страдала. Твоя бедная *novia*! Ты должен был носить меня, как я говорила тебе, когда я была малюткой, в одном из твоих карманов, как золотой самородок из поэмы Лопеса Веларде — но теперь я такая большая! Я с тех пор так выросла!

Слушай, мой Алекс, как, должно быть, прекрасен Лувр, как много интересного я узнаю, когда ты вернешься.

Я разыскала Ниццу в учебнике географии, потому что не могла вспомнить, где она находится (я всегда была немножко «*brutilla*») (несведуща, неве-

 ХЕЙДЕН ЭРРЕРА

жественна), но теперь я никогда этого не забуду — поверь мне.

Алекс, я хочу в чем-то признаться: бывают моменты, когда я думаю, что ты меня забыл, но ведь это неправда, да? Ты не мог бы влюбиться в Джоконду...

Новости в моем доме:

Мати теперь приходит в этот дом. Мир восстановлен. (Все католические дамы (Веладора, бабушка, пианистка и т.д.) закончат из-за этого свои дни антикатоликами.)

Студия моего отца теперь не в «Ла Перла», а в доме 51 на улице Уругвай.

Вне моего дома:

У Чело Наварро маленькая девочка.

Джек Демпси побил в Нью-Йорке Джека Шарки. Великая сенсация!

Революция в Мексике переизбирается, антипереизбирается[1].

В моем сердце:

Только ты.

ТВОЯ

Фрида.

Интересные кандидаты: Хосе Васконселос (?), Луис Кабрера.

23 июля

Мой Алекс, я только что получила твое письмо... Ты говоришь мне, что поплывешь на корабле в Неаполь, и можно не сомневаться, что ты также по-

---

[1] Фрида пишет о фракции, участвующей в президентских выборах, имевших место в начале 1928 года. При поддержке президента Кальеса бывший президент Альваро Обрегон пренебрег положением Конституции, по которому запрещалось любому президенту служить второй срок, а он претендовал на этот пост. Восстание против Обрегона было жестоко подавлено.

едешь и в Швейцарию, хочу попросить тебя об одолжении, скажи своей тете (Алехандро путешествовал частично в компании с одной из своих теток. — *Прим. пер.*), что ты хочешь уехать домой, что ты не можешь оставаться там после августа... ты не можешь представить себе, каково мне каждый день, каждую минуту без тебя...

Кристина все такая же миленькая, но плохо ведет себя со мной и с мамой.

Я изобразила Лиру, потому что он попросил меня, но это так плохо, что просто не понимаю, как он может говорить, что ему это нравится — абсолютно ужасно, — я не послала тебе фотографию, потому что мой отец все еще не сделал всех отпечатков, оттого что он меняет [студию], но это неважно, потому что [портрет] выглядит как картонная аппликация, только одна деталь кажется мне хорошей (некий ангел на заднем плане). Ты скоро это увидишь, отец сфотографировал также Адриану, Алисию [Галант] с вуалью (очень плохо) и ту, которая полагает, что она Рут Куинтанилья, и которая нравится Салясу. Как только отец сделает больше копий, я тебе их пошлю. Я только попросила по одной каждого снимка, но Лира взял их, потому что говорит, что собирается опубликовать их в ревю, которое выйдет в августе (я тебе уже об этом говорила, ведь так?). Это будет названо «Панорама». В первом выпуске, среди других, Диего Монтенегро (как поэт) и кто знает, сколько еще присоединившихся, не думаю, что получится хорошо.

Я разорвала портрет Риоса (Хесус Риос-и-Вальес. — *Прим. авт.*), потому что ты себе не можешь представить, как он мне отвратителен. Флакер (прозвище, которое Фрида дала другу из Койоакана, Октавио Бустаменте. — *Прим. пер.*) захотел фон (женщину и деревья), и портрет выглядит как портрет Жанны д'Арк.

Завтра именины Кристины, придут мальчики и дети мистера Кабреры. Они не похожи на него (они очень некрасивые), и они с трудом говорят по-испански, поскольку двенадцать лет провели в США, а в Мексику приехали лишь на каникулы, также при-

ХЕЙДЕН ЭРРЕРА

дут Галанты, Пиноча (прозвище близкой подруги Фриды, Эсперансы Ордоньес. — *Прим. пер.*) и т.д., только Чело Наварро не придет, потому что все еще в постели из-за ребенка, говорят, он очень милый.

Вот все, что происходит в моем доме, но меня все это не интересует.

Завтра будет полтора месяца, как меня загипсовали, и *четыре* месяца, как я не видела тебя, я хочу, чтобы... жизнь началась и я смогла бы поцеловать тебя. Будет это? Правда, будет?

Твоя сестра

Фрида.

Койоакан, 2 августа, 1927

Алекс, начался август — и я могла бы сказать, что *жизнь* тоже началась, если бы я была уверена, что в конце месяца ты вернешься. Но вчера Бустаменте сказал мне, что ты, возможно, поедешь в Россию, значит, ты останешься там дольше... Вчера был день ангела Эсперансы, и в моем доме были устроены танцы, пришли мальчики (Салас, Майк Лира, Флакер), моя сестра Матильда и другие мальчики и девочки. Они перенесли меня в моей маленькой коляске в гостиную, и я смотрела, как люди танцуют, и слушала, как люди поют. Ребята были совершенно счастливы (я думаю), и Лира написал стихи для Пиночи, и в столовой три мальчика вели беседу, Мигель Лира цитировал Элиодоро Валье, Лопеса Веларде и разных других. Я думаю, что всем троим нравится Пиноча, и все они остаются хорошими друзьями.

Я, как всегда, плаксива. Хотя меня каждое утро выносят на солнце (4 часа), я не замечаю, чтобы мне становилось лучше, потому что боль такая же сильная, и я очень худая, но, несмотря на это, как я тебе говорила уже в письме, я хочу верить. Если в этом месяце будет достаточно денег и мне сделают рентген, я буду более уверена, но, если нет, я хочу подняться 9-го или 10 сентября и тогда узнаю, сделалось ли мне от этого приспособления лучше или все-таки необходимо оперироваться (я боюсь). Но я еще должна долго ждать, пока станет ясно, дал ли абсолютный покой (я могу сказать — мученичество) результат или нет.

Судя по тому, что ты говоришь, Средиземное море изумительно голубое. Увижу ли я это когда-нибудь? Думаю, что нет, потому что я неудачница, и долгое время моим самым великим желанием было желание путешествовать. Единственное, что мне остается, меланхолически читать книги о путешествиях.

Я теперь ничего не читаю — не хочу, — не учу немецкий и вообще не делаю ничего, кроме того, что думаю о тебе. Я должна набраться мудрости.

И в газетах, кроме «Прибытие и отправление пароходов», я читаю только «От редактора» и о том, что происходит в Европе.

Никто все еще ничего не знает о революции в Мексике, сейчас силен только Обрегон, но никто не знает ничего.

Кроме этого, нет ничего интересного. Алекс, хорошо выучил французский? Даже несмотря на то, что нет смысла советовать тебе, занимайся им как можно больше, а?

В каких музеях ты побывал?

Каковы девушки в тех городах, которые ты посетил? А мальчики? На курортах особенно не флиртуй с девушками — они прелестны, как девушки Боттичелли, и с красивыми ногами, только в Мексике их называют «медеи» и «мечес» (пламя), и ты можешь сказать им: *Sorita* (сеньорита), не хотите ли быть моей *novia* (невестой)? Но только не во Франции, не в Италии и, разумеется, не в России, где так много *peladas communistas* (стриженых коммунисток)... Ты не знаешь, с какой радостью я отдала бы всю свою жизнь только за то, чтобы поцеловать тебя.

Думаю, что я заслужила это за все свои страдания, разве нет?

Будет ли это, как ты говоришь, в августе? Да.

Твоя Фрида.
(Я обожаю тебя.)

ХЕЙДЕН ЭРРЕРА

15 октября 1927

Мой Алекс, предпоследнее письмо! Все, что я могла бы тебе сказать, — ты знаешь.

Мы всегда должны быть счастливы зимой. И никогда, как теперь. Перед нами жизнь — передо мной, — невозможно рассказать тебе, что это значит.

Похоже на то, что я буду больна [когда ты вернешься], но я ничего больше не знаю. Ночи в Койоакане удивительно прекрасны, и море, символ на моем портрете, олицетворяет мою жизнь.

Ты не забыл меня?

Это было бы несправедливо — как ты думаешь?

Твоя Фрида.

Алехандро вернулся в ноябре, он не забыл Фриду. Как он мог бы ее забыть? Даже если целью его путешествия было желание родителей разлучить любящих, все увеличивающаяся боль и тоска в ее письмах не позволяли о ней забыть. Но их отношения уже не были по-прежнему близкими, они постепенно расходились, его затянула университетская жизнь, ее все сильнее привлекало искусство.

Почти все, рассуждающие о несчастном случае с Фридой, говорят, что она была обречена и не умерла лишь потому, что судьбой ей было предначертано выжить, но жить, распятой болью. Фрида сама считала, что страдания — и смерть — неизбежны, и оттого, что каждый из нас несет бремя своей судьбы, мы должны стараться это бремя облегчить.

Позднее она одела картонный скелет в свою одежду и заказала сахарный череп с написанным на его лбу своим именем. Она находила в этом смешное, подобно тому, как католики смеются над католицизмом или евреи придумывают еврейские анекдоты, — оттого что смерть была ее спутником, ее родственницей, Фрида язвительно игнорировала своего оппонента.

«Я дразню смерть и смеюсь над ней, — любила она говорить, — так что она не может быть со мною хороша».

Хотя она писала в картинах смерть — свою собственную метафорически, других — буквально, — Фрида никогда не могла изобразить свой несчастный случай. Много лет спустя она говорила, что хотела это сделать, но не смогла, потому что для нее несчастный случай был слишком «сложен» и «важен», чтобы принизить его до простого понятного образа. Существует только один недатированный рисунок в коллекции зятя Диего Риверы (илл. 10). Его резкие, грубые линии показывают, что этот рисунок доставил Фриде такое страдание, что она не могла контролировать качество изображения. Время и место нарушены, все видится в ночном кошмаре: столкнулись две машины, на земле лежат невинные жертвы; там же — дом в Койоакане. Фрида изображена дважды — одна лежит на носилках, обмотанная бинтами, другая просто одна голова, большая, почти детская, в ее прямом взгляде сквозит, возможно, воспоминание о потерянном *bolero*.

Но если Фрида и не изображала свой несчастный случай, то именно он и его последствия определили метод работы ее, уже маститого художника, — излагать то, что ей открылось, используя свое собственное тело: ее лицо — всегда маска, ее тело часто обнажено и изранено, так же как и ее чувства. Как и в письмах к Алехандро Фрида говорила, что хочет дать ему понять, какие страдания, в мельчайших деталях, «минута за минутой», испытывает она, так и в картинах Фрида заставляет почувствовать, что такое боль. Она выворачивает наизнанку свое тело, помещает сердце снаружи и показывает свой изломанный позвоночник так, будто видит это при помощи рентгеновских лучей, или рисует лезвие хирурга, и раз фантазия Фриды ограничивается лишь ею самою, то она проникает лишь в глубь себя. Девушка, которая собиралась заниматься медициной, превратила свои картины в некую форму психологической хирургии.

«Я пишу себя, потому что часто испытываю одиночество, — говорила Фрида, — потому что я тот объект, который мне лучше всего известен».

Уединение инвалидности заставило Фриду рассматривать себя как самостоятельный мир, во мно-

ХЕЙДЕН ЭРРЕРА

гом так же, как прикованные к постели дети видят горы и долины в очертаниях своих конечностей. Даже когда она писала фрукты и цветы, это изображение она пропускала сквозь собственные ощущения.

«Я выгляжу так же, как многие люди и многие предметы», — говорила Фрида, и в ее картинах множество вещей выглядят как она.

«Со времени [несчастного случая], — объясняла она, — я была одержима идеей изображать вещи такими, какими их видят мои глаза, и больше ничего... Раз несчастный случай изменил мой путь, то многое отвратило меня от исполнения желаний, которые остальными людьми расцениваются как нормальные, а для меня нет ничего более нормального, чем писать то, что не может быть исполнено».

Живопись была частью борьбы Фриды Кало за жизнь. Это также было и частью ее самовыражения: в ее искусстве, как и в ее жизни, театрализованное самопредставление было средством осуществления власти над своим миром. Когда она заболевала, выздоравливала, снова заболевала и снова выздоравливала, она каждый раз придумывала, изобретала себя. Она создавала образ человека, который был подвижным, и все неприятности происходили в его воображении, а не наяву.

«Фрида — единственный художник, который сам себя породил», — говорила ее близкая подруга Лола Альварес Браво. Она поясняет, что чувства Фриды умерли во время происшествия. «Постоянно шла борьба между двумя Фридами, между живой и мертвой Фридой. После происшествия произошло новое рождение: обновилась ее любовь к природе, так же как к животным, краскам и фруктам, ко всему прекрасному и позитивному вокруг нее».

Однако Фрида рассматривала перемены, которые произвел в ней несчастный случай, не как возрождение, а как ускоренный процесс изменения возраста. Прошли годы со дня инцидента, когда она написала Алехандро:

«Зачем ты столько занимаешься? Какую тайну ты хочешь открыть? Жизнь скоро откроет ее тебе. Я уже все знаю, не читая. Совсем недавно, может быть всего лишь несколько дней тому назад, я была ребенком, который вступил в мир красок, четких и осязаемых форм. Все было таинственно, иногда скрыто, и я подозревала, что все вокруг — это игра для меня. Если бы ты знал, как внезапно ужасное осознание, это так, будто разряд молнии осветил землю. Теперь я живу на планете боли, прозрачной, как лед; но это так же, как если бы я все постигла в одну секунду. Мои подруги, мои спутницы медленно становились женщинами, я в одно мгновение стала старухой, и сегодня мне все понятно. Я знаю, что дальше нет ничего такого, что я должна была бы увидеть...»

То, что Фрида изображает, тот лишенный растительности пейзаж запретных сновидений, который снова и снова появляется в ее автопортретах, — это внешнее выражение внутреннего опустошения. Но она не делится «планетой боли» с многочисленными друзьями и настойчиво скрывает свои страдания от членов семьи.

«Никто в моем доме не верит, что я действительно больна, ведь я никогда не могу об этом даже говорить, потому что мама, стоит ей хоть немного погоревать, тут же заболевает, и мне говорят, что это все из-за меня, что я веду себя неблагоразумно, поэтому я страдаю в одиночку».

На людях Фрида была веселой и сильной. Стараясь, чтобы вокруг нее всегда был народ, она сознательно усиливала присущие ей живость, великодушие и остроумие. Постепенно она становилась известной личностью. Аурора Рейес вспоминает, что после несчастного случая и во время выздоровления «она всегда казалась счастливой, она отдавала свое сердце. Она была невероятно одаренной, и, хотя к ней приходили, чтобы утешить ее, от нее уходили сами утешенными».

«Когда мы приходили к ней, во время ее болезни, — вспоминает Аделина Сендехас, — она баловалась, смеялась, что-то комментировала, подвергала едкой критике, проявляла остроумие и мудрость в рассуждениях. Если она плакала, то никто об этом не знал».

Никто, кроме Алехандро. После несчастного случая карикатуры в ее письмах — это по большей части автопортреты со слезами.

Естественно, роль героической страдалицы уже неотделима от сущности Фриды: маска стала лицом. Думая о себе, она постепенно драматизирует значение своей боли и вместе с этим начинает преувеличивать болезненные факты из своего прошлого, утверждая, например, что провела в больнице Красного Креста не один, а три месяца. Она превращала себя в такого человека, который должен был противостоять всем ударам жизни, мог бы выжить — разумеется, переменившись — на опустошенной планете.

ХЕЙДЕН ЭРРЕРА

Сила и резко подчеркнутые страдания пропитывают картины Фриды. Когда она показывает себя раненой и плачущей, что является эквивалентом ее моральных и физических ран, она требует, чтобы на нее обратили внимание. Но даже в самых *жестоких* автопортретах нет ни следа слезливости или жалости к себе; ее благородство и решимость не сдаваться видны в королевской осанке, в лице стоика. Смесь непосредственности и искусственности, откровенности и изобретательности создает в ее автопортретах образ настойчивый, сильный, его тут же узнаешь, его нельзя ни с чем спутать.

Картина «Сломанная колонна» (цв. илл. XXVIII) точнее всего иллюстрирует эти качества. Картина написана в 1944 году, вскоре после того, как Фрида перенесла хирургическую операцию и когда она была заключена, как и в 1927 году, в «аппарат». Здесь Фрида решает бесстрастно воссоздать почти невероятное напряжение, ощущение парализованности. Видно, какую муку доставляют впившиеся в обнаженное тело гвозди. Расщелина, напоминающая трещину в земле после землетрясения, раскалывает ее торс, но он не разваливается, потому что скреплен металлическим ортопедическим корсетом, что является символом заточения инвалида. Вскрытое тело подразумевает хирургическое вмешательство и чувства Фриды по поводу корсета, без которого она просто развалилась бы на части.

Внутри ее торса, на том месте, где должен быть изломанный позвоночник, мы видим растрескавшуюся ионическую колонну, так природа заполняет раскрошенные руины. Тонкая колонна жестоко пронзает красную щель в теле Фриды, протиснувшись от поясницы до головы, где два завитка капители поддерживают ее подбородок. Для некоторых зрителей колонна ассоциируется с фаллосом, картина намекает на связь между сексом и болью во Фридином сознании и напоминает о металлическом поручне, который пробил во время несчастного случая ее вагину. Вот одна из записей в ее дневнике, запись бессвязная:

«Надеяться при постоянной боли, расколотая колонна, и необъятный вид, без ходьбы по громадной дороге... двигаясь, моя жизнь творится металлом».

Белые ленты корсета и его металлические застежки подчеркивают уязвимость обнаженной нежной груди Фриды, грудь глубоко взрезана, что еще страшнее. Бедра Фриды покрыты тканью, чем-то напоминающей вьющийся по ветру покров Христа. Так Фрида, подобно христианскому мученику, выставляет напоказ свои раны — это мексиканский Сан-Себастьян.

Фрида использует боль, обнаженность и сексуальность, чтобы все поняли, каковы ее душевные страдания.

Однако Фрида не святая. Она оценивает ситуацию самым мирским образом и вместо того, чтобы умолять небеса об утешении, твердо смотрит вперед, как будто бросает вызов себе (в зеркале) и своим зрителям, чтобы они относились к ней, не вздрагивая от боли. Как и на многочисленных изображениях мексиканских мадонн, щеки ее залиты слезами, но по выражению лица видно, что она стойкая. Лицо ее — такая же маска, какими бывают лица индейских идолов.

Для того чтобы изобразить одиночество, сопровождающее эмоциональное и физическое страдание, Фрида пишет себя на фоне необозримой, тоскливой равнины. Овраги, прорезавшие землю, есть метафора к ее израненному телу, вокруг пустыня, лишенная жизни. Вдалеке, под безоблачным небом, видна голубая полоска моря. Когда Фрида писала свое генеалогическое древо, она использовала океан, чтобы обозначить тот факт, что ее предки со стороны отца жили в Европе. В ее первом «Автопортрете» это был, по ее словам, «синтез жизни». Море в «Сломанной колонне», похоже, представляет надежду на другие возможности, но оно так далеко, а Фрида так изломана, что эти возможности едва ли достижимы.

6
ДИЕГО: ПРИНЦ-ЛЯГУШКА

К тому времени, когда Алехандро вернулся из Европы, к концу 1927 года, Фрида настолько восстановила свое здоровье, что готова была вести почти нормальную, активную жизнь. Хотя она не возобновила занятий — у нее все еще болела нога, а кроме того, ей хотелось рисовать, — она вернулась в свою старую компанию из Начальной. Большинство ее приятелей были уже в университете, и взрывы ракет и водяные бомбы проложили путь к национальным студенческим съездам и демонстрациям протеста.

Сражения велись по двум поводам: кампания Хосе Васконселоса на президентских выборах 1928—1929 годов против Паскуале Ортиса Рубио — первый повод, и второй — движение к университетской автономии. Сражение за первую цель было проиграно, за вторую — выиграно в 1929 году.

Бывший президент Альваро Обрегон, переживший покушение на жизнь и восстание, получил президентский пост в январе 1928 года. Спустя шесть месяцев он был убит. Временно назначили президентом Эмилио Портеса, и выборы планировалось провести в конце 1929 года. Васконселос, который считал, что режим Кальеса был более коррумпированным и тираническим, чем диктаторство Порфирио Диаса, решил соперничать с Ортисом Рубио в качестве кандидата от Национальной антиперевыборной партии. Он знал, что у него нет надежды на победу в выборах, но и он, и те, кто его поддерживал, считали, что сражение против *caudillaje* (правле-

ХЕЙДЕН ЭРРЕРА

ние военных) за возрождение демократии мексиканского духа начала двадцатых годов было крайне необходимо для морали.

Борьба за университетскую автономию не была связана с президентской кампанией, но частично это тоже было восстанием против давления правительства. В сущности, все началось в 1912 году, когда Хусто Сиерра декларировал, что университет, который он основал за два года до этого, должен быть свободен от вмешательства правительства. Первый ректор института Хоакин Эгийя Лис шел дальше. Он сказал, что университет должен быть автономным. В конце концов 17 мая 1929 года началась всеобщая студенческая забастовка, когда президент Мексики закрыл высшую школу после того, как студенты отказались признать новую систему экзаменов. Студенты объединялись, устраивали протестные митинги и несли антиправительственные плакаты. Правительство пыталось разгонять манифестантов с помощью конной полиции, пожарных шлангов и даже стрельбы. Алехандро Гомес Ариас, избранный в январе 1929 года президентом Национальной студенческой конфедерации, был неоспоримым лидером в этой борьбе. «Самураи моей страны, — обращался к своим товарищам в зажигательных речах Алехандро. — Нас не сломит жестокость!» В июле был принят закон о Государственном автономном университете Мехико, документы были подписаны, одобрены конгрессом и на церемонии вручены Алехандро.

Другим студенческим лидером, страстным обличителем милитаризма и империализма, выступавшим с многочисленными речами против властей и за Васконселоса, был Герман де Кампо. В течение долгих месяцев 1927 года, когда Алехандро был в Европе, а Фриду заковывали в один за другим ортопедические корсеты, ее дружба с «Германсито эль Кампирано», как она ласково называла его, укреплялась. Фрида обожала веселый нрав красивого молодого человека, его жизнерадостность, страстность. Денди с головы до ног, он произносил горячие речи с бутоньеркой в петлице, в элегантной шляпе и с тростью из индийского бамбука. Де Кампо погиб вскоре после того, как была выиграна битва за университетскую автономию, его заставила замолчать полицейская пуля, в то время как он произносил речь в защиту Васконселоса на демонстрации в парке Сан-Фернандо.

Именно Герман де Кампо в начале 1928 года ввел Фриду в круг друзей ссыльного кубинского революционера, коммуниста Хулио Антонио Мельи, который был, как и Алехандро и де Кампо, студентом юридической школы. Мелья издавал студенческую газету «Tren Blindado» («Бронепоезд») и «El Liberador» («Освободитель»), официальный орган Антиимпериалистической лиги, и участвовал в издании коммунистической «El Machete» (мачете — крестьянский нож для уборки сахарного тростника). Что было более важным для Фриды — он был любовником американки, итальянки по рождению, Тины Модотти, с которой он шел 19 января 1929 года и был застрелен наемным убийцей кубинского правительства.

Модотти приехала в Мексику в 1923 году из Калифорнии вместе со знаменитым фотографом Эдвардом Уэстоном, будучи его ученицей и компаньонкой. Она осталась в Мексике после его отъезда и все больше вовлекалась в общение с политиками-коммунистами, в основном потому, что ее любовниками стали сначала художник Хавьер Герреро, потом Мелья. Она была талантливая, красивая, темпераментная, чувственная и излучала вибрирующую силу, будучи одновременно и земной, и надмирной. Неудивительно, что в мире искусства Мексики ее обожали, среди этих людей были художники Джин Чарло, Роберто Монтенегро, Бест-Могард, Науи Олин, Мигель и Роза Коваррубиас, писатель Анита Бренер, издатель «Mexican Folkways» Фрэнсис Тир и, разумеется, главные монументалисты, художники Ороско, Сикейрос и Ривера. Фрида и Модотти быстро стали близкими подругами, более молодая женщина и начинающая художница, Фрида, естественно, погрузилась в богемный мир деятелей искусства и коммунистов, который окружал фотографа Тину Модотти.

Это не был мир Алехандро, хотя многие из этого круга участвовали в его акциях под знаменем антикальесистов. В июне 1928 года любовные отношения между Фридой и Алехандро были прекращены, все кончилось тем, что у него начался роман с Фридиной подругой Эсперансой Ордоньес.

Фрида не сдавалась.

«Теперь, как никогда раньше, я чувствую, что ты меня больше не любишь, — писала она ему. — Но, признаюсь тебе, я в это не верю, я знаю — этого не может быть — в глубине души ты понимаешь меня, ты знаешь, что я тебя обожаю! Что ты не только мое существо, но ты — это я сама! — Незаменимый!»

И тем не менее два или три месяца спустя благодаря Тине Модотти Фрида присоединилась к коммунистической партии и встретила Диего Риверу, заменив свою старую любовь новой.

Когда Фрида познакомилась с Диего Риверой, ему был сорок один год, он был самым известным мексиканским художником и имел самую скверную репутацию. Без сомнения, Ривера расписал больше стен, чем любой другой монументалист.

Он писал с такой легкостью, с такой скоростью, что казалось, ему помогают силы земли.

«Я не просто художник, — говорил он, — но я человек, который исполняет свои биологические функции, создавая живопись, так же как дерево создает цветы и фрукты».

В самом деле, работа была для него своего рода наркотиком, и все, что препятствовало работе, будь то политика, нездоровье или неважные детали ежедневного быта, раздражало его. Иногда он работал целыми днями, забирая с собой на леса еду, а временами там же и спал.

Когда Ривера писал, его окружали друзья и зрители, которых он угощал жуткими историями о русской революции, например, или об «экспериментах» с поеданием человеческого мяса, особенно моло- деньких женщин, завернутого в тортилью. «Это как нежнейшая свинина», — говорил он.

Несмотря на шутовство и скорость, с которой он писал, а это могло бы послужить основанием к тому, чтобы воспринимать его живопись как импровизацию, у него была хорошая школа, он все делал очень обдуманно и был великолепным профессионалом. Диего начал заниматься живописью с трех лет, когда его отец, увидев, как сын разрисовывает стены, отдал ему комнату с черными классными досками, где тот мог делать все, что душа его пожелает.

Родившись в 1887 году в семье школьного учителя-вольнодумца и молодой женщины, которая владела кондитерским магазином, Диего Мария де ла Консепсион Хуан Непомусено Эстанислао де ла Ривера-и-Барриентос Акоста-и-Родригес с раннего детства проявлял одаренность. В десять лет он потребовал, чтобы его отправили в художественную школу, и, продолжая днем ходить в обычную школу, по вечерам занимался в самой престижной художественной школе Мексики, в Академии Сан-Карлос. Он получал призы и стипендию, но в 1902 году академическое преподавание показалось ему слишком ограниченным, и он бросил учебу, чтобы работать самому.

В те дни в Мексике это было единственное место, где учились художники, и Ривера, вооруженный стипендией губернатора Веракруса, в 1907 году отплыл в Европу. После года в Испании он осел в Париже, где, исключая некоторые путешествия, пробыл до 1921 года, когда и вернулся в Мексику, оставив в Париже обожаемую гражданскую русскую жену Ангелину Белову, незаконнорожденную дочь от другой русской женщины и массу друзей, по большей части из богемы — Пикассо и Гертруду Стайн, Гийома Аполлинера и Элию Фора, Илью Эренбурга и Сергея Дягилева.

Первой его работой в Мексике была роспись

стены в амфитеатре Государственной начальной школы, названная «Созидание». Это была странная работа для художника, уже одержимого идеей создавать революционное и особенно мексиканское искусство. В то время как интеллектуально он вдохновляется мистицизмом Васконселоса, в его живописи это отражается в идеализированных монументальных фигурах библейских добродетелей, персонифицирующих, например, мудрость, силу, эротическую поэзию, трагедию и науку, при этом лишенных чего-либо мексиканского и в стиле, и в содержании. Вероятно, Ривера был все еще под влиянием европейской живописи и не мог найти формы и темы, воплощающие его идеалы. Тем не менее в «Созидании» он нашел свой метод и свой масштаб: монументальная фреска. И если здесь главным его образом была вселенная и аллегория без признаков народности и реальности, то вскоре его мифической музой с классической основой становится традиционная мексиканская индейская мать.

ХЕЙДЕН ЭРРЕРА

Мексиканская тема Риверы впервые появляется в гигантской серии фресок министерства общественного образования (1923—1928), к которым он приступил вскоре после окончания работы в аудитории Начальной школы. На стенах трех этажей открытых коридоров министерства, окружающих огромный внутренний двор, Ривера пишет индейцев, работающих на полях и в шахтах, индейцев-учителей, преподающих в школах на открытом воздухе, рабочих на митингах. Он вносит во фрески свое представление об этих людях — крепких, загорелых, с массивными телами, круглыми головами, всегда в шляпах — это анонимные фигуры, которых недоброжелатели стали называть «обезьяны Риверы». Объекты живописи и стиль были настолько естественно, нераздельно слиты, что, несмотря на несомненное влияние (Джотто, Микеланджело), его работы не казались подражанием; сама Мексика, ее фольклор и ее народ, кактусы и горы оказались «мотивом», который Диего Ривера ввел в живопись. И всюду он изображал индейца, героически сражающегося против тирании за свои права и за лучшую жизнь.

Это была великая и демократическая тема, и Ривера и другие монументалисты со всем рвением реформаторов придерживались ее не только в своей работе, но и в политике. В сентябре 1923 года для создания Синдиката революционных живописцев, скульпторов и граверов в доме Риверы собрались Ривера, Давид Альфаро Сикейрос, Фернандо Леаль и Хавьер Герреро (впоследствии ставший любовником Тины Модотти), они образовали комитет. В манифесте они декларировали: «Мексиканское искусство — великое искусство, потому что его вдохновляет народ, и нашей эстетической целью является социализация искусства, разрушение буржуазного индивидуализма. Мы отрекаемся от так называемого студийного искусства, вдохновителями которого являются ультраинтеллектуальные круги, поскольку оно вызывающе элитарное. Мы приветствуем монументальную выразительность живописи, потому что такое искусство принадлежит народу. Мы объявляем, что наступает момент перехода от ветхозаветного к новому порядку; создатели прекрасного должны приложить все усилия для того, чтобы создавать искусство, ценимое народом, и главным предметом в нашем искусстве, которое сегодня создается для удовольствия, становится сотворение прекрасного для всех, прекрасного, которое просвещает и побуждает к борьбе».

С борьбой против позитивизма и с верой в истинность интуиции, что явилось результатом революции, пришла переоценка значимости искусства для ребенка, крестьянина и индейца. Художники отваживались заявить, что «искусство мексиканского народа есть величайшее искусство и наиболее здоровое выражение духа во всем мире». Доколумбово искусство, которое отвергали как чуждое и варварское, теперь рассматривалось как отражение чего-то глубинного, таинственного, даже благородного, мексиканского. Богатые мексиканцы, которые до револю-

ХЕЙДЕН ЭРРЕРА

ции обзаводились работами модного испанского художника Игнасио Сулоаги, теперь коллекционировали идолов тольтеков, майя и ацтеков. Общедоступные артефакты рассматривались как произведения искусства, как истинное выражение «народа», нежели чем просто любопытные вещицы или даже хлам. Оживились ручные ремесла, и мексиканские горожане начали украшать свои дома яркими вещами с рынка и дешевой мебелью, сделанной для *campesinos* (крестьян). Стали восхвалять народную мексиканскую одежду, и космополитичные мексиканки даже начали ее носить. Мексиканская кухня заменила французскую, которую стали считать извращенной. По всем областям страны дотошно собирали *corridos* (баллады), их стали публиковать, петь в школах и на концертах. Современные мексиканские композиторы, Карлос Чавес и Сильвестр Ревуэльтас, ввели народные ритмы и гармонии в свои сочинения, а друг Риверы американец Аарон Копланд напишет, что «главная характеристика личности индейца — что глубочайшим образом отразилось в музыке нашего полушария — находится в современной школе мексиканских композиторов».

Точно так же и театр приобрел местную окраску. *Tandas*, театральное ревю, которое следовало старинным испанским традициям, было «мексиканизировано» и во многом создавалось для типичных мексиканцев, которые, как и в изобразительном искусстве, тяготели к национальному. Пресыщенные горожане толпой кинулись смотреть *carpas* — уличные театры в балаганах, которые показывали сатирические сцены о последних политических провалах, — и люди, которых, бывало, радовал лишь классический балет, собирались в городах посмотреть на народные танцы и научиться танцевать *jarabe* и *sandunga*, чтобы танцевать потом и на своих собственных праздниках. Постепенно образовался специфический мексиканский стиль в современных танцах, который воспринял индейские мотивы и типично индейские движения, такие, когда дробят зерно или когда ребенка носят в *rebozo* (в шали), или (для мужчин) — имитация крестьянской работы на полях. В 1919 году Анна Павлова танцевала в мексиканском балете «La Fantasia mexicana», музыку для которого, причем совершенно аутентичную, написал Мануэль Кастро Падилья, декорации и костюмы впитали местный колорит. Балет был так популярен, что дополнительные представления давались на арене для боя быков.

Неважно, что вкусы или воспитание художников были старомодными, они все равно включали в свои произведения мексиканские элементы. Даже европейски ориентированные живописцы изображали розовые цветы бугенвиллей, индейские мотивы и бурные чувства, что характерно для мексиканцев, сочетая их с импортированными идеями кубизма, дадаизма и сюрреализма, с немецким *Neue Sachlichkeit* и неоклассицизмом Пикассо двадцатых годов. Ярые националисты считали, что, выковывая истинно неколониальное искусство, следует вовсе отказаться от иностранного влияния. Они брали простые формы и объекты из мексиканского народного искусства в надежде создать более точный и понятный стиль, который должен быть свободен от «элитарных ценностей», ассоциирующихся с авангардной европейской живописью; их возмущало мексиканское подражание европейской моде, так же как возмущало то, что мексиканской нефтью торгуют иностранные компании. Точно такой националистической позиции придерживался и Диего Ривера. Даже если в самые откровенные мгновения он и признавал необходимость соединения европейских традиций с мексиканскими корнями, то взрывался, возмущаясь «фальшивыми художниками», «лакеями Европы», которые копировали европейские образцы и таким образом продолжали ставить мексиканскую культуру в полуколониальное положение.

Примитивизм и допущение определенных аспектов народного искусства в «высокое» искусство представляли собой не только отказ от буржуазных или европейских ценностей, но и романтическую тоску по примитивному крестьянскому миру, где процветали рукотворные творения и который, художники это чувствовали, исчезает с приходом индустриальной эры. Диего Ривера обожал это прошлое и иногда изображал ту идиллическую эпоху, хотя благоговейно верил в то, что будущее человечества лежит в индустриализации и коммунизме. Он и Фрида окружили себя мексиканским народным искусством, и их коллекция скульптур доколумбовой эпохи — одна из лучших в Мексике.

В 1928 году, когда Фрида встретила Риверу, он был холост. В сентябре 1927 года он ездил в Россию с делегацией мексиканских рабочих и крестьян на празднование десятилетия Октябрьской революции и для того, чтобы расписать фресками клуб Красной Армии. Но не завершил этой работы, то ли потому, что возникли какие-то бюрократические возражения, то ли почему-то еще. И в мае 1928 года Ривера был опрометчиво вызван Мексиканской коммунистической партией, очевидно, для того, чтобы работать на президентскую кампанию Васконселоса. (Позже он упоминал, что его просили выставить свою кандидатуру на пост президента.)

К августу, когда Ривера добрался до Мексики, его брак с красавицей Люпе Марин разрушился. Это был бурный союз, очень страстный и очень жестокий: Диего описывал Люпе как одушевленное животное — «зеленые глаза, такие прозрачные, что казались слепыми»; «звериные зубы», «рот тигра», руки, как «когти орла». Причиной разрыва, как утверждала Люпе, был роман Диего с Тиной Модотти. Тина позировала, вслед за Люпе, в качестве натурщицы для великолепных ню на фреске, которую Диего делал на стенах Государственной сельскохозяйственной школы в Чапинго, что и послужило началом связи. Не в первый раз Люпе бушевала из-за флирта Диего. Она умела и сдерживаться, а случалось, и мстить: однажды перед удивленными гостями она вцепилась в волосы соперницы, порвала рисунки Риверы и дала мужу пощечину; в другой раз она рас-

ХЕЙДЕН ЭРРЕРА

колотила идолов из коллекции Диего и подала ему суп из надкрыльев жуков. Но Люпе не могла перенести тот факт, что она делит с другой женщиной внимание зрителей фрески в Чапинго. Несмотря на то что роман Диего и Тины закончился еще до его отъезда в Россию, браку был нанесен удар.

Диего, будто бы желая заполнить пустоту, образовавшуюся после того, как он ушел от Люпе и двух маленьких дочерей, имел любовных приключений больше, чем когда-либо за всю предыдущую или последующую жизнь. Ему ничего не стоило покорить женщину. Хотя он и был внешне безобразен, но легко влюблял в себя женщин с естественностью магнита, притягивающего железо. На самом деле частично его привлекательность заключалась в его чудовищном облике — некрасивость Диего была прекрасным фоном для женщин, любящих поиграть в союз красавицы и чудовища, но самым привлекательным была сама его личность. Он был принц-лягушка, поразительный человек, полный блестящего юмора, живости и очарования. Он мог быть нежным и очень чувственным. Что еще важнее, он был знаменит, а слава, похоже, является неотразимым соблазном для женщин. Говорят, что женщины гонялись за Риверой больше, чем он гонялся за ними. Особенно его преследовали молодые американки определенного типа, роман с Риверой был так же обязателен, как поход к пирамидам Теотиуакана.

Женщины, где бы это ни было, в Мексике или где-нибудь еще, любили быть с Диего просто потому, что ему нравилось быть с ними. С его точки зрения, женщины во много раз превосходили мужчин, поскольку они более чувствительны, более миролюбивы, более цивилизованны. В 1931 году, тихим голосом, с мерцающими глазами, с мягкой улыбкой Будды, Ривера говорил репортерам о том, как он восхищается женщинами:

«Мужчины — дикари по натуре. Они и сегодня дикари. История показывает, что прогрессом двигают женщины. Мужчины предпочли остаться тупицами, которые сражаются и охотятся. Женщины, создавая дом, культивировали искусство. Они основали индустрию. Они созерцали звезды и создавали поэзию и живопись... Покажите мне нововведение, которое не соответствовало бы желанию [части мужчин] служить женщинам».

Возможно, годы, проведенные в Европе, сделали отношение Риверы к противоположному полу столь отличным от отношения среднего мачо. В любом случае он получал удовольствие от разговора с женщинами, ценил их разум, что в те дни в Мексике или где бы то ни было еще на редкость было приятно женщинам.

Разумеется, Ривера так же ценил и их тело. Он обожал красоту, ему доставляло огромное удовольствие лицезрение прекрасного. Говорят, что позировать Диего значило отдавать свое тело не только его глазам, но и плоти. Неизвестно, что думала Фрида о его репутации бабника, когда впервые встретилась с ним. Возможно, это ее привлекало, а может быть, она поддалась самообману, надеясь: «Я буду той единственной, которой удастся поймать и удержать его любовь, меня он будет любить по-другому». И, разумеется, он любил, и она любила, но не без борьбы.

Почти наверняка впервые они встретились на вечеринке в доме Тины Модотти. Начиная с 1923 года еженедельные собрания у Тины многое сделали для создания творческой, богемной атмосферы в Мехико; там обменивались последними идеями по поводу искусства и революции; при этом пели, танцевали, заводили романы, вели задушевные разговоры, ели и пили.

«Встреча [с Диего], — говорила Фрида в 1954 году, — состоялась в тот период, когда люди носили с собой пистолеты и попадали в неприятности. Ночью стреляли в лампы уличного освещения просто ради развлечения. Однажды на вечеринке у Тины Диего выстрелил в граммофон и очень заинтересовал меня, несмотря на то, что я его побаивалась».

Истинная правда о встрече Фриды и Риверы у

Тины Модотти — сама по себе история неплохая — дает возможность рассказать кое-что и поинтереснее. На самом деле, похоже, существует столько версий этой встречи, сколько рассказчиков. Фрида сама в разное время вспоминает этот случай по-разному. «Официальная» версия гласит, что, когда Фрида выздоровела, она начала показывать свои картины друзьям и знакомым. Одним из них был Ороско, работы ему необычайно понравились.

«Он крепко обнял меня», — говорила Фрида. Потом она понесла работы человеку, которого просто «видела».

Фрида вспоминает:

«Как только мне разрешили выходить на улицу, я понесла мои картины Диего Ривере, который в это время писал фрески в коридорах министерства образования. Я не была знакома с ним, только видела его, но безмерно восхищалась им. Я имела наглость позвать его, так что он должен был спуститься с лесов, чтобы увидеть мои картины и честно сказать мне, стоят ли они хоть чего-нибудь... Не задумываясь, я сказала: «Диего, спускайтесь». И он, спокойный и дружелюбный, спустился. «Слушайте, я пришла сюда не для того, чтобы флиртовать или вроде того, несмотря на то, что вы охотник за женщинами. Я пришла показать свои картины. Если они вам будут интересны, дайте мне знать, если же нет — тоже скажите, тогда я найду еще какую-нибудь работу, чтобы помогать своим родителям». Тогда он сказал мне: «Слушайте, во-первых, ваша живопись заинтересовала меня, особенно автопортрет, который весьма оригинален. В трех остальных чувствуется влияние того, на что вы насмотрелись. Идите домой и пишите картины, а в следующее воскресенье я приду посмотрю их и скажу, что думаю». Вот как он повел себя и, придя к нам, объявил: «У вас есть талант».

Версия Диего об этой встрече, как написано в книге «Мое искусство, моя жизнь», является примером его феноменальной памяти и не менее феноменального воображения. Он был великим рассказчиком, и если кое-что из того, что он говорил, приукрашивается какими-то фактами, то они только точнее показывают, как он был очарован Фридой.

 ХЕЙДЕН ЭРРЕРА

«Как раз перед тем, как я поехал в Куэрнаваку, произошло одно из счастливейших событий в моей жизни. Однажды я работал над высоко расположенной фреской в министерстве образования и услышал, что какая-то девушка кричит мне: «Диего, пожалуйста, спуститесь сюда. Мне нужно обсудить с вами что-то очень важное!»

Я обернулся и посмотрел вниз с лесов. Там стояла девушка лет восемнадцати. У нее было прелестное нервное тело, изящное лицо. Длинные волосы, темные и густые брови, сросшиеся на переносице. Они были подобны крыльям черного дрозда, их черные арки окаймляли два совершенно необычных карих глаза.

Когда я спустился вниз, она сказала: «Я пришла сюда не ради развлечения. Я должна работать, чтобы заработать на жизнь. Я сделала несколько картин и думаю, что вы отнесетесь к ним как профессионал. Я жду совершенно прямого высказывания, потому что не могу позволить себе прийти только затем, чтобы потешить свое тщеславие. Скажите мне откровенно, могу я стать достаточно хорошим художником, чтобы с успехом продолжать этим заниматься? Я принесла сюда три свои картины. Посмотрите на них».

«Да», — сказал я и последовал за ней в небольшую комнату под лестницей, где она оставила свои картины. Все три были женскими портретами. Я рассматривал картины одну за другой, они произвели на меня большое впечатление. В холстах обнаружились необычайная, энергичная выразительность, ярко выявленные характеры и жестокая правда. В них не было оригинальных приемчиков, что обычно отмечает работу амбициозных новичков. Их отличала истинная пластичность и артистизм личности художника. Они передавали живую чувственность с добавлением безжалостной, но ощутимой силы наблюдательности. Мне было совершенно ясно, что девушка — подлинный художник.

Она, без сомнения, заметила энтузиазм в выражении моего лица и, прежде чем я что-либо произнес, резким тоном защиты предостерегла меня: «Я пришла сюда не затем, чтобы искать ваших комплиментов. Я хочу критики серьезного человека. Я не любитель в искусстве. Просто я человек, который должен зарабатывать на жизнь».

Я уже попал под очарование этой девушки. Я должен был удержаться и не сказать ей всего, что мне хотелось бы. Однако не мог быть и неискренним. Я был озадачен ее поведением. Почему, спросил я ее, она доверяет моим суждениям? Почему она пришла именно ко мне?

«Беда в том, — ответила она, — что некоторые из ваших добрых друзей советовали мне не особенно доверять тому, что вы скажете. Они говорят, что если девушка, спрашивающая вашего мнения, не абсолютно безобразна, то вы тут же готовы излить на нее свои симпатии. Итак, я хочу, чтобы вы мне сказали только одно. Вы действительно считаете, что я должна продолжать писать, или мне нужно заняться какой-то другой работой?»

«Мое мнение таково, что, как бы вам ни было трудно, вы должны продолжать заниматься живописью», — тут же ответил я.

«Тогда я последую вашему совету. А теперь попрошу вас еще об одном одолжении. У меня есть еще несколько работ, мне хотелось бы, чтобы вы их тоже посмотрели. Если вы не работаете в воскресенье, не могли бы вы приехать ко мне в следующий выходной посмотреть их? Я живу в Койоакане, авенида Лондрес, 126. Меня зовут Фрида Кало».

В тот момент, как я услышал ее имя, я вспомнил, что мой друг Ломбардо Толедано, будучи директором Государственной начальной школы, жаловался мне на трудную девушку с этим именем, она была вождем банды юных преступников, которые поднимали такой шум в школе, что Толедано решил из-за них уйти со своей работы. Я вспомнил, что однажды он мне ее показывал, это было после того, как ее вызывали к руководству школы для выговора. Затем у меня в сознании возник другой образ, образ двенадцатилетней девочки, которая семь лет назад, в аудитории школы, где я писал фреску, задевала Люпе.

Я начал было: «Но вы...»

Она быстро остановила меня, от возбуждения чуть не закрыв мне рот рукой. Глаза ее сверкнули дьявольским блеском.

Она угрожающе сказала: «Да, и что же? Я была той девушкой в аудитории, но теперь это абсолютно ничего не значит. Вы все еще хотите прийти в воскресенье?»

Мне очень трудно было не ответить: «Еще больше хочу!» Но если бы я показал свое возбуждение, она могла бы не позволить мне прийти. Поэтому я просто ответил: «Да».

Затем, отказавшись от моей помощи, Фрида ушла, волоча свои картины.

Следующее воскресенье я встретил в Койоакане, разыскивающим авениду Лондрес, 126. Когда я стучал в дверь, то услышал, как кто-то над моей головой насвистывает «Интернационал». Я увидел, как Фрида спускается с высокого дерева. Весело смеясь, она взяла меня за руку и повела в дом, в котором, казалось, было пусто. Она привела меня в свою комнату. Затем выставила передо мной свои картины. Все это — ее комната, ее очаровательное присутствие — наполнило меня удивительной радостью.

Тогда я этого еще не знал, но Фрида уже стала самым главным фактом моей жизни. И она продолжала быть самым важным человеком для меня до самой своей смерти, еще двадцать семь (двадцать шесть. — *Прим. пер.*) лет.

Через несколько дней после посещения дома Фриды я в первый раз ее поцеловал; закончив работу в министерстве, я начал отчаянно за ней ухаживать. Хотя ей было всего восемнадцать (двадцать или двадцать один. — *Прим. пер.*) лет, а я был более чем в два раза старше, для нас это не было препятствием. Ее семья тоже, казалось, приняла то, что произошло.

Однажды ее отец, дон Гильермо Кало, — он был великолепным фотографом — отозвал меня в сторонку.

«Вижу, что вас интересует моя дочь», — сказал он.

«Да, — ответил я. — Иначе я бы не проделывал столь далекий путь в Койоакан, только чтобы увидеться с ней».

«Она — дьявол», — сказал он.

«Я это знаю».

«Что ж, я вас предупредил», — сказал он и ушел».

ЧАСТЬ 3

7
СЛОН И ГОЛУБКА

После того как Фрида и Диего встретились, как бы это ни произошло, их роман быстро развивался. Диего навещал Фриду в Койоакане днем по воскресеньям, а Фрида все больше времени проводила рядом с Диего на лесах, глядя, как он работает. Люпе, хотя и не жила с Диего, ревновала.

«Когда я пошла в министерство образования, чтобы отнести ему обед — он писал фреску в этом здании, — я была потрясена фамильярностью, с которой эта наглая барышня обращалась с ним... Она называла его *mi cuatacho* (мой большой дружок)... Это была Фрида Кало. Естественно, я ревновала, но не придавала этому значения, потому что Диего влюблялся с той же легкостью, с какой флюгер поворачивается на ветру... Но однажды он сказал: «Давай поедем к Фриде домой»... Меня поразило, когда я увидела, как так называемая молодежь, как настоящие *мариачи* (уличные певцы и музыканты. — *Прим. пер.*), поглощает текилу».

Какой бы неприемлемой ни казалась Фрида для Люпе, привязанность Диего к девушке все росла. Его обезоруживали ее прямота и откровенность. Его искушала в ней смесь чистоты и незамаскированной сексуальности. В воспоминаниях Диего видно, насколько пыл и лукавство Фриды были притягательны для его озорной мальчишеской натуры. Есть там один забавный момент, описывающий, как однажды, прогуливаясь по Койоакану, они остановились под уличным фонарем и испугались, увидев, что повсюду на улице зажегся свет. «Поддавшись внезапному импульсу, я поцеловал ее. Когда наши губы соединились, свет вокруг погас и зажегся тогда, когда мы оторвались друг от друга». Они целовались снова и снова под всеми уличными фонарями, которые все так же гасли и зажигались.

Еще одно качество привлекало Диего во Фриде — ее ускоренное, чуждое условностям восприятие жизни. Ей так же, как и Диего, скоро все надоедало.

«Его раздражали только две вещи, — однажды написала Фрида, — потерянное для работы время и — глупость. Он много раз говорил, что лучше пусть у него будет много умных врагов, чем один глупый друг».

Фрида и Диего друг другу не надоедали. Каждому из них доставляло удовольствие общение с товарищем, который относился к жизни с той же смесью иронии, бурного веселья и черного юмора. Оба отвергали буржуазную мораль. Они разговаривали о диалектическом материализме и «социалистическом реализме», однако для них реализм существовал рядом с фантазией; настолько же, насколько они восхищались рациональным отношением к жизни, настолько они поднимали банальное до непостижимого и поклонялись абсурду и воображению. Бывало, Ривера жаловался: «Беда Фриды в том, что она слишком реалистична. У нее нет иллюзий». И Фрида порой сокрушалась по поводу недостатка сентиментальности у Риверы; однако, будь он более сентиментальным, она, возможно, обходилась бы с ним, как соль с устрицей — достаточно было одного сардонического, испепеляющего взгляда Фриды, чтобы сентиментальный человек съежился.

Люпе говорила, что, когда Фрида впервые навестила Диего на лесах в министерстве образования, «ее лицо было накрашено, волосы убраны в китайском стиле, платье ее было с декольте, как у распутницы». Может быть, и так. Но уже давно Фрида, как член Лиги молодых коммунистов, посещала рабочие собрания, участвовала в тайных совещаниях, писала речи.

«Она больше не носила белых блузок, — как-то с сожалением вспоминал Алехандро Гомес Ариас. —

Вместо этого она надевала черную или красную рубашку и закалывала волосы эмалевой заколкой с серпом и молотом».

Без всякого кокетства она также часто надевала джинсы и кожаную куртку, кое-где зашитую, — рабочий среди рабочих. Вероятно, это тоже было привлекательным для Диего, который, когда они встретились, отдавал много сил коммунистической партии. Он был делегатом Мексиканской крестьянской лиги, Генеральным секретарем Антиимпериалистической лиги и издателем «El Liberador».

В 1928 году Ривера изобразил Фриду в виде вооруженного коммуниста в панели «Мятеж» из серии «Баллада о пролетарской революции» на третьем этаже здания министерства образования (илл. 14). В окружении фигур Тины Модотти, Хулио Антонио Мельи, Сикейроса и других пылких коммунистов выделяется Фрида, одетая в мужскую красную рабочую рубаху с красной звездой на кармане. Лицо ее привлекает взор зрителя нетерпеливостью и одухотворенностью, в руках у нее ружье и штыки — героиня и верный товарищ коммунистического лидера. Когда она позировала для этого портрета, Диего саркастически заметил: «У тебя лицо собаки». Не задумываясь, Фрида ответила: «А у тебя лицо лягушки!»

Во время этого романа Фрида начала писать с большей уверенностью и с бóльшим старанием. Диего, думала она, всемирно известный художник, и то, что ему нравятся мои работы, заставляет работать еще напряженнее. Однажды Фрида сказала, что, когда она впервые показывала свои картины Диего, «я ужасно хотела делать фрески», но, когда он увидел ее картины, он сказал: «Ты должна приобрести свою собственную выразительность». Однако какое-то короткое время Фрида пытается следовать манере Диего Риверы.

«Я начала писать то, что нравилось ему. С этого момента он стал мною восхищаться и полюбил меня».

Хотя Ривера давал Фриде советы, он мудро воздерживался от того, чтобы учить ее, он не хотел влиять на ее прирожденный талант. Она же тем не менее

ХЕЙДЕН ЭРРЕРА

считала его своим ментором, наблюдала за его работой, прислушивалась к нему, училась. По мере ее развития риверовский стиль стал исчезать, но его уроки остались при ней. «Диего научил меня революционному отношению к жизни и правильному ощущению цвета», — говорила она журналистам в 1950 году.

Влияние Риверы прослеживается и в стиле, и в сущности Фридиных картин, относящихся к 1928 и 1929 годам. «Портрет Кристины Кало» (илл. 13), написанный в начале 1928 года, соответствует по формату автопортрету Фриды; в нем жесткие, как бы одеревеневшие очертания форм; маленькое стилизованное дерево на заднем фоне контрастирует с большой веткой на переднем плане, что в наивной манере дает характеристику пространства. Позже, в том же году, когда она пишет «Портрет Аугустина М. Ольмедо», Фрида изображает своего старого школьного друга на фоне голубого пространства, что, как и во многих фонах портретов Риверы, не нарушается больше никакими деталями. Она заимствует у Риверы принцип изображения фигуры на упрощенной поверхности яркого цвета, тот стиль, который он ввел под влиянием европейского модернизма, внеся в него элементы народного мексиканского и доколумбова искусства. Хотя работы Фриды того периода во многом соотносятся с ее поздними картинами, в них почти не детализируются линия, текстура, обработка форм. Будто бы она извлекает фигуру из фресок Диего и помещает ее в центр своего холста.

В работах 1929 года — в «Портрете девочки» (илл. 15) и «Портрете девушки» Фрида делит фон на две ярких по цвету зоны: бледно-лиловый и желтый в первом случае и голубовато-зеленый и терракотовый в «Портрете девушки». На девочке оливково-зеленое платье в красный горошек. Девушка одета в розовое. Это праздничные, символичные цвета, характерные и для народного мексиканского искусства, и для всей жизни; их можно увидеть в любой базарный день в калейдоскопе толпы.

Колорит Фриды возник из европейской традиции (которую она пыталась уловить, создавая ранние работы), это заметно даже больше, чем в работах Риверы, который сознательно решил «мексиканизировать» колорит после возвращения из Парижа. Создается впечатление, что Фрида, которая никогда не училась «классической» живописи, помимо своей воли пренебрегала всеми ее характеристиками. Точно так же во всех ее работах рисунок более примитивен, чем рисунок Диего, и в то время, как в ранних картинах наивная фольклорная манера камуфлировала слабую технику, что происходило от недостатка опытности, позже ее примитивизм, как и ее палитра, стали осознанным стилем.

Хотя ранние картины Фриды, изображающие детей, нельзя назвать великой живописью, они трогательные и живые, особенно потому, что в них смешались детскость и стиля, и объекта изображения и восприятие самой художницы. Искренний неопытный художник, Фрида работала в наивной манере. Ее собственный юный дух помогал ей добиться расположения у детей, что дало возможность уловить и выразить в картинах их доверчивость и свежесть — это видно в детских глазах: в них сочетаются немота животного и бремя мудрости. И в то время, как многие дети на картинах Риверы обладают одними и теми же признаками — круглые щеки и еще более круглые глаза, что рассчитано на туристов, — дети на картинах Фриды специфичны и аутентичны; у Риверы не встречаются четко прописанные детали — большие уши, худенькие руки, костлявые плечи, прямые непослушные волосы, нижнее белье, выглядывающее из-под юбки. Большая английская булавка на платье «Девочки» так много говорит о гордости и бедности детей Мексики.

Мыслила Фрида не так, как Диего. Избегая теоретизирования, она проникала в то, что было сутью объекта изображения, фокусируясь на деталях одежды, на лицах, пытаясь ухватить жизнь персонажа. Позже она будет изображать разрезанные фрукты и цветы, органы, вскрытые под раненой плотью, и чувства, вырывающиеся наружу из-под оболочки стоика. Мысля отстраненно и по большей части абстрактно, Ривера своими работами охватывал всю

ХЕЙДЕН ЭРРЕРА

необозримость видимого мира, он населял фрески самыми разными людьми и сценами из истории. По контрасту с ним объекты изображения Фриды пришли из мира, находящегося тут же, рядом: друзья, животные, натюрморты и больше всего — она сама. Ее образы воплощали состояние ума, собственные радости и печали. Всегда внутренне связанные с событиями личной жизни, эти образы отражали непосредственность жизненного опыта.

Непосредственность и интимность нашли свое выражение даже в картине «Автобус», написанной в 1929 году, в которой Фрида по-своему попыталась сделать то, что Диего так часто делал в своих огромных фресках (илл. 16). Все мексиканское общество устроилось на сиденьях потрепанного автобуса: пышная матрона из низших слоев среднего класса, с плетеной корзинкой для покупок; рабочий с гаечным ключом, одетый в синий комбинезон; в центре, главная из всей этой группы, похожая на Мадонну, босая индейская мать, кормящая грудью ребенка, которого она укутала своей желтой шалью; рядом с ней маленький мальчик, наблюдающий за миром в окно; старик с голубыми глазами с мошной денег в руке, явно изображающий гринго (он напоминает толстого капиталиста с фрески Риверы в министерстве образования); молодая особа из высшей буржуазии (ее символами являются модный шарф и аккуратная маленькая сумочка). Пара буржуа контрастирует с матерью семейства и рабочим, но обе пары симметричны относительно оси, выраженной в образе индейской матери. Самое главное, «Автобус» является мексиканской версией картины Домье «Вагон третьего класса», с той лишь разницей, что с точки зрения марксизма здесь представлены социальные классы в фигурах, в то время как у Домье все, от мужчины в шляпе до мальчика, от женщины с кошелкой до кормящей матери, — бедняки.

В юморе, с которым показана социальная иерархия, — вся Фрида. Она явно обладала политическим сознанием, но также она обладала острым ощущением смешного, даже когда смешное исходило от вычурного политического теоретизирования Диего.

1. Свадебная фотография Гильермо Кало и Матильды Кальдерон, 1898

2. «Мои прародители, мои родители и я», 1936

3. Фрида после выздоровления от полиомиелита *(внизу справа)* с членами ее семьи. *Задний ряд — вторая справа* ее мать; *пятая справа* ее бабушка; *сидит* со скрещенными ногами ее сестра Кристина.

4. «Они просили аэропланы, но получили только соломенные крылья», 1938

5. «Четверо жителей Мексики», 1938

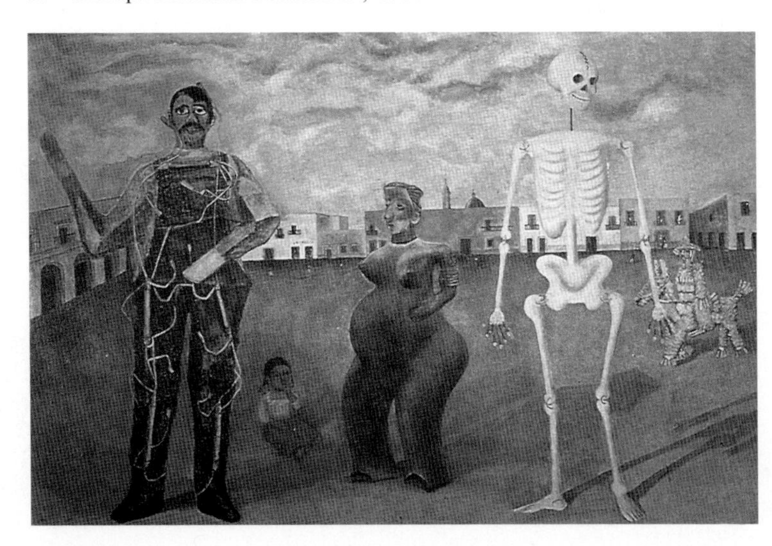

6. Автопортрет Гильермо Кало, ок. 1907

7. «Портрет дона Гильермо Кало», 1952

8. Фрида — школьница, 1923

9. Алехандро Гомес Ариас, ок. 1928

10. Фридин рисунок ее несчастного случая

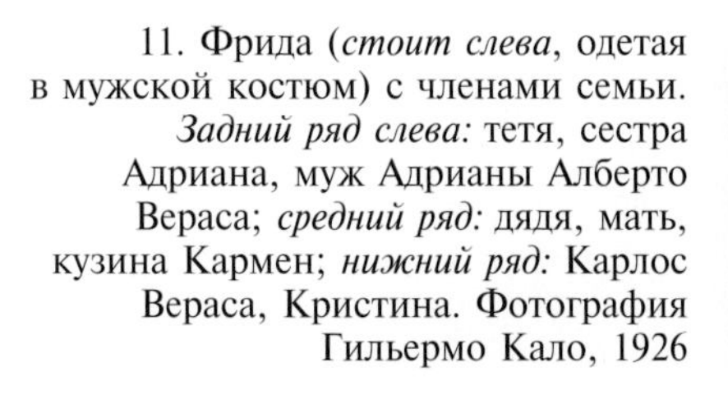

11. Фрида (*стоит слева*, одетая в мужской костюм) с членами семьи. *Задний ряд слева:* тетя, сестра Адриана, муж Адрианы Алберто Вераса; *средний ряд:* дядя, мать, кузина Кармен; *нижний ряд:* Карлос Вераса, Кристина. Фотография Гильермо Кало, 1926

12. «Портрет Адрианы», 1927

13. «Портрет Кристины Кало», 1928

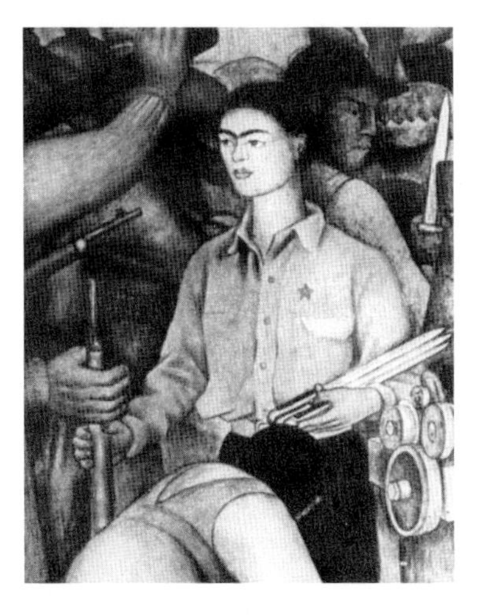

14. Портрет Фриды на фреске Диего Риверы в Министерстве образования, 1928

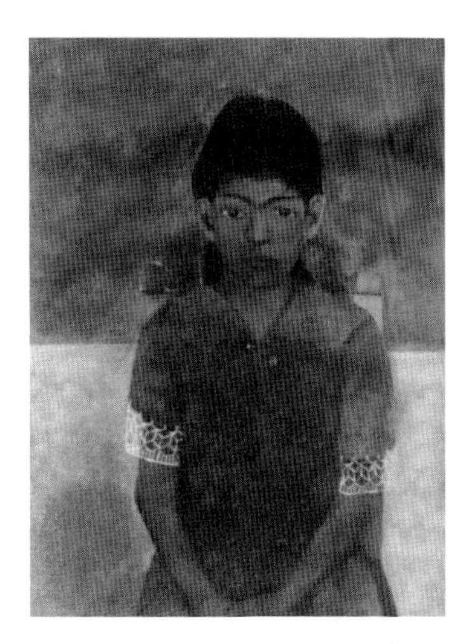

15. «Девочка», 1929

16. «Автобус», 1929

17. Фрида и Диего
в день свадьбы,
21 августа 1929

18. «Автопортрет», 1930

19. «Портрет Евы Фредерик», 1931

20. «Портрет миссис Джин Уайт», 1931

21. «Портрет доктора Элоиссера», 1931

22. «Лютер Бербэнк», 1931

23. Фрида и Диего
на фабрике Форда,
Детройт, 1932

24. На лесах
в Детройтском
институте искусств,
1932

25. *Слева направо —*
Люсьен Блох с Артуром
Ниендорфом и Джин
Уайт, а также Диего
Ривера на крыше
Детройтского института
искусств наблюдают
за солнечным
затмением, 31 августа
1932 года

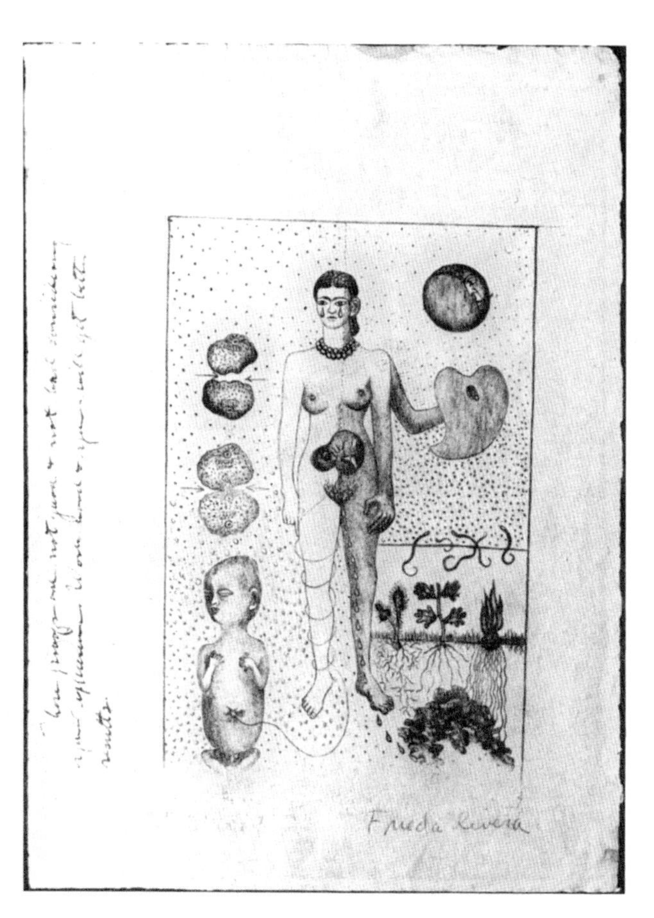

26. «Фрида и аборт», литография, 1932

27. После смерти матери. Фотография Гильермо Кало, 1932

28. «Автопортрет на границе между Мексикой и Соединенными Штатами», 1932

29. За работой над «Автопортретом на границе»

30. «Автопортрет», 1933

31. Фреска Риверы в Рокфеллеровском центре, которая была снова написана во Дворце изящных искусств в Мехико, 1934

32. С Диего и неизвестной подругой у Школы новых рабочих, Нью-Йорк, 1933

33. С Нельсоном Рокфеллером и Розой Коваррубиас, 1939

34. «Мое платье висит там», 1933

36. С Эллой Вулф
в Нью-Йорке, 1935

35. Портрет Фриды, Кристины и детей Кристины, сделанный Риверой на фреске в Национальном дворце, 1935

37. «Автопортрет», 1935

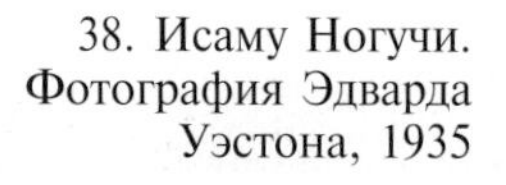

38. Исаму Ногучи.
Фотография Эдварда
Уэстона, 1935

39. «Память», 1937

40. «Воспоминание об открытой ране», 1938

41. С племянницей и племянником, Изольдой и Антонио Кало

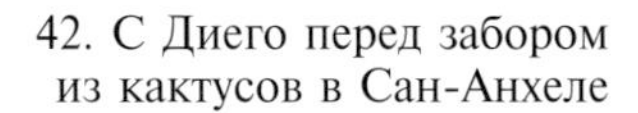

42. С Диего перед забором из кактусов в Сан-Анхеле

43. Соединенный дом супругов Ривера в Сан-Анхеле

То, что она могла слегка пошутить в картине «Автобус», усиливается определенными деталями. *Pulqueria* (бар) на заднем плане называется «Ла Риса» (смех), а пролетарий носит галстук и голубую рубашку с белым воротничком, это намек на рабочих, получивших землю в лучшем из марксистских миров.

Во втором «Автопортрете» Фриды (цв. илл. 11), который она пишет, уже будучи влюбленной в Диего, исчезает бледная ренессансная принцесса 1926 года, подаренная Алехандро. Пропадают также спиральные завихрения (отголосок арт-нуво) и другие романтические детали, которыми окружил себя влюбленный подросток. Вместо этого мы видим розовощекую современную девушку в обрамлении занавесок — прием, заимствованный народными художниками из колониальной портретной живописи, который облегчал проблему размещения объекта в пространстве, что хорошо усвоили художники наивные (и Фрида тоже). Фрида выглядит на портрете новой, во всех смыслах этого слова. Она, не моргая, уставилась прямо на нас, взгляд ее настолько напряжен, что некто, видевший ее в то время, описывает ее подобной «великолепному орлу». Самоуверенная настолько, что может скомандовать Ривере спуститься с лесов, она при этом явно все рассчитала — он не сможет ей отказать.

Когда Фрида пошла к Хесусу Риос-и-Вальесу и сказала ему, что получила предложение от Диего, тот ответил: «Выходи за него, потому что ты будешь женой Диего Риверы, а он — гений». Другие друзья были поражены тем, что Фрида собиралась оставить Алехандро ради безобразного «старика», но ее школьный друг Бальтазар Дромундо (который позже написал о Фриде и Алехандро в своей книге) хорошо понял, что она делает.

«К тому времени, когда она связалась с Риверой, их отношения с Алехандро угасли. Ее привлекала репутация Диего. Алехандро засыпал Фриду цветами, а Диего хватал и целовал ее».

Что бы Гильермо Кало ни думал о будущем зяте,

 ХЕЙДЕН ЭРРЕРА

он знал, что финансы Диего Риверы обеспечат жизнь семьи, к тому же Кало понимал, каковы будут расходы, связанные с болезнью Фриды; все это заставляло согласиться с предложением Риверы. Хотя Фрида к тому времени была единственной незамужней дочерью (Кристина в 1928 году жила со своим мужем, в 1929-м у нее родилась дочь), расходы по дому Кало все еще были очень велики. Родители Фриды не могли похвалиться хорошим здоровьем, да и несчастье подорвало их надежды на то, что Фрида сможет сделать профессиональную карьеру. Каковы бы ни были отрицательные стороны этого союза, если Фрида выходила замуж за Диего Риверу, то мужем ее становился человек, который был и довольно богат, и великодушен, он мог обеспечить не только Фриду, но и ее семью. (И в самом деле, вскоре после того как Диего женился на Фриде, он оплатил ссуду за дом Кало в Койоакане, который родители Фриды не могли более содержать, и благодаря этому они смогли там жить.)

Но Матильда Кальдерон де Кало, которую Фрида однажды обвинила в скаредности, не могла примириться с помолвкой дочери с некрасивым, толстым, сорокадвухлетним коммунистом и неверующим, даже если он и богат. Она умоляла Алехандро Гомеса Ариаса сделать все, что в его силах, чтобы предотвратить этот брак. Но у Алехандро было для этого слишком мало влияния, если вообще было. Свадьба состоялась 21 августа 1929 года. Фрида говорила:

> «В семнадцать (двадцать. — *Прим. авт.*) лет я влюбилась в Диего, и моим [родителям] это не нравилось, потому что Диего был коммунистом и потому что они говорили, что он выглядит как толстый, толстый, толстый Брейгель. Они говорили, что это все равно что брак между слоном и голубкой.
>
> И тем не менее я все устроила в суде Койоакана, так что мы смогли пожениться 21 августа 1929 года. Я попросила у горничной юбку, блузку, rebozo (шаль) тоже была занята у горничной. Прикрепленный к ноге аппарат был совсем незаметен. И мы поженились.
>
> На свадьбу не пришел никто, кроме моего отца, который сказал Диего: «Обратите внимание на то, что моя дочь

нездорова и будет больной всю жизнь; она умна, но искалечена. Обдумайте все, и если вы желаете жениться, то я даю вам мое разрешение».

Церемонию гражданского брака проводил мэр города в старинной ратуше Койоакана. Было трое свидетелей: парикмахер, доктор-гомеопат и судья Мондрагон. Ривера вспоминает, что отец Фриды очень радовался свадьбе своей любимой дочери: «В середине церемонии дон Гильермо Кало встал и сказал: «Господа, ведь мы не играем комедию?»

Газета «Ла Пренса» (23 августа 1929 года, Мехико) докладывает:

«Диего Ривера женился — в прошлую среду, в соседнем городке Койоакан, discutido pinton («самый обсуждаемый художник» — так почти всегда предваряли имя Риверы, если оно появлялось в прессе. — *Прим. авт.*) заключил брак с сеньоритой Фридой Кало, одной из своих учениц. Невеста, как вы можете видеть, была одета в очень простое выходное платье, а художник Ривера был в de Americana (в костюме) и без жилета. Церемония была скромной, прошла в очень сердечной атмосфере, со всей умеренностью, без помпы. Новобрачных после церемонии тепло поздравили несколько близких друзей».

Газетное сообщение сопровождалось очаровательной смешной фотографией. Выглядевшая крошечной рядом с огромным мужем, Фрида смотрит на фотографа со своей характерной настойчивостью. Она не делает уступок, несмотря на важность момента, в правой руке она держит сигарету! Легко себе представить ее именно такой, какой ее описывает Люпе Марин — пьющей текилу, как настоящий «марьячи».

Люпе Марин пришла на свадьбу и, по некоторым свидетельствам (она это отрицает), устроила сцену. Бертрам Вулф рассказывает:

«Претендуя на свое равнодушие по отношению к любовным историям Диего, она намекнула, что достаточно «терпимо» относится к его свадьбе... Фрида простодушно пригласила Люпе на вечеринку, которую они устроили для нескольких друзей и родственников. Та пришла, показывая, что ей очень весело, а в середине вечера встала, прошла к Фриде, внезапно подняла ее юбку и крикнула всей собравшейся компании: «Видите эти палочки? Это те ноги, которые теперь достались Диего вместо моих!» После чего с триумфом удалилась из дома».

Фрида, рассчитывая на послесвадебные празднества, не принимает близко к сердцу афронт, который устроила Люпе.

«В тот день нам устраивали вечеринку в доме Роберто Монтенегро. Диего закатил такой пьяный кутеж, что вытащил пистолет, сломал какому-то человеку мизинец и разбил разные вещи. Мы сцепились, я заплакала и ушла домой. Через несколько дней Диего забрал меня и отвел в дом 104 на Реформе».

Вот как вспоминает Андрес Энестроса о вечеринке, которая происходила на крыше дома Тины Модотти: «Там висело для просушки много нижнего белья. Оно создавало хорошую атмосферу для свадьбы».

8

НОВОБРАЧНЫЕ: ФРИДА-ТЕУАНА

Первым жилищем Фриды и Диего был превосходный дом, построенный во время диктатуры Диаса, это был дом номер 104 на элегантной Пасео-де-ла-Реформа. Демонстрируя свою страсть ко всему местному и в то же время любовь к контрастам, Ривера поместил доколумбовы скульптуры при входе со стороны франко-готического фасада. Фрида вспоминала, что «из мебели у нас имелась узкая кровать, столовая была обставлена вещами, которые нам дал Франсис Тур, еще был длинный черный стол и желтый кухонный, который дала нам моя мама и который мы задвинули в угол для коллекции вещей из археологических находок».

В доме жила служанка по имени Маргарита Дюпуи, и вдобавок «к нам присоединились Сикейрос, его жена Бланка Люс Блюм и еще два коммуниста, они жили в нашем доме. Там мы все и теснились, спали под столами, в углах, в спальнях».

Домашняя жизнь марксистов была недолгой, поскольку Диего — Генеральный секретарь Мексиканской коммунистической партии — подвергался нападкам несгибаемых сталинистов. Многое ставилось ему в вину: дружба с некоторыми правительственными чиновниками, например, и тот факт, что он получал заказы от реакционного правительства. Партия рассматривала эти заказы как подкуп. Позволяя Диего рисовать серпы и молоты в общественных зданиях, правительство, таким образом, в глазах общества выглядело либеральным и толерантным. Художника также упрекали за несогласие с другими партийными лидерами — по поводу создания особого коммунистического профсоюза и по поводу того, что капиталистические страны намерены напасть на Россию. Его официальные связи с левыми группами или не входящими ни в какие группы неортодоксальными коммунистами — Риверу поддерживали те, кого он сам поддерживал, — рассматривались как правый уклон. Кроме того, Ривера всегда был очень необязательным, не посещал партийные собрания, а когда приходил, то пытался доминировать над всеми в силу своей харизматической личности.

Наступил момент, когда Диего решили исключить из партии, и он был председателем на этом собрании, которое происходило 3 октября 1929 года. Бальтазар Дромундо так описывает эту сцену:

«Диего прибыл, уселся, вынул свой пистолет и положил его на стол. Затем накрыл пистолет носовым платком и сказал: «Я, Диего Ривера, Генеральный секретарь Мексиканской коммунистической партии, обвиняю художника Диего Риверу в коллаборационизме, в сотрудничестве с правительством Мексики и в получении заказа на роспись лестницы в Национальном дворце Мехико. Это противоречит политике Коминтерна, и, таким образом, художник Диего Ривера должен быть исключен из коммунистической партии Генеральным секретарем коммунистической партии Диего Риверой». Диего объявил себя исключенным, встал, убрал носовой платок с пистолета и сломал его. Пистолет был сделан из глины».

Ривера оставался коммунистом, марксистские идеалы были сердцевиной образов в его фресках, за которые он был наказан. Политическая активность была так же важна для него, как еда, сон и живопись, а теперь он становился политическим аутсайдером. Пресса коммунистической партии драла с него кожу, некоторые из его старых друзей порвали с ним отношения. Тина Модотти, например, за которую он лишь несколько месяцев тому назад выступал в суде, поскольку ее ложно обвиняли в убийстве Хулио Антонио Мельи, посчитала, что лояльность к партии важнее и значительнее, чем дружба. Она писала Эдварду Уэстону:

«Я думаю, то, что он покинул партию, принесло вреда больше ему, чем партии. Его будут рассматривать как предателя. Нет нужды добавлять, что я так же к нему отношусь, и с этого момента наши с ним контакты будут ограничены лишь делами, касающимися фотографий».

Сам Диего скажет несколько лет спустя: «У меня не было дома — партия всегда была моим домом».

Он работал напряженнее, чем обычно. В том же самом месяце, в котором он женился на Фриде, его назначили директором Академии Сан-Карлос, художественной школы, которую он посещал в детстве. Тут Диего приступил к революционизации академического курса: придумал систему ученичества, при которой школа, перестав быть академией, превращалась в мастерскую. Учителя, говорил он, должны оцениваться студентами, а студенты должны рассматривать себя как ремесленников и промышленных рабочих. (Нет ничего удивительного в том, что по отношению к нему росла оппозиция, и не прошло и года, как он был уволен.)

Ривера невероятно много писал. К концу 1929 года он завершил работу над фресками в министерстве образования; спроектировал декорации, конструкции и костюмы для балета «Лошадиные силы» на музыку Карлоса Чавеса; закончил серию, состоящую из шести больших женских ню, символизирующих Непорочность, Силу, Знание, Жизнь, Современность и Здоровье, которые должны были разместиться в холле здания министерства здравоохранения; спроектировал четыре окна с цветными витражами для того же здания. И в конце концов начал делать эпические фрески, показывающие историю мексиканского народа с периода до нашествия конкистадоров и по настоящее время, а также и людей будущего. Фрески должны были покрывать стены лестницы Национального дворца Мехико. Он работал над ними с перерывами на протяжении шести лет и только в середине 50-х годов закончил панели в коридоре верхнего этажа.

В первые месяцы после свадьбы Фрида мало занималась живописью. Быть замужем за Диего означало трудиться не покладая рук. Когда он заболел от перенапряжения, весь сентябрь она ухаживала за ним, тщательно соблюдая рекомендации доктора и делая все от нее зависящее, чтобы муж оправился после болезни. Когда же он выздоровел, она растратила все силы во время того абсурдного, унизительного партийного суда. Она и сама вышла из партии после того, как его исключили. Почти сверхчеловеческое напряжение Диего в работе (однажды он писал целые сутки, заснул на лесах и упал оттуда) не внушало трудолюбия Фриде. Скорее, она поняла, что лучшая возможность общаться с Риверой — это быть с ним вместе на лесах, где она довольствовалась ролью вдохновительницы мужа, ролью молодой жены гения. Странно, но Фрида сумела договориться с Люпе Марин, которая однажды появилась в доме, миролюбиво огляделась, повела ее на рынок Ла Мерсед, чтобы купить кастрюли, сковородки и другие кухонные принадлежности, а затем научила молодую жену готовить пищу, которую любил Диего. В ответ на это Фрида написала ее портрет.

Также от Люпе Фрида приучилась относить Диего еду в корзине, украшенной цветами и накрытой салфеткой с вышитым текстом, например: «Я тебя обожаю». Эта привычка была воспринята от обычаев мексиканских campesinas (крестьянок), которые носили обед мужьям на поля.

В декабре 1929 года Диего получил заказ от американского посла в Мексике Дуайта В. Морроу на роспись Дворца Кортеса в Куэрнаваке. Детали обсуждались за обедом, на который Диего и Фрида были приглашены послом и его женой. Значительность четырех великих персон затмевалась ироничностью ситуации. За столом сидел американский капиталист, тот самый, который уговорил президента Плутарко Элиаса Кальеса пойти на незаконное изменение законодательства по поводу прав на мексиканскую нефть, что устраивало американских ин-

ХЕЙДЕН ЭРРЕРА

весторов, и который заказал коммунисту фреску на антиимпериалистический сюжет: фреска показывает жестокость испанских конкистадоров и победу Мексиканской революции во главе с героем Сапатой на белом коне. За этим же столом сидел Диего Ривера, страстный марксист, хотя и исключенный из партии, принявший этот заказ, — Ривера, который, являясь действующим членом Антиимпериалистической лиги Америки, кто только месяц тому назад разоблачал вторжение Уолл-стрит в Латинскую Америку; который, будучи членом Блока рабочих и крестьян, возглавил комиссию по освобождению из тюрьмы секретаря коммунистической партии и вместе с другими коммунистами был задержан полицией за оскорбления, нанесенные послу Морроу во время бурной демонстрации.

Художник не отклонил последовавшее затем предложение посла: когда в конце сентября дипломатические дела отозвали посла в Лондон, он оставил свой замечательный загородный дом в Куэрнаваке Фриде и Диего. Там, при самой хорошей погоде и благоприятной атмосфере прекрасного города, на склоне горы, в пятидесяти милях от Мехико, Фрида и Диего провели свой медовый месяц. Пока Диего работал, Фрида гуляла в саду, среди фонтанов, олеандровых и банановых деревьев. Из небольшой башни она могла видеть на севере деревню Трес Мариас и горы, отделяющие плато, на котором расположен Мехико, от теплой, плодородной долины Морелос; на юге виднелись башни собора; на востоке — вулканы Попокатепетль и Истаксиуатль.

Если Фрида не оставалась дома, то проводила время во Дворце Кортеса, наблюдая за работой Диего. Он ценил ее критику, потому что она немедленно чувствовала фальшь и претенциозность как в живописи, так и в людях, и с каждым годом он все больше зависел от ее оценок и суждений. Фрида вела себя тактично; если она хотела сказать что-нибудь негативное, то смягчала удар, выдвигая предположение, что могут быть и другие варианты, или облекая критику в форму вопроса. Иногда ее комментарии раздражали, но Ривера все-таки обращал на них внимание и временами что-то менял. Он любил, например, рассказывать историю о реакции Фриды на изображение Сапаты на белом коне (лошадь Сапаты была вороной) во фреске Дворца Кортеса. Увидев эскиз, она вскрикнула: «Но, Диего, как ты можешь изображать Сапату на белом коне?» Ривера возразил, что «для народа» он должен делать красивые вещи, и лошадь осталась белой. Но, когда Фрида раскритиковала тяжелые ноги лошади, Диего отдал ей свой набросок и предложил нарисовать так, как она считает нужным. «Я изменил этого белого коня Сапаты, — усмехался он, — по желанию Фриды!»

«Медовому месяцу» Диего и Фриды недоставало некоторой расслабленности. Историк искусства Луис Кардоса-и-Арагон, который навещал молодоженов, описывает их дни в Куэрнаваке как бесконечный марафон приключений и разговоров. Диего, вспоминает он, поднимался рано и шел работать. Фрида и ее гость вставали поздно и наслаждались неторопливым завтраком, после которого совершали экскурсии по близлежащим городам — Таско, Игуала, Тепоцотлан, Куаутла. Вечером они забирали Диего, который обязательно должен был работать, пока не погаснет последний луч солнца, или даже писал при тусклом свете лампы. Несмотря на длинный рабочий день, он не был утомлен, а, наоборот, полон энтузиазма и готов к ночным гулянкам. Придя в ресторан, тут же заказывал бутылку текилы. Истории Риверы начинались после первого стакана. По мере того как бутылка пустела, рассказы его становились все более и более экстравагантными. Однажды начавши, Диего не желал останавливаться, и разговоры продолжались и после того, как компания возвращалась домой. Естественно, Фрида оставляла своего уставшего, но очарованного гостя на человека, которого она ласково называла «чудовище», а сама отправлялась спать. Через неделю или около того Кардоса уехал, но с ним навсегда остались его живые воспоминания.

«Фрида, — писал он, — изящно, энергично, талантливо соединяла в себе образ той женщины, которая чрезвычайно возбуждала мое воображение. Диего и Фрида стали частью духовного пейзажа Мексики, подобно Попокатепетлю и Истаксиуатлю в долине Анауак».

В те месяцы, которые Фрида провела в Куэрнаваке, возможно, впервые со времени замужества, она начала писать. Утерянный холст изображал обнаженную индианку в окружении тропической листвы; должно быть, в то же время Фрида сделала портрет Люпе Марин и несколько портретов индейских детей. Очень возможно, что и третий «Автопортрет» Фриды прибыл из Куэрнаваки (илл. 18).

Между третьим автопортретом, где изображена замужняя женщина, и вторым, где Фрида предстает nina bonita (любимой девушкой) Риверы — милой молодой девушкой, прямоту и непосредственность которой он обожал, заметна тончайшая разница. Теперь вместо прямолинейного, бесстрашного взгляда юности мы замечаем повернутую чуть набок голову Фриды, ее глаза, тронутые печалью. Приподнятые уголки губ на ее портрете 1929 года четко определены и намекают на улыбку, но теперь какую-то меланхолическую. Эти мельчайшие изменения в изгибе линии или в тенях совершенно меняют выражение лица.

Спустя несколько лет Фрида рассказала друзьям о том, что случилось в те месяцы, которые разделяют эти портреты.

«Мы не могли иметь ребенка, и я безутешно рыдала, но отвлекала себя готовкой, уборкой дома, иногда живописью и каждодневными походами к Диего на леса. Ему доставляло большое удовольствие видеть меня с корзиной в руках, украшенной цветами».

После трех месяцев беременности Фриде пришлось сделать аборт по медицинским показаниям.

ХЕЙДЕН ЭРРЕРА

Рисуя в 1930 году себя и Диего, она изображает, затем *стирает* ребенка Диего, видимого так, как если бы рентгеновские лучи просветили ее живот: головка ребенка наверху, а ножки — внизу. «Фрида и кесарево сечение» — любопытная и, вероятно, незаконченная картина, датированная 1931 годом, может относиться к аборту 1930 года. (Ей никогда не делали кесарева сечения, но она упоминает об этом в письме к другу от 1932 года, говоря, что доктор сказал ей: несмотря на разбитый таз и позвоночник, она могла бы произвести на свет ребенка при помощи кесарева сечения.)

Кроме огорчений по поводу того, что она не может родить ребенка, в первый год брака, без сомнения, происходили и другие несчастья. Говорят, например, что у Риверы был роман с его молодой ассистенткой Ионой Робинсон. Что бы ни было причиной, но Фрида оказалась перед фактом, что неудачи, которые преследовали ее с детских лет, были такими же или даже более мучительными и в ее взрослой жизни.

«В своей жизни я пережила два тяжелых несчастных случая, — однажды сказала она. — Сначала я попала под автобус, а потом — под Диего!»

Этот брак, на современный взгляд, был союзом львов. Их любовь, битвы, разводы и страдания не поддаются легкой оценке. Как святые или полубоги, они не нуждались в фамилиях: «Диего» и «Фрида» были *медалями* в коллекции мексиканских знаков отличия. Однако люди, которые знали их лучше, предлагают более драматичный и жесткий взгляд на их совместную жизнь.

Дружеское понимание, разумеется, зависит от того периода, когда эти друзья знали Фриду и Диего. В этом браке было почти все; с самого начала он полнился противоречиями, при этом одни аспекты их жизни всплывали на поверхность в одно время, другие — в другое, и все менялось, создавая самые различные комбинации их взаимоотношений. Кто-то считает, что Фрида с первых дней преследовала

Диего своей любовью, но можно верить и всем, кто настаивает на том, что она только со временем полюбила его или что иногда она ненавидела его и хотела от него избавиться. Фрида была порабощена безмерным воображением Диего — и ей надоедали его бесконечные басни. Он был неверным мужем, в этом нет никаких сомнений. Но если иногда Фрида приходила в отчаяние от флиртов Диего, то бывали времена, когда она говорила, что «ее это не заботит», и даже насмехалась над его романами. Почти все согласны с тем, что Фрида стала для Диего матерью, однако отношения отец — дочь, характерные для ранних лет их совместной жизни, также оставались актуальными до самой ее смерти. Где же правда? Наверняка где-то между одной интерпретацией и другой.

Нет сомнения в том, что Фрида обожала Диего даже тогда, когда ненавидела его, и в основе ее существования лежало желание быть ему хорошей женой. Это не значило, что нужно было пренебрегать собой: Ривере нравились сильные, независимые женщины; он знал, что у Фриды есть свои собственные идеи, свои друзья, своя собственная деятельность. Он поддерживал ее занятия живописью и развивал ее уникальный стиль. Когда он строил для них дом, то это фактически было два дома, образно говоря, соединенных между собой только мостиком. То, что она пыталась заработать на жизнь, чтобы не зависеть от него, и сохранила свою девичью фамилию, доставляло ему удовольствие. И если он не открывал перед ней дверцу автомобиля, то открыл перед ней миры — он был великим мэтром, а она выбрала себе судьбу — быть его любимой companera (компаньонкой). Подобное существование сделало ее жизнь палитрой со множеством красок, то сверкающих, то приглушенных печалью, но всегда они сочетались таким образом, что были пронзительно живыми. Бертран Вулф в своей биографии Риверы замечает:

«Естественно, что для двух таких сильных характеров с напряженной внутренней жизнью, со всеми капризами импульсивными, с повышенной восприимчивостью, их

ХЕЙДЕН ЭРРЕРА

совместное существование было бурным. Она подчиняла свои капризы его желаниям, иначе жизнь с ним была бы невозможна. Она понимала все его увертки и фантазии, смеялась над ними и над его похождениями, подшучивала над образностью и фантазиями его рассказов и радовалась им, прощала ему романы с другими женщинами и его столь ранящие военные хитрости, его жестокости... Несмотря на ссоры, грубости, поступки, совершенные назло, даже несмотря на развод, в глубине души они оставались друг для друга на первом месте.

Скорее так — для него она была на первом месте после живописи и после драм его жизни, развивавшихся в виде череды легенд, но для нее он был на первом месте, даже впереди ее искусства. Так или иначе однажды она сказала мне, грустно усмехнувшись, о том, как она его любила: «Я любила его со всем тем, что было у него внутри».

Постепенно Фрида сделала себя несущей колонной в конструкции существования Риверы. Благодаря проницательности и знанию всех его слабостей, всей его натуры, она крепко привязала Диего к себе. В своей автобиографии Ривера называет Фриду «самым важным событием моей жизни» (однако следует заметить, что книга озаглавлена «Мое искусство, моя жизнь», где первостепенное значение придается искусству).

Письма Диего к Фриде, представленные в Музее Фриды Кало, демонстрируют нежную заботливость мужчины, больше известного поразительным безрассудством и абсолютно поглощенного работой. Часто он вместо подписи рисует свои большие губы и пишет, что они шлют миллион поцелуев. Вот несколько примеров того, как он начинает эти письма: «Дитя моих очей, я шлю тебе тысячу поцелуев», или «Моей прекрасной маленькой девочке», или «Любимой Физите, ребенку моих очей, жизни моей жизни». Параллельно с этими письмами существовали очаровательные поступки — иногда, намереваясь искупить свое отсутствие, когда он возвращался на рассвете после ночи, проведенной с дамой-туристкой, он приносил в Койоакан охапку цветов.

Они демонстрировали нежность своих чувств

друг к другу на словах и в жестах. Мариана Морильо Сафа, которая была знакома с ними последние десять лет их совместной жизни, вспоминает, как, бывало, Фрида прислушивалась, ожидая возвращения Диего домой. Она затихала и, когда слышала его у дверей, шептала: «Диего пришел!» Он быстро целовал ее в губы. «Как ты, моя Фридита, радость моей души?» — спрашивал он, как если бы разговаривал с ребенком. «Она обращалась с ним как с любимым псом, — отмечает Мариана. — Он с ней — как с любимой вещью».

Некоторые свидетели их жизни ощущали, что ласковые прозвища, которые они обычно употребляли, — «Лягушка-жаба» или «Нинья Физита», — были частью их словесной шарады, внешним маскарадом при проблемах, существовавших в их отношениях, или еще одной чертой настоящих мексиканцев, поскольку такие особенности в выражении нежности типичны для мексиканцев в отличие от испанцев-кастильцев. Возможно... Но качуча Кармен Хайме помнит, какой особый взгляд бросала Фрида на Риверу, когда он входил в дом и с порога кричал Фриде «Чикуита» (детский вариант слова chiquita, обозначающий «малютка»).

В первом «Автопортрете» Фрида одета в роскошное бархатное ренессансное платье. Во втором она представляет себя женщиной «из народа», истинной мексиканкой. Ее отделанная кружевами блузка типична для недорогой одежды, которая продается на мексиканских рынках, а украшения — серьги в колониальном стиле — символизируют идентичность художницы и mestiza (метиски — человека смешанной, индейской и испанской, крови).

«Я одевалась, бывало, как мальчишка, в брюки, ботинки и кожаную куртку, стригла волосы, — однажды сказала Фрида, — но когда шла, чтобы увидеться с Диего, надевала костюм женщины-теуаны».

Ясно, что не богемная небрежность заставила Фриду выбрать для свадебного наряда одежду, взятую напрокат у индейской служанки. Когда она надевала костюм теуаны, уроженки Теуантепека, она создавала новую личность и делала это с истовостью монашки, носящей свое покрывало. Даже когда она была еще девочкой, одежда ею рассматривалась как своего рода язык, и с момента вступления в брак затейливая связь между одеждой и самовыражением, между персональным стилем и стилем в живописи формировала сюжет в драме ее жизни.

Она предпочитала костюм женщин из Теуантепека, ее выбор, без всякого сомнения, был сделан на основании легенд, окружавших их: женщины Теуантепека были знамениты своей величавостью, красотой, чувственностью, умом, смелостью и силой. Благодаря фольклору известно, что в те времена был матриархат, и женщины вели торговлю, собирали налоги и главенствовали над мужчинами. Женский костюм был прекрасен: вышитая блуза и длинная юбка, обычно из красного или фиолетового бархата с гофрированными белыми оборками. Аксессуары состояли из длинной золотой цепи или ожерелья из золотых монет, предполагалось, что они составят девичье приданое. В особых случаях делалась тщательная прическа и украшалась накрахмаленными кружевами, отдаленно напоминающими эпоху королевы Елизаветы.

Иногда Фрида носила костюмы из другой эпохи, из другой местности; иногда смешивала элементы разных костюмов, при этом продуманно создавая ансамбль. Она могла надеть индейские уарачи (сандалии) или низкие кожаные туфли, вроде тех, что носили в провинции в начале века, также их носили soldaderas (солдатки), которые во время Мексиканской революции сражались вместе со своими мужчинами. Случалось, она надевала искусно расшитую шелковую испанскую шаль с бахромой. Многослойные нижние юбки, расшитые самой Фридой грубыми мексиканскими непристойностями, придавали ее походке изящное покачивание.

Для Фриды элементы ее одежды были своего рода палитрой, при помощи которой она каждый день создавала тот образ, который желала показать миру. Люди, наблюдавшие за ритуалом ее одевания, помнят, сколько времени она на это тратила, как тщательно это делала, как добивалась совершенства и точности в образе. Часто она, прежде чем надеть блузку, брала иголку, где-то добавляла кружева, где-то ленточку. Решить, какой пояс идет к юбке, превращалось в серьезную проблему. «Это идет? — спрашивала она. — Годится?» «У Фриды было эстетическое отношение к одежде, — вспоминает художница Люсиль Бланк. — Она создавала картину цветом и формой».

В добавление к экзотическим костюмам Фрида придумывала свои прически. Иногда она убирала волосы так, как это делают в определенных регионах Мексики, иногда такой стиль был ее собственным изобретением. Она поднимала волосы вверх, стягивая порой так сильно, что ей становилось больно, а затем украшала пучок яркими шерстяными лентами с бантами, заколками и свежими цветами бугенвиллей. Как-то подруга наблюдала, как Фрида втыкает гребень в волосы, она так вдавливала его зубцы в кожу головы, что это казалось мазохизмом во имя кокетства. В поздние годы, когда у нее не стало сил, она любила, чтобы прическу ей делали сестра, племянница или подруга.

«Причеши меня, — говорила она. — Воткни гребень мне в волосы».

Она обожала украшения, с первых дней их брака Ривера одаривал ее ими, будто украшая индейскую принцессу. Она носила все, начиная от дешевых бус и кончая тяжелыми нефритовыми ожерельями доколумбовой эпохи, обожала замысловатые серьги в колониальном стиле, в том числе в виде кистей рук, подаренные ей Пикассо в 1939 году. Ее пальцы были выставкой постоянно меняющихся колец разных стилей и разного происхождения. Их Фриде дарили разные люди, и с импульсивной щедростью она тоже одаривала их.

Фрида выбрала костюм теуаны, которым подчеркивала свое «мексиканство», — чтобы доставить удовольствие Диего. Ривере нравился костюм теуаны, он часто ездил в Теуантепек, чтобы рисовать там людей за работой и в развлечениях, и, говорят, одним из его многочисленных романов во время ухаживания за Фридой был роман с некой красавицей из Теуантепека.

Ривера, в котором смешались испанско-индейская и португальско-еврейская кровь (иногда он утверждал, что в нем к тому же есть еще и голландская, итальянская, русская и китайская кровь), любил подчеркивать индейские корни в происхождении Фриды, представляя ее естественной, неиспорченной и «природной»:

«Она человек, чьи мысли и чувства не ограничены фальшивыми требованиями буржуазного конформизма. Она глубоко воспринимает все, что происходит в ее жизни, потому что ее чувства еще не притуплены перенапряжением, которое ведет к распаду врожденных талантов... Она презирает механистичность, а сама обладает той природной силой, с которой слабое существо, встретившись с более сильным противником, всегда найдет возможность справиться с ним».

В сущности, Фрида была городской девушкой, сформированной в буржуазной, а затем и в «сверхбогемной» среде, что не имело ничего общего с «простой» жизнью мексиканских индейцев. И вполне вероятно, что для Фриды и для других людей ее круга, которые носили мексиканские народные костюмы, было данью мнения о том, что крестьяне или индейцы — люди более земные и, таким образом, близкие к природе, более «настоящие», чем развращенные горожане. Надевая народную одежду, женщины декларировали свою связь с природой. Костюм был примитивной маской, высвобождающей их из буржуазных оков. К тому же в этом был и политический фактор. Ношение народного платья было еще одним способом объявить о своей связи с la raza (народом). Разумеется, Ривера не стеснялся извлечь политическую выгоду из одежды Фриды.

«Классическая мексиканская одежда, — говорил он, — была создана людьми для людей. Мексиканки, которые не носят ее, не принадлежат к народу, они и ментально, и эмоционально зависят от иностранной прослойки, к которой хотели бы принадлежать, то есть к американской и французской бюрократии».

С момента бракосочетания Фрида и Диего начали играть роли в сценарии их жизни. Костюмы Теуантепека были частью создания Фридой образа легендарной личности, совершенного компаньона и фона для Диего. Изящная, яркая, эффектная, она являлась украшением для своего огромного, некрасивого мужа — павлинье перо в стетсоновской шляпе. Однако то, что она играла роль индейской девушки из народа, было искусной подделкой. Ради того, чтобы соответствовать идеалу Риверы, она вовсе не изменяла свою личность. Скорее, изобрела индивидуальный стиль, чтобы усилить свою привлекательность. В конце концов ее экстравагантность стала настолько яркой, что многие люди чувствовали — павлинье перышко стало более неотразимым (или более привлекательным), чем сама шляпа.

И в самом деле, Фридин теуанский костюм стал настолько существенной частью ее личности, что она несколько раз писала его без хозяйки. Костюм служил ее отражением. Хотя «кожа» вторая никогда не равнялась персоне, прячущейся под ней, она являлась настолько существенной ее частью, что, когда костюм снимали, в нем оставалось что-то от существа, которое его носило. Примитивное, одушевляющее отношение к вещи напоминает то, как ребенок ощущает присутствие матери в предметах ее одежды, оставленной на стуле. Ясно, что Фрида знала о магической силе костюма, о его способности заменять хозяина; она пишет в дневнике, что костюм теуаны создает «портрет только одной отсутствующей персоны» — ее самой.

Будучи формой социального самовыражения, по прошествии лет костюмы Фриды стали противоядием в ее мучительной изоляции. Даже в конце жизни, когда она была тяжело больна и мало кто ее навещал, каждый день она одевалась так, будто готовилась к празднику. Как автопортреты подтверждали факт ее существования, так костюмы делали слабую, часто прикованную к постели женщину более притягательной и яркой, подчеркивали ее присутствие как физического объекта в пространстве. Парадоксально то, что они были одновременно и маской, и рамой. Поскольку костюмы определяли личность своей хозяйки формами и выразительностью, они отвлекали Фриду — и наблюдателя — от ее боли. Она говорила, что носит их не из «кокетства», а для того чтобы скрыть свои изъяны и больную ногу. Изысканная упаковка была попыткой компенсировать телесные недостатки. С ухудшением здоровья ленты, цветы, драгоценности и кружева становились все более разноцветными и вычурными. Можно сказать, что Фрида была похожа на мексиканскую пиньяту — хрупкий сосуд, декорированный оборками и фестонами, наполненный сладостями и подарками, но который разбивают на празднике.

Подобно тому, как дети с завязанными глазами колотят пиньяту, так жизнь наносила Фриде удар за ударом. Пока пиньята на веревочке пляшет и крутится, мысль о том, что ей суждено быть разбитой, делает ее красоту еще более заметной. Поэтому Фрида себя украшает. Это было и утверждением ее любви к жизни, и сигналом осознания (и вызова!) боли и смерти.

9
ГРИНГОЛАНДИЯ

Еще до того как Плутарко Элиас Кальес в 1924 году занял пост, эйфория по поводу «ренессанса» в мексиканском монументальном искусстве пошла на убыль. Консервативно настроенные учащиеся Начальной бунтовали, уродовали новые школьные фрески. В тот день, когда заказчик этих фресок, Васконселос, был уволен с должности министра образования, Сикейроса и Ороско не допустили к лесам, на которых они работали. В августе президентским декретом были приостановлены работы по росписи стен. Монументалисты перестали заниматься своим делом. Сикейрос бросил живопись и стал лидером трудящихся в штате Халиско. Ороско в 1927 году уехал в Соединенные Штаты и в течение шести лет писал фрески в Помона-колледже в Клермонте, в Калифорнии, в Новой школе социальных исследований в Манхэттене и в Дартмут-колледже Ханковера, штат Нью-Гемпшир.

У Риверы была другая ситуация. Хотя его работы тоже подверглись нападению вандалов и в 1924 году ему угрожали — новый глава Департамента изобразительного искусства заявил, что его первой официальной акцией будет «уничтожение этих ужасных фресок», — каким-то образом он снискал расположение Хосе Мануэля Пуиг Касауранка, министра образования при Кальесе, который называл Риверу «философом с кистью» и платил ему зарплату еще четыре года. (Именно то, что в 1929 году Диего получил заказ на роспись Национального дворца, послужило причиной выдворения его из коммунистической партии.) Но годы с 1929-го по 1934-й можно назвать периодом политических репрессий. В бюджете увеличивались военные расходы, терпимость к левым сменилась злобным антагонизмом. Правительство прекратило поддерживать рабочие профсоюзы. Коммунисты (например, Сикейрос) были посажены в тюрьму, высланы, убиты или просто «исчезали». В 1930—1931 годах антикоммунистическая истерия породила «Золотые рубашки», фашистскую организацию. Студенческие волнения, протест против фресок в Начальной по сравнению с теперешним положением выглядели просто чепухой. При всей ловкости и выдержке Риверы, помогавших ему держаться на плаву, он никогда не мог быть уверенным, что в какой-то день не будет изгнан со своих лесов в Национальном дворце — в конце концов его живопись со всей очевидностью доказывала, что он — марксист. Если коммунисты называли его «художником для миллионеров» и «агентом правительства», правые считали Риверу агентом революции. Пришла пора уезжать, что он и сделал, присоединившись к Ороско. Диего уехал в Соединенные Штаты. (Когда Сикейроса выгоняли из Мексики в 1932 году, он тоже отправился в Соединенные Штаты и в Лос-Анджелесе преподавал технику фрески.)

Ситуация складывалась столь же иронично, как было тогда, когда посол Морроу заказал Ривере революционные по духу фрески в испанском Дворце конкистадоров. Мексиканское монументальное искусство обрело новую жизнь в Соединенных Штатах в середине двадцатых годов, и Ривера воспринимался там как человек-легенда. Никто, казалось, не обращал внимания на тот факт, что он был коммунистом, а на его фресках красовались серпы и молоты, красные звезды и портреты Генри Форда, Джона Д.Рокфеллера, Дж.-П. Моргана и других баронов-грабителей вовсе не льстили им. Вот как определяет это критик Макс Козлофф: «Нигде больше откровенно пролетарское искусство не имело столь значительной поддержки от капиталистов». Подобно реакционному мексиканскому правительству, богатеи-капиталисты Соединенных Штатов старались убедить общественность в широте своих взглядов, заказывая работу таким художникам, как Ривера. Каждый, кто оплачивал счета за воплощение марксистских идей Риверы, вместо того чтобы в уме прикинуть прибыль, мог рассчитывать на общественное признание.

Ривера, принимая заказы от мексиканского правительства или от капиталистов Соединенных Штатов, осуждался коммунистической партией, но при этом он получал возможность создавать общественно значимые произведения, прославляющие пролетариат. В конце концов разве Ленин в революцию не пользовался такой же помощью? И где лучше всего это делать, как не в стране, которая является локомотивом века механизации, где начиналась Великая депрессия, явно ведущая к революции?

Ривера не скрывал своих революционных намерений. Объясняя свое состояние после того, как он был исключен из коммунистической партии, Ривера говорил нью-йоркским журналистам, что ему «осталось только одно — доказать, что моя теория [революционного искусства] должна быть воспринята индустриальной страной, где правят капиталисты. Я приехал в Соединенные Штаты скрытно, как лазутчик». Его живопись, говорил он, предназначена стать коммунистической пропагандой. «Искусство как ветчина, — декларировал он, — оно питает народ».

Пожалуй, более важным для Риверы был тот факт, что капиталистам принадлежали наиболее значительные технологические достижения. Человек, которого прозвали «мексиканским Лениным», был увлечен красотой технологии так же, как и революционными идеями. Без злого умысла, но иронично прозвучало его высказывание о панели на фреске «Замороженные активы» (1931), в которой банковский подвал давал основание для мрачного взгляда на состояние экономики в годы депрессии: «Стальные двери сейфа так красивы. Возможно, будущие поколения воспримут машины как искусство наших дней».

Фрида и Диего прибыли в Сан-Франциско на второй неделе ноября 1930 года, когда Ривера уже имел заказ на роспись Биржевого клуба города и Ка-

ХЕЙДЕН ЭРРЕРА

лифорнийской школы искусств (теперь она называется Институтом искусств Сан-Франциско). Эти заказы были получены благодаря усилиям скульптора Ральфа Стакпоула, с которым Диего познакомился в Париже, и Уильяма Герстла, президента Комиссии по искусству властей Сан-Франциско. Диего вспоминал, что в тот вечер, когда пришло приглашение, «Фрида размечталась, как она распрощается со своей семьей, отправившись в Город Мира — так она называла Сан-Франциско». В пути она удивила Диего подарком — автопортретом (ныне утерянным). «Фоном в нем был незнакомый городской пейзаж. Когда мы прибыли в Сан-Франциско, я почти испугался, обнаружив, что ее воображаемый город оказался тем, что мы увидели наяву, как только попали в него».

Они прибыли 10 ноября и сразу направились в студию Ральфа Стакпоула, расположенную в старинном квартале, где жили художники, в доме № 716 на Монтгомери-стрит. Двумя этажами ниже студии жили Люсиль Бланч и ее муж, художник Арнольд Бланч, который в это время преподавал в Калифорнийской школе искусств.

«Поскольку у них не было телефона, они пользовались нашим», — вспоминает Люсиль. Она говорила, что «Фрида не считала себя художником» и стеснялась попросить друзей посмотреть ее работы. «Мы оба были художниками, но не разговаривали об искусстве. Мы вели себя как две хихикающие девушки. Фрида отличалась необыкновенной живостью в беседе, она ко всему на свете относилась с юмором, игриво, а иногда и снобистски подсмеиваясь надо всем. Она весьма критически относилась ко всему претенциозному и часто потешалась над жителями Сан-Франциско».

До 17 января Ривера не начинал писать свою аллегорию для украшения Калифорнийской биржи. Два месяца после приезда он впитывал в себя атмосферу города и приглядывался к месту будущей работы. Вместе с Фридой он исследовал Сан-Франциско, его выразительные холмы и мосты, живописную береговую линию, промышленные окраины, ездил смотреть сады, нефтяные вышки, золотые прииски и изумительную землю цвета жженой сиены и оранжевой охры. Он рисовал истощенных людей с унылым взглядом, потерпевших поражение в жизни, которые стояли в очереди за пособием для безработных, и шикарные дома на Русском холме, перед которыми мужчины в хорошо сшитых костюмах и женщины в изящных платьях и невообразимых шляпках усаживались в сверкающие автомобили или выходили из них.

Желая понять американцев, он вместе с Фридой ходил смотреть футбол стэнфордско-калифорнийских команд. Когда журналист попросил поделиться своим впечатлением от увиденного, Ривера заметил, что игра не такая трагичная, как бой быков, но возбуждающая: «Ваш футбол — великолепен, прекрасен, он бодрит... это впечатляющая живая картина, спонтанное, неосознанное искусство». Что думала Фрида, неизвестно, никто не удосужился спросить ее об этом. В двадцать три года Фрида еще не стала той яркой личностью, которая впоследствии привлекала гораздо больше внимания, чем Диего, и пока еще репортеры почти не замечали этого, лишь время от времени отмечая ее молодость и миловидность.

Во время подготовки к работе над фресками биржи чувствами Диего завладела Элен Уиллс, чемпионка по теннису; в ней сконцентрировалось то, что Диего выбрал для «образа «женщины, представляющей Калифорнию», в аллегории Калифорнии (говорят, что она же была обнаженной моделью для фигуры, плывущей или летящей на потолке). По прошествии лет Фрида рассказывала подруге, что, когда Диего рисовал Уиллс, сопровождая ее на теннисный корт и рисуя во время игры, случалось, что он исчезал на несколько дней. В это время Фрида в одиночестве обследовала Сан-Франциско, ездила на трамвае вверх и вниз по его холмам. Она восстанавливала свой английский язык, посещала музеи, бродила по Чайнатауну, разглядывая шелка, из которых можно было сшить длинные юбки.

«Город и залив ошеломительны, — писала Фрида школьной подруге Исабель Кампос. — Что особенно фантастично — это Чайнатаун. Китайцы чрезвычайно симпатичны, и никогда в своей жизни я не видела таких прелестных детей, как китайчата. Да, они совершенно необычные, я бы хотела стащить одного из них, чтобы ты сама могла увидеть его... Из-за этого имело смысл приехать сюда, у меня открылись глаза, я увидела столько нового и интересного».

«Мы веселились на вечеринках, обедах, приемах, — вспоминал Ривера, — я читал лекции».

В действительности он не только читал лекции в Обществе женщин-художниц Сан-Франциско и на съезде Ассоциации мирового искусства, но ему также предложили хорошо оплачиваемую работу преподавателя в Калифорнийском университете и в Миллс-колледже (он не принял этого предложения). Поскольку Диего не очень хорошо говорил по-английски, то лекции он обычно читал на французском, владел им свободно, но рядом в качестве переводчика находилась Эмили Джозеф, жена художника Сидни Джозефа, которая писала статьи по искусству для «Сан-Франциско кроникл». В годы депрессии лекции Риверы по искусству и социальному прогрессу собирали большую аудиторию. В декабре калифорнийский Дворец Почетного легиона устроил однодневный показ работ Диего Риверы, и множество галерей выставило там его картины.

В конце концов Ривера очертя голову бросился в работу. Он собрал вокруг себя свиту ассистентов, некоторым платил, другие работали бесплатно; они собрались со всего мира, только чтобы стать учениками легендарного «маэстро». Среди них был, например, уже проверенный Андрес Санчес Флорес, молодой мексиканец, которого Ривера нанимал многие годы, он имел химическое образование. Будучи специалистом по подготовке, растиранию и смешиванию красок, Санчес Флорес считался также и шофером Фриды и Диего, поскольку ни один из них не мог управлять автомобилем. Главным ассистентом и штукатуром был Клиффорд Уайт, высокий, сильный, красивый человек, художник, который прежде служил конным полицейским в Канаде, он приехал в Соединенные Штаты, чтобы Диего взял его к себе на работу. Среди других помощников выделялся эксцентричный художник лорд Джон Хастингс, англичанин по рождению, он прибыл в Мексику с Таити, мечтая стать добровольным помощником Риверы после случайной их встречи в Сан-Франциско. Мэттью Бернс, художник и артист, добавлял команде нотку веселья. Было еще много других людей, которые присоединялись к группе помощников на какое-то время, потом исчезали. Ассистенты Риверы и их жены дружили с Фридой, но, несмотря на то что их компания доставляла Фриде удовольствие, она ни с кем особенно не сблизилась. Как и многие из тех, кто конфузится в новом окружении, Фрида Кало несколько отчужденно относилась к людям, с которыми сталкивалась, и эта отчужденность была еще острее от ее критического отношения к миру.

«Мне не особенно нравятся гринго, — писала она. — Они очень скучные, и лица у них, как у недопеченных булочек (особенно у старых женщин)».

Для Диего все было по-другому. У него был волчий аппетит на новые эксперименты и новые ощущения, это распространялось как на добрую беседу, так и на хорошее вино и еду. Он представил Фриду своим друзьям: Ральфу Стакпоулу, разумеется, и его жене Джанетт, Эмили и Сидни Джозеф, Тимоти Пфлюгеру, архитектору здания новой биржи Сан-Франциско, и Уильяму Герстлу. Фрида возобновила свое знакомство с финансистом и покровителем искусств Альбертом М.Бендером, который посещал Мехико и приобрел несколько живописных работ Риверы. Бендер знал всех нужных людей — именно он в конце концов способствовал получению Риверой разрешения на въезд в Соединенные Штаты (как известный коммунист, Ривера не мог бы получить визы) — и вместе со Стакпоулом нашел заказчиков для Риверы.

В Сан-Франциско Фрида впервые встретила Эдварда Уэстона. Ей было очень любопытно познакомиться с ним, поскольку Тина Модотти наверняка должна была о нем рассказывать, а Ривера обожал его фотографии. Несмотря на профессорский вид, Уэстон был подобен вулкану, извергающему восхитительную, страстную жажду жизни.

«Я авантюрист, путешествующий ради открытий, — писал он о себе, — готовый получить свежие впечатления, стремящийся к новым горизонтам... чтобы увидеть себя там и объединиться с теми, кого распознал бы как существенную часть меня — меня в ритмах вселенной». Для Уэстона, так же как и для Риверы, эти «новые горизонты» часто были связаны с женщинами, и, как и Ривера, фотограф был неотразим. «Откуда столько женщин? — говорил он довольный, но ошеломленный. — Почему они приходят все одновременно?»

Уэстон случайно встретился с супругами Ривера 14 декабря 1930 года. Он записал в своем дневнике:

«Я встретил Диего! Я стоял у каменной глыбы, когда он спускался по лестнице во внутренний дворик Джессоп-Плейс, — и он обнял меня и приподнял от земли в этом объятьи. Я снова фотографировал Диего, его новую жену — Фриду — тоже; она представляет собой резкий контраст Люпе, малютка — маленькая куколка рядом с Диего, но она куколка только по размеру, потому что она сильная и очень красивая, в ней почти совсем не видна немецкая кровь ее отца. Будучи одетой в народный костюм и даже в уарачи, она вызывает большой интерес на улицах Сан-Франциско. Люди останавливаются и с удивлением смотрят на нее. Мы ели в маленьком итальянском ресторане, где собирается много художников, вспоминали прежние времена в Мехико, обещая друг другу снова и скоро встретиться в Кармел».

На одной из фотографий, вероятно сделанной в студии Стакпоула, слоноподобный Диего любовно смотрит на свою новобрачную, одетую в мексиканский костюм с тремя рядами тяжелых бус доколумбовой эпохи. Она не смотрит на супруга. Она смотрит на фотографа с интригующей, многозначительной улыбкой, что необычно для женщины, которая редко улыбалась перед фотоаппаратом.

Живя в Сан-Франциско, Фрида подружилась также с Лео Элоиссером, известным хирургом-ортопедом, с которым Ривера встречался в Мехико в 1926 году. До конца своих дней Фрида доверяла медицинским советам этого доктора больше, чем любых других докторов, и ее письма к нему полны вопросов о разных недугах. В декабре 1930 года, когда Фрида впервые побывала у него на консультации, он определил у нее врожденную деформацию позвоночника (сколиоз) и разрушение одного позвоночного диска. Помимо этого, вскоре после приезда в Сан-Франциско правая нога стала еще сильнее выворачиваться, отчего болезненно растягивалось сухожилие, и ей было очень трудно ходить.

Сорокадевятилетний доктор Элоиссер был ведущим врачом главной больницы Сан-Франциско, а также и клиническим профессором хирургии Стэнфордской университетской медицинской школы. Но требования, предъявляемые к нему профессией, не мешали доктору общаться с людьми, которых он любил, и невысокий, темноволосый человек с настойчивым взглядом умных, поблескивающих глаз, в свою очередь, был любим людьми, знавшими его, в том числе и Фридой. В последующие годы, следуя своим убеждениям (не касаться политики), он с гуманитарной миссией посетил Россию, Южную Америку и Китай, а в 1938 году стал врачом испанской Республиканской Армии. Со времени выхода на пенсию и до смерти в 1976 году, в возрасте девяноста пяти лет, он занимался медициной на общественных началах на отдаленном ранчо около деревни Такамбаро в Мичоакане, в Мексике.

Элоиссер был убежденным нонконформистом, его странные привычки вызывали симпатию к нему, но и удивляли. Бывало, выйдя в полночь с работы, он отправлялся на своем шлюпе в залив острова Красных Скал. На рассвете, после завтрака на борту, плыл обратно в город и шел на работу. Случалось, что ему приходилось прерывать путешествие и в три часа ночи отправляться к больному, находящемуся в критическом состоянии. Элоиссер был также великолепным музыкантом, и на его знаменитых еженедельных вечерах камерной музыки присутствовали музыканты, его друзья — Исаак Стерн, Джозеф Шигети и Пьер Монте. Однажды он отправился на поезде на медицинский съезд, не взяв с собой ничего, кроме скрипки и зубной щетки. Вдобавок он проводил ночи, играя на скрипке или сочиняя доклад, который должен был делать на съезде. Никто не понимал, когда доктор спит.

В качестве жеста любви и признательности, возможно и как форму платежа за медицинские советы, Фрида написала «Портрет доктора Лео Элоиссера» (илл. 21) и подписала его: «Доктору Лео Элоиссеру с любовью, Фрида Кало. Сан-Франциско, Калиф[орния], 1931». Одетый в темный костюм, белую рубашку с безупречно накрахмаленным воротничком, он стоит, опершись о стол, над которым помещена модель корабля «Lostres Amigos» («Три друга»). На голой стене висит доска с надписью «Д. Ривера», поскольку Элоиссер был покровителем искусств. Поза — типична для портрета мужчины в полный рост, как это писалось в Мексике в восемнадцатом и девятнадцатом веках, и предельный примитивизм стиля подразумевает, что Фрида имела в виду наивные портреты, подобные портрету Секундино Гонсалеса, написанному очень известным художником-примитивистом девятнадцатого века Хосе Мария Эстрадой, которым Фрида восхищалась. В «Портрете доктора Лео Элоиссера» выявился главный источник Фридиного вдохновения — наивные мексиканские примитивные портреты (которые они с Диего коллекционировали) и фрески Риверы.

«Стоит сделать несколько замечаний по поводу этой картины, — писал доктор Элоиссер 10 января 1968 года, когда портрет был подарен больницей Сан-Францисской медицинской школе Университета Калифорнии. — Фрида Кало де Ривера писала портрет в моем доме, 2152 по Ливенуорт-стрит, во время первого визита семейства Риверы в Сан-Франциско... Это одна из ее ранних работ. В основном серая и черная по тону, картина представляет меня стоящим рядом с моделью парусного шлюпа. Фрида никогда не видела парусного шлюпа. Она спросила Диего об оснастке кораблей, но его ответ ее не удовлетворил. Он посоветовал ей писать так, как она себе это представляет. Что Фрида и сделала».

В первые полгода пребывания в Сан-Франциско, особенно принимая во внимание то, что ее передвижения ограничивала больная нога, Фрида написала несколько портретов. Как всегда, объектами изображения были ее друзья, и, как всегда, личные отношения между художником и натурой влияли на ее взгляд и подход к работе: портреты, сделанные Фридой, были эхом ее стиля общения — прямого, непретенциозного, остроумного и исполненного проницательного суждения о людях.

В одном тщательном карандашном рисунке Фрида хорошо уловила аристократическую надменность и изощренность родившейся в Милане, учившейся в Оксфорде леди Кристины Хастингс, чьи душевные метания между состояниями тоски и приступами гнева или юмора были близки художнице по духу и забавляли ее. Другая подруга, чернокожая американка, чья личность не установлена, появилась в «Портрете Евы Фредерик» (илл. 19) и еще в одном рисунке ню. Кем бы ни была Ева Фредерик, очевидно, что это женщина умная и сердечная и Фрида ей симпатизирует. Также очевидно, что Фриду связывали какие-то отношения с персонажем «Портрета миссис Джин Уайт», датированного январем 1931 года, где изображена жена главного помощника Риверы; она сидит рядом с окном, за которым мы видим Сан-Франциско (илл. 20). Это вежливый, обычный портрет. По прошествии нескольких лет, когда Джин Уайт жила у Фриды в Мексике, Фрида с раздражением писала о своей гостье:

«У нее есть громадный недостаток: она абсолютно уверена, что тяжело больна, она говорит только о своих недомоганиях и о витаминах, но не делает никаких усилий, чтобы научиться чему-нибудь или работать... У нее в голове только всяческие глупости вроде того, как сшить новое платье, как раскрасить свое лицо, сделать такую прическу, чтобы лучше выглядеть, и она весь день говорит о «фасонах» и других ничего не значащих глупостях, вдобавок ко всему делает это она настолько претенциозно, что мурашки по коже».

В середине февраля, меньше чем через месяц с того момента, как работа была начата, Диего закончил свою аллегорию в Калифорнии. В этом нет ничего удивительного: и он, и его помощники работали до изнеможения. Чтобы прийти в себя, он и Фрида поехали из Сан-Франциско за город, в Атертон, где жил мистер Зигмунд Стерн, друг Альберта Бендера и покровитель искусств. Десятидневный отдых растянулся на шесть недель, причем три из них Диего делал пасторальную фреску в столовой дома мистера Стерна.

Вероятней всего, именно в этом доме Фрида писала «Лютера Бербэнка», калифорнийского садовода, известного своими работами по скрещиванию овощей с фруктами (илл. 22.). (Этот человек не делал машин, но создавал новые растения. Диего поместил его в свою аллегорию Калифорнии.)

Фрида превратила Бербэнка в гибрид — наполовину дерево, наполовину человека. Он не дает расти огромным зеленым побегам, вырвав их с корнями, для того чтобы «сочетать браком» с другим растением, но, вместо того чтобы посадить этот гибрид, Бербэнк сам оказывается посаженным в землю: он стоит в яме, и его ноги в коричневых брюках стали стволом дерева. Своего рода рентгеновские лучи позволяют Фриде показать продолжение фигуры человеко-дерева под землей, где корни сплетаются с костями его скелета. Бербэнк (ноги которого стали стволом дерева), помещенный в «могилу», является первым примером того, что станет любимой темой в живописи Фриды: дуализм жизни-смерти и оплодотворение жизни смертью. Фрида все еще следует за образами Диего: в Чапинго он превратил нижнюю часть обнаженного тела Тины Модотти в ствол дерева, чтобы показать продолжение человеческой жизни в растениях и смерть, дающую жизнь.

«Лютер Бербэнк» также являет собой первое указание на то, что Фрида Кало становилась художником фантазии, а не художником прямолинейных, реалистических портретов. Мы не знаем, что побудило ее к этому изменению. Возможно, она увидела в Сан-Франциско образцы сюрреалистического искусства, а может быть, что-то в ее собственной жизни напомнило ей о фантастических образах мексиканских фресок Диего (тех, что в Чапинго) или обра-

ХЕЙДЕН ЭРРЕРА

зах мексиканского народного искусства. Так или иначе, картина, где сочетаются изобретательность, остроумие, миниатюрные детали, где яркое голубое небо и зеленые холмы (без растительности, кроме двух фруктовых деревьев Бербэнка), указывает направление, в котором соединяются реальность и воображение так, как это произойдет в картине «Мои прародители, мои родители и я».

Когда 23 апреля Фрида и Диего вернулись в Сан-Франциско, Ривера продолжил давно начатую фреску в Калифорнийской школе искусств, заказанную Уильямом Герстлом. А Фрида занялась картиной «Фрида и Диего Ривера», своего рода свадебным портретом, написанным спустя полтора года после свадьбы (цв. илл. III). Как и в портретах Джин Уайт и Евы Фредерик, на картине была надпись, сделанная на ленте, этот прием используют и Фрида, и Диего, они унаследовали его от мексиканской колониальной живописи. Надпись столь же остроумна по тону, сколь наивен в фольклорном духе стиль картины:

«Здесь вы видите нас: меня, Фриду Кало, с моим любимым мужем Диего Ривера. Я писала эти портреты в прекрасном городе Сан-Франциско для нашего друга мистера Альберта Бендера, и было это в апреле, в году 1931».

Если Фрида на самом деле писала «Лютера Бербэнка» в Атертоне и если мы верим, что она писала свадебный портрет в «прекрасном городе Сан-Франциско», тогда она должна была бы работать так же напряженно, как и ее муж, но, судя по воспоминаниям Люсиль Бланч, «она не очень много работала» и «не рассматривала себя как художника». Оценив скачок в качестве живописи от свадебного портрета до «Портрета миссис Джин Уайт», написанного в январе, Фрида серьезно отнеслась к своему занятию живописью. В мае она пишет Исабель Кампос:

«Я большую часть своего времени провожу за живописью. Надеюсь сделать в сентябре выставку в Нью-Йорке (мою первую выставку). У меня здесь не так уж много времени, я могла бы продать лишь несколько работ».

В двойном портрете Фрида показывает себя и

Диего молодоженами. Диего рядом с ней выглядит огромным (в 1931 году, при росте в шесть футов, он весил триста фунтов; Фрида была ростом в пять футов и три дюйма, а весила около девяноста восьми фунтов). Это изображение Диего соответствует тому его описанию, которое Фрида сделает несколько лет спустя в своем эссе «Портрет Диего» для каталога ретроспективы работ Риверы:

«Его огромный живот, тугой, ровный, как сфера, покоится над стальными ногами, прекрасными колоннами, большие стопы вывернуты наружу под тупым углом, будто они обнимают весь мир и поддерживают его на земле, как некое допотопное существо, из которого, начиная с талии, вырастает образец будущего человека, отстоящего от нас на две или три тысячи лет».

Ривера, как великий художник, изображен с палитрой и кистями; Фрида — в той роли, которую она любила больше всего, в роли обожающей жены. Диего стоит на земле так прочно, так устойчиво, как основания триумфальной арки; Фридины изящные ножки выглядят настолько нематериально, будто не могут нести ее по земле. Она плывет в воздухе, как фарфоровая куколка, которую поддерживает рука ее монументального супруга. Однако пронзительный взгляд Фриды обнаруживает дьявольский юмор и твердую силу, и при всей преданности и «женственности» ее позы и облика она хладнокровна и сдержанна. Портрет показывает молодую женщину, может быть, слегка неуверенную, но гордую своей добычей — ее мужем. Это напоминает нечто типичное для Мексики: жена полностью согласна с подчиненной ролью, но фактически управляет всем домашним хозяйством и руководит мужем с ловким и изящным превосходством над ним. В этом портрете обнаруживается кое-что еще. Диего чуть отвернул голову от невесты, и обе его руки прижаты к бокам. Голова Фриды склоняется к его плечу, а ее руки направлены к мужу, соединенные руки помещены в центр, что символизирует значимость для Фриды брачных уз. С самого начала, и это можно почувствовать в картине, Фрида знала, что Диего никогда не будет ее собственностью, что первой его страстью является искусство, что хотя он и любит ее, но в действительности больше всего он предан красоте, Мексике, марксизму, «народу», женщинам (множеству), растениям, земле.

«Диего — над всеми ограничениями и определенными личными отношениями, — писала Фрида. — У него нет друзей, у него есть союзники; он очень нежный, но никогда никому не уступит».

Она говорила, что хотела быть его лучшим союзником.

В Сан-Франциско Фрида поняла, что значит быть его союзником. Его нельзя было так легко удерживать, как это показано на свадебном портрете, любой нажим все равно будет отвергнут. Раз на обеде, на котором присутствовало множество людей из мира художников, Фрида заметила, что молодая женщина, сидящая рядом с Диего, отчаянно с ним флиртует, а он при этом сияет. Фрида выпила бокал вина и начала контратаку; она, сначала тихо, стала напевать колоритные мексиканские песни, сопровождая пение забавными ужимками. Как только вино оказало свое действие, она повела себя более дерзко, и тут уже весь стол был у нее в руках; увидев пораженные, очарованные глаза Диего, она почувствовала, что одержала победу. В свадебном портрете безошибочно читается ее дерзость и решимость быть «женщиной Риверы».

В то время как Фрида представляла мужа вежливо глядящим вперед на зрителя, он, занятый работой в Калифорнийской школе искусств, изобразил себя сидящим спиной к аудитории. Его фреска была монументальной картиной-обманкой: Диего и его ассистенты заняты тем, что воссоздают на фреске рабочего, который изображается на той плоскости, что является настоящей стеной комнаты. Подобно многим изображениям рабочих, герой Риверы в каске выглядит как гибрид Голиафа и Дж.-И. Джо, поскольку он сжимает рычаги управления и глядит в будущее с такой многозначительной серьезностью, которая типична для образцовых людей 1930-х годов. Под лесами показаны обсуждающие архитектурный план школы искусств Тимоти Пфлюгер, Уильям Герстл и Артур Браун, архитектор, все трое — в костюмах и шляпах, что отличает их от одетых в рубашки художников и рабочих. Точно по центру фрески с лесов свисает объемистый зад Риверы. При этом Ривера слегка иронично объясняет студентам-художникам отношения между искусством и революцией, размышляет сверху о том, каким людям принадлежит будущее.

Если прибытие Риверы в Сан-Франциско было встречено частью общества неодобрительно — «Риверу назад в Мехико! Сан-Франциско для тех, кто живет в Сан-Франциско!» — таковы были некоторые заголовки газет, — то его отъезд вызвал бурную полемику. Типичным было недовольство, которое высказал художник Кеннет Каллахан: «Многие жители Сан-Франциско считают, что своим поступком (изображение Риверой своего зада. — *Прим. авт.*) он нанес прямое оскорбление, причем сделал это преднамеренно. Если это шутка, то весьма странная, к тому же дурного вкуса». Социальный посыл Риверы не подстрекал к революции, но вызывал определенное волнение.

8 июня 1931 года, через пять дней после того, как Ривера закончил фреску, он и Фрида улетели в Мексику, куда его письмами и телеграммами вызывал президент Ортис Рубио, который был озабочен тем, что Ривера до сих пор не закончил фреску, начатую на лестнице Национального дворца. Супруги на время остановились в голубом доме в Койоакане, и Ривера на деньги, полученные от американских заказчиков, начал строить дом в Мехико, в районе Сан-Анхел, дом этот должен был состоять из двух домов, соединенных между собой крытой галереей. (Фотография 1931 года показывает Риверу и русского кинорежиссера Сергея Эйзенштейна, который делал в Мексике эпический фильм «Да здравствует Мексика!», на пороге дома в Койоакане.)

Через неделю после возвращения Фрида пишет доктору Элоиссеру:

Койоакан, 14 июня, 1931

Дорогой доктор!

Вы не можете себе представить, как больно сознавать, что мы не смогли повидаться перед нашим отъездом, но это оказалось невозможным. Я трижды звонила к вам в консультацию, но так и не нашла вас, там никто не отвечал, поэтому я попросила Клифорда [Уайта] об одолжении — все вам объяснить. К тому же, вообразите, Диего писал до двенадцати ночи, последней в Сан-Франциско, поэтому у нас ни на что не хватило времени, так что в этом письме, во-первых, передаем вам тысячу извинений и к тому же сообщаем, что мы благополучно долетели в Страну жареных бобов — Диего уже работает во дворце. У него какие-то неприятности со ртом, но что еще важнее — он очень устал. Я бы хотела, если будете ему писать, чтобы вы сказали, что ему необходимо немного отдыхать, поскольку если он будет все время работать так же, как сейчас, то он умрет, не говорите ему, что я рассказала вам, как он много работает, но скажите, что вы знаете об этом и что ему абсолютно необходимо отдыхать хоть немного. Я буду вам весьма благодарна. Диего здесь не чувствует себя счастливым, поскольку ему не хватает дружелюбия людей Сан-Франциско, да и самого города; сейчас он ничего не хочет так, как вернуться писать в Соединенные Штаты. Я, прибывши сюда, чувствую себя очень хорошо, как всегда худющая и озабоченная, но самочувствие мое много лучше. Не знаю, как расплатиться с вами за мое лечение и за те благодеяния, которые вы сделали для меня и для Диего. Мне понятно, что хуже всего предложить вам деньги, но независимо от того, насколько велика моя благодарность, она никогда не сможет компенсировать всю вашу доброту, так что я умоляю вас, будьте добры, дайте мне знать, сколько я вам должна, потому что вы не можете себе представить, как мне больно от того, что я ничем равноценным не смогла возместить вашу доброту. В своем ответе на мое письмо расскажите о себе, что вы делаете, все; и, пожалуйста, передайте привет всем друзьям, особенно Ральфу и Джинет (Стакпоулам. — *Прим. пер.*).

Мексика, как всегда, в хаосе и катится к чертям, единственное, что сохраняется, это поразительная красота земли и индейцев. Каждый день Соединенные Штаты жадно проглатывают кусок этой красоты, это печально, но люди должны есть, и не спасешься от того, что большая рыба съедает маленькую. Диего шлет множество приветов. Знайте, что вас любит

Фрида.

Супруги Ривера недолго оставались на родине. В июле в Мексику приехал Флинн Пэйн, нью-йоркский арт-дилер, советник по искусству семьи Рокфеллер и член совета директоров Мексиканской ассоциации художников. Он прибыл для того, чтобы пригласить Диего в Нью-Йорк и устроить там, в только что созданном Музее современного искусства, его ретроспективную выставку.

ХЕЙДЕН ЭРРЕРА

Во время консервативного режима Кальеса и его последователей вместе со все более крепнущими отношениями между Мексикой и Соединенными Штатами рос и энтузиазм по поводу культурных обменов. Результатом этого явилась Мексиканская ассоциация искусств, обосновавшаяся в манхэттенском доме Джона Д. Рокфеллера-мл., целью ее было «развивать дружбу между народами Мексики и Соединенных Штатов, поддерживая культурные связи и обмениваясь произведениями искусства». Рокфеллер сделал основное капиталовложение, его родственник, нью-йоркский банкир Уинтроп В. Олдрич, стал президентом ассоциации (возможно, то, что и у Рокфеллеров, и у семейства Олдрич были огромные холдинги в Латинской Америке, не простое совпадение). Поскольку Ривера был достаточно хорош для администрации Кальеса, ассоциация решила, что он годится и для капитализма. «Стержнем Риверы является его искусство, а не политика» — так заявлял в своем эссе, написанном для каталога выставки Риверы, мистер Пэйн.

Разумеется, Диего не мог отказаться от чести выставляться со своей ретроспективой в Музее современного искусства — это была всего лишь вторая персональная выставка в музее (первым — Матисс) и четырнадцатая выставка со времени его открытия. И снова Диего оставил незаконченную фреску в Национальном дворце, и на рассвете дня в середине ноября он и Фрида, в сопровождении мистера Пэйна и штукатура Риверы, Рамона Альвы, на борту «Morro Castle» приплыл в Нью-Йоркский залив. Стоя на палубе, Диего, как обычно очень возбужденный, жестикулировал, указывал на игру света в лесу манхэттенских небоскребов, на великолепие дымки, восхода солнца, на красоту буксирных суден, паромов и кораблей в доке. Клубы дыма от его сигары семи дюймов длиной поднимались вверх и закручивались спиралями над полями сомбреро. Улыбка его, как всегда, была добродушна, манеры — учтивы. Вновь прибывший заявил репортеру газеты «Нью-Йорк Геральд Трибьюн», который поднялся на борт: «Нет такой причины в мире, по которой человек, родившийся на двух наших континентах, должен ехать в Европу, чтобы получить там вдохновение или учиться. И именно здесь — возможности, сила, энергия, печаль, слава, молодость наших земель».

Придя в восторг при виде здания «Экуитал Билдинг» в нижнем Манхэттене, бегемота, поднявшего свои сорок этажей над основной застройкой (это было одно из тех зданий, которые послужили причиной для принятия закона 1916 года, ограничивающего размеры небоскребов), он произнес: «Вот мы здесь, на нашей собственной земле. И знали об этом архитекторы или не знали, но их вдохновляли те же ощущения при создании проектов, что побуждали древних людей Юкатана создавать свои храмы».

Ривера исполнял роль посла с юга в области культуры. Народы Северной и Южной Америки — единый молодой, живой народ, говорил он. Новая, гармоничная эра должна двинуть вперед выразительность американского искусства: «Мы все стремимся к этому совершенству — все мы, во всех клас-

ХЕЙДЕН ЭРРЕРА

сах. Я чувствую, что мы добьемся успеха в этих совместных усилиях».

Как только корабль приблизился к доку, Ривера стал махать шляпой собравшимся на пристани друзьям и другим встречающим. На пристани их ждали А. Конджер Гудъеар, седой, доброжелательный президент Музея современного искусства, ставший близким другом Фриды, и двое мужчин, которых Ривера повстречал в Москве в 1928 году, — Джерри Аббот, директор музейной ассоциации, и Альфред Х. Барр-мл., который спустя десять лет посетит студию Фриды в Койоакане и доставит ее хозяйке огромное удовлетворение своим одобрительным отношением к ней и к ее искусству. Также там был Клиффорд Уайт и другие помощники Риверы из Сан-Франциско.

После того как вещи путешественников были доставлены в их апартаменты в отеле «Барбизон-Плаза», расположенном на Шестой авеню, у Центрального парка, Фрида и Диего сразу же отправились в Хекчер-Билдинг, на углу Пятьдесят седьмой стрит и Пятой авеню, где в то время располагался Музей современного искусства. Там они осмотрели галереи, где вскоре будут расположены работы Риверы, и студию, которую отвели ему на верхнем этаже здания. Здесь Ривера должен был работать; у него было чуть больше месяца, чтобы подготовиться к выставке, на которой должны быть представлены 143 картины, акварели и рисунка плюс семь привезенных панелей фресок, три из которых — новые композиции, основанные на видах Манхэттена.

Хотя Диего работал день и ночь, останавливаясь лишь для того, чтобы выпить стакан молока, он все-таки находил время на жизнь светского льва. Они с Фридой посещали череду вечеринок и приемов. Мистер Пэйн обладал обширными связями, и через него они познакомились со всесильными ньюйоркцами из мира финансов и из мира искусства. Супруга Джона Д. Рокфеллера (урожденная Эбби Олдрич), например, стала другом и покровителем Риверы. Однажды она попросила его расписать ее столовую, нарисовав там версию его известной фрески «Ночь богача», панели в здании министерства образования, которая изображает Джона Д. Рокфеллера, Дж.-П. Моргана и Генри Форда. Ривера отказался, хотя он и согласился с тем, что сама по себе идея удивительна, но он понимал, что это повредит впечатлению о его политических убеждениях. Однако Ривера получал удовольствие от собственных «ночей богача». Существует замечательная, смешная фотография, где он присутствует на обеде в шикарном Университетском клубе; его почти нельзя отличить от хозяев — жирных, лысых, прекрасно одетых и явно получающих удовольствие от обильной еды.

«Диего, естественно, уже за работой, и его очень интересует город, так же как и меня, — пишет Фрида доктору Элоиссеру 23 ноября, — но я, как всегда, ничего не делаю, только смотрю и иногда скучаю. У нас масса приглашений в «нужные» дома, и я от этого устаю, но скоро все кончится, и постепенно я смогу заняться тем, что мне доставляет удовольствие».

Люсьен и Сюзанн Блох, дочери шведского композитора Эрнеста Блоха, встретились с четой Ривера вскоре после их прибытия на Манхэттен, во время банкета, который устраивала миссис Лейбман, покровительница Риверы, для своей сестры, миссис Стерн.

«Я сидела рядом с Диего, — вспоминает Люсьен, — я завладела им и разговаривала, и разговаривала с ним. На меня произвела большое впечатление идея Диего по поводу великолепия машин; я думала, что все художники считают машины и механизмы ужасными».

Люсьен сказала Диего, что ее пригласили быть главой скульптурного департамента Школы Франка Ллойда Райта в Тэйлисин. «Райт — приспешник капитализма, — сказал Диего, — потому что он верит в разобщенность людей».

Люсьен была так поглощена Диего, что никого не видела вокруг. «Только однажды я глянула на Фриду Ривера, с ее единственной бровью, пересекающей лоб, и с прекрасными украшениями, и поймала ее тяжелый взгляд. После обеда Фрида подошла ко мне и сказала: «Я вас ненавижу!» — на меня это произвело сильное впечатление. Таким образом я впервые пообщалась с Фридой и тут же ее полюбила. Она думала, что я за обедом флиртовала с Диего».

На следующий день Люсьен пришла в студию Риверы и стала помогать ему в работе. Как только Фрида поняла, что Люсьен не собирается соблазнять ее мужа, а просто полюбила его широкую и яркую натуру, эти две женщины стали близкими друзьями. (И когда у Люсьен, которая вышла замуж за другого ассистента Риверы, Стефена Димитроффа, родился сын, Фрида стала его крестной матерью.)

Впечатления Фриды от Нью-Йорка зафиксированы в другом ее письме к доктору Элоиссеру (26 ноября):

«Высший свет меня не принимает, а я злюсь на всех этих богачей, потому что я видела тысячи людей, живущих в ужасающей нищете, когда им нечего есть и негде спать, вот что больше всего меня здесь поражает, ужасно видеть, как богачи днями и ночами веселятся на приемах, в то время как тысячи и тысячи людей умирают от голода...

Хотя меня очень интересует все, что касается индустрии и развития промышленности Соединенных Штатов, я нахожу, что Америка совершенно лишена чувствительности и хорошего вкуса.

Будто бы они живут в огромном, грязном и неудобном курятнике. Дома похожи на печи, в которых пекут хлеб, а весь их пресловутый комфорт — просто миф. Не знаю, может быть, я и ошибаюсь, но я говорю лишь только о том, что чувствую».

Застенчивость и неприязнь к обществу гринго заставили Фриду 22 декабря на открытии выставки в Музее современного искусства держаться поближе к Ривере, несмотря на присутствие таких друзей, как Люсьен Блох и Анита Бреннер. Вернисаж был значительным общественным явлением, он собрал манхэттенскую элиту, среди которой были Джон Д. и Эбби Рокфеллеры, такой искушенный человек из мира искусства, как Фрэнк Кроунинщелд, и, разумеется, официальные лица администрации музея. Гости весело выпивали и болтали; блеск и бахвальство этого общества резко контрастировали с только что законченными фресками, отражающими марксистский взгляд Риверы на Мексику: «Крестьянский вождь Сапата», «Освобождение пеонов» и «Сахарный тростник» — фрески, которые изображали крестьян-батраков, угнетаемых помещиками. (Три другие панели фресок, включая «Замороженные активы», где изображался городской пролетариат, не были вовремя закончены, их выставили через несколько дней после вернисажа.) Таким же острым контрастом собравшимся господам в черных галстуках и светлых длинных вечерних платьях была Фрида Кало — смуглокожая и убийственно экзотичная в ярком наряде уроженки Теуантепека. Она спокойно расположилась здесь под покровительством своего разговорчивого мужа.

Выставка Риверы собрала восторженные отзывы критиков, ведь еще ни одна выставка музея к тому времени не собирала такого количества посетителей, как эта. К 27 января 1932 года, к дню закрытия выставки, музей посетили 56 575 человек, и глава нью-йоркских критиков по изобразительному искусству Генри Мак Брайд описывал Риверу в «Нью-Йорк Сан» как «человека, о котором больше всего говорят по эту сторону Атлантики».

Несомненно, успех выставки Риверы сделал жизнь Фриды в Нью-Йорке более привлекательной. Она встречалась со множеством людей и исследовала Манхэттен со своими новыми друзьями, радовалась неспешным ленчам и ходила в кино — предпочитая фильмы ужасов и комедии с братьями Маркс, Лорелом и Харди.

«Мы завтракали вместе с Фридой и Рейбен и много смеялись, — пишет в своем дневнике Люсьен Блох. — Затем ходили на «Франкенштейна», которого Фрида хотела посмотреть еще раз. Тот факт, что Ривера теперь не работал до изнеможения и мог проводить больше времени с женой, сделал эти дни для нее более приятными».

«Изумительно пообедали с Диего Риверой и его женой, — пишет Люсьен и продолжает: — Фрида не может оставаться в отеле «Барбизон-Плаза», потому что мальчик-лифтер презирает ее, видя, что она небогата. Как-то она назвала одного из них «сукин сын» и спрашивала нас, правильно ли она выразилась».

К тому времени, когда пребывание семейства Ривера на Манхэттене подходило к концу, Фрида уже не была, как прежде, застенчивой, перестала замыкаться. Хотя Фрида все еще выражала недовольство по поводу некоторых аспектов жизни «Гринголандии», она все же включилась в активную светскую жизнь. Например, 31 марта Риверы вместе с голодными до культурной жизни ньюйоркцами отправились в пульмановском вагоне в Филадельфию, чтобы присутствовать на премьере мексиканского балета «Лошадиные силы», которым дирижировал Леопольд Стоковский. Реакция Фриды была откровенной и почти беспардонной. Через месяц или чуть позже она в письме к доктору Элоиссеру пишет о том, что не побоялась сказать и после спектакля:

«Что же касается того, что вы спрашиваете меня о балете Карлоса Чавеса и Диего, это все оказалось отвратительной мешаниной, porqueria (дерьмо), не из-за музыки или декораций, но из-за хореографии, потому что там была толпа вялых блондинок, изображающих индианок из Теуантепека, и, когда они танцевали сандангу, они выглядели так, будто у них вместо крови свинец. В итоге — полное, абсолютное cochinada (свинство)».

10

ДЕТРОЙТ: БОЛЬНИЦА ГЕНРИ ФОРДА

Для Диего Риверы Детройт был сердцем американской индустрии, родиной американского пролетариата. И когда Уильям Валентайнер, директор Детройтского института искусств, и искусствовед Эдгар П. Ричардсон, также работающий в этом институте, встретили Риверу в Сан-Франциско и предложили ему приехать в Детройт, чтобы сделать фрески на тему современной промышленности, Ривера был в восторге. Детройтский комитет по искусству, где в то время директором был президент «Форд Мотор Компани» Эдсел Форд, одобрил это приглашение, и когда Форд согласился заплатить десять тысяч долларов за большие фрески, прославляющие индустрию Детройта — а особенно автомобильную промышленность, и даже конкретно «Форд Мотор Компани», — сделка состоялась.

В апреле 1932 года всемирно известный художник призвал своих помощников, чтобы наблюдать с ними за подготовкой стен перед началом работы над фресками. 21 апреля Диего и его жена сошли с поезда в городе, который, как чувствовал художник, самое подходящее место для создания «великой Саги о машинах и металле».

На станции их встречали Валентайнер, вице-консул Мексики, двадцать членов мексиканского культурного клуба, помощники Диего с женами и пресса. Фрида, по сообщению в «Детройт Ньюс», была в черном шелковом платье, длинной темно-зеленой шелковой вышитой шали, в туфлях на высо-

ХЕЙДЕН ЭРРЕРА

ких тонких каблуках, с ожерельями из тяжелого, необработанного янтаря и серьгами из нефрита. Диего на ломаном английском представил: «Ее зовут Кармен» (в то время расцветал нацизм, и ему не нравилось называть ее немецким именем). Фрида, в ответ на просьбу фотографов помахать рукой, «взмахнула в приветствии рукой так, будто сверкнула забавная молния», а затем спустилась по ступенькам из вагона, чтобы обняться с друзьями и передать укелеле — вещицу, которую она привезла, в руки Клифорда Уайта. Только ему она и могла доверить эту вещь. Когда ее спросили, является ли и она художником, Фрида ответила: «Да, величайшим в мире».

Фрида и Диего тут же отправились в свое новое жилище: безликие, но удобные апартаменты с одной спальней в «Уорделле», огромном отеле, в доме № 15 по Кирби-Ист и Вудворд-авеню, как раз напротив той улицы, где располагался Детройтский институт искусств. Отель «Уорделл» называл себя «лучшим домашним адресом в Детройте». Что это означает, Риверы обнаружили спустя несколько недель — в отель не допускались евреи. «Но и у Фриды, и у меня есть еврейская кровь! — кричал Диего. — Мы уедем отсюда!» Не желая терять таких постояльцев, администрация отеля возражала: «О нет! Мы ничего подобного не имели в виду!» — и предложили понизить плату за жилье. Ривера ответил: «Независимо от того, насколько вы снизите цену, не хочу здесь оставаться, если не будет отменено ваше запрещение». Отчаянно желая удержать жильцов, управляющий обещал исполнить эту просьбу и снизил плату со 185 до 100 долларов в месяц.

Вскоре после поселения в «Уорделле» Фрида и Диего встретились с Эдселом Фордом и другими членами Детройтского комитета по искусству. Ривера начал готовить эскизы фресок, для того чтобы их одобрил комитет. Иногда вместе с Фридой он ездил в Диборн, в Ривер Руж-комплекс, принадлежащий «Форд Мотор Компани», и на другие фабрики в окрестностях Детройта. Там он без устали зарисовывал механизмы, сборочные линии и лаборатории. Его также вдохновляла перспектива изображения всяческих машин, как возбуждала и возможность рисовать мексиканских крестьян после возвращения из Европы в 1921 году. Диего писал в своей автобиографии: «Теперь я ставлю коллективного героя — человек-и-машина выше традиционных героев живописи и легенд».

23 мая Комиссия по искусству одобрила эскизы для создания двух больших панелей на северной и южной стенах Гарден-корта со стеклянной крышей в Детройтском институте искусств. Хотя двор этот был выполнен в стиле итальянского барокко — с арками, лепниной, дорическими пилястрами и рельефами на этрусские мотивы, — и это не нравилось Диего (он называл огромный многоярусный фонтан ужасающим «символом того способа, которым мы вцепляемся в старую культуру»), художник обладал серьезными амбициями, он должен был, по его словам, влить «новое вино в старые мехи» и «писать историю новой расы века металла». Однако он чувствовал, что для этой великой темы двух панелей ему недостаточно, поэтому попросил, чтобы ему разрешили оформить все двадцать семь панелей двора. Комитет с энтузиазмом согласился, и Диего сделал еще много эскизов, исполняя «великолепную симфонию», монументальное изображение промышленной империи Генри Форда, которое вызвало бы восхищение предпринимателем и его достижениями и к тому же и марксистскими идеями.

«Маркс создал теорию, — говорил Ривера, — Ленин применил ее в крупных масштабах... А Генри Форд сделал возможной работу, социалистическую по форме».

Тем временем, как и тогда, когда Риверы были в Нью-Йорке, они остро интересовали меценатов, за ними ухаживали, их развлекали «нужные» люди, но прежнего успеха не было. Бомонд находил странной Фриду и ее костюмы, а она платила тем же, выступая против снобизма матрон, шокированная их надменной буржуазностью. Приглашенная на чай в дом к сестрам Генри Форда, она восторженно говорила о коммунизме; в домах католиков она делала саркастические замечания по поводу церкви. Возвращаясь домой после ленча или чая, устраиваемого различными женскими комитетами и обществами, она пожимала плечами и, стараясь компенсировать глупо потраченный день, живо рассказывала о нем, говорила, как она употребляла какие-то слова и выражения типа: «Наплевать на вас!», делая вид, что не придает этому значения. «Что я сотворила с этими старушенциями!» — восклицала она, удовлетворенно посмеиваясь. Однажды, когда Фрида и Диего вернулись с вечера, проведенного в доме Генри Форда, о котором Фриде было известно, что он ярый антисемит, Диего ворвался в апартаменты с громким хохотом. Указывая на Фриду, он закричал: «Что за девочка! Знаете, что она сказала, когда в столовой наступило молчание? Она обернулась к Генри Форду и спросила: «Мистер Форд, а вы еврей?»

«Этот город кажется мне замшелой старой деревней, — пишет Фрида доктору Элоиссеру 26 мая. — Мне он совсем не нравится, но я счастлива, потому что Диего очень удачно здесь работает, он нашел так много материала для своих фресок, которые делает для музея. Его, как ребенка игрушки, восхищают фабрики, машины и пр. Промышленная часть Детройта действительно очень интересна, все остальное, как и везде в Соединенных Штатах, — безобразное и глупое».

Казалось, что все в Детройте хуже, чем в Мексике. В Мексике, говорила Фрида, сильнее сияющий контраст между тенью и светом. Там даже беднейшие хижины сделаны с любовью, в то время как полуразрушенные дома Детройта грязные и запущенные.

Были проблемы еще и с едой. Фриде не нравилась американская кухня, хотя в конце концов она нашла вкус в трех местных продуктах: сгущенном молоке, апельсиновом соке и американском сыре.

Она поглощала конфеты и другие сладости, некоторые из них напоминали ей *cojeta,* карамелизированное сладкое козье молоко, мексиканскую тянучку. Даже после того как она обнаружила несколько магазинчиков, которые снабжали продуктами мексиканское население Детройта, и смогла готовить национальную еду, ей трудно было справляться с электрической плитой.

Если Фрида испытывала угрызения совести, бывая на вечеринках в домах элиты, где во времена депрессии подавалось обильное угощение, то Диего, который никогда не придавал значения этим контрастам, ничего подобного не ощущал. Когда Фрида упрекала его за то, что он, будучи коммунистом, надевает смокинг, как капиталист, он вовсе не огорчался. «Коммунист должен одеваться лучше всех», — говорил он. И, вспоминая успех Фриды на вечере народных танцев, устроенном Генри Фордом, гордился тем вниманием, которое было ей оказано, что было особенно ценно, потому что Форд помнил ее выпад. «Фрида была так хороша в своем мексиканском наряде, она скоро стала центром притяжения, — рассказывал Диего, — Форд танцевал с ней несколько раз».

По версии Диего, в завершение этого вечера (где все детали поданы так, чтобы сам он выглядел в лучшем свете) Генри Форд проводил его и Фриду до выхода, где у дверей стоял новый «Линкольн» с ожидающим их шофером.

«Форд сказал Фриде, что шоферу уже заплачено и что и он, и машина будут в ее распоряжении на все то время, что мы живем в Детройте. Я был очень тронут и поблагодарил его за нас обоих, но заявил, что ни я, ни Фрида не сможем принять такой щедрый подарок. Этот автомобиль, сказал я, слишком богат для наших особ. Форд принял мой отказ с изящным пониманием. Затем, не ставя нас в известность, он попросил своего сына Эдсела спроектировать особый маленький «Форд», который и подарил Фриде некоторое время спустя».

В последний год своей жизни Фрида рассказывала эту историю по-другому:

«Когда мы приехали в Детройт, Генри Форд познакомился со мной. Он давал вечер для рабочих, и хотя я хромала, мне сделали аппарат, и я танцевала с Фордом, и на следующий день он спросил меня, можно ли ему получить от Диего разрешение на то, чтобы дать мне «Форд». Диего сказал «да», и это был тот «Форд», на котором мы вернулись в Мексику, и этот автомобиль оказался спасением для Диего, потому что он смог обменять его на другую машину, а позже еще на одну, которую он называл «Лягушка и Опель».

На самом деле машина была предметом обмена: Ривера, который ненавидел быть кому-то должным, настаивал на том, что он за нее заплатит портретом Эдсела Форда. А в результате решил, что его обманули, потому что водитель Санчес Флорес приехал к дому босса не на последней модели «Линкольна», который Ривера твердо рассчитывал получить, а на простом четырехдверном седане, который стоил меньше, чем портрет.

«Никогда не буду ездить на этой проклятой машине!» — сказал Ривера.

Фриде не нравился Детройт, но в Детройте можно было поправить здоровье. Когда она писала к доктору Элоиссеру 26 мая, она была уже два месяца как беременна. Хотя, «консультируясь» с ним, она ставила его перед фактом, ее желание найти альтернативу выдает волнение и надежду:

«У меня есть много чего рассказать о себе, хотя в этом нет ничего приятного. Во-первых, у меня не так хорошо со здоровьем. Я бы хотела разговаривать с вами обо всем, кроме этого, поскольку понимаю, что вы уже устали выслушивать бесконечные жалобы, устали от больных людей, но мне бы хотелось думать, что мое дело было бы несколько иным, потому что мы друзья, и Диего, как и я, очень вас любит. Вы это хорошо знаете.

Начну с того, что скажу о своем визите к доктору Пратту, потому что вы рекомендовали его Хастингсу. В первый раз я должна была пойти, потому что у меня продолжала болеть нога, но теперь она была в худшем состоянии, чем раньше, ведь прошло уже два года. Я не особенно печалилась из-за этого, потому что очень хорошо понимаю, что нечего ждать улучшения и нечего плакать. В больнице Форда, где и работает доктор Пратт, не помню какой доктор поставил диагноз «трофическая язва». Что это такое? Меня ошеломил такой диагноз. Теперь же самый главный вопрос, и я хотела бы проконсультироваться с вами прежде, чем с кем-либо еще. К тому же я уже два месяца беременна. Я еще раз виделась с доктором Праттом, он сказал мне, что знает все о моем состоянии, потому что разговаривал с вами обо мне в Нью-Орлеане, и мне нет нужды снова объяснять ему, что со мной произошел несчастный случай, ситуацию с моей наследственностью и т.д. и т.д. Понимая состояние моего здоровья, я подумала, что лучше сделать аборт, я сказала ему об этом, он дал мне дозу хинина и сделал чистку касторовым маслом. На следующий день у меня началось незначительное кровотечение. В любом случае, я подумала, что должна сделать аборт, и снова пошла к доктору Пратту. Он обследовал меня и сказал, что мне не нужен аборт и что, по его мнению, будет гораздо лучше, если вместо того, чтобы делать операцию, я бы сохранила ребенка и затем, несмотря на плохое состояние моего организма, имея в виду раздробленный таз, позвоночник и т.д. и т.д., я могла бы без особых трудностей произвести его на свет с помощью кесарева сечения. Он говорит, что, если мы остаемся в Детройте на все следующие семь месяцев беременности, он как следует позаботится обо мне. Мне хотелось бы знать ваше мнение. Думаете ли вы, что опаснее делать аборт, чем иметь ребенка? Два года назад я сделала в Мехико аборт. У меня было три месяца беременности. Теперь у меня срок два месяца, и доктор Пратт уверяет, что для меня лучше иметь ребенка. Вы лучше, чем кто бы то ни было другой, оцениваете мое состояние. Во-первых, с моей наследственностью я не уверена, что ребенок родится вполне здоровым. (Возможно, Фрида напоминает об эпилепсии отца. — *Прим. авт.*) Во-вторых, я недостаточно крепка, а беременность еще больше ослабит меня. Более того, в данный момент ситуация осложняется еще и тем, что я точно не знаю, сколько времени понадобится Диего, чтобы закончить фреску, и, возможно, я должна буду уехать в Мексику за три месяца до его рождения. Если Диего завершит позже, то было бы лучше, чтобы я здесь оставалась и ребенок родился бы здесь, в любом случае потом будут ужасные трудности путешествия с новорожденным. Тут нет никого из моих близких, кто мог бы позаботиться обо мне во время и после беременности, поскольку бедный маленький Диего, как бы он ни хотел, он не сможет, потому что у него проблемы с работой. Поэтому я не могу ни в чем рассчитывать на него. Единственное, что я могу сделать в таком случае, это поехать в Мексику в августе или сентябре и родить ребенка там. Не думаю, что Диего очень заинтересован в рождении ребенка, поскольку его больше всего занимает работа, и он в этом абсолютно прав. Ребенок отходит на четвертое место. Я не знаю, хорошо или плохо иметь ребенка, потому что Диего постоянно путешествует, и нет причины, из-за которой я хотела бы оставлять его одного, а самой жить в Мексике, возникли бы проблемы и сложности для нас обоих, как вы думаете? Но если вы, как и доктор Пратт, действительно убеждены, что для моего здоровья будет намного лучше не делать аборт, а родить ребенка, обо всех этих трудностях можно и не задумываться. Что я хочу знать, так это ваше мнение, больше, чем чье-либо еще, поскольку вы знаете мою ситуацию, и я от всего сердца буду вам благодарна, если вы мне точно скажете, что лучше. В случае необходимости аборта, умоляю вас, напишите доктору Пратту, так как, возможно, он не вполне осведомлен обо всех обстоятельствах, и, так как аборт противозаконен, возможно, он боится или что-то еще, а позже уже будет невозможно сделать операцию.

Если, с другой стороны, вы считаете, что мне нужно родить ребенка, то в этом случае я хочу, чтобы вы посоветовали, что лучше: поехать ли в Мексику в августе и рожать там, где мои мама и сестры, или ждать, пока он родится здесь. Не хочу вас более утомлять, вы не знаете, дорогой доктор, как мне больно досаждать вам этими вещами, но я разговариваю с вами скорее как с лучшим моим другом, нежели с врачом, и ваше мнение поможет мне больше, чем вы себе это представляете. Потому что я здесь не могу ни на кого рассчитывать. Диего, как всегда, очень добр ко мне, но я не хочу отвлекать его этими делами теперь, когда он обременен работой и более чем когда-либо еще нуждается в отдыхе и спокойствии. Я не слишком доверяю Джин Уайт и Кристине Хастингс, чтобы советоваться с ними о подобных вещах, которые имеют такое огромное значение и в которых неверное решение может отправить меня в могилу! (Здесь Фрида нарисовала череп и скрещенные кости. — *Прим. авт.*) Я плохо ем, у меня нет аппетита, заставляю себя выпить два стакана сливок в день и съесть немного мяса и овощей. Но теперь из-за беспокойства о беременности меня все время тошнит. Я, с тех пор как поврежден мой позвоночник, от всего устаю, и из-за ноги не могу делать упражнения, и мое пищеварение отвратительное! И тем не менее у меня есть желание многое сделать, и я никогда не чувствую «разочарования жизнью», как это бывает в русских романах. Я отчетливо понимаю свою ситуацию и почти счастлива, потому что у меня есть Диего, и мама, и папа, которых я так люблю. Я думаю, что этого достаточно, и я не прошу у жизни чудес или чего-нибудь подобного. Я люблю вас больше всех своих друзей и по этой причине смею надоедать вам со всеми этими глупостями.

ХЕЙДЕН ЭРРЕРА

Простите меня, и, когда будете отвечать на это письмо, напишите, как вы поживаете, и получите от Диего и от меня наши любовь и объятия от

Фриды.

Если вы думаете, что мне нужно немедленно сделать операцию, я буду благодарна, если вы пошлете мне телеграмму в завуалированной форме, чтобы не компрометировать никого ни в коем случае. Тысяча благодарностей и самое лучшее отношение.

Ф.».

К тому времени, как доктор Элоиссер ответил на это письмо, вложив в конверт записку для доктора Пратта, Фрида приняла решение не делать аборт, понадеявшись на то, что доктор Пратт прав. Ни опасения Диего о состоянии ее здоровья, ни его нежелание иметь еще одного ребенка не могли переменить ее мнения, коль решение было принято. Точно так же Ривера не мог заставить ее подчиняться приказу доктора и безвылазно сидеть дома. Она была одинока, слаба и тосковала. Он горел энтузиазмом творчества и не желал оставаться дома, чтобы опекать жену. И когда в июне в Детройт приехала Люсьен Блох, Диего попросил ее куда-нибудь вывозить его жену. «Фриде нечего делать, — говорил он Люсьен. — У нее нет друзей. Она очень одинока». Он надеялся, что Люсьен поможет Фриде начать заниматься живописью, но у Фриды были другие идеи. Она, вспоминает Люсьен, стала учиться водить машину.

Люсьен спала в гостиной, на кровати, задвинутой в угол, чтобы хозяевам было удобно двигаться по утрам. Когда Диего уходил, Фрида рисовала или писала маслом, довольно нерегулярно, а Люсьен работала в столовой, она придумывала маленькие статуэтки для стеклодувов.

Когда в конце июня с приходом летней жары в маленькой квартире стало очень душно, у Фриды начались кровянистые выделения, у нее болел низ живота, и ее без конца тошнило. Однако ничто не могло поколебать ее оптимизма. Люсьен вспоминает: «Она так мечтала о беременности, и когда я спросила: «Ты была у доктора?» — она сказала: «Да, у меня есть доктор, но он говорит, что мне нельзя того, нельзя другого, и все в таком же духе». Она не посещала доктора так часто, как это следовало делать».

Фрида потеряла ребенка 4 июля 1932 года.

Дневник Люсьен так описывает историю события:

«Вечер воскресенья. Фрида в такой тоске, у нее сильное кровотечение. Она легла, пришел доктор и сказал ей, как говорил обычно, что все это плохо, что она должна соблюдать покой. Ночью я услышала отчаянный плач, но, полагая, что Диего меня позовет, если понадобится помощь, я дремала и видела ночные кошмары. В пять в комнату ворвался взъерошенный и бледный Диего и попросил меня вызвать доктора. Врач приехал в шесть с машиной «Скорой помощи», и они забрали ее с родовыми схватками... Фрида лежала в луже крови. Она казалась малюсенькой двенадцатилетней девочкой. Волосы ее намокли от слез».

«Скорая помощь» срочно отвезла Фриду в больницу Форда. За ней в такси поехали Люсьен и Диего. Когда санитары везли Фриду на каталке по цементному коридору первого этажа, она посмотрела вверх и, увидев массу разноцветных труб, проходящих под потолком, воскликнула: «Диего, посмотри! Que precioso! Как прекрасно!»

Дожидаясь сведений о состоянии Фриды, Диего совсем обезумел.

«Диего весь день был угнетен, — пишет в дневнике Люсьен. — Хастингс пытался его приободрить и повел нас на парад по случаю 4 июля. У меня в мыслях были лишь Фридины крики и сгустки крови. Диего тоже думал об этом. Он считает, что женщина, переносящая такую боль, намного превосходит мужчину, который никогда не испытывает боли, подобной мукам при рождении ребенка».

Тринадцатый день Фриды в больнице был мрачным днем. В соседней комнате лежал умирающий. Ей хотелось убежать, но она была слишком слаба, чтобы двигаться, жара еще больше обессиливала ее. У нее продолжалось кровотечение, и она не просыхала от пота. Охваченная отчаянием от мыслей о том, что у нее никогда не будет ребенка, не понимая, что же у нее такого неправильного, почему плод не может развиваться и гибнет в ее теле, она кричала: «Я бы хотела умереть! Не понимаю, почему я должна продолжать так жить». Диего был потрясен ее страданиями и жил в предчувствии беды. Когда взяли пункцию из спинного мозга, ему сказали, что у нее менингит.

Но через пять дней после выкидыша Фрида взяла карандаш и стала рисовать погрудный «Автопортрет». На нем она одета в кимоно, волосы убраны в сетку, а лицо залито слезами. И даже при таких страданиях она была способна смеяться. Когда Люсьен принесла телеграмму с соболезнованиями, подписанную «Миссис Генри Форд», которую сама же и сочинила, Фриду это так развеселило, что от хохота у нее началось обильное кровотечение и вышли остатки того, что было эмбрионом.

Фрида хотела рисовать своего утерянного ребенка, хотела увидеть его точно таким, каким он был во время выкидыша. На второй день пребывания в больнице она упрашивала доктора дать ей медицинские книги с иллюстрациями, но доктор отказал ей в просьбе; в больнице не разрешалось давать больным книги по медицине, это могло ухудшить состояние пациентов. Фрида была в ярости. Вступился Диего и сказал доктору: «Вы имеете дело не с обычным человеком. Фрида с этим будет что-то делать. Она начнет создавать произведение искусства». В конце концов Диего сам достал медицинскую книгу, и Фрида тщательно нарисовала человеческий зародыш. Два других карандашных рисунка, вероятно, были сделаны в те же дни и казались наиболее сюрреалистическим и фантастическим из всего, что Фрида делала до этого. Она в своих снах была окружена странными образами, или, может быть, эти образы возникли при анестезии. Образы эти возникают как результат свободных ассоциаций — рука с корнями, стопа, похожая на клубень, городские здания, лицо Диего. На одном рисунке Фрида, обнаженная, лежит на кровати поверх покрывала. Ее длинные волосы свешива-

ХЕЙДЕН ЭРРЕРА

ются за край кровати и превращаются в паутину корешков, которые расползаются по полу.

17 июля Люсьен и Диего привезли Фриду из больницы домой. 25 июля Диего начал писать в Детройтском институте искусств. 29 июля, через двадцать пять дней после выкидыша и спустя двенадцать дней после возвращения из больницы, Фрида снова пишет доктору Элоиссеру.

«Дорогой доктор!

Вы не можете себе представить, как давно я хотела написать вам, но со мной произошло столько всего, что я была не в состоянии спокойно сесть, взять перо и написать вам эти строки.

Вначале я хочу поблагодарить вас за доброе послание и телеграмму. В то время, порассуждав о всех трудностях, которые меня ожидали бы, я страстно захотела иметь ребенка, но уверена, что это было чисто биологическое состояние, ведь я чувствовала необходимость посвятить себя ребенку. Когда пришло ваше письмо, я еще более в этом утвердилась, поскольку вы пришли к выводу, что мне можно иметь ребенка, и я не передала ваше письмо доктору Пратту, будучи почти уверена, что смогу перенести беременность, если вовремя поеду в Мексику и рожу ребенка там. Прошло почти два месяца, и я не ощущала никакого дискомфорта, я почти все время отдыхала и заботилась о себе столько, сколько могла. Но приблизительно за две недели до 4 июля я почти каждый день стала замечать, что из меня выходит своего рода sanguaza (сукровица). Я забеспокоилась, пришла к доктору Пратту, и он сказал мне, что это вполне допустимо и он думает о том, насколько легче было бы родить при помощи кесарева сечения. Продолжалось все то же самое, пока, не знаю почему, я в одночасье лишилась ребенка... Эмбрион так и не сформировался, несмотря на три с половиной месяца беременности, он просто разложился. Доктор Пратт не сказал мне, что послужило причиной этого, и только заверил меня, что в другой раз я смогу родить. До сих пор я не понимаю, почему произошел выкидыш и по какой причине плод не развился, и кто знает, что за дьявол сидит во мне, ведь это так странно, как вы думаете? Я так надеялась иметь маленького Диего, который часто бы плакал, но теперь, когда все это произошло, ничего не поделаешь, надо принять все как есть...

А в результате существует множество всего, что остается абсолютной тайной. В любом случае у меня кошачья живучесть, поскольку меня не так легко уморить, и это что-то значит!..

Позвольте себе сбежать и приехать навестить нас. Нам есть о чем поболтать, и с добрыми друзьями кое-кто забудет, что он находится в этой очень упрямой стране! Пишите мне и не забывайте друзей, вас очень любят

Диего и Фрида».

«Теперь ничего не остается, как принять все как есть, — писала Фрида. — У меня кошачья живучесть». Ее неукротимая воля начала брать верх над отчаянием и апатией.

«Больница Генри Форда» датирована как раз июлем 1932 года (цв. илл. IV). Это первая картина из серии кровавых и ужасающих автопортретов, которые сделали Фриду Кало одним из наиболее оригинальных живописцев ее времени; по качеству живописи и по выразительности работа превосходит все, что она делала раньше. Ривера заметил перемену, говоря о ее живописи после выкидыша, он сказал: «Фрида начала работать над серией картин, подобных которым нет в истории искусства, — над картинами, которые возвеличивают такие женские качества, как жизнестойкость, истинность, здравость, выносливость и способность вытерпеть страдания. Никогда прежде женщина творчески так не переосмысливала мучений, перенося их на холст, как делала это Фрида в Детройте».

В картине «Больница Генри Форда» Фрида лежит обнаженной на больничной койке, истекая кровью. По ее щекам бегут слезы, живот все еще вздут от беременности. Изображение своего тела без прикрас — типично для Фриды, это просто восприятие обнаженного женского тела женщиной, без идеализации, как сделал бы это мужчина.

У вздутого живота она держит шесть лент, подобных венам, на конце каждой из них покачиваются разные предметы, символизирующие ее эмоциональное состояние во время выкидыша. Один элемент — эмбрион и лента, связывающая его с Фридой, продолжается детской пуповиной. Фрида рисует ребенка прямо над лужей крови и изображает ему мужские гениталии «маленького Диего», которым, как она надеялась, он должен был быть.

Все летающие символы материнской печали, включая и плод, выполнены в масштабе, не соответствующем действительности. Лососево-розовый торс на подставке, как говорила Фрида, «это моя идея того, как можно объяснить, что находится внутри женщины»; несколько спермоподобных организмов, предположительно вид драмы зачатия в рентгеновских лучах, появляются на поверхности торса; два позвонка, нарисованные здесь же, отсылают к ее поврежденному позвоночнику или, возможно, к врожденному сколиозу, диагностированному доктором Элоиссером в 1930 году. Желая достичь достоверности, Фрида тщательно копирует иллюстрации с тазобедренным отделом скелета, чтобы изобразить то, что явилось основной причиной выкидыша.

Улитка, как однажды объясняла Фрида, символизирует медлительность процесса выкидыша, который «нежен, скрыт и в то же время открыт». Значение странного механизма, помещенного внизу, у кровати, — неясно. Люсьен Блох считает, что это представление Фриды о ее бедрах, которые кажутся ей такими, в то время как другие символы интимно связаны с женским телом. Бертрам Вулф думает, что машина была «железными тисками, олицетворяющими разрушительную силу боли», и толкование утверждения Фриды, что после событий в Детройте «что-то механическое» всегда обозначает катастрофу и боль, внушает доверие. Фрида сама говорила одной из подруг, что машина была тем, что напоминало ей о Диего.

ХЕЙДЕН ЭРРЕРА

Бледно-лавандовая орхидея со стебельком выглядит как извлеченная матка. Фрида сказала: «Когда я это писала, у меня была идея смешать секс с сентиментальностью. Эту идею мне подал Диего».

Больничная койка Фриды плывет над безграничной, бесплодной равниной под голубым небом; она говорила, что писала плоскость под кроватью краской цвета земли, пытаясь так выразить одиночество. Но этим явно противоречила себе: «Земля для меня — это Мексика, вокруг — люди и все другое, так что это помогает мне. Когда у меня ничего нет, я располагаю вокруг себя землю». На горизонте отчетливо видна промышленная зона Руж-Ривер, с ее коксовыми печами, конвейерами, дымовыми трубами и водонапорными башнями. Это подразумевает отчужденность Фриды от Диего, который, когда она лежала в больнице, казалось, был далек от нее. Отдаленно стоящие сооружения также вызывают ощущение индифферентности внешнего мира к состоянию страждущей, отчуждение от каждодневной жизни. Мир за стенами болезни функционирует четко и эффективно; Фрида же — развалина. Ее одиночество подчеркивается и масштабом — по отношению к размерам койки она выглядит крошечной, — и, кстати, койка запрокинута и вытянута в нарочито искаженной перспективе. Отсутствие покрывала и расположение кровати не в помещении, а в открытом пространстве делает таким понятным чувство, которое испытывают пациенты, находящиеся в больнице, — чувство беспомощности. Плывет в пространстве Фрида, ни с чем не связанная, опустошенная, беззащитная.

Чтобы помочь Фриде, испытывающей депрессию, Люсьен и Диего устроили заговор, они решили, что, как только она окрепнет, нужно занять ее каким-то достаточно активным делом, чтобы она не сидела в одиночестве в квартире. Вскоре после ее возвращения из больницы Ривера добился разрешения для нее и Люсьен работать в местной литографской мастерской. Получив советы по технике литографии от работника мастерской, просмотрев кучу книг, обе женщины начали рисовать на литографских камнях.

Несмотря на слабость после болезни, несмотря на летний зной, Фрида ходила с Люсьен в мастерскую каждый день и работала с восьми утра до трех часов дня. Фрида становилась подобной дикому зверю, когда кто-нибудь приходил в студию посмотреть, как «мы занимаемся «серьезным делом», пишет Люсьен в своем дневнике. «Они не понимали, насколько в самом деле серьезно мы к этому относимся. Фрида была такая сердитая, что ругалась каждый раз, как ей на руку садилась муха».

Однако, когда отпечатали Фридин камень, «мы были ужасно разочарованы», продолжает Люсьен. «По всему камню пошли полосы, и их невозможно было убрать. Вся работа пошла насмарку. Вечером пришел Диего, что было очень приятно, потому что он целый день работал в музее... Фрида решила снова сделать тот же рисунок, так что она работала весь следующий день.

Никто не приходил, не наблюдал за нами, мы яростно работали... Видя, как Диего снова и снова переделывает работу, которая ему не удавалась, мы тоже набрались терпения».

В конце концов они сделали несколько оттисков, которые оказались вполне удовлетворительными по качеству, и Диего предположил, что некоторые из них можно послать Джорджу Маллеру, нью-йоркскому специалисту по литографии, чтобы получить от него совет. Он вернул Фриде ее оттиски со следующими замечаниями: «Ваши пробы не хороши и не плохи. Работайте упорнее, и вы добьетесь лучших результатов». Это высказывание было таким же вежливым и успокаивающим, как текст с предсказанием судьбы на бумажке, запеченной в булочке. Фрида, которая всегда предпочитала прямоту, искренность и непосредственное участие художника в создании картины в технике масляной живописи, вернулась к своему мольберту. Но литография — названная «Фрида и аборт» — осталась (илл. 26). На ней Фрида стоит обнаженной и пассивной, как кукла из папье-маше, главное в картине — все стадии ее беременности. Зародыш-мальчик связан с ней длинной вьющейся веной, и плохо сформированный эмбрион свернулся в ее матке. Клетки в двух разных моментах деления показывают ранние стадии зарождения утерянного ребенка. По щекам Фриды текут две слезы, кровотечение, которым закончилась беременность, изображено каплями крови, стекающими по ногам в землю, которая является одновременно и могилой, и садом. В отличие от Фриды, земля плодородна, растения, политые Фридиной кровью, своими очертаниями напоминают глаза, руки и гениталии эмбриона-мальчика.

Тело Фриды поделено на светлую и темную части, что, вероятно, говорит о темных и светлых сторонах ее психики, о существовании в ней и жизни, и смерти. Со стороны темной части плачет луна, третья рука держит палитру, скорее напоминающую эмбрион, при этом, по-видимому, подразумевается, что живопись является противоядием горю матери, потерявшей ребенка, что для Фриды делать картины все равно что зачать и родить ребенка.

Еще три раза (по подсчетам Риверы) Фрида пыталась произвести на свет ребенка. Даже несмотря на то что она знала, как ее муж не хочет детей, она думала, что рождение ребенка должно укрепить их связь. Ривера полагал, что «если бы снова произошло зачатие», то это было бы опасно для Фриды, но ближайшая Фридина подруга Элла Вулф, жена Бертрама Вулфа, считает, что «Фрида могла бы родить, если бы пролежала в кровати пять или шесть месяцев, и проблема заключалась в том, что Ривера был против еще одной беременности. Диего очень злился на Фриду из-за ее намерения иметь детей. Она с ума сходила от желания родить от него ребенка. Вот как вел себя Диего».

Немые свидетельства Фридиной тоски живут в голубом доме Койоакана: в коллекции книг о родах; в заспиртованном эмбрионе, подаренном ей доктором Элоиссером в 1941 году и, типично для Фриды, хранящемся в ее спальне; и, самое мучительное, в ее большой коллекции всевозможных кукол и кукольных домиков с мебелью. В этой коллекции были самые разные куклы — старинные, иностранные, дешевые мексиканские, сделанные из соломки или из папье-маше. На полке рядом с подушкой расположились китайские куклы. Возле ее кровати стояла пустая кукольная кроватка, где прежде лежала самая любимая кукла. Одну куклу Фрида особенно ценила, это была кукла-мальчик, которую дал ей кто-то из близких друзей детства (вероятно, Алехандро) вскоре после несчастного случая, когда она лежала в больнице. Среди Фридиных посланий к Алехандро от 1926 года есть свидетельство о крещении, написанное старательно выведенными буквами в стиле арт-деко и любовно украшенное завитушками, чтобы сделать его более похожим на официальное. Свидетельство гласит:

«ЛЕОНАРДО

Он родился в благословенный 1925 год, в месяц сентябрь и был крещен в городе Койоакане в августе следующего года.

Его матерью была
Фрида Кало
Его крестными
Исабель Кампос
и Алехандро Гомес Ариас».

Фрида была хорошей «матерью». В спальне Риверы есть список необходимых дел: нескольких кукол нужно отправить в кукольную больницу; некоторым нужно сделать новые тела, одной обновить парик. «Но не потеряйте их», — предупреждала Фрида. Когда друзья уходили от нее, она просила: «Принесите мне куклу». Что они часто и делали.

Фрида переносила свою тоску по ребенку на чужих детей — особенно (после возвращения в Мексику) на дочек Диего и Люпе Марин — Люпе и Рут и на детей Кристины — Изольду и Антонио, которые постоянно приходили в дом тети, как в свой собственный; племянников тетка очень баловала и тем портила их. Она дарила свою любовь и домашним животным, их было много — компания голых мексиканских собак, самые разные обезьяны, коты, попугаи, голуби, орел и олень. Когда обезьяны и попугаи присутствуют на Фридиных автопортретах, они часто выглядят как замена детей. И к растениям в саду она относилась словно к детям. Фрида так писала цветы и фрукты, что они выглядели совершенно одушевленными, она вкладывала в них всю силу стремления к плодоношению.

Многие из ее картин отражают это навязчивое желание продолжения рода; некоторые прямо говорят об ее отчаянии из-за того, что у нее нет детей. Одна из наиболее трогательных картин — это «Я и моя кукла», написанная в 1937 году, когда, судя по многочисленным свидетельствам нескольких картин на эту тему, Фрида, должно быть, перенесла еще один выкидыш (илл. 48). На этой картине Фрида и большая обнаженная кукла сидят рядышком на детской кроватке так, будто позируют фотографу; кукла абсолютно безжизненна и улыбается застывшей улыбкой, что являет собой резкий контраст с состоянием Фриды. Вместо привычного образа матери, воркующей над своим ребенком, мы видим женщину, которая сидит напряженно, прямо, не глядя на ребенка, а только перед собой. Женщина курит, и она очень одинока.

Постоянные сетования Фриды в дневнике от 1944 года напоминают о печали по поводу того, что у нее нет детей, печаль эта мучит ее даже после того, как она нашла, чем занять свою жизнь.

«Я продаю все за гроши... Я не верю в иллюзии... великий сомневающийся. Ничто не имеет названия. Я не смотрю на формы... тонущие пауки. Жизни в спирту. Дети — это дни, и здесь я кончаюсь».

Живопись была великим противоядием ощущению бесплодия — того бесплодия, которое видно на пустынных фонах столь многих Фридиных автопортретов. В год своей смерти она говорила друзьям:

«Мои картины несут в себе состояние боли... Картины заканчивают жизнь. Я потеряла троих детей... Картины заменили их всех. Я считаю, что работа — это самое лучшее».

Шок от выкидыша и осознание того, что она никогда не сможет родить ребенка, так подействовали на Фриду, что она стала говорить о желании умереть. Однако ее связь с жизнью была слишком сильной, чтобы уступить этой печали. Когда она достаточно окрепла, то стала каждый день ходить во время ленча в институт с едой для Диего, которую носила в мексиканской корзине. Поскольку Диего соблюдал жесткую диету, Фрида набивала едой корзину, рассчитывая не только на него, но и на рабочих. Хосе де Хесус Альфаро, безработный мексиканский танцор, который, как и многие другие безработные, от нечего делать наблюдал за тем, как работает Ривера, вспоминает:

«Фрида каждый день приходила что-то около половины двенадцатого. Диего смотрел вниз и спускался с лесов. На полу стояло много ящиков из-под кока-колы, на которые усаживались он и Фрида, и он говорил: «Садитесь, muchachos (ребята), садитесь». Мексиканская пища всегда была изумительна. Я ходил в институт, чтобы поесть».

После ленча Фрида рисовала, вязала, читала или просто наблюдала за тем, как Ривера пишет. В перерывах между своими занятиями она любила послушать истории жизни, которые рассказывали помощники Риверы; все они вспоминают ее внимательное отношение к человеческим чувствам, в то время как Ривера испытывал более абстрактный, менее личный интерес к своим ассистентам. Если Диего бывал груб, Фрида заступалась за помощников. Когда, например, Стефен Димитрофф, нанимаясь, заговорил почему-то по-болгарски, раздраженный Диего погнал его, крича: «Больше никаких помощников!» — «Помоги pobrecito (бедняге), — заплакала Фрида. — Он просто хочет посмотреть, как ты работаешь». И Ривера успокоился.

Случалось, что Фрида уходила, чтобы медленно побродить по институту с доктором Валентайнером. Директор музея был поражен ее критическими суждениями. Она могла внезапно остановиться и сказать: «Это фальшивка!» или «Это прекрасно!» У нее не было ни малейшего раболепия перед знатоками искусства. Она любила Рембрандта и итальянских примитивистов, у нее был свой особый взгляд на менее известные вещи.

Дома с Люсьен она сделала расписание по изучению биологии, анатомии и истории и давала Люсьен уроки испанского языка. Женщины купили классную доску, Люсьен взяла в библиотеке книги, читая сама, заставляла и Фриду читать их. Но «Фриде было трудно заниматься чем-либо систематически», — писала Люсьен в своем дневнике. «Ей нужно было расписание и чтобы все было как в школе. К тому времени, как ей надо было заняться делом, что-то происходило, и она чувствовала, что день испорчен». Хотя Фрида унаследовала от отца дотошность и стремление к порядку, она не переняла его скрупулезной дисциплинированности в работе. Если заходили друзья, она тут же бросала занятия, и, даже если визитером оказывалась Джин Уайт, которая утомляла своей болтовней о фасонах, Фрида была не в состоянии сказать гостье, что занята.

Однако, когда Фрида начинала писать, она проводила за этим делом долгие часы, рано вставала и работала до того времени, когда нужно было нести Диего еду в институт. Хороший рабочий день очень воодушевлял ее. В детройтский период она написала четыре или пять картин в едином порыве, начав с литографии и «Больницы Генри Форда». Вскоре она создала «Витрину в Детройте», а затем в августе начала «Автопортрет на границе между Мексикой и Соединенными Штатами».

Именно здесь, в Детройте, Фрида заняла определенное положение как художник, этот статус был одновременно и серьезным, и мнимым. Она предпочитала не рассматривать свои работы как нечто важное и, подчеркивая свое положение «любителя», не надевала сугубо мужского платья, как делали многие художницы. Вместо этого она носила мексиканский наряд в оборочках, более пригодный для праздников, чем для работы масляными красками, но поверх него надевала фартук. И все же когда она погружалась в работу, то полностью концентрировалась на ней.

«Мои картины хорошо написаны, — однажды

сказала она, — не медленно, но с терпением... Я думаю, что они будут интересны хотя бы нескольким зрителям».

И Фрида, очень тщательно разрабатывая свой особый метод живописи, так же внимательна была к тому, как устанавливать подрамник с холстом. С пола до потолка была протянута алюминиевая штанга, специальный упор на которой позволял поднимать и опускать холсты на разные уровни, в зависимости от того, над какой частью картины работала художница, при этом она могла писать стоя или сидя. Они с Люсьен решили, что на этой штанге можно и выставлять картины. Почему, задались они вопросом, картины всегда должны экспонироваться на стенах?

По предложению Риверы Фрида начала писать картины на металле, чтобы сделать их более похожими на старинные мексиканские или retablos (молитвенные картины). После нанесения на небольшой лист алюминия подготовительного материала, который образовывал прослойку между металлом и красками, Фрида использовала прием, скорее подходящий для росписи фресок, чем для масляной живописи. Она сначала делала карандашом или тушью набросок, затем, начиная с верхнего левого угла, медленно, терпеливо расписывала плоскость сверху вниз, постепенно заполняя все поле картины.

В сравнении с художником, работающим по холсту, который сразу охватывает все пространство картины, свободно касаясь кистью полотна и постепенно совершенствуя образ, метод Фриды казался примитивным, похожим на заполнение контуров в книге-раскраске, но это был эффективный метод.

(В поздние годы она стала наносить общие красочные пятна по всей поверхности картины, прежде чем прописывать образы, и в результате добивалась высокой степени правдоподобия.)

Первой работой, сделанной Фридой на металле, была картина «Больница Генри Форда», которая явно следовала образцам мексиканских «молитвенных» картин по стилю, масштабу и по объекту изображения. Возможно, это Ривера подал ей идею зафиксировать случившийся выкидыш таким же обра-

 ХЕЙДЕН ЭРРЕРА

зом, как это делается в retablo от лица жертвы, перенесшей несчастье. Как бы то ни было, начиная с 1932 года retablos становятся единственным источником вдохновения Фриды, и, даже когда ее живопись стала менее примитивной, «молитвенные» картины оставались для нее главным примером. В большинстве retablos присутствуют святые образы — Дева Мария, Христос или святые, которые спасают больных, раненых или людей, подвергающихся опасностям, являются в небе, окруженные сиянием и облаками. Надпись-посвящение рассказывает историю с именем, датой и местом события, описывает чудодейственное вмешательство и оглашает благодарность жертвователя. Но Фридины «retablos» не содержат всех этих элементов (как однажды писал Ривера: «Фридины retablos не выглядят как retablos, они не похожи ни на что... [потому что] она пишет одноврсменно и экстерьер, и интерьер себя самой и мира»). Как и в мексиканских «молитвенных» картинах, примитивный рисунок сделан очень тщательно, выбор цвета случаен, перспектива искажена, пространство только намечается и действие концентрируется на световом пятне. Важнейшим в этих картинах оказывается драматизация события или таинственная неожиданная встреча жертвы и прекрасного образа святого. И Фридины картины, и retablos без всякого смущения, в деталях фиксируют физическое недомогание. И те и другие являют своего рода невозмутимость, прямолинейность, ведь если спасение уже гарантировано, то, следовательно, нет нужды в риторике и мольбе. История рассказывает не о выпрашивании милости, а о божественном промысле. Пересказ должен быть точным, понятным и драматичным, потому что и *retablo*, и пожертвование, и краткая записка — все благодарит за явленную милость, но также и ограждает от будущих опасностей.

Когда боль Фриды стала утихать и она начала различать другие стороны жизни в Детройте, у нее снова возник интерес к окружающему миру. Печаль ее не оставляла, и она продолжала писать картины. «Витрина в Детройте» показывает окно магазина на улице, украшенной гирляндами красного, синего и белого цветов в преддверии Дня независимости. Возможно, Фрида сделала рисунок магазина еще до выкидыша, но картину писала уже после «Больницы Генри Форда». Концепция картины указывает на хорошее расположение духа художницы, что сильно отличается от работ с печатью несчастья, последовавших за потерей ребенка. Люсьен Блох вспоминает, как возникла эта картина. Она и Фрида пошли покупать лист металла. «Мы шли и увидели один из старых захламленных магазинчиков, где на витрине были вещи, совершенно не связанные между собой, — Фрида остановилась перед витриной и сказала: «Ах, это прелесть, это прекрасно!» Для Фриды витрина представилась чем-то похожим на народное мексиканское искусство, гораздо более истинное, чем элитарное современное. Когда она рассказала об этом Ривере, он быстро почувствовал ее восторг и предложил: «Почему бы тебе не написать эту витрину!»

31 августа, при жаре в девяносто девять градусов (по Фаренгейту), Фрида, Люсьен, Диего, помощник Риверы Артур Ниендорф и Эдсел Форд стояли на крыше Детройтского института искусств и через осколки закопченного стекла наблюдали за затмением солнца. «Фриде, казалось, затмение внушало отвращение, она сказала, что это совсем некрасиво, [не лучше, чем] облачный день». Люсьен замечает в дневнике, что Фрида в тот день начала новую картину — автопортрет в полный рост, где она стоит на сером каменном пьедестале, на котором написано: «Кармен Ривера писала этот портрет в 1932 году»; изображение на картине являет собой границу между США и Мексикой. «Витрина в Детройте» — это доброжелательный взгляд на эклектику американских вкусов и нравов. «Автопортрет на границе между Мексикой и Соединенными Штатами» (илл. 28) показывает Фриду, находящуюся в более критическом настроении; здесь, хотя и не очень явно, проявляется ее сарказм. Например, она одета в длинное розовое платье и старомодные кружевные перчатки, то есть в «приличный» наряд для большого вечернего приема, в левой руке, что противоречит

приличиям, она держит сигарету, в правой — маленький мексиканский флаг.

Возможно, под впечатлением солнечного затмения Фрида впервые в своей картине помещает на небе одновременно и солнце, и луну. Подобное сопоставление небесных тел станет одним из наиболее выразительных символов в ее творчестве. Это представляет союз космических и земных сил, ацтекское понимание вечной войны между светом и тьмой, озабоченность мексиканской культуры идеей двойственности: жизнь — смерть, свет — тьма, прошлое — настоящее, день — ночь, мужчина — женщина. Бертрам Вулф пишет:

«В большинстве религиозных течений, таких, как древняя мексиканская мифология, властителями небес считаются Солнце и Луна: Солнце олицетворяет мужское начало, плодородие, дает жизнь, а Луна (или иногда в Мексике — Земля) — женское начало, она — мать богов и героев».

Сосуществование солнца и луны также отсылает к идее того, что вся природа оплакивает смерть Христа, что тьма пала на землю в момент распятия, и это соответствует свидетельству астрономов о солнечном затмении, случившемся в то время, когда Христа распинали. В средневековых сценах распятия по бокам креста присутствуют и солнце, и луна; светила существуют совместно для изображения страданий Христа. Традиция эта продолжается в Ренессансе, в колониальной Мексике и в мексиканском народном искусстве. Фрида знала об этом символе и, будучи неверующей, использовала его для усиления драматизма своих образов.

В картине «Автопортрет на границе Мексики и Соединенных Штатов» и солнце, и луна находятся слева (на мексиканской стороне) картины. Что же касается Америки, то ее флаг плавает в клубах промышленного дыма, и в американском пейзаже доминирует современный мир небоскребов, кирпичных фабрик и машин, и все это остро контрастно взгляду Фриды на сельскохозяйственную Мексику. Диего всегда сочетал красоту американских механизмов и небоскребов с великолепием доколумбовых артефактов. Но Фрида рисует фабричные трубы (с надписью «Форд»), изрыгающие дым, а ее небоскребы без окон выглядят как могильные камни. В середине фона она помещает четыре фабричные трубы. Эти четыре трубы противопоставлены доколумбовым идолам на мексиканской стороне границы. На заднем плане со стороны США вместо растений мы видим три круглые машины, две из них излучают свет и энергию (что контрастирует с лучами мексиканского солнца), и все они имеют электрические шнуры (по контрасту с мексиканскими цветами, которые имеют корни). Фрида остроумно изображает шнур, который, протянувшись от одной машины, превращается в корни растений на мексиканской стороне. Шнур от другой машины подключен к пьедесталу, на котором стоит Фрида.

Именно машина послужила причиной несчастного случая с Фридой, именно в Городе моторов Фрида потеряла ребенка, и именно машины оторвали от нее Диего на столь долгое время, пока они жили в Детройте. Аграрная Мексика, с другой стороны, означает жизнь, человеческие связи, красоту, и Фрида тоскует, мечтая туда вернуться.

«Сказать по правде, — пишет она в июле доктору Элоиссеру, — no me hallo! (я здесь несчастна!), как могла бы сказать кухарка, но я должна набраться мужества и жить тут, потому что не могу оставить Диего».

Ее тоска по Мексике, по теплым объятиям родственников и предместьям столицы еще больше усилилась, когда 3 сентября она получила телеграмму, где сообщалось о том, что мать, у которой полгода назад обнаружили рак груди, тяжело больна и, возможно, умирает. Три часа Фрида пыталась дозвониться до одной из сестер в Мехико, но связи не было. Она попросила Люсьен отправить ее на самолете. Узнав, что самолета нет, она впала в истерику.

«Они здесь говорят об этом своем прогрессе, — почему же они не летают на самолетах? Что случилось со всеми этими материальными удобствами?»

Люсьен пошла за Диего в Детройтский институт

ХЕЙДЕН ЭРРЕРА

искусств, вернувшись, они нашли Фриду в «водопаде слез».

На следующий день Диего посадил Фриду и Люсьен в поезд, идущий в Мехико. «Фрида плакала в темном купе, — пишет в своем дневнике Люсьен. — В этот раз из-за того, что оставляла Диего и не знала, в каком положении находится мама. Фрида тряслась, как маленький ребенок».

Поезд вез их через Индиану и Миссури. В Сан-Луисе они вышли и отправились на ленч на крыше отеля «Статлер», где наблюдали за пролетающими аэропланами. У Фриды снова началось кровотечение, от слабости ей было трудно ходить, поэтому они пошли отвлечься в кино. Из газет узнали, что на Рио-Гранде наводнение, поэтому и была прервана телефонная связь. На следующую ночь в Ларедо, в Техасе, они проснулись и увидели, что из-за наводнения поезд идет очень медленно. Оттого, что нельзя было двигаться по мосту, они двенадцать часов простояли на границе. В конце концов сели в автобус, чтобы пересечь последний неповрежденный мост, ведущий в Нуево Ларедо, который отправлялся в большой суете — торговцы разносили пищу, родственники горячо прощались друг с другом, вокруг стояла толпа зевак, которые просто наслаждались этим зрелищем. Прежде чем они снова сели в поезд, Фрида купила коробку конфет и сунула липкую карамельку в рот, как делала это в детстве.

Дорога через северную Мексику была прекрасна, потому что наступил сезон дождей и пустыня покрылась сверкающими, сочащимися кактусами. Фрида ничего не видела. «[Она] находилась в сильнейшем возбуждении, — пишет Люсьен, — и последние часы были для нее невыносимы. В Мехико мы прибыли в 10 часов вечера 8 сентября. Ее встречали сестры, кузины и мужчины, все истерически плакали. Мы даже забыли багаж».

Они остановились в доме у Матильды, в районе Докторес. На следующее утро Фрида в сопровождении Люсьен отправилась к матери в Койоакан. Матильда Кальдерон де Кало была в критическом состоянии. «Казалось, она не желает смотреть на ситуацию философски, все плачет и смертельно бледна, — пишет Люсьен и добавляет: — Ее (Фридин. — *Прим. авт.*) отец, очень славный, суетливый, не желает ничего слышать, выглядит неряшливо и очень шопенгауэрно».

10 сентября Фрида пишет письмо Диего, рассказывая во всех деталях о маминой болезни. Затем ее мысли поворачиваются, будто к солнцу, к ее любви и к потребности быть с мужем:

«Хотя ты говоришь мне, что кажешься себе очень безобразным, когда видишь себя в зеркале с короткими волосами, я этому не верю, я знаю, насколько ты привлекателен, что бы ни было, и единственное, о чем я сожалею, это то, что я не там, чтобы поцеловать тебя и заботиться о тебе, даже если я иногда и надоедаю тебе своим ворчанием. Я обожаю тебя, мой Диего. У меня такое чувство, будто я оставила своего ребенка в одиночестве и что ты нуждаешься во мне... Я не могу жить без моего chiquito lindo (прелестного малыша)... Дом без тебя пуст. Все без тебя кажется мне ужасным. Я влюблена в тебя сильнее, чем когда-либо, и с каждым моментом влюбляюсь больше и больше.

Посылаю тебе всю мою любовь.
Твоя Ninita Chiquitita.

«*Ninita Chiquitita preciosa* (маленькая прелестная девочка), — пишет ей в ответ Диего. — Я добавляю это [письмо], только чтобы сопроводить листок со множеством поцелуев и любовью к моей прекрасной Фридучите. Мне очень печально здесь без тебя. Как и ты, я не могу даже спать и с трудом отрываюсь от работы. Я просто не знаю, что делать, когда не могу видеть тебя, я был уверен, что не любил ни одной женщины так, как люблю *chiquita* (малышку), но только теперь, когда она покинула меня, я понял, насколько сильно я ее люблю; она уже знает, что она больше, чем моя жизнь, теперь я знаю, потому что действительно без тебя эта жизнь значит для меня не больше, чем приблизительно два орешка.

ХЕЙДЕН ЭРРЕРА

С тех пор как ты уехала, я закончил еще шесть панелей, работая всегда с одной идеей, что ты увидишь их, когда вернешься. Я ничего тебе не рассказываю, потому что хочу посмотреть, какое лицо сделает моя девочка, когда увидит их. Завтра наконец еду на фабрику химических препаратов. Они не хотели пускать меня вовнутрь из-за секретности и опасности. Как глупо и удивительно то, что Эдсел должен издать приказ, чтобы мне выдали разрешение».

15 сентября, через неделю после прибытия Фриды, Матильда Кальдерон де Кало умерла. Люсьен пишет в своем дневнике:

«Ее сестры пришли, закутавшись в темные [шали] и с красными глазами. Фрида рыдала и рыдала. Для нее это ужасное горе. Они не говорили отцу до следующего утра. Он иногда казался сумасшедшим, он потерял память и спрашивал, почему здесь нет его жены».

На фотографии Фриды того времени, сделанной ее отцом, она одета в черное и с выражением лица, не свойственным ей прежде: она выглядит так, будто печаль втянула все плоскости лица вовнутрь. В ее глазах темнота — темнота, которая безошибочно говорит о печали.

В те пять недель, что Фрида оставалась в Мехико, все время она посвятила семье. Она и Люсьен выводили Гильермо Кало на прогулку в парк. Останавливаясь посмотреть на то, что, по мнению Люсьен, было «очень помпезным», он восклицал: «Это так романтично». Он все еще оставался таким же эксцентричным. «Иногда, — замечает Люсьен, — он проявлял свой дурной характер и орал как резаный».

Они проводили часы, болтая с Фридиными сестрами Адрианой и Кристиной, которые жили в Койоакане, и с Матильдой, чей буржуазный дом с цветочными обоями а-ля Людовик XIV и кружевными занавесками удивил Люсьен, привыкшую к мексиканскому вкусу Фриды и Диего. У Фриды был извращенный вкус на такие предметы, как, например, белая фарфоровая пепельница с очертаниями ракушки, украшенная золотом и рисунками, которые изображали обнаженную женщину, лежащую внутри раковины. «Это ужасно, это прекрасно!» — восклицала она.

Однажды Фрида и Люсьен поехали в Сан-Анхел, чтобы проверить, как идет строительство дома, спроектированного архитектором и художником Хуаном О'Горманом. Фриде нравилась идея двух отдельных домов. «Я могу работать, — говорила она Люсьен, — и он может работать».

В середине октября художник и карикатурист Мигель Коваррубиас и его жена, американка по рождению, актриса и художница Роза Роландо, устроили великолепный мексиканский прощальный обед. Фрида была одновременно и радостной, и печальной. На следующий день толпа по меньшей мере из двадцати человек пришла на станцию, чтобы попрощаться, — Люпе Марин и одна из ее сестер, Фридин отец, ее сестры и многие другие. Когда поезд отошел от станции, Фрида немного поплакала, потом тихо улеглась на диванчик.

Они вернулись в Детройт 21 октября, на рассвете холодного дня. Диего, одетый в костюм, принадлежавший Клиффорду Уайту, потому что после строгой диеты собственная одежда Диего оказалась ему слишком велика, ждал на платформе. «Фрида вернулась в Детройт, — писал Ривера в автобиографии. — Она оставалась при умирающей матери и проводила ее с печалью. Вдобавок к этому она пришла в ужас при моем появлении. Во-первых, она не могла меня узнать. В ее отсутствие я держал диету и напряженно работал, так что очень сильно похудел... В тот момент, когда я ее увидел, я крикнул: «Это я». В конце концов, признав меня, она обняла меня и начала плакать».

Картина, названная «Мое рождение» (цв. илл. VI), возможно, была задумана и даже начата до отъезда в Мексику, но закончила ее Фрида, вернувшись в Детройт. Первая картина из серии, которая, по предположению Диего, описывает Фридину жизнь, показывает, по объяснению самой Фриды, как она пред-

ФРИДА КАЛО

ХЕЙДЕН ЭРРЕРА

ставляет свое рождение. Это один из самых устрашающих образов из всех, когда-либо созданных ею.

Мы видим большую голову ребенка, появляющуюся меж раздвинутых ног матери, с позиции зрения доктора. Густые, сросшиеся брови указывают, что это — Фрида. Голову, которая еле держится на шее, покрывает кровь. Ребенок выглядит безжизненным, он скорее всего мертв.

Простыня, закрывающая голову и грудь женщины, как если бы та умерла от родов, подчеркивает трудность родов. На стене, точно над роженицей, висит изображение другой несчастной матери — это Богородица, пронзенная мечами, истекающая кровью и слезами. Фрида говорила, что включила Богородицу в картину «Мое рождение» как «часть воспоминаний, а не в качестве символа». Это деталь обстановки дома, оставшейся в памяти с детства, — просто предмет обожания истовой католички, матери Фриды. Кровать, говорила Фрида, это кровать ее матери; на ней появились на свет и она сама, и ее сестра Кристина. Вероятно, розовая кружевная кайма на подушках и нежно-пастельные стены, которые так контрастны столь ужасной сцене, тоже взяты из воспоминаний детства. Менее причудливая, чем «Больница Генри Форда», картина «Мое рождение» подобна *retablo* и по стилю, и по содержанию, там тоже существует лента для надписи, протянувшаяся по всему нижнему краю картины. Но на ней ничего не написано. Возможно, Фрида чувствовала, что будет излишним рассказывать всю историю еще и словами. Или, может быть, она хотела сказать, что чудесного спасения не случилось. «Мое рождение» изображает ужасное событие, не предотвращенное божественным участием, за что обычно и возносится благодарность: изображение Девы Марии отстранено от сцены двойной смерти.

Образ боли в «Моем рождении» напоминает знаменитую ацтекскую скульптуру, изображающую роды (около 1500 года), где сидящая на корточках женщина рожает голову взрослого мужчины, и ее лицо искажено гримасой боли (цв. илл. VII). В религии ацтеков роженица является символом захвата воином пленника для принесения его в жертву. Фрида наверняка видела эту скульптуру, похоже, она знала и о ее смысле; для нее, как и для ацтеков, идея рождения исполнена чуда. Ривера писал о «Моем рождении»:

«Лицо матери — это лицо *mater dolorosa* (матери-мученицы), с ее семью кинжалами боли, которая сопровождает появление ребенка; это впервые изображено человеком со времен изумительного ацтекского мастера... который пластически изобразил феномен родов».

Несмотря на то что «Мое рождение» изображает появление на свет самой Фриды, это так же относится и к недавней смерти ее неродившегося ребенка. В этой картине Фрида словно бы рожает саму себя.

«Моя голова покрыта, потому что, как написано в картине, моя мама умерла». Спустя несколько лет она запишет в дневнике рядом с несколькими рисунками, изображающими ее самое: «Та, которая родила себя... которая написала самую поразительную поэму о своей жизни».

В Детройте установилась холодная, унылая зима, и Фрида купила себе меховое пальто, чтобы уберечься от сильных ветров, но на душе у нее было столь же скверно. Мало того что она переживала двойную утрату, потерю и родителя, и ребенка, ей еще пришлось иметь дело с раздражительностью Риверы. Потеря веса стала причиной дурного состояния его души и тела. Люсьен писала в дневнике: «Я чувствую себя в «Уорделле» лишней. Когда Диего сказал, что не может из-за холода спать по ночам, и заставлял бодрствовать и Фриду, я однажды начала подыскивать себе квартиру... Фрида так убита, так часто плачет, ей нужна поддержка. Диего нервничает, и, кажется, присутствие Фриды его раздражает».

Множество раз в Детройте Фрида плакала на плече Люсьен, рассказывая о «трудностях своей жизни с Диего, о том, каким он стал неуравновешенным, совсем другим, по сравнению с тем, к чему она привыкла». Если она занята «своими делами», объясняла Фрида, то Ривера говорит: «Ты меня не лю-

 ХЕЙДЕН ЭРРЕРА

бишь», что ставит ее в еще более безнадежное положение.

Ривера работал на износ. Он должен был быстро кончить детройтские фрески, потому что планировал осуществить другие проекты. В октябре 1932 года его выбрали для росписи Рокфеллеровского центра в Нью-Йорке, и в январе 1933 года он получил заказ на фреску «Механизация и Индустрия» для Всемирной выставки 1933 года в Чикаго. Его работа была столь напряженной, что Фриде было трудно даже быть с ним рядом, когда он писал. Нередко он приступал к росписи посреди ночи, немедленно после того, как его помощники подготовили стену и штукатурка высохла. Он начинал с того, что делал набросок и прокладывал фон серым и черным, затем, с первыми лучами солнца, в наступившем рассвете начинал писать цветом, не отрываясь до обеда. Короткос время отдыха он проводил с Фридой. Ривера был активным членом мексиканской коммуны Детройта, участвовал в организации и финансировании поездов, на которых уезжали обратно в Мексику люди, приехавшие в Америку в славные двадцатые годы и жестоко пострадавшие во время Великой депрессии.

Несмотря на все свои проблемы, Фрида постепенно вытаскивала себя из траура и заставляла вновь активно жить. В феврале, когда ее интервьюировали и фотографировали в «Уорделле» для «Детройт Ньюс», она на небольшом листе металла писала погрудный «Автопортрет» (илл. 30). На нем она одета в белую блузку с кружевной оборкой у ворота и с ниткой ацтекских нефритовых бус; цвет зеленого нефрита перекликается с шерстяной тесьмой, поддерживающей ее волосы, и с бледно-зеленым фоном. Она выглядит свежей и привлекательной, уже не той девочкой, как это было на портретах 1929 и 1930 годов, более уверенной в себе, готовой удивляться. Ее возродившийся дух отразился и в статье в «Детройт Ньюс», которая появилась в разделе «Посещение домов интересных людей», статья называлась: «Жена мастера фресковой живописи в веселых пятнах краски от работы над картиной». Хотя Фрида и была названа в статье «любителем», но все-таки написано было о ней лично и о ее искусстве. В сравнении с застенчивой девочкой, какой она была в предыдущие годы, теперь она приобрела уверенный тон. Автор статьи, Дэйвис, писала:

«Кармен Фрида Кало Ривера... самобытный художник, хотя об этом мало кто знает. «Нет, — объясняет она, — я не училась у Диего. Я ни у кого не училась. Я просто начала писать». Ее глаза засверкали. «Разумеется, — объясняет она, — он славно работает для такого маленького мальчика. Но это я — большой художник». И сверкание черных глаз взорвалось прерывистым смехом. Больше ничего не удалось выжать из нее касательно этого дела. Когда я вела себя серьезно, она все превращала в шутку и снова смеялась. Но, без всякого сомнения, живопись синьоры Ривера отнюдь не шутка...

В Детройте она пишет только потому, что время идет медленно, ведь ее муж занят работой. Итак, она закончила только что несколько картин... «Но это прекрасно сделано, — воскликнете вы, — Диего следует быть настороже». — «Конечно, — восклицает она, — он, быть может, как раз сейчас очень испугался», но ее смеющиеся глаза говорят, что она всего лишь дурачит вас, — и вам ясно, что Фрида считает Диего настоящим живописцем».

ХЕЙДЕН ЭРРЕРА

11

РЕВОЛЮЦИОНЕРЫ В ХРАМЕ ДЕНЕГ

Пока Ривера заканчивал фрески в Детройтском институте искусств, чтобы переехать в Рокфеллеровский центр, началась публичная кампания против его росписей. Вскоре после того как фрески были закончены и официально открыты 13 марта 1933 года, разразилась буря негодования. Клерикалы находили их кощунственными, консерваторы видели в них нечто коммунистическое, ханжи считали их непристойными. О фресках стали говорить, что они — «безжалостная издевка над капиталистическими работодателями» и что это «пародия на дух Детройта». Некоторые воинственно настроенные горожане угрожали тем, что смоют фрески со стен. Сторонники, наоборот, организовали комитеты в защиту фресок. Дебаты по этому поводу развернулись в газетах и на радио. Тысячи людей приходили посмотреть на фрески, и общественная поддержка росла. На защиту Риверы встал Эдсел Форд. «Я люблю дух Риверы, — сказал он. — Я действительно уверен в том, что он пытался отразить свое представление о духе Детройта».

Когда большая группа промышленных рабочих решила защищать фрески, Ривера был счастлив. «Это, — сказал он, — начало реализации мечты моей жизни». Риверы покинули Детройт через неделю после того, как официально было заявлено, что «будущее индустриального общества, выраженное в искусстве», вылилось в блестящую увертюру.

В третью неделю марта, когда Фрида и Диего в сопровождении помощников Эрнста Халберштадта и Андреса Санчеса Флореса прибыли на Главный центральный вокзал, было ужасно холодно. Семья разместилась в двухкомнатном номере на верхнем этаже «Барбизон-Плаза», и Диего начал работать в здании Рокфеллеровского центра. Завтраки и обеды, которые Фрида приносила ему, стыли у лесов, пока он писал или неподвижно стоял перед своей фреской, всматриваясь в нее, молча оценивая то, чего достиг, и планируя работу на следующий день.

Ривера за работой — это было одним из любимых зрелищ горожан, даже напечатали входные билеты, так что надо было заплатить, дабы посмотреть на него. Сама Фрида приходила в Рокфеллеровский центр два-три раза в неделю, часто по вечерам, когда досужая аудитория уже расходилась. Она проводила несколько часов под лесами, посасывая леденцы, болтая с друзьями, которые тоже приходили туда, она учила мексиканским балладам Люсьен Блох и Стефена Димитроффа в уединении комнаты, которая служила центром организации всего проекта. Фрида была рада вернуться в космополитический Манхэттен, где у нее было много друзей из мира искусства, так же как и из «высшего общества», и где она чувствовала себя как дома. Нью-Йорк был портовым городом, море было символом свободы и побед. Когда Фрида начинала тосковать по Мексике, она мечтала о том, что сядет на первый же корабль, который уходит на родину.

Но, как и в Детройте, большую часть времени Фрида проводила дома. Она не занималась живописью регулярно. Если в Детройте она писала «только потому, что время тянулось медленно», здесь время бежало быстро, и она была очень занята. Фрида много читала, занималась домом, встречалась с друзьями, ходила в кино и по магазинам. Другим времяпрепровождением была игра в *cadavre exquis* (невероятный «труп»), игру эту, как метод создания мистической случайности, придумали сюрреалисты. Первый игрок начинал с того, что рисовал верхнюю часть какого-то тела, затем складывал лист бумаги так, что другой играющий должен был нарисовать следующую часть, не глядя на то, что было нарисовано вначале. Когда играла Фрида, она создавала ужасающих монстров. У нее было мрачное воображение, и зацикленность на половых органах (что также можно видеть и в некоторых ее живописных работах) прорывалась в «удивительных корпусах». «Фрида делала все самые гадкие рисунки, — вспоминает Люсьен Блох, — от некоторых я краснела, а меня нелегко заставить покраснеть. Она изображала огромный пенис, из которого капала семенная жидкость. И мы потом, разворачивая лист, обнаруживали полностью одетую женщину с большой грудью, и вдруг — пенис. Диего смеялся и говорил: «Знаете, эта женщина больший порнограф, чем мужчины».

«Порнография» Фриды и ее новая, озорная самоуверенность также видна в том, как она поддразнивала нью-йоркскую прессу. Однажды она приняла репортеров, пришедших взять у нее интервью, лежа в кровати и посасывая длинный леденец. Она приклеивала леденец под простыней и затем медленно поднимала его, говорит Сюзанн Блох, которая была свидетельницей этой сцены. Сохраняя невозмутимое лицо и не прерывая разговора, Фрида получала тайное удовольствие от смущения репортеров. В другой раз на вопрос журналиста: «Что мистер Ривера делает в свободное время?» — Фрида ответила: «Занимается любовью».

Она обожала универсальные магазины, магазинчики в Чайнатауне и дешевые лавки. «Фрида, как торнадо, проносится по торговым лавкам, — вспоминает Люсьен, — она неожиданно останавливается и тут же что-то покупает. У нее был зоркий глаз на все истинное и прекрасное. Она находила дешевые украшения и превращала их в нечто фантастическое». Иногда, стремительная, как орел, она прятала в карман безделушку, которая восхитила ее, и тут же, на улице, отдавала ее друзьям. Когда знакомые советовали купить ей какую-то стильную одежду, Фрида быстро скидывала свои длинные народные юбки и, к общему удивлению, надевала шикарную манхэттенскую одежду — даже шляпы — и, покачивая бедрами, прохаживалась по улицам Манхэттена, пародируя гордую поступь знати. Она развлекалась всем,

ХЕЙДЕН ЭРРЕРА

что смешило ее, а это случалось часто. Американские магазинчики-аптеки, где продавалось все подряд, например, были фантастическим миром. Однажды, когда Фрида проезжала мимо такой аптеки на такси, ее поразило своей тяжеловесностью слово «фармацевтика», и она тут же сочинила песню, назвав ее «Фармацевтика», и пела ее, к удовольствию шофера, до конца поездки.

Диего просил друзей сопровождать Фриду в кино и вообще развлекать ее. Скульптор Дэйвид Марголис, ставший впоследствии ассистентом Риверы, вспоминает, как водил Фриду смотреть «Кровь поэта» Жана Кокто, и им так понравилось, что в тот же день они пошли еще раз, взяв с собой Диего. Будучи совершенно лишенной интеллектуальных претензий, Фрида открыто заявляла, что считает театр глупостью и предпочитает пойти в Бруклин, чтобы посмотреть фильм из серии о Тарзане. Фрида и Диего «чуть не плакали», так чувствительны были они, слушая классическую музыку, — это вспоминает Люсьен Блох. Во время представления произведения ее отца под названием «Священное богослужение» Диего заснул. В другой раз, при исполнении Чайковского, Люсьен и Фрида «вели себя как отвратительные хулиганы, рисуя и делая бумажных птичек и безудержно хихикая — и это в Карнеги-холл!»

Нечего удивляться, что Диего заснул на концерте. Работая по четырнадцать-пятнадцать часов в сутки, он решил открыть новую фреску к 1 мая, празднику трудящихся. Но с приближением дня открытия начались неприятности. При том, что Диего не делал секрета из своих политических убеждений, он и не желал идти ни на какие уступки по поводу того, что фреска должна быть расположена напротив главного входа в Рокфеллеровский центр. Левая часть картины изображала Соединенные Штаты, с кутежом уолл-стритовских бизнесменов, с безработными и демонстрантами, разгоняемыми конной полицией. Правая часть воссоздавала коммунистическую утопию, с рабочими, крестьянами, солдатами, спортсменами, учителями, детишками с матерями, объединившимися в строительстве нового мира.

ФРИДА КАЛО

ХЕЙДЕН ЭРРЕРА

Очевидно, мысль о том, что капиталисты могут стать мишенью неуемного коммуниста при оформлении одного из известнейших в мире городских комплексов, по сути монумента успехам капитализма, не приходила в голову молодому Нельсону Рокфеллеру, который в качестве вице-президента Рокфеллеровского центра подписывал контракт. Он сам определил высокопарную тему фрески: «Люди на перекрестке смотрят с надеждой в новое и лучшее будущее». Его представители одобрили эскизы. Ему понравились фрески Риверы в Детройте, и, когда он приходил посмотреть, как продвигается работа, всегда был исполнен энтузиазма и игнорировал предупреждения Фрэнсиса Флинна Пэйна, который был агентом Риверы по заказам на фрески.

И когда фреска была сделана на две трети, 24 апреля редакция «Нью-Йорк Уорлд Телеграмм», увидев достаточно много, опубликовала статью под заголовком: «Ривера пишет сцены коммунистической деятельности, и Джон Д.-мл. несет расходы». «Доминирующий цвет фрески — красный, — замечает «Уорлд Телеграмм», — красные волосы, красные флаги, волны красного вокруг». Внезапно в Рокфеллеровском центре образовалась атмосфера неприязни и недоброжелательства. Ночью леса заменили на неустойчивую подвижную конструкцию. Увеличилось количество охранников. Охранники стали воевать с ассистентами Риверы; один угрожал «размозжить голову», если ассистент сделает фотографию фрески, и, когда сам Ривера привел кого-то, чтобы сфотографировать работу, охранник выгнал фотографа. Фрида говорила Люсьен, что «теперь в любой момент может что-то произойти», и Люсьен, знакомая с Фридиной невозмутимостью, поняла: «Дело принимает серьезный оборот, если *она* это говорит». На следующий день, после того как Ривера занавесил леса листами бумаги так, чтобы никто из публики не видел фреску, Люсьен сфотографировала ее, пронеся фотоаппарат под юбкой.

К первому мая Диего переделал набросок «рабочего лидера» в безошибочно узнаваемый портрет Ленина. 4 мая Нельсон Рокфеллер пишет ему и просит вместо Ленина нарисовать портрет неизвестного мужчины. Портрет Ленина, говорит он, «серьезно оскорбит множество людей». Ривера объявляет, что, если убрать Ленина, это нарушит концепцию всей фрески. Он предлагает компромисс: уравновесить портрет Ленина портретом Авраама Линкольна. Ответ пришел 9 мая, в то время, как большинство ассистентов Риверы обедали в ближайшем ресторане. Менеджер центра, в сопровождении двенадцати охранников, одетых не в форму, вошел в здание центра и приказал художнику прекратить работу. Медленно Ривера отложил в сторону кисти и тарелку, которую он использовал как палитру, и спустился с лесов. Ему был вручен чек на сумму, которую оставалось получить (14 000 долларов, от всей суммы контракта в 21 тысячу), и письмо с объявлением о том, что он уволен.

Ривера был ошеломлен. Он, который обычно передвигался с переливчатой грацией толстого человека, неуклюже пошел в подсобную комнатку, чтобы переодеться. Появились и другие охранники и отодвинули от стены леса. В течение получаса фреска была закрыта оберточной бумагой и деревянным экраном.

Услышав новости, ассистенты Риверы примчались, как ангелы мщения, чтобы помочь ему, но ничего, кроме выражения протеста, нельзя было сделать. Люсьен Блох устроила так, чтобы с окон второго этажа соскоблили белую краску, чтобы написать там: «Рабочие, соединяйтесь! Помогите защитить Риверу и его ф...» (Охрана остановила ее, прежде чем она смогла написать слово «фрески».)

И еще раз Ривера стал центром общественного протеста. В то время как конная полиция не спускала глаз с толпы, готовая двинуться при первых же признаках проявления насилия, защитники Риверы пикетировали Рокфеллеровский центр и дом Нельсона Рокфеллера, они размахивали знаменами с

ХЕЙДЕН ЭРРЕРА

надписями «Спасите живопись Риверы» и кричали: «Мы хотим Рокфеллера с веревкой на шее! Свободу искусству! Откройте фрески Риверы!»

Группа деятелей искусства и интеллектуалов направила петицию Нельсону Рокфеллеру с просьбой пересмотреть его решение. Среди этих людей были Уолтер Пач, Джордж Биддл, Рокуэлл Кент, Бордман Робинсон, Уальдо Пирс, Х.-Л. Менкен и Льюис Мамфорд. «Нью-Йоркер» опубликовал остроумный комментарий И.-Б. Уайта в стихах «Я рисую то, что вижу». Это была воображаемая беседа Риверы и Рокфеллера, которая заканчивалась ничьей:

> «Свидетельством дурного вкуса будет то,
> Что такой человек, как я, — сказал Нельсон, внук Джона Д., —
> Станет ждать от художника честности и прямоты
> Или заговорит о материальном, об оплате его труда.
> Но я знаю, что более всего радует меня,
> Хотя и ненавижу искусство до ступора,
> Ты за двадцать одну тысячу консервативных монет
> Писал радикально. А я скажу «нет»,
> Я никогда не сдал бы в аренду офисы,
> Капиталистические офисы,
> Но это, как ты знаешь, место публичное,
> И люди хотят голубей, деревья и что-нибудь приличное,
> И хотя твое искусство мне не нравится до ступора,
> Я немного задолжал Богу и Куперу
> Так вот, что скажу я —
> Ведь стена-то — моя...» —
> «Увидим, так ли это», — сказал Ривера.

Но дело не было пересмотрено, это была стена Рокфеллера. Спустя девять месяцев после того, как Ривера покинул Нью-Йорк, стену разрушили и обломки вывезли. (Похоже, что все-таки последнее слово осталось за Риверой. Когда он написал в городском Дворце изящных искусств Мехико ту же фреску, что в Рокфеллеровском центре в 1934 году, он поместил Джона Д. Рокфеллера среди пирующих капиталистов в непосредственной близости от сифилисных спирохет, намотавшихся на пропеллер.)

К разочарованию, которое испытывал Ривера изза незаконченной работы, добавились нападки со стороны коммунистической партии, которая продолжала «грызть» его за то, что он принимает заказы от миллионеров; для Джозефа Фримэна, издателя «Нью Массес», фреска Рокфеллеровского центра была «реакционной» и «контрреволюционной». В довершение всего 12 мая Диего получил телеграмму от своего друга Альберта Кана, архитектора павильона «Дженерал Моторс» на чикагской Всемирной выставке (и к тому же дизайнера Детройтского института искусств), в которой говорилось, что заказ на фреску «Кузница и Литейная» для выставки, для которой уже были сделаны эскизы, отменен. Это был ужасный удар, Диего мечтал сделать фреску о современном индустриальном обществе.

Фрида, разумеется, принимала участие во всей этой истории. Она присутствовала на всех демонстрациях — ее персональный протест выразился в том, что она вернулась к мексиканским нарядам, после экспериментов с обычной одеждой, и печатала на пишущей машинке бесконечные письма, которые диктовал ей Диего. Делая все, что было в ее силах, чтобы поддержать Диего, она была самым ярым его защитником. Через несколько месяцев после того, как Ривера потерпел фиаско, к ней на премьере фильма Сергея Эйзенштейна «Да здравствует Мексика!» подошел Нельсон Рокфеллер. «Как поживаете, Фрида?» — вежливо поинтересовался он. Фрида крутанулась на каблуках, взмахнула всеми своими юбками и демонстративно повернулась спиной. (Однако Фрида была реалисткой. На фотографии, сделанной в конце 1939 года, когда Рокфеллер был в Мексике — он собирал выставку под названием «Двадцать веков мексиканского искусства» для Музея современного искусства, — Фрида сидит рядом с ним за столом для ленча.)

Репортер газеты, который интервьюировал Фриду вскоре после увольнения Диего, писал:

«Сеньора Диего Ривера, миловидная молодая жена художника, чью фреску было приказано разрушить из-за его коммунистических воззрений, опечалена, но не в отчаянии...

Она, похожая на девочку-испанку, с оливковой кожей, оленьими глазами, гибкая, грациозная, сидела на

 ХЕЙДЕН ЭРРЕРА

краешке софы в комнате, полной друзей, доброжелателей и ассистентов ее мужа; прикрыв уши от шума их оживленной беседы, она просто рассказала о своих чувствах по этому поводу...

Сеньора Диего Ривера считает, что Рокфеллеры поступили так, «потому что боятся общественного мнения», и она абсолютно уверена в том, что «миссис Рокфеллер, возможно, неважно себя из-за этого чувствует». «Они видели предварительные эскизы с портретом Ленина, более выразительным, чем тот, который на фреске, — сказала она, — и утвердили их».

«Рокфеллеры прекрасно понимали, что фрески отображали революционную точку зрения, — спокойно сказала она. — Они казались очень приятными, и всё понимающими, и всегда очень заинтересованными, особенно миссис Рокфеллер.

Мы два или три раза были приглашены к ним на обед и подолгу обсуждали революционное движение.

Миссис Рокфеллер всегда была очень мила с нами. Казалось, ее интересовали радикальные идеи — она задавала нам много вопросов. Вы знаете, она помогла мистеру Ривере в Музее современного искусства и по-настоящему сражалась за него».

Когда Ривере было приказано убраться с лесов в Рокфеллеровском центре, он объявил, что использует деньги, которые остались у него от выплат Рокфеллера, «чтобы написать точно такую же фреску в каком-нибудь подходящем здании — я буду писать бесплатно, деньги понадобятся только на материалы».

Ему не предложили ничего подходящего, и в конце концов он решил вместо этого написать историю Соединенных Штатов, как она выглядит в революционной перспективе, на двадцати одной съемной панели в здании Школы новых рабочих, в доме № 51 на 14-й Западной улице, который скоро должен был быть снесен, он принадлежал организации лавстонитов[1].

3 июня, спустя месяц после истории в Рокфеллеровском центре, Фрида и Диего переехали в двух-

---

[1] Лавстониты — антисталинская коммунистическая группа, которую возглавлял друг и биограф Риверы — Бертрам Д. Вулф.

комнатную квартиру в доме № 8 по 13-й Западной улице, ближе к тому месту, где Ривера работал. Диего было известно, что новая квартира дороже квартиры в «Барбизон-Плаза»; при его гордыне он не хотел дать понять, что Рокфеллер финансово ущемил его. В сентябре они снова переехали, в квартиру на четырнадцатом этаже отеля «Бривурт», на углу Пятой авеню и Восьмой стрит.

Между 9 мая, когда его выбросили из Рокфеллеровского центра, и 15 июля, когда он начал работать в Школе новых рабочих, Ривера слишком сильно страдал, озлоблялся и огорчался, чтобы писать. Друзья замечали, что часто у Фриды были красные от слез глаза. Но Ривера не бездельничал, хоть и не писал. Он читал лекции по искусству и о политике и не только занимался защитой своего положения в Рокфеллеровском центре, но также поддерживал участников других подобных ситуаций. 15 мая он обратился к студентам Колумбийского университета, полторы тысячи которых собрались на демонстрацию протеста против увольнения Дональда Хендерсона, экономиста, открыто объявившего себя коммунистом. Фрида, которая предпочитала дистанцироваться от подобных демонстраций — и рассматривала их скорее как театр, чем как действенный инструмент, — была на стороне Диего. За время пятичасовой демонстрации студентов били, разгоняли водой из брандспойтов, изображение президента университета сожгли, а статуе-символу университета завязали глаза и на черной драпировке, покрывающей гроб, написали: «Здесь лежит академическая свобода», и гроб поставили у подножия.

«Нью-Йорк Таймс» писала: «Диего Ривера, художник, недавно изгнанный из Рокфеллеровского центра, и его жена Кармен обратились к студентам перед солнечными часами, где Ривера подстрекал студентов «вырвать управление университетом из рук доктора Николаса Мьюррэя Батлера».

Когда Ривера снова начал писать, в нем опять проявилась его обычная экспансивность. Луиза Невелсон, которую привела с собой в квартиру на Тринадцатой улице Марджори Итон, вспоминает: «Дом

Риверы всегда был открыт по вечерам, и туда мог прийти каждый, кто хотел. Риверы не делали различий. Я никогда не была в таком доме, как дом Диего. Принцессы и королевы... одна дама, более богатая, чем Господь, — и рабочие, трудяги. Он не делал различия и обходился со всеми одинаково. Все было очень просто. Диего и Фриде это нравилось; в другом месте, в верхней части города, стоял бы привратник. Они были рады найти место, куда могли бы все приходить, и им не надоедало. И так каждый вечер приходили люди, и он вел всю банду в маленький итальянский ресторан на 14-й улице».

И Невелсон, и Итон, начинающие молодые художницы, были счастливы оказаться в компании с великим Риверой, хотя, для того чтобы соответствовать духу этой компании, они должны были принять ее «богемность». Получив приглашение прийти к шести часам, они заставали Диего дремлющим, Фриду едва одетой. Фрида, примеряя блузки и юбки, спрашивала у Диего его мнения. Затем она на полчаса исчезала, чтобы явиться в новом костюме. Когда она наконец была одета, наступала очередь Диего исчезнуть. После долгого лежания в ванне он внезапно заявлял: «Мы идем обедать» и сопровождал трех молодых женщин в Чайнатаун или в ресторан в Гринвич-Вилледж, где к ним за стол подсаживались друзья.

Так, однажды с Диего, Фридой, Невелсон и Итон обедали танцовщица Эллен Кернс и скульптор Джон Фланаган, который боготворил Риверу и любил часами наблюдать за его работой.

«Нам нравилось чем-то заняться, — вспоминает Невелсон. — Скажем, рассыпали сахар на белой скатерти. Кто-то начинал создавать композицию, затем вступал другой, брызгал вином, рассыпал перец, переставлял посуду, пока скатерть не превращалась в пейзаж. Диего получал удовольствие от таких развлечений».

И в самом деле, он любил получать удовольствие. Луиза Невелсон была красивой, оживленной, волевой женщиной тридцати с небольшим лет, разведенной, страстно преданной искусству. Вскоре она стала одним из помощников Риверы и написала экспрессионистский портрет маэстро, на котором он выглядел безобразным, но Ривера говорил, что на портрете он — истинный гений. В благодарность за портрет Диего повел Луизу в индейский магазин, спросил ее, что ей нравится, и купил восхитившее ее ожерелье.

Скоро уже все помощники знали, что Ривера много времени проводит с Луизой. Июльский дневник Люсьен доносит, что Диего целый день не появлялся на работе, и Санчес Флорес сказал остальным помощникам, что Ривере очень нравится «девушка, которая буквально прилипла к Диего». Люсьен негодовала. «Фрида слишком совершенная личность, — писала она, — чтобы у кого-нибудь хватило сил занять ее место». Когда Ривера во второй раз не пришел в Школу новых рабочих, Санчес Флорес сказал всем, что Ривера снова с Луизой. «Мне было так плохо из-за Фриды», — пишет в тот день Люсьен.

Фрида больше не ходила каждый день к лесам. Она плохо себя чувствовала — правая нога была парализована, приходилось по мере сил разрабатывать ее, — и она была одинока.

Часто Диего не возвращался домой до рассвета. Фрида звонила Сюзанн Блох и говорила: «О, ненавижу оставаться в одиночестве!» или «Я тоскую. Пожалуйста, приди навестить меня». Однажды, когда Сюзанн была вечером у Фриды, та наготовила целую гору пирожков, чтобы накормить Риверу, когда он придет.

Ривера выказывал заботу по отношению к Фриде, он просил Люсьен и Стефена Димитроффа заставить ее писать, хотя, как думала Люсьен, просто потому, что «он хотел быть независимым от нее». Заметив, что Фрида восхищается маленькими фресками, которые только что закончила Люсьен, Ривера подталкивал жену к тому, чтобы и она занялась ими. Поупрямившись, Фрида послушалась его и написала погрудный «Автопортрет», который сочла ужасным. Вокруг головы она написала большей частью по-английски:

«Абсолютно негодный. No sirve (не годится). Ох! Парень безобразен, Фрида».

Испытывая отвращение, Фрида бросила панель на пол, фреска не разбилась, тогда она просто выбросила ее. Люсьен и Стефан, которые нашли работу прекрасной, вытащили ее из мусора и забрали домой. Позже, при переезде, края панели отбились, но главная часть осталась нетронутой, и она была вовсе не «негодная», а очаровательная. Лицо, смотрящее с панели, обладало свойством физического присутствия, подобно выражению лиц на древних фаюмских портретах. Даже в своих экспериментальных работах Фрида удивительно живо выражала себя.

Напряжение между Фридой и Диего обострялось еще одним конфликтом. Фрида отчаянно хотела поехать в Мексику, хотя бы ненадолго. После четырех лет почти непрерывной жизни в Соединенных Штатах она еще чувствовала себя чужой в «Гринголандии», не по ней был тамошний образ жизни. В письме к доктору Элоиссеру, написанному спустя несколько лет после счастливого возвращения на родину, Фрида выразила свои чувства по поводу США и Мексики, признавая, что в Мексике «всегда нужно ходить с заточенными лезвиями... чтобы защититься от всяческих cabrones (ублюдков)... которые затевают горячие споры, желая доказать свое и скрутить противника». С другой стороны, «в Соединенных Штатах можно расслабиться, потому что люди там бессловесные и податливые».

«Более того, — продолжает она, — в отношении к работе Диего здесь [в Мексике] всегда присутствуют непристойности и грязные шутки, что приводит его в отчаяние, и стоило ему приехать, как газеты начали его атаковать, у них столько зависти к нему, они хотят, чтобы он по какому-то колдовству просто исчез. С другой стороны, в Гринголандии все по-другому, в случае с Рокфеллером можно было против них бороться, не ожидая удара кинжалом в спину. В Калифорнии к нему относились очень хорошо, они уважают любую работу, здесь же, только он закончит фреску, на следующий день ее уже поцарапают или заплюют. Это, как вы можете понять, лишает

ХЕЙДЕН ЭРРЕРА

всяческих иллюзий того, кто работает, как Диего, кто старается изо всех сил, не вдаваясь в рассуждения о «святости» искусства и в подобные pendejadas (неприличное слово. — *Прим. авт.*), но, напротив, работая как каменщик. С другой стороны, и это мое личное мнение, несмотря на тот факт, что я понимаю всю выгоду от того, что дает в Соединенных Штатах работа, я не люблю гринго со всеми их чертами и с их недостатками, с их манерой жизни, отвратительным пуританством, протестантскими проповедями, которые полны бесконечных претензий, с тем, что каждый должен быть «приличным» и «правильным», что мне кажется глупым. Я знаю, что здесь люди — воры, сукины дети, козлы и т.д. и т.д., но я не знаю, почему они совершают даже ужасные преступления с легким юмором, в то время как гринго — «sangrones» (тупицы) от рождения, хотя они весьма вежливы и приличны. И вся их система жизни кажется отвратительной, эти их проклятые вечеринки, на которых все, начиная с продажи картин и кончая объявлением войны, решается после множества коктейльчиков (они даже не понимают, как напиться до неприличия), они всегда убеждены, что продавец картин и тот, кто объявляет войну, являются «важными» персонами, с другой стороны, они не дадут ни копейки за что-то, стоящее внимания. В США все подлизываются к «важным людям», им наплевать, что те от... матери, и я могу дать вам еще несколько размышлений о типах гринго. Вы можете сказать мне, что тоже живете там и без всяких вечеринок, но без них невозможно ни на что рассчитывать, и раздражает, что самое главное для всех в Гринголандии — обладать честолюбием, добиться успеха, стать «кем-то», и, честно, у меня нет таких амбиций, даже самую малость, я презираю тщеславие, и в любом случае мне неинтересно быть gran caca (большой шишкой)».

Ривере, в отличие от Фриды, нравились Соединенные Штаты и американцы, ему нравилась лесть мира искусства Манхэттена, и он решил оставаться в

ХЕЙДЕН ЭРРЕРА

Нью-Йорке, пока не будут закончены панели в Школе новых рабочих. Более того, для него возвращение в Мексику означало движение вспять. Он был убежден, что мировая революция должна произойти в индустриальной стране, и ему хотелось быть там, по крайней мере, на идеологических баррикадах, сражаясь посредством образов, взятых на вооружение. Он говорил, что и он, и Фрида должны пожертвовать комфортом и любовью к дому во имя всего коммунистического. Фрида с этим не соглашалась. Она считала, что это во многом «пустая болтовня».

16 ноября 1933 года Фрида писала своей подруге Исабель Кампос, что существует в Гринголандии, «мечтая о возвращении в Мексику»:

«Нью-Йорк очень симпатичный, и здесь я чувствую себя лучше, чем в Детройте, но, несмотря на это, я тоскую по Мексике... Вчера впервые пошел снег, и скоро будет так холодно, что... тетка меленьких девочек (смерть) явится и заберет их с собой. Тогда придется надевать платье на шерстяное белье и смириться со снегом. Благодаря длинным юбкам я не особенно ощущаю холод, но иногда бывает так морозно, что не спасают даже двадцать моих знаменитых юбок. Я все еще бегаю как бешеная и ношу эти старые вещи. Тем не менее некоторые из женщин-гринго подражают мне и пытаются одеваться a-la Mexicana, но — бедняжки похожи на капусту и, по правде говоря, выглядят абсолютно ужасно. Это не означает, что я в своих нарядах смотрюсь превосходно, но все-таки неплохо (не смейся)...

Скажи, что мне привезти тебе отсюда, потому что здесь так много восхитительных вещей, и что я не знаю, что лучше для тебя, но если ты захотела бы что-то особенное, только скажи, и я это тебе привезу.

Как только я прибуду, ты должна будешь устроить мне банкет с pulque (винцом) и quesadillas (пирожками), сделанными из толченых цветов, потому что стоит лишь мне об этом подумать, как начинают течь слюнки. Не думай, что я обязываю тебя встретить меня банкетом. Я просто напоминаю, чтобы ты не вытаращила глаза, когда я приеду.

Что ты думаешь о Рубесах и всех тех, кто был нашими друзьями? Расскажи мне какие-нибудь сплетни, потому что здесь никто со мной не сплетничает, а время от времени слухи оказываются очень приятными для уха... дальше следует тысяча тонн поцелуев, можешь большую часть оставить себе...»

Фрида заканчивает письмо рисунком, на котором она стоит на фоне манхэттенских небоскребов. Она плачет, и на воздушном шаре написано: «Не забывай меня». Над ней печальное лицо солнца. Посреди рисунка корабль, плывущий по океану в сторону Мексики. Там — солнце улыбается.

Фрида тоскует, ей хочется уехать из Нью-Йорка в Мексику, это отчетливо видно на ее картине, названной «Мое платье висит там» (илл. 34), которая мелом подписана сзади: «Я рисовала это в Нью-Йорке, когда Диего писал фрески в Рокфеллеровском центре». Картина была закончена после того, как Фрида вернулась в Мексику, и, поскольку в ней чувствуется влияние фрески Риверы в Радио-Сити, Фрида, несомненно, продолжала работать над картиной вплоть до отъезда из Нью-Йорка.

Точно посредине сложного образа, показывающего Манхэттен как столицу капитализма, а также и как центр нищеты и протеста в годы депрессии, висит Фридин теуанский костюм. Наряд, окруженный небоскребами, ровными рядами пустых окон, подвешен на бледно-голубой вешалке, на бледно-голубой ленте, темно-бордовый расшитый лиф и бледно-зеленая юбка с розовыми лентами и белыми оборками выглядят экзотическими и женственными. Платье без Фриды говорит, что оно может висеть и на Манхэттене, но она сама — где-то еще: она не хочет быть частицей Гринголандии. Хотя пустое платье в этой картине еще не стало тем мучительным символом, который позже обретут платья без человека в последующих работах, тем не менее одежды создают эффект присутствия. Фрида уже знала об эмоциональном воздействии одежды без ее хозяина.

В картине есть легкий намек на пародию. Фрида

подшучивает над американской одержимостью чудесами сантехники и спортивными соревнованиями, помещая на пьедестал монументальный унитаз и золотой наградной кубок. Также она метит и в бизнес, религию и ужасающую эклектику во вкусах американцев. Большая красная буква S на стене церкви Святой Троицы превращает крест в знак доллара; красная лента связывает готическую церковную башню с дорическим храмом Уолл-стрит — Федеральным собранием; и на его мраморных ступенях Фрида помещает график, показывающий «Еженедельные продажи в миллионах»: в июле 1933 года дела в большом бизнесе пошли лучше, но народ — крошечные толпящиеся фигурки в самом низу картины — ничего от этого не выиграл. Телефон, огромных размеров, стоит на верхушке жилого дома, он — центр города, его сердце; черные провода протягиваются через окна, как необъятная циркулирующая, все связывающая паутина.

Так Фрида воспринимает Америку. Но при этом она говорит и нечто серьезное — об опустошенности человека и о бессмысленности человеческого существования в капиталистическом обществе — мусорный бак переполнен, там и бутылка с водой, и матерчатый игрушечный заяц, и бутылка со спиртным, и платье с оборочками, пропитанное кровью, кость, клубок внутренностей, что-то похожее на человеческое сердце и самое ужасное из всего — окровавленная рука.

Любопытно, что в картине нет живых действующих лиц. Центральное положение в сцене занимает платье художницы. Ей противостоят автоматы. На ступенях Федерального собрания разместилась статуя Джорджа Вашингтона как напоминание о революционном прошлом. На доске для объявлений кинозвезда Мэй Уэст в какой-то из ролей. В то время как Фрида работала над этой картиной, Ривера в беседе об американских идеалах красоты («Мост Джорджа Вашингтона, хороший автомобиль или другая эффективно действующая машина») сказал, что Мэй Уэст как образец человеческой красоты есть «самая красивая машина для жизни из всего, что я когда-

I. «Автопортрет», 1926

II. «Автопортрет», 1929

III. «Фрида и Диего Ривера», 1931

IV. «Госпиталь Генри Форда», 1932

V. «Ретабло»

VI. «Мое рождение», 1932

VII. «Богиня ТЛАСОЛТЕОТЛ,
акт рождения ребенка»

VIII. «Немного маленьких уколов», 1935

IX. Гравюра Хосе Гуадалупе Посады (1890)

X. «Моя кормилица и я», 1937

XI. «Умерший Димас», 1937

XII. «Автопортрет», 1937

XIII. «Фуланг-Чанг и я», 1937

XIV. «Две Фриды», 1939

XV. «Сновидение», 1940

XVI. «Автопортрет», 1940

либо знал — к сожалению, только на экране». Фрида представляла себе это по-другому. Она поместила Мэй Уэст рядом с церковью, с ее долларовым окном, потому что кинозвезда тоже представляет собой фальшивую ценность — тщеславие, роскошь, преклонение перед известностью. Ее роскошность эфемерна: край доски, на которой она изображена, отваливается от рамы, а здание внизу — в огне.

Нижнюю часть картины Фрида отдала «массам», множеству точечных голов и шляп, образующих очередь за хлебом, толпу демонстрантов, солдат на параде и зрителей на бейсболе. На холст приклеено более двадцати фрагментов фотографий и бумажных вырезок, это сделано очень обдуманно и с большим смыслом. Кое-где нанесено множество пятнышек, которые похожи на жизнь под микроскопом. Все эти точки и шляпы выражают идею микрокосмоса и макрокосмоса, великую непрерывность существования, столь важную для Фриды и Диего.

На вершине всего вздымает факел статуя Свободы, это сатирическое напоминание о том, что значили Соединенные Штаты в лучшие дни. Единственная вещь, которая не принадлежит этому миру, — Фридино платье.

Осенью, когда дни начали укорачиваться, Фрида и Диего заспорили — оставаться им в Нью-Йорке или возвращаться в Мексику. Как-то Люсьен Блох и Стефен Димитрофф застали их в момент жаркого разговора, когда Ривера схватил одну из своих картин на холсте, изображающую кактусы в пустыне, и закричал: «Я не хочу возвращаться к этому!», Фрида отвечала: «А я хочу вернуться к этому!», тогда Диего схватил кухонный нож и на глазах испуганной жены и друзей в клочья изрезал картину. Когда Люсьен хотела попытаться остановить его, Фрида ее удержала. «Не надо! — закричала она. — Он тебя убьет!» Распихав по карманам лохмотья холста, Диего, величаво ступая, вышел из квартиры, не слыша проклятий, которыми сыпала Люсьен на своем родном французском. «Фрида дрожала целый день, — писала Люсьен в дневнике. — Она не могла перенести утерю картины. Она сказала, что это жест ненависти по отношению к Мексике. Он чувствует, что должен вернуться в Мексику из-за Фриды, потому что ей плохо в Нью-Йорке... Она должна признать, что ее обвиняют».

Наконец в начале декабря фрески в Школе новых рабочих были закончены. 5 декабря дали прощальный вечер. 8, 9 и 10-го был устроен общественный просмотр, при этом каждый вечер, в восемь часов, Ривера читал лекцию. Но художник, пока не потратит деньги, все до единого пенса, полученные от Рокфеллера в Соединенных Штатах, как обещал, не собирался уезжать. Он завершил еще две небольшие панели в Союзе нью-йоркских троцкистов и после этого был готов к отъезду.

20 декабря 1933 года Фрида и Диего погрузились на «Ориент» и отплыли сначала в Гавану, затем в Веракрус.

«Мы собрались, — говорила Луиза Невелсон, — наскребли денег и купили им билеты. Погрузили их на корабль и увидели, как они уплывают».

ЧАСТЬ 4

12

«НЕМНОГО МАЛЕНЬКИХ УКОЛОВ»

Когда в конце 1933 года Риверы вернулись в Мексику из Соединенных Штатов, они въехали в свой новый дом на углу Пальмас и Альтависта в Сан-Анхеле; дом состоял из двух современных по очертаниям кубиков, «мексиканизированных» цветом (розовым — дома Диего и голубым — дома Фриды) и стеной кактусов, которые окружали его. Элла Вулф говорит, что Диего хотел иметь два раздельных дома, потому что «с богемной точки зрения это было интересно и приковывало внимание». Мексиканские газеты отнеслись к этому по-другому: «Архитектурные теории [Диего] базируются на мормонской концепции жизни, во взаимной связи объективного и субъективного, что, так сказать, выражается в «*casa grande*» и «*casa chica*» («большой дом» в Мексике — это дом мужчины; «маленький дом» — это апартаменты хозяйки).

И в самом деле, новые дома были разделены и неравноценны. Дом Риверы, разумеется, больше. Он состоял из огромной студии с высоким потолком, действительно дом для всех, где Диего создавал и продавал картины, и вдобавок просторной кухни; чаще всего ели там. Голубой дом Фриды — более компактный и приватный. В нем было три этажа: внизу гараж, выше гостиная, она же столовая, и рядом с нею маленькая кухня; на третьем этаже, куда вела винтовая лестница, располагалась спальня-студия с огромным окном плюс ванная. На крыше дома имелась терраса с металлическим ограждением, оттуда же шел мостик к дому Риверы.

ХЕЙДЕН ЭРРЕРА

Вернувшись домой из Гринголандии, заняв два дома, которые надо было привести в порядок, что так любила делать Фрида, она должна была быть счастлива, но, по образам ее картин двух последующих лет, ясно, что счастливой она не была. В 1934 году она вообще ничего не писала. В следующий год сделала только две картины: поражающую своим ужасом «Немного маленьких уколов» (цв. илл. VIII) и «Автопортрет» (илл. 37), в котором ее короткая стрижка а-ля «пудель» представляет совсем другую Фриду, нежели ту, которая была на маленькой панели, написанной незадолго до того, как она покинула в 1933 году Детройт и где ее волосы были аккуратно зачесаны назад.

Картина «Немного маленьких уколов» основывается на газетном сообщении о пьянице, который, толкнув свою девушку на постель, ударил ее ножом двадцать раз; представ перед судом, он невинно заявил: «Но я только сделал несколько незначительных уколов!» Глядя на картину, мы погружаемся в акт убийства: убийца держит окровавленный кинжал, нависая над мертвой жертвой, растянувшееся на кровати тело залито кровью. Как некое напоминание о распятом Христе, одна рука женщины безжизненно свешивается вниз, другая, израненная, кровоточащая, повернута к зрителю. Струи крови стекают с пальцев на едкий зелено-желтый пол (желтый, позже говорила Фрида, обозначает «психоз, болезнь, страх»). Если маленький лист жести еще не передает всего ужаса, то это делают капли крови в натуральную величину, выплеснувшиеся на раму картины. Это мгновенно, почти физически воздействует на зрителя.

Мы чувствуем, что кто-то в пространстве, окружающем нас, а может быть, и мы сами совершили это жестокое преступление. Переход от фантазии к реальности совершается потоками крови.

Рука в кармане, лихо заломленная набекрень шляпа — вот зверский вид убийцы. На самом деле, картина являет собой стереотипы, *macho* и *chingada,* его жертвы. *Chingada,* дословно — «та, которую притесняют», наиболее известное мексиканское ругательство и слово, которое часто употребляла Фрида. «Глагол [*chingar* — скрутить], — говорил Октавио Пас, — обозначает жестокость, насилие. Глагол этот — «мужской», агрессивный, жестокий, он жалит, наносит глубокую рану, пронзает и побуждает обиженного к мести. Человек, который страдает от этого действия, пассивен и инертен по контрасту с агрессивным нападающим, который наносит удар».

Фрида говорила друзьям, что писала убийцу таким, каким он здесь обычно бывает, «потому что в Мексике убийство совершенно заурядно». Она добавляла, что ей было необходимо это написать, потому что она чувствовала симпатию к убитой женщине, так как сама близко подошла к тому, чтобы «быть убитой жизнью».

«Убитой жизнью» — и это после нескольких месяцев, что Риверы вернулись в Мексику. Фрида чувствовала, что нечего надеяться на устройство нового, гармоничного существования. У Диего начался роман с ее младшей сестрой Кристиной. Мучаясь, Фрида отрезала свои длинные волосы, которые так любил Диего, и перестала надевать костюмы теуаны. И, в ответ на причиненную боль, она написала «Немного маленьких уколов», изображая не просто свои переживания, а страдания, спроецированные на несчастье другой женщины.

Никто не знает, когда начался тот роман (возможно, летом 1934 года), или как и когда он закончился, или закончился, а потом начался снова. Мы точно знаем, что Ривера был недоволен своим возвращением в Мексику, он упрекал Фриду в том, что она заставила его вернуться. Хотя его пригласили писать фрески в городской Медицинской школе и вскоре он получил заказ на выполнение повтора фрески Рокфеллеровского центра во Дворце изящных искусств, Диего, как капризный ребенок, злился, был в депрессии и не работал. Дурное настроение усиливалось плохим здоровьем. Несмотря на пирожки и фисташковое мороженое, которыми он лакомился в Манхэттене, его жесткая диета в Детройте нанесла ему вред, тело стало дряблым, кожа сморщилась, у него опухали шейные железки, он стал раздражительным ипохондриком. (В итоге в 1936 году доктор напугал его инфекцией, попавшей в слезный канал правого глаза, и приказал ему «угомониться».) Он был «слабым, худым, желтым и морально выдохшимся», писала Фрида в июле Элле Вулф.

«Оттого что он плохо чувствует себя, он не начинает писать, это печалит меня, так как я не вижу, что он счастлив, не могу успокоиться, и его здоровье огорчает меня больше, чем мое собственное. Скажу тебе, что не хочу снова укрощать его, не могу смириться с болью, которую я испытываю, видя его таким, каким он стал, но, зная, что мне грустно видеть его таким, он еще больше расстраивается, и будет еще хуже... он думает, что во всем, что случилось с ним, виновата я, потому что я заставила его приехать в Мексику... и это является причиной того, что происходит с ним. Я делаю все возможное, чтобы поддержать его и устроить все так, чтобы ему стало легче, но пока не добилась успеха; ты не можешь себе представить, насколько он изменился по сравнению с тем, каким был в Нью-Йорке, он ничего не хочет делать, ему абсолютно неинтересно писать здесь, я совершенно согласна с ним, потому что знаю, из-за чего он стал таким, вокруг нас самые упрямые в мире люди, самое непонятное, что ничего не меняется, что должно перемениться в этом мире, где столько ублюдков... он говорит, что ему больше не нравится ничего из того, что он сделал, что его живопись, сделанная в Мексике и частично в Соединенных Штатах, ужасна, и что он впустую потратил свою жизнь, и больше ничего не желает делать».

У Фриды дела со здоровьем были не намного лучше, чем у Диего. В 1934 году она, по крайней мере, три раза лежала в больнице: один раз ей удаляли аппендикс, затем был аборт на третьем месяце беременности и в третий раз — из-за ноги, которая беспокоила ее в Нью-Йорке, а сейчас стало еще хуже. «Моя [правая] нога все еще плоха, — пишет Фрида доктору Элоиссеру, — но с ней ничего нельзя сде-

ХЕЙДЕН ЭРРЕРА

лать, и однажды я решусь на то, чтобы ее отрезали, чтобы она больше мне не досаждала». Ногу прооперировали в первый раз, процесс заживления шел очень медленно. Положение ухудшалось еще и тем, что депрессия и инертность Диего не давали ему работать и денег не было. Естественно, при всех этих несчастьях Фрида бросилась за утешением к сестре Кристине, которую в 1930 году, вскоре после рождения сына Антонио, бросил муж, и теперь она жила со своими детьми (и с отцом, Гильермо Кало) в голубом доме в Койоакане.

Сестры во многом дополняли друг друга. Фрида была яркой личностью, замужем за выдающимся художником, при этом сама одаренная художница с известностью, пришедшей к ней как к жене Риверы; с другой стороны, Кристину Господь благословил материнством. Она была живой, щедрой и невероятно женственной. На фреске, сделанной Риверой в 1929 году в министерстве здравоохранения (кстати, по предложению самой Фриды Кристина позировала обнаженной для одной из аллегорий), Диего изобразил ее как символ роскошной сексуальности, пышной Евой с цветком в руке (который был похож на вагину), и обольстительный змей что-то нашептывал ей на ухо... «Она живет будто в безвоздушном пространстве, — чуть позже писала о ней Фрида, — она все еще вопрошает, что такое «Фуэнте Овехуна» (пьеса испанского писателя-классика Лопе де Вега. — *Прим. авт.*), и когда смотрит кино, всегда спрашивает: а кто это? кто убийца? кто эта девушка? — в общем, она не отличает начала от конца и в середине фильма обычно отправляется в объятия Морфея».

Наверняка Кристина не по злому умыслу предала сестру, хотя соперничество между ними и сыграло свою роль. Больше похоже, что ее очаровали. Ривера был великим маэстро и великим обольстителем, ему трудно было отказать.

Вероятно, он убедил родственницу в том, что отчаянно нуждается в ней. Без сомнения, так и было на самом деле, потому что доктор просил Фриду после аборта воздержаться от сексуальных отноше-

ХЕЙДЕН ЭРРЕРА

ний. И все-таки эта интрига, начатая так же случайно, как и прошлые интриги Риверы, была бессовестной и очень жестокой.

«Если я любил женщину, — писал Ривера в автобиографии, — то чем больше я ее любил, тем больше мне хотелось ее мучить. Фрида была наиболее очевидной жертвой этой отвратительной черты моего характера».

«Я так настрадалась за эти месяцы, — писала Фрида доктору Элоиссеру 24 октября, — что трудно будет скоро прийти в себя, но я все сделаю для того, чтобы забыть, что случилось между Диего и мной, и жить так же, как жила прежде. Не думаю, что мне это совершенно удастся, так как есть вещи более сильные, чем чье-либо желание, но я больше не могу находиться в состоянии великой печали, в которое я впала, потому что шагаю семимильными шагами к неврастении того ужасного типа, который делает женщин идиотками и антипатичными, и я даже счастлива от того, что сдерживаю свое состояние полуидиотки».

И 13 ноября:

«Верю, что за работой я забуду все печали и стану чуть счастливее... Надеюсь, что моя глупая неврастения уйдет прочь, и жизнь снова станет нормальной, — но вы знаете, как это трудно, мне нужно проявить огромную волю, чтобы заставить себя писать или делать что-нибудь еще. Сегодня — день ангела Диего, и мы были счастливы, и есть надежда, что будет много таких счастливых дней в моей жизни».

26 ноября Фрида снова пишет, извиняясь за то, что не послала доктору рисунок, который обещала ему:

«Я сделала несколько, все оказались страшными, и я решила их порвать и не посылать вам дрянь. Затем я слегла в постель с инфлюэнцей и встала только два дня тому назад, и, естественно, первое, что я начала делать, был рисунок, но не знаю, что со мной случилось, я не смогла его сделать. Все получается не то, что мне хочется, и я даже вопила от злости, но ничего хорошего этим не добилась. Тогда я в конце концов решилась сказать вам об этом и просить вас простить меня за такую невежливость, не думайте, что это от моего нежелания сделать рисунок, но скорее от того, что я в такой печали, в такой тоске и т.д. и т.д., что даже не могу рисовать. Ситуация с Диего ухудшается с каждым днем. Я знаю, что во многом виновата сама, потому что не поняла с самого начала, чего он хочет, и сопротивлялась тому, чему нельзя было уже помочь. Теперь, после многих месяцев волнений, я простила свою сестру и думала, что при этом что-то изменится, хоть немного, но все получилось как раз наоборот. Вероятно, для Диего ситуация обернется к лучшему, но для меня это ужасно. Я оказалась в таком несчастном и унылом положении, что не знаю, как мне быть. Понимаю, что в данный момент Диего больше заинтересован в ней, чем во мне, и должна понять, что в этом нет его вины, и именно я должна пойти на компромисс, если хочу, чтобы он был счастлив. Но это стоит мне таких страданий, что вы себе не можете этого представить. Все так сложно, что не знаю, как вам объяснить. Думаю, вы все поймете и поможете мне не докатиться до идиотских предрассудков, но тем не менее мне так хочется рассказать вам все детали того, что случилось, чтобы немного облегчить мою боль...

Я верю, что скоро эти невыразимые несчастья пройдут и наступит день, когда я стану той же, что была прежде...

Пишите мне, когда сможете. Ваши письма доставляют мне великое удовольствие...

Теперь мы больше не можем делать того, что, как мы говорили, должны делать, — отбросить в сторону все человечество, помнить только о Диего, о себе и о вас, поскольку Диего теперь несчастен».

Пока Фрида пыталась не докатиться в отчаянии до «идиотских предрассудков» и цеплялась за надежду, что ее «невыразимые несчастья» пройдут, Диего был, как она говорила доктору Элоиссеру, «занят день и ночь». В начале ноября он начал фреску «Современная Мексика» на левой стороне лестницы Национального дворца (илл. 35). И снова Кристина позировала ему, в этот раз вместе с двумя своими

ХЕЙДЕН ЭРРЕРА

детьми, с политическим документом в руках вместо цветка. Тем не менее у нее соблазнительно округлые лицо и фигура, а в безразличных «слепых» глазах застыло выражение, какое Ривера приберегал для женщин, сексуально привлекавших его. Любуясь изящными ножками Кристины в босоножках на высоких каблуках, Ривера сделал ее стержнем всей композиции. Фрида, сидя позади Кристины, держит в руках книгу политического содержания, чтобы читать ее мальчику, и исполняет роль молодого активиста, более убежденного, чем сестра. Она и одета по-другому — в джинсовую юбку, рабочую блузу, волосы ее коротко острижены, на шее — медальон с красной звездой, серпом и молотом.

Похоже, что роман Диего и Кристины длился дольше, чем все думали. Картина «Немного маленьких уколов» означает, что он продолжался до 1935 года. И в начале того года Фрида совершила резкий поступок: она уехала из дома в Сан-Анхеле, забрав с собой любимую обезьянку, и поселилась в небольшой современной квартире в центре Мехико на авениде Инсургентов, 43.

Это была первая из череды разлук (Фрида даже консультировалась с адвокатом, своим другом детства, Мануэлем Гонсалесом Рамиресом, по поводу развода), при этом образовалась любопытная ситуация. Даже живя врозь, Фрида и Диего постоянно виделись. Он хранил часть своей одежды в квартире Фриды и хотел оставаться порядочным по отношению к обеим сестрам; он купил Фриде гарнитур современной мебели из голубой кожи с хромированными деталями, точно такой же, только красного цвета, приобрел для квартиры Кристины на фешенебельной Флоренсия-стрит.

Вероятно, Фрида переехала в эту квартиру не только, чтобы расстаться с Диего, но и для того, чтобы устроить свою собственную жизнь. В конце концов, ее подруги — художница Мария Искъердо (любовница Руфино Тамайо) и фотограф Лола Альварес Браво (жена Мануэля Альвареса Браво) сняли недавно вместе квартиру и попытались жить самостоятельно, почему бы и Фриде не сделать то же самое?

Разумеется, держалась Фрида очень стойко, веселя окружающих своим сардоническим юмором, так что новые знакомые, такие как Мари Шапиро, и не подозревали, насколько она несчастна. Но Алехандро Гомес Ариас, который навестил ее в новой квартире, вспоминает, как Фрида пришла в ярость, увидев Кристину на бензозаправке на ее улице. «Посмотри! — закричала она. — Подойди сюда! Почему она приехала заправляться перед моим домом?»

И «Немного маленьких уколов» служит доказательством того, как Фрида была уязвлена.

Наконец, в начале июля Фрида собралась и улетела с Анитой Бреннер и Мари Шапиро в Нью-Йорк. Это путешествие было сумасбродным поступком, бегством от отчаяния. Под влиянием момента женщины решили улететь на частном самолете Стинсона, наняли пилота, которого они встретили предыдущим вечером на обеде, устроенном Диего. За время изнурительного шестидневного путешествия несколько раз пришлось приземляться. Чтобы не испытывать ужаса от полета, Фрида спала на заднем сиденье. Мари (недавно разошедшаяся с мужем) и Фрида остановились в отеле «Холли» около Вашингтонского сквера, и, после того как Фрида поделилась своими горестями с Люсьен Блох, Бертрамом и Эллой Вулф, она пришла к определенному решению.

«Когда пламя негодования погасло в ней, — писал Бертрам Вулф, — она поняла, что любит Диего и он значит для нее гораздо больше того, что встало между ними».

Примирившись с браком, основанным на «взаимной» независимости, она писала мужу 23 июля 1935 года:

«[Теперь я знаю, что] все эти письма, связи с барышнями, учительницами «английского», натурщицами, цыганками, ассистентками с «добрыми намерениями», «полномочными представительницами от отдаленных мест» всего лишь флирт, а в глубине ты и я сильно любим друг друга и так проходим сквозь приключения, хлопанье дверьми, проклятья, оскорбления, жалобы — и все же мы будем любить друг друга...

Все это продолжалось семь лет, что мы вместе живем, и, несмотря на всю мою злость, я поняла, что люблю тебя больше, чем собственную шкуру, и что, хотя ты, может быть, не так любишь меня, все-таки ты же меня как-то любишь. Разве это не так?.. Я всегда буду надеяться, что так и будет продолжаться, и согласна с этим».

Что касается Риверы, то он, продолжая обманывать Фриду, не хотел ранить ее. И одно было совершенно ясно: если ему придется выбирать между сестрами, то он предпочтет Фриду. В автобиографии Диего вспоминает инцидент, имевший место вскоре после возвращения Фриды из Нью-Йорка в 1935 году. Убийцы, нанятые германским послом, дважды стреляли по студии Риверы (причиной, так утверждает Ривера, было то, что он, коммунист и антифашист, являлся «персоной нон грата» для немцев). Убийцы явно целились в «машинистку», которая сидела на стуле, где обычно восседала Фрида, болтавшая с Диего, пока он работал. «Машинисткой» была Кристина Кало. «После этого мне стало понятно, — говорил Диего, — что предполагаемые убийцы подумали, что, убив Фриду, они нанесут мне гораздо более сильный удар, чем если убили бы меня. И они были абсолютно правы». Сделав Кристину секретаршей, Диего тем самым не мог исправить положение и залечить Фридины раны, но его слова о покушении показывают глубину его любви к жене.

Если в картине «Немного маленьких уколов» Фрида говорит, что раны ее кровоточат, то одновременно она, несомненно, делает очевидным, что не собирается лить слезы. Она заставляет себя не быть противной «*antipatica*», но стать мудрой, спокойной, забавной, прощающей женщиной, какой она изобразила себя в «Автопортрете» с курчавыми волосами. Она должна превратить «уколы» жизни в шутку. Так истинно разрушительная жестокость реального события в картине «Немного маленьких уколов» смягчается не только примитивизмом Фридиного стиля, но также привнесением карикатурности в некоторые неуместные детали — изящные кружевные оборки подушки, радостные розовые и голубые стены, вышитая цветами подвязка и спущенные чулки на ногах мертвой женщины, намекающие, что она проститутка. Злым юмором в этой ситуации выглядят голубки, белый и черный, которые держат в клювах бледно-голубую ленту с надписью. Это символ влюбленности, а не бойни.

Черный юмор Фриды, что характерно для мексиканцев, которые нередко получают удовольствие от ужасов и смеются над смертью, нигде так ярко не проявляется, как в картине «Немного маленьких уколов». Зритель испытывает неприятные ощущения — сочетание конвульсий насилия и надрывного хохота. Мексиканское народное искусство изобилует подобного рода ядовитым сарказмом. Например, маленькая глиняная скульптурная композиция, продававшаяся на рынке в Гвадалахаре за несколько песо, изображает докторов и медицинских сестер, радостно размахивающих отрезанными головой, или ногой, или вынутым сердцем пациента, лежащего на операционном столе. Внизу, на основании статуэтки, надпись: «*Por un Amor*» («За любовь»), «*Ultima Lucha!*» («Последнее сражение!») или «*Ni Modo Cuate!*» («Плохи дела, парень!»). Или сделанный к Дню поминовения сахарный гроб с крошечным скелетом, который можно съесть. Или шутки вроде такой: «Ему повезло, из трех пуль, выпущенных в него, убила его только одна», или истории вроде той, где человек избавляет друга от головной боли, выстрелив в него из пистолета. В картине «Немного маленьких уколов» также просматривается связь с *retablos* и с картинами неизвестных художников, изображающих мертвого или истязаемого Христа. Такая жанровая сценка висела в Фридиной столовой: на картинке человек угрожает другому ножом у *pulqueria* (пивнушки). Но основным источником влияния являются, конечно, сатирические рисунки Хосе Гвадалупе Посада (1851—1913), чьи маленькие книжечки и иллюстрации к песням показывают ужасающие

ХЕЙДЕН ЭРРЕРА

сцены (цв. илл. IX), и *cadavera* (скелетные) гравюры, где скелеты оживают, играя на человеческих слабостях. Фрида их обожала.

Даже несмотря на всю жестокость картинок Посады, в них есть и элементы юмора, что, несомненно, привлекало Фриду. Спустя годы она пишет в дневнике:

«Нет ничего ценнее *смеха.* Сила в том, чтобы, смеясь, облегчать себе душу. *Трагедия* — одна из самых смехотворных вещей».

К концу 1935 года она заставила себя отключиться от романа Диего и Кристины. Она пожала плечами и рассмеялась глубоким невеселым смехом. Картина «Немного маленьких уколов» была Фридиным *carcajada,* взрывом смеха, таким сильным, что он унес прочь всю боль. Юмор, как и надежда, был той опорой, которая помогала ей выживать в жизненных битвах.

Но хотя Фрида освободилась от переживаний по поводу этого романа, она ничего не забыла, и два-три года спустя написала картины «Память», в 1937-м, и «Память об открытой ране», в 1938-м, которые свидетельствуют о глубоко затаенной боли от нанесенного ей удара. В то время как в «Уколах» и в ранних работах, подобных кровавым картинам Детройта, Фрида изображает человеческое тело (обычно свое собственное) в момент физических страданий или смерти, в «Памяти» и в «Памяти об открытой ране» она начала отображать *психические травмы.* И она больше не поверженная женщина, покорившаяся судьбе, теперь она выпрямилась и смотрит прямо на зрителя, она все осознала и настаивает на том, чтобы зритель понял, каковы ее страдания.

В «Памяти» (илл. 39) Фрида с короткой стрижкой одета не в мексиканское платье, а в юбку и в кожаное болеро, как на фотографии Люсьен Блох, сделанной в Нью-Йорке в 1935 году. Рядом с ней два костюма, идентифицирующих ее личность, — школьная форма и костюм теуаны, оба наряда связаны с Фридой красной лентой (это вены или другие кровеносные сосуды), и оба висят на лентах, протянутых с неба. У каждого из костюмов по руке, они похожи на руки кукол, сделанных из папье-маше. Фигура Фриды — без рук (и значит, беспомощна). Перевязанная нога напоминает об операции на правой ноге в 1934 году, когда Ривера влюбился в Кристину. Перевязка сделана таким образом, что нога выглядит похожей на кораблик, и она стоит в океане, тогда как здоровая — на суше. Возможно, нога-кораблик символизирует разрыв с Диего; море, очень вероятно, символ страданий — «океан слез», вроде бассейна, наполненного водой, который Фрида рисовала рядом с «плачущим» автопортретом в письмах к Алехандро.

«Память» поразительно точно трактует страдания любви, такие же простые и понятные, как влюбленное сердце, пронзенное стрелой. Можно прийти к выводу, что Фрида слишком хорошо понимала, что банальное выражение «разбитое сердце» базируется на реальном психическом состоянии — боль или чувство надломленности в груди, — на ощущении того, как меч поворачивается в ране. В картине Фриды сердце вырвано из груди, на месте его — отверстие, в которое проникает стержень, напоминающий об автобусном поручне, вонзившемся в нее во время несчастного случая. На концах металлического стержня сидят два купидона, они совершенно не обращают внимания на то, что их движения вверх-вниз доставляют человеку боль. Громадное сердце Фриды лежит у ее ног, из его рассеченного клапана истекает река крови. Кровь достигает отдаленных гор, окружающего пейзажа и течет вниз к морю, где красная дельта переходит в голубую воду. В этом образе есть что-то от ацтекской жестокости, когда у живой жертвы вырывали из груди бьющееся сердце, и кровь бежала вниз по ступеням храма, а ноги и руки жертвы раздавались зрителям. И в самом деле, река красной крови из вынутого сердца Фриды соотносится с кровавой темой, что так мрачно звучит в культуре Латинской Америки. Тут можно вспомнить не только о доколумбовом и колониальном искусстве, но и о бое быков, петушиных боях.

То, что Фрида использует свое вырванное сердце в виде символа любви и в «Памяти», и в других работах, не кажется гротеском, если это воспринимать в контексте всей мексиканской культуры, для которой характерна прямолинейность символов боли.

Когда на следующий год Фрида стала писать похожий по «кровавости» портрет, названный «Воспоминание об открытой ране», ее душевные травмы еще не сгладились, но отношение к ним изменилось (илл. 40). (Эта картина была уничтожена огнем, но сохранилась ее черно-белая фотография.) Как и в «Уколах», секс и болезненные раны окрашены юмором — Эдгар Кауфман-мл., который купил картину для своего отца, вспоминает, что там были «лирические, яркие мексиканские цвета: розовый, красный, оранжевый, черный; вы чувствовали, что боль и удовольствие неразличимы». Как и в «Памяти», физические страдания намекают на психологические раны. Но теперь Фрида выглядит почти вызывающей и порочной, она сидит, расставив ноги и так откинув в сторону белую сборчатую юбку костюма теуаны, что видны две раны на забинтованной ноге и глубокий разрез на внутренней стороне бедра. Рана на бедре представляет собою намек на гениталии и задумана как сексуальная рана или как настоящая рана в ее вагине, которую проткнул металлический поручень.

Период, когда Фрида писала обе эти картины, был относительно счастливым. Но она должна была завоевать счастье, победив боль и растоптав неприятности, которые лежали у нее на дороге. В то время как «Память» открывает то, что обида, причиненная связью Диего с Кристиной, естественно привела к появлению более независимой, более закаленной женщины — той, которая обрела силу, признавая свою уязвимость, — то «Воспоминание об открытой ране» показывает, что Фрида трансформировала «открытую рану» от ревности и предательства в другой тип откровенности. Она теперь сексуально свободная женщина, которая не боится флиртовать, и при всей явной решимости она напоминает о своих страданиях. Фрида смотрит прямо на нас и улыбается, будто бы беззаботно подмигивая.

13
ТРОЦКИЙ

Несчастный случай превратил Фриду из сумасбродной девчонки в меланхоличную женщину, яростно желавшую побороть свою печаль, а роман Риверы с Кристиной сделал обожаемую «женушку» более сложной женщиной, которая больше не могла прикидываться очаровательным дополнением к ее «важному» супругу; она должна была научиться быть — или притворяться — самостоятельной. Фрида, разумеется, продолжала сиять отраженным светом славы Диего, что делало ее мужа счастливым, но все чаще свет, который привлекал к Фриде людей, становился ее собственным светом.

Любопытные отношения, сложившиеся в этом семействе, — и независимость друг от друга, и взаимная зависимость — символизировались двумя домами, в которых они жили. Оба дома принадлежали Диего. Но когда Фрида злилась на него, она запирала дверь с ее стороны моста, связывающего два дома, и Диего приходилось спускаться по лестнице, пересекать двор и стучаться в ее входную дверь. Там иногда прислуга говорила ему, что жена отказывается его принять. Пыхтя и отдуваясь, Ривера должен был вскарабкаться по своей лестнице, снова проходить по мостику и, стоя у Фридиной двери, умолять ее о прощении.

Диего зарабатывал деньги, Фрида управляла ими. Ривера не интересовался финансами, годами не открывая конверт с присланным ему чеком. Если он получал выговор, то парировал: «*Demasiado molestia*» («Лишнее беспокойство»). Он тратил деньги, как

ХЕЙДЕН ЭРРЕРА

ему хотелось, и хотя стиль их жизни был относительно скромным, траты были огромными. Денежная река уплывала на доколумбовы идолы, которых Диего добавлял к уже имеющейся коллекции.

«Фрида иногда бранила меня, потому что у нее не хватало денег на такую прозаическую вещь, как нижнее белье», — говорил Диего, но добавлял, что коллекция «стоила того».

Ривера также очень щедро поддерживал левацкие политические организации и обе семьи — и свою, и жены. Других больших расходов требовало, конечно, Фридино лечение.

«Бывали такие моменты, — жаловался Диего, — когда так росли эти медицинские гонорары, что я становился банкротом».

Фрида изо всех сил старалась уменьшить расходы, скрупулезно заносила все покупки в специальную книгу, которая теперь выставлена в Музее Фриды Кало. Она отвечала за все хозяйственные траты, включающие и покраску дома, и содержание прислуги. Ей было нелегко. Выплаты росли, и она часто оставалась на бобах. С 1935 по 1946 год она держала счет у Альберто Мизрахи, милого и образованного человека, хозяина одного из лучших книжных магазинов Мехико, которого Фрида писала в 1937 году. Он и его жена Анита были их хорошими друзьями; он считался дилером Риверы, держателем его счета и их банкиром. Типичное послание от Фриды гласит:

«Альбертино, хочу попросить тебя об одолжении, выдать мне авансом деньги за будущую неделю, потому что у меня на этой неделе ничего не осталось». Или:

«Я собираюсь попросить у тебя авансом деньги за следующую неделю, так как на этой неделе не осталось ни гроша, поскольку я отдала тебе 50, которые занимала у тебя, 50 Адриане, 25 дала Диего для его воскресного похода и 50 Кристи, и я осталась ни с чем, как ярмарочный медведь (она намекает на медведя, пляшущего с бубном, чтобы заработать несколько монет для своего хозяина. — *Прим. авт.*).

Я не прошу у Диего чек, потому что мне больно

надоедать ему, поскольку в любом случае ты должен дать мне в субботу недельные деньги, так что я предпочитаю попросить у тебя, и ты в субботу можешь не давать мне деньги на следующую неделю. Согласен? Из 200 долларов, пожалуйста, отдай те 10, что я должна Аните, заплати за меня, так как она одалживала мне их в пятницу, в день Святой Аниты. (Не забудь отдать ей, а то она скажет, что я просто крыса, которая не возвращает денег.)

Благодарю тебя за одолжение и очень люблю».

В других записках Фрида говорит, что ей нужны деньги на оплату медицинских счетов, аренду, покраску дома, за перестановку идолов Диего, за материал на сооружение маленькой пирамиды-пьедестала для древних скульптур в саду Койоакана. Однажды она захотела купить пару длиннохвостых попугаев, в другой раз должна заплатить за народный костюм.

«Альбертито, — писала она, — эту записку тебе принесет дама, которая продала Диего национальное платье для меня. Диего полагал, что заплатит ей сегодня, но, поскольку он поехал в Метепек с ... какими-то *Gringachos* (несколько более уничижительное от «гринго». — *Прим. пер.*), я забыла попросить у него денег, и у меня нет ни гроша. Речь идет о том, чтобы заплатить этой даме 100 долларов (сотню песо) и отнести расход на счет Диего, сохранив это письмо как расписку».

Когда у Фриды и Диего все было хорошо, день начинался обычно с долгого позднего завтрака в доме Фриды, во время которого они читали газеты и строили планы — кому понадобится шофер, когда они вместе будут обедать, кого ждать на обед. После завтрака Диего шел в студию; случалось, он исчезал, отправляясь на натурные зарисовки в пригороды, откуда мог не вернуться вплоть до позднего вечера. (Иногда в таких путешествиях Диего показывал свою безграничную щедрость иностранным туристкам, которые были «очарованы» возможностью посмотреть окрестности Мехико вместе с великим мексиканским мастером.)

ХЕЙДЕН ЭРРЕРА

Случалось, что после завтрака Фрида поднималась к себе в студию, но работала она мало, бывали недели, когда она вовсе не писала; в 1936 году, как мы знаем, она закончила только две картины: «Мои прародители, мои родители и я» и автопортрет (утерян), который предназначался в подарок доктору Элоиссеру. Гораздо чаще, когда все дела по дому были сделаны, шофер отвозил ее в центр города, где Фрида встречалась с друзьями. Или отправлялась с друзьями на экскурсию, как она называла это, «в какую-нибудь маленькую деревеньку, где нет ничего, кроме индейцев, тортилий (лепешек из кукурузы), бобов, цветов, растений и реки».

Фриду часто навещали сестры, Адриана и Матильда, но чаще всего она виделась с Кристиной. К 1935 году, когда Фрида вернулась в Сан-Анхел, она простила Кристину (но, вероятно, не могла простить Диего), и теперь младшая сестра снова стала подругой, главным союзником в приключениях и утешительницей в неприятностях. Кристина всегда была готова выслушать секреты и создать для Фриды алиби. Когда Фриде перед операцией давали наркоз, она всегда требовала, чтобы Кристина держала ее руку.

Кристина и ее отпрыски стали неотъемлемой частью дома Риверы; дочь Кристины Изольда вспоминает: «С четырех лет я всегда жила с Фридой и Диего». Фрида была замечательной тетей, она окружала племянников любовью и осыпала подарками, помогала платить за школу, а также за уроки музыки и танцев. Они отвечали ей любовью. В 1940 году в картине «Раненый стол» (илл. 55) среди своих ближайших товарищей Фрида изобразила Изольду и Антонио. Когда она уезжала, племянники всегда писали ей письма, полные любви, с маленькими рисунками птичек, названных «Фрида» и «Диего», и сердец, пронзенных стрелами. Письма Изольды были особенно кокетливыми:

«Фрида, как ты поживаешь? Я хочу, чтобы ты сказала мне правду, любишь ты меня или нет, ответь, пожалуйста... никогда в жизни не забуду такого человека, как ты, милого, дорогого, любимого, удивительного, мою жизнь, мою любовь отдаю тебе».

И в самом деле, Кристина с ее детьми были для Фриды и ее семьей, и знакомым миром собственного детства. В то время как Фрида-подросток жаловалась, что Койоакан — это сонная скучная «деревня», которая не может ничего предложить, кроме «пастбищ, индейцев и индианок, и хижин, и хижин», взрослая Фрида теперь видела в том мире убежище от безжалостности Диего, от его окружения. По крайней мере, так она это изобразила в картине «Мои прародители, мои родители и я». В двадцать восемь—двадцать девять лет Фрида получала удовольствие, докапываясь до семейных корней, вспоминая безмятежность счастливых лет, проведенных в замкнутом пространстве патио дома в Койоакане.

По контрасту с тем домом дом Риверы в Сан-Анхеле был Меккой для интернациональной интеллигенции. Писатели, художники, фотографы, музыканты, актеры, беженцы, политические деятели и люди, которые тратили свои деньги на искусство, — все находили дорогу в розовый и голубой дома на углу Пальмас и Альтависта. Общества Риверы и Фриды искали Джон Дос Пассос и Уалдо Франк. Среди мексиканских друзей были такие люди, как президент Дазаро Карденас, фотограф Мануэль Альварес Браво и прекрасная кинозвезда Долорес дель Рио. Хотя репутация Риверы заставляла других знаменитых людей Мексики ревновать, многие из них в своих воспоминаниях восхищались Диего и Фридой, которая в своих национальных нарядах руководила всей этой разношерстной, в основном богемной компанией.

Часто посреди дня, за столом в розовом доме Риверы, украшенном цветами и фаянсовой посудой, устраивались обеды. Марджори Итон, которая приехала по приглашению Риверы в Мексику в конце 1934 года, вспоминает:

«Я пришла на обед, и немедленно мне на голову села обезьянка и выхватила у меня из рук банан. Мне приходилось поддерживать обезьяну, которая обвила хвостом мою шею, в то время как я показывала свои рисунки».

Нахальную обезьянку, вероятно Фуланг-Чанг (что

ФРИДА КАЛО

ХЕЙДЕН ЭРРЕРА

означает — «какая-то старая обезьяна»), любимицу Диего, вспоминала и другая гостья, приходившая в дом Риверы, Элла Вулф, которая приехала в Мексику с мужем, когда он работал над «Портретом Мексики» (в сотрудничестве с Риверой) и над биографией монументалиста. Обезьяна, подняв длинный хвост, чтобы удержать равновесие, влезает в окно, вскакивает на обеденный стол, хватает что-нибудь из фруктов в вазе и, поскольку знает, что ее «добрый» хозяин может за это наказать, вылетает в сад и прячется. Иногда обезьяны Риверы были не столь симпатичны. Одна известная актриса в испуге обнаружила, что обезьяны весьма ревнивы и могут искусать соперницу. Ривера, получая удовольствие от проявлений любви, считал, что ссора между обезьяной и красавицей представляет собой очень веселое зрелище.

По вечерам Фрида часто отправлялась с друзьями развлекаться в центр города, ей по вкусу были цирки, уличные театры, кино и бокс. Джин ван Хейенорт, в 1937 году закадычный друг Фриды, вспоминает:

«Иногда по вечерам Фрида, Кристина и я ходили танцевать в салон «Мехико», популярный в рабочем классе танцевальный зал. Я танцевала с Кристиной. Фрида наблюдала».

Фрида сидела и улыбалась загадочной, обольстительной полуулыбкой, ее кошачьи глаза впитывали покачивание, фигуры танцующих пар, ритм, синкопы и мелодию музыки Аарона Копленда — симфонической пьесы «*El Salón Mexico*».

Несмотря на «воспоминания» Люпе Марин о том, что еще девушкой Фрида «пила текилу, как марьяччи» (уличные певцы-музыканты), по-видимому, именно в это время она начала носить с собой маленькую фляжку с коньяком или в сумочке, или пряча ее в нижних юбках. Иногда она наливала спиртное во флакон из-под духов, могла вытащить его из ворота блузки, будто бы желая подушить себя, и делала это столь быстро, что большинство людей ничего не замечали. Кое-кто считал, что «Фрида могла перепить многих мужчин за столом», и письма доктора Элоиссера часто содержат просьбы о том, чтобы она сократила потребление алкоголя. Она отвечала, что бросила свои «коктейли» и пьет теперь только пиво. Фрида писала Элле Вулф, которая предупреждала об угрозе алкоголизма (1938 год):

«Ты можешь сказать Бойту (Берту), что я теперь веду себя разумно в том смысле, что не пью так уж много copiosas (обильно, большими бокалами. — *Прим. пер.*)... каплю коньяка, текилы и т.д., я решила, что это будет продвижением вперед в освобождении... угнетенных классов. Я пила, потому что хотела утопить свою печаль, но она, проклятая, все-таки выплывает, и теперь приличие и хорошее поведение утомляют меня!»

Когда Фрида пила, ее поведение становилось все более «неприличным» и все менее буржуазным. Она восприняла манеры истинных мексиканцев, *pelados* (бедных индейцев и городских отщепенцев), добавляя перцу в свою речь и употребляя неприличные слова — *groserías*, — которые подхватила на рынках. И в этом была не уникальна: мексиканки из мира искусства и литературы, стараясь быть как можно больше мексиканками, часто бравировали нецензурщиной. Но Фрида пользовалась бранными словами с особым разнообразием и с едким остроумием. И, как у многих ее соотечественников, безудержная дикая веселость часто была одной из сторон одиночества и фаталистического отношения к нищете и смерти: выражения типа *hijo de la madre chingada,* или *pendejo,* или *cabron* являлись проявлением насилия над собой, смесью веселости и отчаяния, вызывающим подтверждением проклятой гордости за то, что ты мексиканец.

В месяцы, последовавшие за возвращением Фриды в Сан-Анхел, она все больше становилась *companera* (товарищем) Диего и снисходительной супругой. Она прощала его, ухаживала за ним, когда он болел, сражалась за него, наказывала и любила его. Он поддерживал ее, гордился ее достижениями, уважал ее мнение, любил ее — и продолжал флиртовать. Но теперь настала очередь Фриды. Чаще всего, когда Фрида брала машину на весь день, это значило, что у нее свидание с любовником или любовницей.

ХЕЙДЕН ЭРРЕРА

Гомосексуальность Фриды, что было для нее драмой, когда ее совратили в последний год пребывания в Начальной школе, снова проявилась после того, как она вошла в богемный, свободомыслящий мир Диего, где любовные отношения между женщинами были общепринятыми, на это смотрели сквозь пальцы. Мужчины имели свои *casa chica,* женщины свои. В этих обстоятельствах Фрида не стыдилась своей бисексуальности. Так же, как и Диего. Люсьен Блох вспоминает утро в Детройте, когда, бездельничая после воскресного завтрака, Ривера внезапно поразил ее: он указал на Фриду, говоря: «А ты знаешь, что Фрида гомосексуалка?» Единственным, кто смутился, была Люсьен. Фрида только смеялась, когда Диего начал рассказывать, как она приставала, как флиртовала с Джорджией О'Киф в галерее Штиглица, и он считает, что «женщины более цивилизованны и чувственны, чем мужчины, потому что мужчины сексуально проще женщин». Сексуальный орган мужчины находится только «в одном месте», говорил Ривера. Женский же — «во всем теле, и, таким образом, соединение двух женщин дает более экстраординарное переживание».

«У Фриды было много подруг-лесбиянок, — вспоминает Джин Хейенорт. — Лесбиянство не сделало ее мужеподобной, в ней одновременно было и мальчишество, и подчеркнутая женственность».

Как и все, что происходило в интимной жизни Фриды, лесбиянские наклонности нашли свое отражение в ее искусстве. Но не явно. Ее любовь к себе и психическая раздвоенность проявляется в двойном автопортрете и во многих других картинах как своего рода атмосфера чувственности, столь глубокая, что обнажается сексуальная полярность; голод, желание удовлетворения самых интимных ощущений требует немедленного насыщения, при этом игнорируется половая принадлежность. Подобно Пикассо, который говорил, что близкая дружба с поэтом Максом Жакобом позволила ему представить себе возможным сексуальные отношения между ними, чтобы лучше познать его, Фрида, когда она кого-то любила, хотела абсолютной связи, в том числе и физической. Так, когда она писала пару влюбленных женщин в картине «Две обнаженные в лесу» (1939 год), тех же самых чернокожую и белую женщину, что в 1938 году были в картине «Что мне дала вода», — легко представить, что она имеет в виду себя и любимую женщину. Она помещает эту пару вне царства времени, пространства и вне обычной жизни, слева женщин окаймляют заросли джунглей, откуда за ними наблюдает обезьяна (символ похоти), чей хвост обвивает искривленные ветки, справа от них пропасть, где из земли, будто из только что вырытой могилы, прорастают корни. Сидя на этой негостеприимной земле, женщины тесно прижимаются друг к другу. Одна из них будто оберегает другую, на ней красная шаль, в чем ее сходство с индейской Мадонной. Как говорила актриса Долорес дель Рио, кому и была подарена эта картина, «тут земная женщина утешает белую обнаженную. Темная — сильнее». Однако именно с ее шали капают капли крови (символ страданий этой женщины или ее народа), которые падают на мексиканскую землю.

Ривера даже поддерживал Фридины гомосексуальные наклонности; говорят, он понимал — старый человек не может (или не хочет) удовлетворить свою молодую жену. Другие говорили, дескать, он хотел, чтобы она была занята, тогда он обретал свободу действий. Джин ван Хейенорт подозревает, что «он рассматривал Фридины лесбиянские романы как своего рода отдушину», — и добавляет: «Фрида не говорила мне, что Диего сексуально удовлетворяет ее. Она рассказывала об их взаимоотношениях, но не об этом. Нет сомнения, что у нее были очень сильные сексуальные желания. Однажды она сказала мне, каков ее взгляд на жизнь: «Заняться любовью, принять ванну, снова заняться любовью». Это было ее сущностью».

Сильнейший сексуальный аппетит Фриды — и гомо-, и гетеросексуальный — выражался в ясно ощутимой ауре, которую явно излучали все ее картины. Это хорошо видно в натюрмортах и является главным объектом ее работы, например, в панели 1944 года «Цветы жизни» (илл. 64) и в другой, напи-

ХЕЙДЕН ЭРРЕРА

санной в 1947 году, — «Солнце и жизнь» (цв. илл. XXXII). Разумеется, тут трудно определить конкретный источник сексуальной энергии, он, вероятно, существует в странной, плотной атмосфере, в ее вибрации и магнетизме. Даже самые невинные автопортреты обладают характерным электрическим зарядом, что заставляет зрителя останавливаться перед ними. Точно так же прохожих привлекало витальное присутствие Фриды. Другая часть сексуального заряда — в лице Фриды, в ее пронзительном, пожирающем взгляде из-под густых бровей, в ее чувственных губах, опушенных чуть заметными усиками. И друзья отмечали, что самой страстной любовью Фриды была ее любовь к самой себе. В самом деле, в ее изображении ран в картине «Память об открытой ране» и в других картинах есть сильный элемент — незавуалированного автоэротизма.

До последних дней жизни, когда физическое состояние Фриды делало затруднительными гетеросексуальные отношения, она предпочитала все-таки мужчин женщинам. Но Ривера, который позволял себе свободную любовь и надменно ничего не скрывал, несмотря на то, что сам восхищался женщинами, но не был настоящим *macho* (мужчина-самец), — Ривера не выносил романы своей жены с другими мужчинами. Поэтому она должна была это скрывать, не забывать запирать дверь со своей стороны мостика или устраиваться в доме Кристины в Койоакане. Ее муж, предупреждала она своих любовников, определенно способен на убийство.

Одним из неустрашимых мужчин, который пренебрег ее предупреждениями, был влюбленный в нее скульптор Исаму Ногучи, чей великий талант признавали даже в художественных кругах Нью-Йорка. Восторженный, привлекательный, необычайно красивый, он приехал в Мексику в 1935 году, получив заказ на фреску от Абелардо Л.Родригеса в торговом комплексе в Мехико — там другие монументалисты уже расписывали свои стены. Восемь месяцев спустя он закончил фреску из разноцветного цемента и колотого кирпича.

Странно было бы, если бы Фрида и Ногучи не

встретились в узком мире искусства Мексики тех дней. Когда они познакомились, Ногучи немедленно поддался очарованию Фриды.

«Я очень любил ее, — говорил он. — Она была прелестной, абсолютно великолепной личностью. Поскольку Диего был известен как большой охотник до женщин, ее не упрекали, если она встречалась с каким-нибудь мужчиной... В те дни мы все более или менее развратничали, это позволяли себе и Диего, и Фрида. Однако для него это было неприемлемо. Я встречался с ней то там, то тут. Одним из таких мест был дом Кристины, голубой дом в Койоакане.

Кристина мне очень нравилась. Она была ниже Фриды, у нее были очаровательные зеленые глаза. Она была более обычной.

В ней не было того огня, что был во Фриде. Нам втроем было очень хорошо. Я хорошо знал Фриду в течение восьми месяцев. Мы все время ходили танцевать. Знаете, это было ее страстью, она любила делать все то, что делать не могла. Она приходила в ярость, если чего-то не могла сделать».

Роман Фриды и Ногучи иногда смахивал на французский фарс. Они решили, говорит Марджори Итон, устроить квартиру для свиданий. Любовники даже заказали мебель для этой квартиры, но мебель не прибыла, потому что поставщик решил, что она предназначена для Фриды и Диего, и привез ее в Сан-Анхел вместе с чеком для оплаты. «Это, — говорит Марджори Итон, — стало концом романа между Фридой и Ногучи».

Другие очевидцы говорят, что у романа был другой, но тоже комический конец. Когда Ривера обнаружил связь жены с Ногучи, то он помчался в Койоакан, где в тот момент любовники пребывали в постели. Фридин *mozo* (служка) Чучо предупредил хозяйку о появлении Диего. Ногучи быстро оделся, но одна из собак схватила его носок и убежала. Ногучи, решив, что необходимо проявить осторожность, не обращая внимания на носок, вскарабкался на апельсиновое дерево, росшее в патио, и перепрыгнул на крышу. Разумеется, Диего нашел носок и сделал то,

ХЕЙДЕН ЭРРЕРА

что и должно было сделать мексиканскому *macho* в подобных обстоятельствах. Как рассказывает Ногучи:

«Диего угрожал мне револьвером. Он всегда носил оружие. Во второй раз он показал мне револьвер в больнице, где лежала Фрида и я пришел навестить ее. Он показал мне револьвер и сказал: «В следующий раз, когда я вас увижу, я вас застрелю».

В те дни Ривера часто пользовался револьвером в качестве своего эмоционального оружия, потрясая им не только в защиту чести *macho,* но и в политических делах. Хотя политический климат Мексики качнулся влево, после выборов Ласаро Карденаса в 1934 году (Карденас сверг Кальеса в апреле 1936 года, направил Мексику на дорогу реформ и в 1938 году национализировал нефтяную промышленность, экспроприировав множество иностранных компаний), Ривера все же подвергался нападкам со стороны коммунистической партии. Нападки стали еще более интенсивными, потому что, когда в начале 1933 года Лев Троцкий, решивший, что невозможно оставаться в одном Интернационале вместе со Сталиным, начал образовывать Четвертый Интернационал, Диего продекларировал свои симпатии к Троцкому. И хотя до 1936 года он официально не присоединялся к мексиканской секции троцкистской партии, все же написал портрет Троцкого в нью-йоркском штабе троцкистов и добавил его портрет во вторую версию фрески Рокфеллеровского центра, которую сделал для Дворца изящных искусств (Троцкий помогает держать знамя со словами: «Пролетарии всех стран, объединяйтесь в IV Интернационале!»). Ривера соглашался с мнением Троцкого о том, что бюрократия в Советском Союзе губительна, и, подобно Троцкому, был приверженцем революционного интернационализма и противником сталинской доктрины о «социализме в одной стране». Несомненно, он чувствовал особую симпатию к изгнанному лидеру, потому что сам был изгнан из просталинской коммунистической партии.

Конфликт между Троцким и сталинистами Мексики — как и везде в западном мире — был злобным и жестоким. Коммунисты-ортодоксы поносили Риверу не только за троцкизм, но и за его искусство. Он расписывал дворцы и писал портреты туристов-гринго. Они спрашивали, что же это за революционер?

На конференции по вопросам прогрессивного образования, которая открылась 26 августа 1935 года во Дворце изящных искусств, Диего решил рассказать о своем взгляде на историю. Его лекция, названная «Искусство и его революционная роль», была принята хорошо. На следующий день в защиту сталинского коммунизма страстно выступил Сикейрос, он зачитывал газеты, где были атаки на роль Риверы в мексиканском монументальном искусстве. Страстность Сикейроса требовала не меньшей страстности и от Диего. Он вскочил с места и выкрикнул о своем несогласии со всеми утверждениями Сикейроса. Председатель конгресса, бывший в то время главой Департамента изящных искусств, сделал Диего выговор: это конференция, сказал он, а не дебаты. Но Ривера вытащил из кармана револьвер и, размахивая им в воздухе, потребовал, чтобы ему предоставили столько же времени, как и Сикейросу. Председатель согласился, словесная дуэль между Риверой и Сикейросом продолжилась на следующий день.

На следующий день, демонстративно опоздав, Ривера пробрался сквозь толпу людей, пришедших послушать дебаты, и присоединился к Сикейросу, который находился на балконе над сценой. Наблюдая за тем, как аудитория сражается за места в зале, он потребовал, чтобы для дебатов предоставили другое помещение. И снова толпа сражалась за места. Когда слушатели наконец успокоились, все началось с нудной дискуссии по поводу того, сколько своих работ каждый из художников мог продавать туристам. Аудитория стала проявлять нетерпение. Люди гоготали и свистели. Фрида в ярости от того, что кто-то проявляет неуважение к Диего, крутилась на месте и пронзала взглядом обидчиков.

После окончания собрания борьба продолжалась, последняя конфронтация выплеснулась (с чуть большим здравомыслием) на страницы коммунистического журнала «Новые массы». Соответственно утверждениям автора статьи Эммануэля Айзенберга,

ХЕЙДЕН ЭРРЕРА

Фрида напала на него и загадочно воскликнула: «Видишь толпу?» Айзенберг был весьма озадачен, тем более что Фрида шлепнула его по губам и громко закричала: «Он весь вечер смеялся надо мной! Всякий раз, как только я поворачивала голову! Эти ублюдки гринго приезжают сюда из ..... страны только для того, чтобы потешаться над нами!» Ривера воспользовался ситуацией, чтобы взять реванш, взбежал по лестнице и дважды ударил писаку в челюсть. Друзья оттащили его, а он крикнул: «Он — сукин сын, сталинист!» Но хоть в этот раз не размахивал револьвером.

Хотя Фрида и разделяла энтузиазм Диего в отношении Троцкого, она не стала членом троцкистской партии Мексики, которая состояла из нескольких интеллектуалов и членов профсоюзов; партия была слишком маленькой и слишком бедной, в ней надо было активно и безвозмездно работать. Но начало гражданской войны в Испании, в июле 1936 года, мобилизовало Фридино политическое сознание. С ее точки зрения, борьба Испанской республики с Франко являлась «прекраснейшей и сильнейшей надеждой на разгром фашизма во всем мире». Они с Диего организовали комитет по сбору денег для испанских республиканцев, которые приехали в Мексику за финансовой поддержкой. Фридина работа заключалась в том, чтобы связываться с людьми вне Мексики, которые могли бы вносить деньги в этот фонд.

«Что бы я хотела сделать, — пишет она доктору Элоиссеру, — я бы хотела поехать в Испанию, потому что считаю, что сейчас это центр всего самого интересного, что происходит в мире... Как восторженно встречали мексиканские рабочие организации эту группу молодых военных. Многие рабочие проголосовали за то, чтобы отдать свою дневную зарплату в помощь испанским товарищам, и вы не можете себе представить, с какой искренностью и энтузиазмом беднейшие организации *campesinos* (крестьян) и рабочих принесли истинную жертву (ведь вы очень хорошо знаете ужасные условия, в которых в маленьких городах живут эти люди), отдавая заработок целого дня для тех, кто сейчас сражается против фашистских бандитов... Я уже написала в Нью-Йорк и в другие места и думаю, что получу помощь, даже хотя бы и маленькую, по крайней мере, будет на еду или одежду детям и рабочим, которые в этот момент воюют на фронте.

Я бы хотела просить вас сделать все возможное для пропаганды среди друзей в Сан-Франциско».

Вовлеченность в политику сделала Фриду более собранной и сблизила с Диего. И он нуждался в ее помощи. В 1936 и 1937 годах из-за проблем с глазом и почками Ривера несколько недель провел в больнице, в то время как ее здоровье, кроме ноги (у нее в 1936 году была еще одна операция), было неплохим. Когда Фрида 5 января 1937 года писала благодарственное письмо доктору Элоиссеру, она находилась в санатории, где жила в то время, чтобы составить компанию Диего.

«Я изо всех сил стараюсь помочь ему, но тем не менее, сколько бы я ни делала, чтобы облегчить его проблемы, моя помощь недостаточна... Я бы хотела написать вам длинное письмо со всеми личными деталями, касающимися меня и Диего, но вы не можете вообразить, как много времени я трачу (она имеет в виду ее работу для республиканцев. — *Прим. авт.)* и это чудо, что нам удается поспать четыре-пять часов».

В следующем письме к Элоиссеру (30 января 1937 года) она говорила:

«Я очень напряженно работаю и пытаюсь помочь ему (Диего. — *Прим. авт.*) всем, чем могу, пока он в постели, но вы знаете, что он приходит в отчаяние, когда не работает, он никак не может к этому приспособиться».

К 19 декабря 1936 года, когда Лев и Наталья Троцкие погрузились на нефтяной танкер «Рут», который из Осло отправлялся в Мексику, Троцкий уже провел в изгнании долгих девять лет.

 ХЕЙДЕН ЭРРЕРА

Выгнанный решением XV съезда партии из Москвы, он жил в Алма-Ате, в советском городе Центральной Азии, до 1929 года, когда его депортировали из России. Троцкого перевезли на остров Принкипо, в Турции, затем в 1933 году — во Францию и наконец — в Норвегию. В течение всех этих лет он никогда не терял веры в идею того, что ему предназначено изменить мир, и без устали работал, чтобы добиться этой цели. Но когда Норвегия под экономическим давлением Советского Союза (русские пригрозили уменьшением импорта норвежской сельди) тоже решила выслать его, и страна за страной отказывались принять изгнанника, он сам и троцкисты всего мира почти пришли в отчаяние.

21 ноября Ривера, который присоединился к Интернациональной (троцкистской) коммунистической лиге, что произошло в сентябре, получил срочную телеграмму от Аниты Бреннер из Нью-Йорка, сообщавшую, что это вопрос жизни и смерти и необходимо немедленно узнать, даст ли мексиканское правительство убежище Троцкому. Сразу же собралось политическое бюро мексиканской секции лиги: Ривера и Октавио Фернандес, лидер мексиканской троцкистской группы, были уполномочены тайно повидаться с президентом Карденасом, который в тот момент находился на севере страны. Когда Ривера и Фернандес прибыли в Торреон, Ривера подал петицию с требованием предоставить убежище Троцкому. Карденас дал согласие при условии, что Троцкий пообещает не вмешиваться во внутренние дела Мексики.

9 января 1937 года танкер «Рут» прибыл в залив Тампико. Наталья Троцкая сделалась очень подозрительной, потому что прожила много месяцев под слежкой и годы — в постоянном страхе смерти от рук сталинских агентов, и теперь она боялась покинуть корабль. Троцкий сказал полицейским, что они не сойдут на землю до тех пор, пока не увидят лица друзей. Как раз в тот момент, когда их чуть ли не силой заставляли высадиться на берег, появился правительственный катер со встречающими, где было несколько знакомых Троцкому лиц — Макс Шахтман (основатель американского троцкистского

движения) и Джордж Новак (секретарь Американского комитета в защиту Льва Троцкого), — также там были местные федеральные чиновники, мексиканские и иностранные журналисты и Фрида Кало. Фрида здесь представляла мужа, он до приступов бешенства переживал, что не может встретить русского революционера из-за того, что лежит в больнице. Приезд Троцкого должен был стать триумфом Риверы, это Троцкий понимал: «Именно ему мы обязаны освобождением из норвежского плена».

Убедившись, что они в безопасности, Троцкий и Наталья спустились на деревянный пирс. Он, одетый в твидовый пиджак и в фуражке, нес портфель и трость, шел, высоко подняв подбородок, с выправкой бравого солдата. Она, в немодном костюме, выглядела усталой и озабоченной, внимательно смотрела себе под ноги, стараясь не оступиться на трапе. Сразу же за ними шла Фрида, гибкая и экзотичная в своей шали и длинной юбке.

«После нескольких месяцев заточения и изоляции, — писал Троцкий, — встреча с друзьями была особенно сердечной».

Карденас прислал за всей компанией специальный поезд под названием «Эль Идальго», который должен был отвезти их в столицу. Для того чтобы защитить Троцкого от агентов ГПУ, отъезд из Тампико произошел тайно, в десять часов вечера, 11 января они прибыли в Лечерию, маленькую станцию в пригороде Мехико. В предрассветной темноте в близлежащем ресторанчике Ривера (временно по такому случаю выпущенный из больницы) присоединился к еще одной группе встречающих чиновников, членов мексиканской троцкистской группы и полицейских. Тем временем несколько человек собралось в доме Риверы в Сан-Анхеле, для того чтобы создать впечатление, что Троцкого ждут именно там, а на Центральном вокзале Мехико скопилась толпа якобы встречающих, они оживленно изображали ожидание прибытия поезда.

Долго пришлось ждать встречающим в Лечерии появления столба паровозного дыма. Наконец донесся звук приближающегося поезда. Несмотря на все отвлекающие приемы, репортеры и фотографы,

ХЕЙДЕН ЭРРЕРА

включая Агустина Виктора Касасолу (1834—1938), великого фотографа мексиканской революции, уже были здесь, чтобы запечатлеть момент, когда Троцкий, Наталья и Фрида выйдут из поезда. Троцкий обнял Риверу, и его с Натальей быстро увезли в голубой дом в Койоакане, где он на полном обеспечении прожил два года. (Кристина недавно переехала в дом за несколько кварталов от голубого дома, на Агуао-стрит, возможно, этот дом купил ей Ривера. Гильермо Кало уехал к Адриане, сохранив за собой комнату, где хранились его фотографические принадлежности.) Троцкие прибыли в полдень. Дом уже был окружен полицейскими.

Спустя час нашел дорогу в Койоакан Джин ван Нейенорт. Высокий светлый француз, обучавшийся математике, с 1932 года служил у Троцкого секретарем. Узнав, что Троцкому предоставлено убежище в Мексике, приехал в Мехико из Нью-Йорка. В голубом доме он нашел Фриду и Диего, устраивающих своих гостей. Ривера, всегда возбуждавшийся от опасности, неважно, истинной или мнимой, заботился о деталях, которые должны были сделать пребывание Троцкого в их жилище безопасным. Поскольку ни Троцкий, ни Наталья не говорили по-испански, Фрида была их единственным советчиком и сопровождающим; Кристина иногда служила шофером. Набрали слуг, которым можно было доверять, Фрида отдала Троцкому некоторых из своих. Из соображений безопасности окна, выходящие на улицу, были заложены кирпичом. Позже, когда стали подозревать, что на гостей могут напасть из соседнего дома, Диего без всякого сомнения и смущения нашел способ, как укрепить стену, разделяющую сады двух домов. Он, типичным для него широким жестом, купил соседний участок земли, согнал соседей и нанял рабочих, чтобы соединить участки и пристроить новое крыло к дому для студии Фриды.

Троцкий был на подъеме, опасность миновала, голубой дом нравился, патио благоухало всевозможными растениями, просторные комнаты были убраны произведениями народного искусства доколумбовой эпохи и множеством картин.

«В доме Риверы мы как на новой планете», — писала Наталья.

Для Гильермо Кало дом тоже мог показаться «новой планетой». «Кто эти люди? — спрашивал он у дочери. — Кто такой Троцкий?» Фрида рассказывала ему, что Троцкий — создатель Красной Армии, человек, который сделал Октябрьскую революцию, товарищ Ленина.

«Ах, как странно!» — сказал Кало. Потом еще раз подозвал Фриду: «Ты ценишь этого человека, ведь так? Я хочу с ним поговорить. Я хочу посоветовать ему не лезть в политику. Политика — это очень плохо».

Плохо ли, хорошо ли, но Троцкий не снижал своей политической активности. Он немедленно начал работать, и 25 января, через две недели после приезда, «Тайм» напечатала: «По последним сведениям, хозяин дома Диего Ривера должен вернуться в больницу из-за болезни почек; жена Троцкого слегла с повторным приступом малярии; за Троцким уважительно ухаживает темноглазая г-жа Ривера. Гость возобновил диктовку секретарю монументальной биографии Ленина, начатой около двух лет тому назад».

Троцкий также хотел, чтобы была образована международная комиссия по расследованию свидетельств, использованных против него в московских судах, что послужило основанием для его изгнания.

В комиссию вошли шесть американцев, француз, два немца, итальянец и мексиканец. Председателем был американский издатель и философ Джон Диуэй. Дом в Койоакане подготавливали для заседания комиссии. За ночь была построена баррикада из кирпичей и мешков с песком, она должна была защищать большую комнату, где предполагалось провести собрание. Для журналистов и приглашенных гостей было приготовлено сорок стульев. За длинным столом должны были сидеть Троцкий, Наталья, секретарь Троцкого и члены комиссии. Был прислан дополнительный отряд полиции.

Первое заседание комиссии состоялось 10 апреля 1937 года, и продолжалось оно целую неделю. Диего Ривера явился в широкополой шляпе, украшенной павлиньим пером. Фрида надевала тараскanские украшения и индейские платья, она садилась как можно ближе к Троцкому, который отвечал своим дознавателям со своей обычной точностью, приводя огромное количество сведений, собранных им, которые дискредитировали его обвинителей. В конце, утомленный, но оживленный, он завершил свою защиту следующим цветистым заявлением:

«Опыт моей жизни, в которой не было недостатка ни в успехах, ни в поражениях, не только не разрушил моей веры в светлое будущее человечества, но, напротив, еще более укрепил ее. Эту веру в разумность, в правду, в человеческую солидарность, которая возникла во мне, когда мне было восемнадцать лет и я жил в рабочей слободе провинциального российского города Николаева, — эту веру я сохранил полностью и навсегда. Она стала только более зрелой, но не менее пылкой».

В сентябре комиссия вынесла вердикт: Троцкий продемонстрировал свою невиновность, рассеяв последние подозрения и сомнения.

В месяцы, последовавшие за судом, Риверы и их гости встречались очень часто. Хотя и Диего, и Троцкий были одержимы работой и времени на светскую жизнь у них практически не оставалось, обе пары тем не менее часто вместе обедали и ужинали, ездили на пикники и экскурсии в окрестностях Мехико. Троцкий собирал кактусы и привозил их домой в машине Риверы. Ему разрешили пользоваться домом в Такско, в удивительно живописном городе, в горах южнее Куэрнаваки, и часто он и его окружение проводили там неделю-другую. Возбужденный полученной свободой, Троцкий скакал на лошади по горным дорогам, чем очень пугал своих близких, которые не могли сопровождать его. Когда Фрида и Диего навещали его в этом доме, Диего проводил дни за рисованием деревьев, стволы которых выглядели как обнаженные женщины, стараясь внести долю сюрреализма в свое видение Мексики. Из-за своей «*maldita pata*» (проклятой ноги) Фрида больше беседовала и попивала коньяк, прислушиваясь к шуму на центральной площади, где дети и женщины запускали воздушные шары и кричали продавцы мороженого.

Независимо от того, как долго и хорошо он знал

человека, Троцкий всегда держался с людьми несколько формально. Однако с супругами Ривера он был необычайно дружелюбен и расслаблен. Диего был единственным человеком, который мог прийти к Троцкому в любое время, без предварительного уведомления, и только его Троцкий принимал без присутствия при этом кого-то третьего. Будучи чрезвычайно методичным и пунктуальным, Троцкий тщательно распределял свои каждодневные дела. Ривера был совсем другим, и на время русскому пришлось отказаться от своих жестких правил. Ривера, со своей стороны, восхищавшийся храбростью Троцкого и его моральным авторитетом, уважал его дисциплинированность и обязательность. В присутствии Троцкого Диего старался обуздать свою фантазию и умерить анархические наклонности.

«Когда они были вместе, — вспоминает Джин ван Хейенорт, — Диего мог начать разговор, но потом «площадку» занимал Троцкий. Они по большей части разговаривали о мексиканских политиках. Диего был очень проницателен в оценке людей. В этом он несколько отличался от Троцкого, который всегда интерпретировал события исходя из их тенденции, левое-правое, исходя из абстрактной концепции. Проницательность Диего нравилась Троцкому, для него это было очень полезным».

Вдобавок Троцкому было приятно видеть всемирно известного монументалиста в рядах Четвертого Интернационала. В статье под заглавием «Искусство и политика», напечатанной в августе — сентябре в «Партизан Ревю», Троцкий представляет Риверу как «величайшего интерпретатора Октябрьской революции». Фрески Риверы, писал Троцкий, «не просто живопись, объект пассивного эстетического восприятия, но живая часть классовой борьбы».

Несмотря на возраст русского, физически он производил сильное впечатление. Он ощущал себя героем. Жесты его были динамичны, выправка как у военных. Пронзительные голубые глаза за стеклами очков в черепаховой оправе и крепко сжатые челюсти передавали его интеллектуальный пыл и напористость, и, хотя у него было чувство юмора, в нем все

 ХЕЙДЕН ЭРРЕРА

равно присутствовала определенная командирская строгость. Это был человек, идущий своим путем.

Он проявлял также живой интерес к флирту. В окружении женщин Троцкий становился особенно оживленным и остроумным. И хотя для этого представлялось не так уж много случаев, ему всегда сопутствовал успех. Его подход был не романтическим, не сентиментальным, но прямолинеен и даже груб. Он мог погладить коленку женщины под столом или сделать бесстыдное, прямое предложение. В какой-то момент страсть к Кристине довела его до того, что он решил перелезть ночью через забор сада и помчаться к ее дому на Агуао-стрит. Только определенная неуверенность в окружающей обстановке и то, что он явно не заинтересовал нежную Кристину, в конце концов заставили его отказаться от опрометчивой авантюры.

За седые волосы и еще более седую бороду Фрида называла его «Пиочитас» (козлик) и обращалась к нему со словом *«elviejo»* (старик), но репутация Троцкого как революционного героя, его блистательный интеллект и сила характера привлекали ее. Без сомнения, то, что Ривера восхищался им, еще больше раздувало пламя: роман с другом мужа и его политическим идолом был бы прекрасным возмездием за роман Риверы с ее сестрой. Так или иначе, но Фрида бросила все свои силы на обольщение Троцкого, околдовывая его интимными разговорами на английском, которого Наталья не понимала.

«Фрида без смущения, без колебания пользовалась словом «любовь», — вспоминает Джин ван Хейенорт. — «Вся моя любовь», — такими словами она прощалась с Троцким».

Фрида отчаянно хотела увлечь Троцкого. Ей было двадцать девять лет, а это именно тот возраст, когда прелесть молодости сочетается с умением проявить свою необычайную привлекательность. Когда Троцкий встретился с Фридой, она была той женщиной, которую изобразила в марте 1937 года в автопортрете «Фуланг-Чанг и я» (цв. илл. XIII) (и в картине «Любимая собачка со мной» (илл. 49); картины потеряны, но существуют их фотографии). На этих картинах — обворожительная молодая женщина с круглым лицом и чувственными губами. У нее оценивающий, призывный и мудрый взгляд, без настороженности, которая появляется в позднейших автопортретах. При этом в них есть нотка взрывной, но сдерживаемой эмоции, настроение легкой порочности, даже вызова, желания позабавиться. Например, в картине «Фуланг-Чанг и я» выражение лица Фриды таково, что она «отождествляет» себя с животным, — Фрида всегда утверждала, что ее картины полны юмора для тех, кто настолько остроумен, чтобы увидеть это. Несомненно, и в западных традициях, и в традициях майя обезьяна является символом похоти и супружеской неверности. В картинах «Любимая собачка и я», «Память об открытой ране» поза Фриды с сигареткой в руке явно провокационна, в ней некая обнаженность и абсолютная независимость, что проявляется в немигающем, прямом взгляде; это заставляет зрителя тоже чувствовать себя обнаженным. Как свидетельствуют Фридины автопортреты, совершенно очевидно, что Фрида — это женщина, которая любит мужчин и любима ими.

Троцкий начал писать письма и засовывать их в книги, которые рекомендовал Фриде для чтения. Часто, когда она уходила из дома, он передавал их ей в присутствии Натальи и Риверы. Спустя несколько недель после заседания диуэйевской комиссии застенчивый флирт перешел в явную любовную связь. Любовники встречались в доме Кристины на Агуао-стрит.

К счастью, Ривера не подозревал об этих отношениях, но к концу июня Наталья стала ревновать и впала в глубокую депрессию. Ей было пятьдесят пять лет, из них тридцать пять она прожила с Троцким, и эти годы оставили свои следы: ее породистое, умное лицо было изрезано глубокими морщинами. Она патетически писала мужу:

«Я посмотрела на себя в зеркало у Риты и нашла, что выгляжу гораздо старше. В старости наше внутреннее состояние имеет огромное значение; оно может сделать нас моложе, но может сделать и старше».

Окружение Троцкого испугалось, что если роман раскроется, то скандал дискредитирует русского в глазах мировой общественности.

7 июля Троцкий покинул дом в Койоакане и пе-

ХЕЙДЕН ЭРРЕРА

реехал на ферму, которая была частью большой гасиенды около Сан-Мигель-Регла, приблизительно в восьми милях к северу от Мехико. 11 июля Фрида с братом Люпе Марин, Федерико, отправилась на гасиенду навестить Троцкого. Когда Наталья узнала об этом визите, она написала мужу письмо, в котором между строк сквозило отчаяние. Казалось, она надеялась, что все идет хорошо, но из-за плохой связи с Риверами она оставалась в неведении.

Через несколько дней Троцкий прислал невнятный отчет о Фридином визите. Он говорил, что как раз вернулся с рыбной ловли, когда: «...прибыли неожиданные посетители. Фрида в компании с Люпе Марин и вышеупомянутым Гомесом (племянником владельца гасиенды. — *Прим. авт.*). Фрида сказала, что ты «не смогла» приехать... Посетители (все трое) вместе со мной посидели за обедом, как следует выпили и вели живую беседу на испанском (я, как мог, принимал в этом участие). После еды Гомес повел нас посмотреть на старые шахты и главный дом гасиенды (прекрасные комнаты, цветочные клумбы — блистательно!), на обратном пути мы посмотрели базальтовый каньон... В беседе не было ничего, стоящего того, чтобы это отметить, кроме того, что я говорил о тебе. После того как Фрида и Марин быстро выпили кофе, они уехали, чтобы добраться засветло (дорога плохая)... Фрида сообщила мне о тебе словом «хорошо», она имела в виду концерт, но она была, возможно, чересчур оптимистична, стараясь убедить меня тем не менее, что тебе немного лучше».

Когда Троцкий присоединился к Наталье в Койоакане, то в те три дня, начиная с 15 июля, он виделся с Фридой и Диего и немедленно, вернувшись на гасиенду, написал жене:

«Теперь дай мне рассказать тебе о визите. Я был принят в студии Фриды и Диего, где фотограф снимал его живопись.

Первым делом я попросил разрешения позвонить тебе по телефону. Тем временем Ф. послала за Д. Не успел я усесться, как зазвенел телефон: это была Марин, она спрашивала Ф., когда можно застать тебя дома (хотят принести тебе цветы)... Я был удивлен тем, как нелюбезно Ф. разговаривала с ней.

Пока мы ждали Д., Ф. сказала, что планирует куда-то уехать. «Не в Нью-Йорк?» — «Нет, у меня на это нет денег, куда-нибудь в район Веракрус».

Д. появился с попугаем на голове. Мы разговаривали на ходу, потому что Д. куда-то торопился. Ф. что-то сказала Д., он с улыбкой мне перевел: «Она говорит, что если вы не опаздываете, то она могла бы проводить вас до Пачуки и вернуться обратно на автобусе». Она в те три минуты, что мы ожидали Д., ничего подобного мне не говорила. Почему она это сказала ему? Он перевел мне ее слова в очень дружелюбной манере. Извини меня за то, что я тебе пишу обо всех этих деталях, но, может быть, это тебе интересно, хотя бы чуть-чуть».

Ясно, что любовная связь Троцкого и Фриды закончилась. На следующий день Троцкий писал: «Я вспоминал, что даже не поблагодарил Ф. за ее намерение проводить меня и, в сущности, вел себя рассеянно. Сегодня я написал ей и Д. несколько приветливых слов». В этом письме и в следующих он выражает всю силу своей любви к Наталье, которая обнаружилась в нем после разрыва с Фридой:

«Я так тебя люблю, Ната, моя единственная, моя неизменная, моя верная, моя любовь и моя жертва!»

Элла Вулф считает, что связь прекратила Фрида, а не Троцкий, и сделала это она во время своего визита в Сан-Мигель-Регла. Оттуда Троцкий написал Фриде письмо на девяти страницах, умоляя ее не прерывать с ним отношений, уверяя, что она так много для него значит, это он понял за те недели, которые они были вместе.

«Служит своего рода оправданием то, что шестидесятилетний полюбил как молодой, которому семнадцать лет. Фрида вскружила ему голову, она так много значит для него», — это письмо Фрида отправила Элле, потому что, как она сказала, оно такое прекрасное. Тем не менее она приказала подруге разорвать его после прочтения, и Элла так и поступила. *«Estoy muy cansada del viejo»*, — писала Фрида («Я очень устала от старика»).

Польщенная любовью великого русского, очарованная его умом и желанием, Фрида получала удовольствие от этого романа; она не любила Троцкого.

В итоге оба отказались от того, что могло привести лишь к несчастью. «Было невозможно все это продолжать, не вовлекая в события Наталью, Диего и ГПУ», — говорит Джин ван Хейенорт.

После того как 26 июля Троцкий вернулся с гасиенды в Койоакане, жизнь в доме стала более или менее нормальной. Но тонкая атмосфера взаимоотношений между двумя парами в чем-то переменилась. Фрида больше не флиртовала с Троцким. Не было ни *sous-entendus* (намеков), ни тайных писем. В ее речах теперь не звучало слово «любовь». Троцкий и Фрида стали просто близкими друзьями. Но любовники, которые становятся только друзьями, всегда сохраняют легкий налет интимности. В фильме, снятом в Койоакане в 1938 году, показаны Троцкий, Наталья, Фрида, Диего, Джин ван Хейенорт и другие. Там Фрида так по-кошачьи прижалась к коленям Риверы, что можно подумать, будто она хочет вызвать ревность своего бывшего любовника. На ее губах провоцирующая улыбка, та же, что и в картине «Память об открытой ране».

ХЕЙДЕН ЭРРЕРА

По прошествии нескольких месяцев после завершившегося романа, 7 ноября 1937 года, в годовщину Октябрьской революции, а также и в день рождения Троцкого, Фрида сделала экс-любовнику подарок. Это был один из ее очаровательнейших автопортретов (цв. илл. XII). Любопытно, что революционному вождю она подарила свое изображение в колониально-буржуазном или даже в аристократическом виде, а не в виде теуанской крестьянки или политического деятеля. Она стоит, как примадонна, между двумя занавесками в позе креольской девушки, держа в руках букет цветов и лист бумаги с надписью «Льву Троцкому с любовью, с которой я делала эту картину 7 ноября 1937 года. Фрида Кало в Сан-Анхеле, Мехико».

Фрида украшена драгоценностями в колониальном стиле, в волосах алая лента. У нее малиновые губы, розовые щеки и ярко-красные ногти. Она выбрала цвета одежды с изысканным вкусом — лососево-розовая юбка, охристая шаль и блузка винного цвета, что прекрасно уравновешивается оливково-зеленым фоном. Весьма оригинальная цветовая гамма соответствует личному вкусу Фриды, те же сочетания она предпочитала в одежде и в жизни. Действительно, ее эстетическая тонкость в искусстве была частью того импульса, что заставлял Фриду с особой тщательностью относиться к одежде, к интерьеру, даже к тому, что лежало на столе. Это подчеркивало ее идею о том, что не существует разницы между каким-то очаровательным предметом и произведением искусства.

В первом «Автопортрете», подаренном первому возлюбленному, когда он отверг ее, прелестная и несчастная Фрида умоляет его вернуться; обольстительная Фрида на портрете, подаренном Троцкому, отказавшая своему любовнику, теперь дразнит его, предлагая вместо себя портрет.

«Я долго восхищался портретом Фриды Кало де Ривера, который висит на стене кабинета Троцкого, — писал французский сюрреалист и эссеист Андре Бретон. — Она написала себя в платье из крыльев сверкающих бабочек, и точно в той же манере написаны занавески по сторонам. Нам повезло существовать, как в наиболее славные дни немецкого романтизма, рядом с женщиной, наделенной даром обольщения, привычным для общества мужчин-гениев».

Так Фрида появляется не только в портрете, посвященном Троцкому, но и в картинах приблизительно того же времени: «Фуланг-Чанг и я», «Любимая собачка со мной» и «Память об открытой ране». Бретон так описывал эти портреты:

«Нет искусства более женственного, чем то, которое, желая быть как можно более обольстительным, попеременно становится то абсолютно чистым, то абсолютно пагубным. Искусство Фриды Кало — это лента вокруг бомбы».

14
ХУДОЖНИК ИМЕЕТ ПРАВО

После того как закончился роман между Фридой и Троцким, жизнь семейства Ривера стала более или менее спокойной и устойчивой при совместной активности и взаимной автономии. И Фрида, и Диего напряженно работали и развлекались. Их любовные связи стали эпизодическими. Фрида смеялась над эскападами Диего, а свои таила в секрете. Она стала серьезнее относиться к профессиональным делам, более дисциплинированно занималась живописью и значительно повысила свое мастерство. Между 1937 и 1938 годами она создала больше картин, чем за все восемь лет замужней жизни. Возможно, осознав эти перемены, она поведала Люсьен Блох в письме, датированном 14 февраля 1938 года, что появление в Мексике Троцкого было лучшим из всего случившегося в ее жизни.

«Элла, дорогая, — пишет она в письме (по-испански), — я уже сто лет как хочу тебе написать, но, как всегда, не знаю, во что я влипну, поэтому никогда не отвечаю на письма и вообще не веду себя так, как это делают приличные люди... Итак, *niña* (девочка), позволь мне поблагодарить тебя за твое письмо, за твою доброту, прости, что не дала тебе размер рубашек Диего, о чем ты меня спрашивала, так как, сколько я ни искала на воротничках, я не нашла ни следа от того, что могло бы быть определителем толщины шеи дона Диего Ривера-и-Баррьентос. Так что, я думаю, лучше всего будет, если это письмо придет вовремя, в чем я сильно сомневаюсь, сказать Мартину, чтобы он купил шесть самых больших рубашек, которые только есть в «Нуева Йоресе», эти рубашки должны быть такими большими, что это может показаться невероятным, но они же нужны человеку, который, так сказать, самый большой на планете, обычно называемой Земля. Думаю, их можно купить в магазинах для моряков, на одном из нью-йоркских пляжей, который... Не могу вспомнить, чтобы описать тебе его, что надо было бы сделать. В итоге, если ты ничего не найдешь, что ж... *ni modo*! (неважно). Так или иначе, я благодарна тебе за внимание, и он тоже (Мартин Темпл, который был промышленником и членом левацкой группировки, во время становления нацизма образовал организацию в Мехико, членом ее был и Ривера. Они собирали деньги в помощь тем, кто бежал из гитлеровской Германии. У Темпла был семилетний роман с сестрой Фриды Маргаритой, и, когда он не женился на ней, она стала монашкой. — *Прим. авт.*).

Слушай, *niña*, несколько дней тому назад Диего получил записку от Бойта. Диего просит сказать ему «спасибо», и он рад послать ему *mosca* (деньги) от Ковичи («Ковичи, Фрейд, Инк.» — издатели книги Вулфа и Риверы «Портрет Мексики». — *Прим. авт.*) и *mosca* от человека, который купил у него рисунки или акварели. Скажи ему, что он потерял письма, и причина, которую Бойт признает в письме, абсолютно точная. Так что лучше всего, если придется иметь дело с большими *mosca*, посылать их особым способом, чтобы избежать *rupas se la avansen* (в простонародном разговоре *rupas* означает «воры», и *se la avansen* значит «воруют это». — *Прим. авт.*). Как ты можешь видеть, мой лексикон с каждым днем становится все более вульгарным, и можешь понять важность пополнения этой цветистостью моей необъятно огромной культуры! Диего просит сказать «хеллоу» Бойту, то же самое Джею (сыну Вулфов. — *Прим. авт.*), Джиму (брату Эллы. — *Прим. авт.*), всем славным ребятам.

Если ты хочешь знать что-нибудь о моей скромной персоне, то вот тебе: как только ты уехала из этой прекрасной страны, у меня заболело копыто, так сказать, ступня. После операции, которую сдела-

ХЕЙДЕН ЭРРЕРА

ли месяц назад, все зажило, а резали меня четыре раза. Как ты понимаешь, я чувствую себя «пьекьясно», несмотря на всех докторов и их предшественников, начиная с наших добрых родителей, Адама и Евы. Но поскольку, чтобы поддержать меня, этого оказалось недостаточно, я должна была бы отомстить этим ублюдкам, но я воздерживаюсь от такого наказания, и вот я вам, ставшая настоящей «святой» с терпением и всем остальным. Что еще — со мной приключились и другие более или менее неприятные вещи, что является центром моих несчастий, об этом я не расскажу тебе, потому что они ничтожны. Отдых, ежедневная жизнь и т.д. точно такие же, какими и должны быть, за исключением всех естественных изменений, соответствующих прискорбному состоянию, в котором сейчас находится мир, что есть философия и что понятно!

Кроме болезней, политической смуты, визитов туристов-гринго, риверовских споров, сентиментальной рассеянности и т.д., моя жизнь похожа на стихи Лопеса Веларде... такова же, как ежедневное зеркало. (Фрида цитирует строчку из Веларде *«La Suare Patria»: «Fiel a tu espejo diario...». — Прим. авт.*) Диего тоже болел, но теперь он почти хорошо себя чувствует, он, как всегда, продолжает работать, много и хорошо, он толстый, болтливый, прожорливый, спит в ванне, читает газеты в ватерклозете и забавляет себя, часами играя с «господином» Фуланг-Чангом (маленькой обезьяной. — *Прим. авт.*), для которой добыли супруга, но, к несчастью, все так обернулось, что леди немножко горбатая и не слишком понравилась джентльмену, так что столь желанный брак не состоялся, выходит, и потомства не будет. Диего все еще теряет все письма, которые попадают к нему в руки, он повсюду оставляет свои бумаги... он очень сердится, когда его зовут есть, он расточает комплименты всем хорошеньким девушкам и иногда делает *ojo de hormiga* (делает «муравьиный глаз» — это распространенное выражение по отношению к тому, кто прячется или исчезает. — *Прим. авт.*) с какими-то городскими девушками, которые внезапно возникают. Под предлогом, что он «показывает им» свои фрески, он проводит с ними день, два... чтобы посмотреть разные пейзажи... он больше не воюет, как делал это раньше, с людьми, которые надоедают ему, когда он работает, его самописка пересохла, часы останавливаются, и каждые пятнадцать дней их надо отдавать в починку, он продолжает носить эти огромные шахтерские ботинки (носит одни и те же уже три года). Он приходит в ярость, когда теряет ключи от машины, и они обычно обнаруживаются в его кармане, он не делает гимнастики и даже не принимает солнечных ванн, пишет статьи в газеты, которые вызывают страшный шум, он с плащом и мечом защищает IV Интернационал и восхищен тем, что Троцкий здесь. Теперь я более или менее рассказала тебе все главные детали.

...Как ты можешь заметить, я пишу. Это что-то значит, так как до сей поры я проводила свою жизнь, любя Диего, и была хорошей-не-из-за-чего, уважая работу, но теперь я продолжаю любить Диего и, более того, начала серьезно писать обезьян. Заботы сентиментального и любовного свойства... есть немного, но не заходят дальше простого флирта... Кристи была очень больна, ей оперировали желчный пузырь, и она находилась в критическом состоянии, мы думали, что она умрет, к счастью, она перенесла операцию очень хорошо, и сейчас, хотя еще не совсем поправилась, ей гораздо лучше... Маленькие — их все обожают, эль Тонито (философ) (Антонио Кало. — *Прим. авт.*) с каждым днем умнеет и строит «машины». Изольдита в третьем классе, она очень озорная и остроумная. Адриана, моя сестра, и ее маленький блондинчик муж Вераса (с ними мы ездили в Икстапалапа) всегда вспоминают тебя и Бойта и шлют вам приветы...

Ну, моя душечка, надеюсь, что, получив это исключительное письмо, ты наконец снова полюбишь меня, хоть немножко, и так шаг за шагом станешь любить так же сильно, как любила раньше... ответь мне, моя любовь, письмом-посланием, исполненным такого же очень печального сердца, которое бьется отсюда ТИК-ТАК! для тебя!!! Литература слишком ужасна, чтобы все выразить, в ней возни-

ХЕЙДЕН ЭРРЕРА

кает слишком много внутренних шумов, поэтому не моя вина, что вместо того, чтобы дать услышать мое сердце, я звучу, как поломанные часы, но... вы понимаете, что я хочу сказать, мои дорогие ребята! И позвольте мне сказать вам, что это — удовольствие. Тысячу поцелуев вам обоим, тысяча объятий, все мое сердце, и, если немного останется, разделите это между Джей, Джимом, Люсьен, Дими (Стефен Димитрофф. — *Прим. авт.*) и всю мою душу *cuates*. Передай мою любовь твоим маме и папе и малышу, который так меня любит.

Ваша любящая и разнообразная Фридучин».

«Как ты можешь заметить, я пишу», — сообщает Фрида, и она действительно это делает. Начиная с 1937 года в добавление к картине «Фуланг-Чанг и я», к «Автопортрету», подаренному Троцкому, и к «Памяти» появились «Моя кормилица и я», «Умерший Димас» и натюрморт, названный «Я принадлежу своему владельцу». В список 1938 года входят не только «Память об открытой ране» и «Любимая собачка со мной», но такие работы, как «Четыре жителя Мексики», «Они просили самолеты, а имеют лишь соломенные крылья», «Девушка с маской Смерти», «Я и моя кукла», «Что дала мне вода» и еще три натюрморта: «Плоды туны», «Питаайи» и «Фрукты земли». Кроме того, что Фрида начала более продуктивно работать, она стала писать так, что ее искусство все больше соответствовало развивающейся личности художницы. В изощренной форме картины Фриды теперь не просто «инцидент» ее жизни, но взгляд изнутри ее существа и то, каким образом она соотносится с миром. Как можно видеть, «Фуланг-Чанг и я», «Автопортрет», предназначенный Троцкому, и «Память об открытой ране» ясно показывают ее новую уверенность в своей женской привлекательности. Другие, такие, как «Память», «Моя кормилица и я» и особенно «Что дала мне вода», также указывают на движение в направлении к психологической сложности и технической изощренности.

Несколько работ этого периода дают понять, что Фрида продолжает печалиться по поводу бездетности; похоже, что у нее был еще один выкидыш или аборт в 1937 году. «Моя кормилица и я», «Умерший Димас», «Четыре жителя Мексики», «Они просили самолет, а имеют лишь соломенные крылья» и «Девушка с маской Смерти» показывают детей в тяжелых ситуациях; и везде, кроме «Умирающего Димаса» и, возможно, «Девушки с маской Смерти» ребенок — это сама Фрида. Такая ностальгия по детству отражает, я думаю, постоянную тоску по материнству — Фрида идентифицирует себя с ребенком, которого не может иметь. «Я и моя кукла» больше чем что-либо подчеркивает ее состояние тщетной надежды на материнство.

Две из этих картин — «Моя кормилица и я» и «Четыре жителя Мексики» обнаруживают к тому же озабоченность Фриды ее корнями, уходящими в прошлое Мексики, страстью к полученному ею наследию, которая еще усилена осознанием того, что, не имея потомства, она теряет связь со следующим поколением.

Все больше и больше в эти годы *мексиканизация* пронизывает существование Фриды на разных уровнях, в разных аспектах жизни: это был ее стиль, ее политическая позиция, психология. Это выражалось в ее поведении, во внешнем виде, в убранстве дома и в ее искусстве.

Фрида дала правильную оценку картине «Моя кормилица и я», в которой она написала себя в образе ребенка с головой взрослого человека, который лежит на руках индейской кормилицы и сосет ее грудь. Она назвала эту картину своей лучшей работой (цв. илл. X). «Моя кормилица и я» — декларация Фриды иной веры в продолжение мексиканской культуры, в то, что древнее мексиканское наследие возрождается в каждой новой генерации, и Фрида, как созревший художник, продолжает получать импульс от своих индейских предков. В этой картине она помещает себя в глубины своего индейского прошлого, смешивая свои чувства, свою собственную жизнь и напряженность доколумбовой культу-

ХЕЙДЕН ЭРРЕРА

ры с ее магией и ритуалами, с цикличностью времени, с идеей того, что силы космоса и силы биологии соединяются, давая земле плодородие. Картина напоминает о ритуальном благородстве хорошо известной олмекской каменной скульптуры, которая называется «Сеньор де лас Лимас», где ребенок с головой взрослого человека лежит на руках мужчины. Еще приходит на ум керамическая скульптура из Халиско (ок. 100 г. до н. э. — 250 г. н. э.), которая изображает мать, кормящую дитя, где, как и в картине «Моя кормилица и я», сосуды и полукружия молочных желез являют собою нечто схожее с растением, кормящим землю. Массивная темнокожая кормилица Фриды является средоточием мексиканского, индейского наследия: мексиканской земли, растений и неба. Огромные листья с молочно-белыми прожилками на заднем плане картины будто питаются молоком кормилицы. С неба падают капли дождя, которые Фридина кормилица называла «молоком Девы Марии». Поглощающие молоко листья и «молоко Девы Марии», кланяющийся богомол и разноцветные бабочки и стрекозы, которые принимают вид стеблей или листьев растений, — все выражает Фридину веру во взаимопроникновение всех явлений природы и ее собственное участие в этом процессе.

«Я являюсь с лицом взрослой женщины и с телом ребенка на руках моей няни, — говорила Фрида об этой картине, — из ее сосков сочится, как с неба, молоко... Я получилась похожей на совсем маленькую девочку, а няня так сильна и так исполнена заботы и предусмотрительности, что это меня усыпляет».

Фрида также говорила, что написала лицо кормилицы в виде маски, потому что не помнит, как выглядела ее няня. Но на самом деле все гораздо сложнее. И хотя Фрида намеревалась создать оптимистичный образ уверенности, образ той, которая убаюкивала ее и заставляла уснуть, все-таки няня не успокаивает, а настораживает. Пугающая каменная маска Теотиуакана, с пустыми, уставившимися на вас глазницами, вряд ли соответствует образу матери; похоронная маска намекает на ритуальные жертвоприношения мексиканских предков и подразумевает, что это прошлое сосуществует в настоящем и угрожает Фридиной жизни. Фрида на картине одновременно и под защитой кормилицы, и священная жертва.

Нельзя сказать, что Фрида выглядит как засыпающее, спокойное дитя в ласковых объятиях. Пронзительный взгляд, которым она смотрит на вас, кажется, хочет сказать, что вместе с молоком, которое она описывает как «дар провидения», она так же впитывает и ужасное знание о своей собственной судьбе. Это трагическое предчувствие будущего к тому же несет в себе отзвук христианства: картина являет собою аналогию с «Мадонной Каритас», в которой Дева кормит младенца Христа, и со знаменитой «Пьетой».

Можно и по-другому трактовать эту картину. У пугающей зрителя кормилицы распущенные волосы и сросшиеся брови, и это указывает на то, что она может быть и предком Фриды или другой стороной сущности самой Фриды. В самом деле, «Моя кормилица и я» так же, как и «Мое рождение», — это двойной автопортрет.

Как ребенок в картине «Четыре жителя Мексики» видит свою судьбу в скелете на площади, так и «Девушка с маской Смерти» выражает озабоченность Фриды смертью. Ребенок, который может быть Фридой, поскольку она выглядит как маленькая девочка в картине «Мои прародители, мои родители и я», стоит на пустоши, держа *zempazúchil*, желтый цветок, который в Мексике со времен ацтеков ассоциируется со смертью, и обычно в День поминовения этими цветами украшают могилы. Это небольшая картина, которая была подарена Долорес дель Рио. Она говорит, что дитя на картине представляет ребенка Фриды, которого у нее никогда не было, это она поняла из беседы с Фридой о ее несчастье — о невозможности родить Диего ребенка.

«Умерший Димас» (цв. илл. XI) — так обозначается в надписи на ленте, которая гласит: *«Difuntito* Димас Росас в возрасте трех лет, 1937 год». (В Мек-

ХЕЙДЕН ЭРРЕРА

сике День поминовения — это праздник, который продолжается несколько дней, и один из дней посвящается умершим детям, или *difuntitos*.) Димас Росас индейский ребенок, вероятно, из большой семьи в Икстапалапа, которые служили моделями Ривере и для которых художник являлся *compadre* (человек, связанный с другим человеком после религиозной церемонии крещения; Ривера и отец Димаса стали *compadres*, когда Димаса крестили и Ривера был выбран крестным). Несмотря на все уговоры Риверы, отец мальчика прибегал к помощи знахарей, а не к традиционной медицине, и ребенок умер. Фрида отнеслась к этой ситуации скорее с печалью фатализма, нежели с сентиментальным участием. Как и многие другие, кто часто встречался со смертью и нищетой, она знала, сколь бесплодны попытки что-либо изменить.

Картина следует мексиканской традиции посмертных портретов, которая уходит корнями в колониальные времена, а также наследует и европейские традиции Средневековья. Во-первых, такие портреты в Новой Испании служили выражением уважения к умершему. Позже они просто стали напоминанием семье об ушедшем. Одно из таких напоминаний висит над изголовьем Фридиной кровати в Музее Фриды Кало. Оно показывает мертвого ребенка, увенчанного цветами, он сам и его ложе тоже усыпано цветами. Как и Димас, этот ребенок держит цветы в безжизненных руках, и голова его покоится на валике подушки, но между двумя картинами есть очевидная разница. Родители Димаса не могли заказать себе такой сувенир. Его портрет регистрирует традиционное положение усопшего ребенка, одетого как некий святой персонаж. На Димасе картонная корона и шелковая мантия. Но худенькие ноги Димаса босы, и лежит он на грубом соломенном *petate*, матрасе-циновке, которая служит мексиканским беднякам постелью. Подобно кукурузе, соломенный матрас является настолько фундаментальным понятием для жизни мексиканских крестьян, что существует множество идиоматических выражений, базирующихся на этом слове. Например, *se petateo* значит: «он ушел в вечный сон». *De petate a petate* — означает «от рождения до смерти».

Так же, как в картинах «Больница Генри Форда» и «Мое рождение», Фрида создает своего рода *retablos.* Как в картине «Кормилица и я» виден источник — Мадонна Каритас, так в картине «Димас» она столь тонко изменяет традиционную манеру, что выразительность картины усиливается. «Димас» не просто посмертный портрет. Обнаженные ножки ребенка напоминают нам о драматических, «сразу видных» ногах «Мертвого Христа» Андреа Мантеньи. Фрида, как делали мастера итальянского Возрождения, приподнимает голову мертвого на подушке, так что зритель сразу же видит его смертную бледность. Это придает максимальную драматичность всей сцене. Сделав так, что ступни Христа маячат перед зрителем, Мантенья заставляет вас физически страдать от ран Христа и серьезно вдуматься в смысл его смерти. Во Фридином «Димасе» «сразу же видимые ступни» ставят зрителя в положение плакальщика над распростертым телом мертвого ребенка и затем заставляют его рассматривать смерть во всех ее фактических и физических — только не прозаических аспектах. Фрида беспощадна. Она не приукрашивает смерть. Из уголка рта Димаса скатываются капельки крови, и его слегка приоткрытые, несфокусированные глаза пугают и остаются в памяти. В маленькой открытке, изображающей вознесение Христа, которая лежит на подушке Димаса, есть нотка пафоса, свидетельство простой веры семьи ребенка. Но Фрида пишет картину с точки зрения атеиста — буквально и не идеалистически. Димас будет обернут в свой *petate* и положен на землю, он — еще одна жертва детской смертности в Мексике. Сардоническое качество Фридиной концепции видно в названии, которое она дала этой картине, когда та экспонировалась в 1938 году в Нью-Йорке: «Одетый для рая».

То, что Фрида обращается к народному искусству, не является признаком провинциализма. Она была весьма образованна, хорошо знала искусство, художников, критиков и историю искусства. Когда ее спрашивали, кем она восхищается, она называла Грюнвальда и Пьеро делла Франческа, Босха и Клю, Ван Дейка и Клее. Ей нравились примитивизм и фантастичность Гогена и Руссо, однако она отличалась от них, потому что питалась народными мексиканскими традициями.

Приверженность к стилю и образам примитивизма представили собой определенную выгоду для Фриды. Кроме постоянного подтверждения того, что она обязана своим искусством истинной мексиканской культуре, это было и утверждением ее политической левизны, выражало ее солидарность с массами. Принятый Фридой народный стиль также соответствовал образу, так тщательно ею создаваемому. Мексиканское народное искусство, как и Фридины наряды, наполнено праздничными красками и *alegria* (радостью) и, как и ее жизнь, часто театрально и кроваво. Создание очаровательных «народных» картин создавало и образ Фриды, легендарный и экзотичный. В этом был еще и другой смысл. Примитивизм и раскрывает, и прячет. Фантазией, яркими красками и очаровательным наивным рисунком Фрида отстраняет и зрителя, и самого художника от болезненного содержания картины. Примитивистский способ одновременно и преуменьшает значение, и подчеркивает влияние ужасающих образов, которые дают силу пережить настоящее. Такие работы, как «Димас» и «Больница Генри Форда», весьма изобретательны, Фридин примитивизм в них ироничен. Это позволяет ей и открыться, и спрятаться под маской, и подшучивать над своей тайной мукой.

Натюрморты Фриды представляют собою любопытную смесь фруктов и цветов, на которые она проецирует все вариации собственных ощущений — ее зачарованность плодородием и смертью, ее «мексиканизм». В картине «Я принадлежу своему владельцу», известной только по фотографии, изображается букет специфических, почти одушевленных цветов пустыни, чьи зубастые стручки и змееподобные цветы намекают и на сексуальные органы, и на любовь Фриды к родной земле; букет стоит в вазе с надписью «ВИВА МЕКСИКА». Что хотела сказать

ХЕЙДЕН ЭРРЕРА

Фрида контрастом между вазой, полной сухих, диких мексиканских цветов в колючках (которые она обожала и часто украшала ими свой стол), и одинокой срезанной розой, лежащей на столе, которая явно засохнет без воды? Быть может, картина относится к тому времени, когда Фрида делила свою любовь между Диего и Троцким, и надпись — это своего рода каламбур, подтекстом которого является выбор, сделанный Фридой, — несмотря на свои многочисленные «флирты», она всегда принадлежит Диего.

Три других натюрморта — чисто мексиканские. Фрида явно не случайно выбрала экзотические мексиканские фрукты, которые, не имея ничего общего с нейтральностью яблока или апельсина, выглядят весьма причудливо. В картине «Плоды туны», например, изображены фрукты колючего кактуса, который Фрида ассоциирует с Мексикой; она называет свою страну «Мексикалпан де лас тунас». На скатерти, складки которой Фрида превращает в пейзаж и облачное небо, лежат три *tunas* в разных стадиях спелости — это весь жизненный цикл, заканчивающийся бордовым разверстым плодом, открывающимся наподобие вагины, но еще более похожим на изъятое из тела сердце; нет сомнения в том, что красные пятна на полотне намекают на кровь.

Как и «Плоды туны» и «Питаайи» (теперь утерянная), также и «Плоды земли» иллюстрируют циклы жизни — секс и смерть. В последней картине початки кукурузы, два в листьях, один — чищеный, с наполовину выбранными зернами, подразумевают движение времени, а ножка перевернутого гриба вздымается вверх подобно фаллосу или кости. В «Питаайи» на скале сидит игрушечный скелет, он занес свою косу над плодом цветущего ночью кактуса-цереуса; большинство фруктов разъято и источает сок. Андре Бретон, который сразу же распознал в этих фруктах сексуальную натуру Фриды, сказал:

«Я никогда не мог вообразить мир фруктов, представленный таким великолепным фруктом, как питаайя, мякоть которой цветом подобна лепесткам роз, кожура серая, а вкус похож на поцелуй, замешанный на любви и желании».

ХЕЙДЕН ЭРРЕРА

Фридины разломанные фрукты выглядят так, будто они боролись за выживание на иссушенной земле Мексики. Выжившие, они напоминают Фриде о ней самой, все еще живущей, и являются своего рода автопортретом; далекие от того, чтобы быть просто неким предметом определенной формы и цвета, они есть символы более серьезной драмы: они помещены не на обычную скатерть, но в горный пейзаж под буйным небом Мексики.

Когда на Фриду нападало желание работать, она оставалась в своей студии и всецело концентрировалась на живописи. Но как прибой разбивается волной о берег, так она с легкостью могла потерять это настроение. Диего изо всех сил подбадривал ее. «Она сейчас работает», — говорил он друзьям, давая им понять, что ее нельзя отрывать. «Диего хочет, чтобы я всегда писала и больше ничего не делала, — писала Фрида арт-дилеру Жюльену Леви. — Но я ленива и пишу очень мало». На самом деле она не ленилась: скорее, сдержанно оценивала свою работу и стеснялась ее кому бы то ни было показывать. Под давлением Диего Фрида приняла участие в групповой выставке в маленькой галерее Университета в Мехико в начале 1938 года.

«С тех пор как я вернулась из Нью-Йорка [в 1935 году], я написала около двенадцати картин, все маленькие и неважные, с тем же самым предметом изображения, который привлекает меня и никого больше, — писала она на английском в своем четырнадцатом письме Люсьен Блох. — Четыре из них я послала в галерею, галерея маленькая и в отвратительном месте, но только там принимают все, что угодно, поэтому я и послала им без особого желания, четверо или пятеро сказали мне, картины замечательные, остальные считают, что они слишком безумные».

Среди «четырех или пяти» человек, которые думали, что Фридины работы «замечательны», был Жюльен Леви, владелец небольшой сюрреалистически ориентированной галереи на Пятьдесят седьмой Восточной стрит в Манхэттене.

«К моему удивлению, — продолжает Фрида письмо к Люсьен, — Жюльен Леви написал мне в письме о том, что кто-то рассказал ему о моих картинах и ему очень интересно было бы иметь их на выставке в своей галерее. Я ответила, послав ему несколько фотографий моих последних работ, и он прислал еще одно письмо, весьма заинтересовавшись фотографиями, и попросил меня выставить у него тридцать работ в октябре этого года».

Хотя она и сказала Люсьен: «Не знаю, что он увидел в моих работах. Почему он хочет их выставить?» — но все же приняла приглашение Леви.

Отношение Фриды к своим работам было и позой, и больше чем позой, а именно частью ее характера. Независимо от того, как велико было восхищение и поддержка, которые она получала, и даже когда позже нуждалась в деньгах, Фрида не думала о своих работах с точки зрения карьеры — она не стремилась к выставкам, не искала спонсоров, не ждала рецензий. Если кто-то покупал ее картину, она говорила, что испытывает сожаление: «За эту цену они могли бы купить что-нибудь получше» или «Это, должно быть, потому, что он в меня влюблен». Имея тыл — признанного гения, своего мужа, она могла представлять себе, что играет в искусство, делая крошечные, вполне личные вещи, в то время как Диего пишет огромные общественно значимые картины. И так было даже тогда, когда она начала писать серьезно, когда ее искусство стало опорой жизни. Фольклорный характер ее работ и решение представлять картины в широко распространенных, в традициях испанизма, рамах из жести, ракушек, кусочков зеркала, бархата или иногда из гипса было желанием представить себя любителем — как если бы Фрида умышленно решила ограничить свое искусство областью «очаровательно народного» и «экзотического», защищенного от критики и сравнения. Она предпочитала обманывать, но не желала, чтобы ее оценивали как художника. Ее картины выражали всеми возможными способами, вполне очевидно, ее действительность; они были лишь частью этой действительности, и не более важными, чем сама Фрида Кало.

ХЕЙДЕН ЭРРЕРА

Мало того, что Ривера все время заставлял ее выставлять работы, но еще и устроил, почти тайно, летом 1938 года первую продажу ее картин. Покупателем был кинозвезда Эдуард Г. Робинсон. Как и все, кто интересовался искусством и кто имел деньги на покупку картин, он, прибыв в Мексику со своей женой Глэйдис, пришел в студию к Ривере.

«У меня наверху было около двадцати восьми работ, — вспоминала Фрида. — Когда мы с миссис Робинсон поднялись на крышу, на террасу, Диего показал мои картины мистеру Робинсону, и тот купил четыре картины, заплатив за каждую по двести долларов. Меня это настолько поразило, что я в восторге сказала: «Таким образом, я становлюсь свободной, могу путешествовать и делать все, что мне захочется, не выпрашивая денег у Диего».

В апреле 1938 года поэт-сюрреалист и эссеист Андре Бретон впервые увидел Фридины работы. Это были лучшие дни Бретона, он в зените славы. Благородный, говорливый, с повадками льва, всемирно известный, он был «папой римским сюрреализма», создателем этого движения. Министерство иностранных дел Франции направило его в Мексику для чтения лекций. Довольный тем, что уезжает из Франции в то время, как надвигается война, он хотел установить контакт с Троцким (Бретон присоединился к коммунистической партии в 1928 году, а затем открыто выступил против нее, когда в 1930 году вышел из компартии), но главным для него было исследование страны, которая, как он предсказывал, будет «местом сюрреализма *par excellence*» (самого превосходного). В следующем году он пишет:

«Я нахожу сюрреализм Мексики в ее рельефе, флоре, в ее динамизме, дарованном ей смешением рас, и также в высочайшей духовности».

Он наблюдал весь этот *sur réalité* в путешествиях, которые совершал вместе с Риверами по окрестностям Мехико, в Гуадалахаре (июнь 1938 года), осматривая окрестные церкви. (Случалось, что Троцкий сопровождал его. Однажды, когда Бретон стащил со стены церкви *retablos*, Троцкий очень рассердился. Для француза эти экс-вото были сюрреалистическими сокровищами, для русского, при всей его марксистской идеологии, — религиозными иконами.)

Бретон и его красавица-жена Жаклин сначала остановились у Люпе Марин, а затем на оставшиеся месяцы поселились у Ривера, в Сан-Анхеле. Хотя Фрида с большим волнением ожидала приезда Бретона — Джин ван Хейенорт рассказала ей, что Бретон чрезвычайно привлекателен, — она его не приняла. Его теоретизирования и манифесты казались ей претенциозными, пустыми и скучными, ей не нравились его тщеславие и высокомерие. Но у Жаклин, тоже художницы, был более живой ум, который радовал Фриду, они быстро стали близкими подругами.

В июле Бретоны, супруги Ривера и Троцкие ездили в Патцкуаро в Мичоакане, прелестный город с мощенными камнем улицами, большими площадями и низкими белыми домами с деревянными колоннами и черепичными крышами. В их намерения входили экскурсии в маленькие деревни вокруг озера Патцкуаро и беседы о политике и искусстве по вечерам. Они планировали издать книгу, назвав ее «Беседы в Патцкуаро». (В первый вечер Троцкий доминировал, настаивая на своей теории, по которой в будущем, при коммунизме, искусство и жизнь станут нераздельны. Люди сами должны будут украшать свои жилища, там не будет профессиональных художников с мольбертом, угождающих вкусам заказчиков.)

Неудивительно, что Фрида и Жаклин не участвовали в этих дискуссиях. Фрида была этому рада: она ненавидела официальные или специально организованные дискуссии и находила эти абстрактные разговоры утомительными. В Патцкуаро обе женщины сидели в уголке и играли в разные игры — в сюрреалистическую *cadavre exguis* и в гораздо более невинную мексиканскую игру, которую Фрида помнила с детства.

«Мы вели себя как школьницы в классе, — говорит Жаклин Бретон, — потому что Троцкий был очень придирчив. Например, мы не могли курить. Он говорил нам, что женщины не должны курить,

Фрида все равно зажигала сигаретку. Она знала, что он что-нибудь скажет, поэтому мы выходили из комнаты и курили снаружи. Мы обе любили Троцкого. Он все преувеличивал и был очень старомоден».

Хотя Фрида пренебрегала Бретоном, он был ею очарован, и его симпатия еще более усилилась, когда он увидел ее картины. Он не только предложил ей устроить выставку в Париже, после Нью-Йорка, но даже написал лестное, несколько риторическое эссе в брошюру, издаваемую Леви для Фридиной выставки в его галерее. В этом эссе Бретон провозгласил Фриду сюрреалистом-самородком.

«Я был безгранично удивлен, когда обнаружил, приехав в Мексику, что ее творчество в последних картинах расцвело, став чисто сюрреалистическим, несмотря на тот факт, что это было достигнуто без предварительных изысканий, без всяческих идей, мотиваций, активности моих друзей и моего вмешательства. В настоящий момент развития мексиканской живописи, которая с самого начала в девятнадцатом веке, в массе оставалась свободной от иностранного влияния и мудро придерживалась собственных источников вдохновения, я свидетельствую здесь, на другом конце земли, о спонтанном излиянии чувств нашего собственного вопрошающего духа.

Это искусство содержит даже каплю жестокости и юмора, которые уникально вливаются в смешение редкостно эффективных сил, вместе составляющих фильтр, и он-то и есть секрет Мексики. Сила вдохновения здесь питается странными экстазисами половой зрелости и тайнами поколений, и, не учитывая этого, чтобы сохранить собственное мнение, как в каком-нибудь холодном климате, она гордо выставляет их, смешав прямоту и наглость...»

В начале октября, после путешествия в буйной компании, Фрида в хорошем расположении духа отбыла в Нью-Йорк. Предстоящая выставка, продажа четырех картин Эдварду Г. Робинсону придали ей уверенности в себе и чувство независимости. В действительности она дала понять друзьям — Ногучи и Жюльену Леви, что отошла от Диего, что она «сыта им по горло» и живет теперь своей собственной жизнью. Леви был одним из тех мужчин, которые поддались Фридиному обаянию. Он вспоминал: «...она, находясь рядом с мужчинами, вела себя совершенно свободно. Она предпочла не обращать внимания на подруг Диего и, бывало, бесстрастно рассказывала мне о том, как его подружки становились и ее подругами. Она хотела создать у меня впечатление, что скучает по Диего, но больше его не любит. Иногда говорила о нем с неким мазохизмом, а порой так, будто он был ее любимым рабом, которого она не выносит. «Эта старая жирная свинья — он ничего для меня не делает, — говорила она. — Я подсказываю ему, что сделать, но он все отвергает». В другой раз она сказала: «Он просто кукла. Он вызывает такую тоску. Смешно, я просто обожаю его». Все эти двойственные разговоры зависели от ее смешанных чувств».

В каком бы состоянии ни был этот брак, ясно, что Фрида грустила об оставленном в одиночестве Диего, а он был заинтересован в том, чтобы у нее в Нью-Йорке все прошло хорошо. Он давал ей советы и рекомендательные письма к нужным людям — среди них письмо к Клер Бут Льюс, в то время главному редактору «Вэнити Феа» и хозяйке изысканного круга художников и интеллектуалов. В письме к Фриде, датированном 3 декабря 1938 года, Диего писал:

«Ты должна сделать портрет миссис Льюс, даже если она и не закажет тебе его. Попроси ее попозировать, и у тебя появится шанс с ней поговорить. Почитай ее пьесы — кажется, они интересны, — это поможет тебе сделать композицию ее портрета. Я думаю, она очень интересный объект изображения. Ее жизнь чрезвычайно любопытна, она тебя заинтересует».

Ривера написал о Фридиной выставке также своему другу Сэму А. Льюисону, коллекционеру и автору книги «Художники и личности», в которой было эссе и о Ривере.

Ривера писал: «Я тебе ее рекомендую не как муж, но как восторженный обожатель ее работ, едких и нежных, твердых, как сталь, и деликатных и прелестных, как крылья бабочки, славных, как прекрасная улыбка, и мудрых и жестоких, как горечь жизни».

В архиве Фриды есть список, составленный, возможно, вместе с Диего, гостей, которых нужно пригласить на открытие. Среди имен и добрые друзья, и могущественные или известные знакомые. Там есть художники, дилеры, коллекционеры, музейщики, критики, писатели, издатели, политические деятели и миллионеры: Бен Шан, Уолтер и Магда Пэч, Паскаль Ковичи, Сэм А. Льюисон, миссис Чарлз Либман, Пегги Бэкон, А.С. Бэйлинсон, Альфред Штиглиц, Льюис Мамфорд, Мейер Шапиро, Сюзанн Лафолетт, Найлс Спенсер, Джордж Биддл, Стюарт Чейз, Ван Уик Брукс, Джон Слоан, Гастон Ласе, Холгер Каилл, Дороти Миллер, Альфред Х. Барр-мл., мисс Аделаида Мильтон де Гроот, миссис Эдит Г. Халперт, Генри Р. Люс, мистер и миссис Уильям Пэйли, И. Вэй, Карл Зигроссер, доктор Кристиан Бринтон и Джордж Гросс. В этом списке были также мистер и миссис Нельсон А. Рокфеллер и миссис Джон Д. Рокфеллер. Явно Диего решил простить своих противников, да и Фрида тоже.

«Художник всегда прав» — эта фраза стала добавкой к имени Фриды в Нью-Йорке, Диего сопроводил словами *el muy distinguido pintor* (выдающийся художник) Мексики. То, что Фрида была женой Диего, несомненно, делало выставку более сенсационной. Даже эссе Бретона в каталоге выставки представляло Фриду как прекрасную и гибельно-отчаянную бабочку, которая сопровождает по жизни своего «чудовищного» мужа-марксиста. И галерея не упустила своей выгоды от связи Фриды с Риверой. Например, пресс-релиз говорил:

«Выставка картин Фриды Кало (Фриды Ривера) открывается во вторник, 1 ноября в Галерее Жюльена Леви, 15, Западной Пятьдесят седьмой стрит. Фрида Кало — жена Диего Риверы, но в этой первой персональной выставке она доказывает значительность и яркость, она художник, который всегда прав. Фрида Кало родилась в Койоакане (в предместье Мехико) в 1910 году. В 1926 году она оказалась жертвой серьезной автомобильной аварии (психологические последствия чего можно заметить в ее картинах). Будучи на некоторое время прикованной к постели, она начала заниматься живописью, используя примитивную, но тщательно проработанную технику, меняющуюся в зависимости от ее состояния в данный момент. В 1929 году она становится третьей женой Диего Риверы, который поддерживает ее дальнейшие занятия живописью. В прошлом году она встретила сюрреалиста Андре Бретона, который восторженно отзывается о ее работах. Сама она пишет: «Я никогда не знала, что была сюрреалистом, пока в Мексику не приехал Андре Бретон и не сказал мне об этом. Я сама до сих пор не знаю, что я такое».

Непреложный факт состоит в том, что в ее живописи сочетаются ее природная мексиканская наивность, необычная, женственная откровенность и изощренность, что является элементом сюрреализма. Картины сделаны в мексиканской традиции на металле и обрамлены очаровательными мексиканскими деревенскими рамами из стекла и жести. Работы начинающей художницы определенно значительны и угрожают даже ее увенчанному лаврами знаменитому мужу. Выставка будет продолжаться две недели, до 15 ноября».

На вернисаже Фрида выглядела весьма импозантно в мексиканском наряде, что соответствовало картинам, обрамленным в фольклорные рамки. Большая толпа гостей была очень оживленной, в те дни работало не много художественных галерей, а еще меньше галерей авангардных, и Фридин вернисаж стал значительным событием. Леви вспоминает, что Ногучи и Клэр Льюс были чрезвычайно возбуждены, на выставке присутствовала Джорджия О'Кифф, много других знаменитостей из мира искусства. Никто из них никогда не видел собрания подобных картин.

В каталог включены следующие названия:

1. «Между занавесками» (портрет, посвященный Троцкому).
2. «Фуланг-Чанг и я».
3. «Четыре жителя Мексики».
4. «Моя кормилица и я».
5. «Они просили самолет, а получили соломенные крылья».
6. «Я принадлежу моему хозяину».

ХЕЙДЕН ЭРРЕРА

7. «Моя семья» («Мои прародители, мои родители и я»).
8. «Сердце» («Память»).
9. «Мое платье висит там».
10. «Что мне дала вода».
11. «Любимая собачка со мной».
12. «Питаайи».
13. «Плоды туны».
14. «Плоды земли».
15. «Память об открытой ране».
16. «Утерянное желание» («Больница Генри Форда»).
17. «Рождение».
18. «Одетый для рая».
19. «Она играет в одиночестве».
20. «Страстно в любви».
21. «Бербэнк — американский создатель фруктов».
22. «Ксочита».
23. «Рама».
24. «Глаз».
25. «Выживший».

В общем прессе понравились живопись и ее творец. Журнал «Тайм» писал в отделе искусства: «Переполох на Манхэттене на этой неделе был вызван первой выставкой живописи германо-мексиканской жены известного монументалиста Диего Риверы Фриды Кало. Не решаясь прежде показывать свои работы, чернобровая малютка Фрида писала с 1926 года, когда автомобильная катастрофа заковала ее в гипс и она «адски скучала». Обозреватель журнала «Тайм» находит выражение Бретона по поводу Фридиных работ — «ленты вокруг бомбы» — «очень точным, но льстивым. Маленькие картины Фриды, большей частью написанные маслом на меди, обладают утонченностью миниатюр, яркими красным и желтым цветами, традиционными для Мексики, и игривой кровавой фантазией несентиментального ребенка».

Покровительственный тон — «малютка Фрида» — был принят и другими критиками. Неблагоприятных рецензий было немного. Говар Деври из «Нью-Йорк Таймс» (возможно, оценивая «Мое рождение» и «Больницу Генри Форда») сетует на то, что объекты изображения «скорее гинекологические, чем эстетические». Другой критик играет словами по поводу претенциозности эссе Бретона, написанного по-французски и не переведенного, и придирается: «Миссис Диего Ривера должна настаивать... на том, чтобы употреблялась ее девичья фамилия — Фрида Кало (и чтобы имя ее мужа упоминалось в скобках)». Мы точно знаем от Бертрама Вулфа, что Фрида использовала только свою фамилию, не желая пользоваться славой Риверы. Наверняка именно Леви и Бретон настаивали на скобках.

Сама Фрида не могла пожаловаться на впечатление от выставки, и ей было приятно всеобщее внимание. В день вернисажа она писала Алехандро Гомесу Ариасу:

«Именно в день открытия моей выставки я хочу поболтать с тобой, хотя бы немножко.

Все устроено *a las mil maravillas* (великолепно), и мне действительно страшно повезло. Вся толпа отнеслась ко мне весьма восторженно, все были очень добры. Леви не захотел перевести эссе Бретона, и это единственное, что мне показалось не очень удачным и выглядело претенциозно, но теперь ничего не поделаешь! Как тебе кажется? Галерея — огромна, развесили все очень хорошо. Ты видел *«Vogue»?* Там есть три репродукции, одна из них — в цвете, она самая лучшая. Пиши мне, если иногда вспоминаешь обо мне. Я здесь пробуду еще две или три недели. Я тебя очень люблю».

Позже Фрида говорила, что выставка была распродана. Она преувеличивает. На самом деле купили около половины работ, что, конечно, достаточно впечатляюще, поскольку вернисаж проходил в годы депрессии. (Перед открытием были проданы четыре картины, те, которые уже принадлежали Эдуарду Г. Робинсону, — он дал их на выставку Леви. «Автопортрет», посвященный Троцкому, — принадлежал Троцкому. Леви мог выставить и еще какие-то картины, уже имевшие хозяев.) Галерея не поставила рекорда, но Леви вспоминает, что доктор Аллан Рос купил «Мои прародители, мои родители и я» прямо с выставки. Сэм Льюисон приобрел натюрморт —

почти наверняка это была картина «Я принадлежу своему хозяину». Фрида продала несколько работ без помощи Леви — возможно, считает Леви, одну из них великому коллекционеру Честеру Дэйлу, который обожал Фриду и играл роль «дедушки или добренького папы», заплатил, по крайней мере, за одну ее операцию и восхищался тем, как она его поддразнивала. Мэри Шапиро (которая к тому времени вышла замуж за Соломона Скляра) купила «Плоды туны», и Фрида отдала ей «Фуланг-Чанг и я». Фотограф Николас Мюрэй купил «Что дала мне вода». «Память об открытой ране» была приобретена преуспевающим промышленником Эдгаром Дж. Кауфманом-ст. Фрида говорила, что искусствовед Уолтер Пэч (старый друг семьи Ривера) купил картину с выставки. И если какие-то вещи остались непроданными, выставка стимулировала будущие продажи. Клэр Бут Льюс не заказала свой портрет Фриде, как надеялся Ривера, но она заказала памятный портрет своей подруги, актрисы Дороти Хэйл, которая только что покончила жизнь самоубийством, и в 1940 году Клэр купила «Автопортрет», посвященный Троцкому. Говорят, что Фрида получила заказ на портрет известной в то время актрисы Катарин Корнелл, но Фрида его не сделала. Конджер Гудъеар влюбился в «Фуланг-Чанг и я», но, так как эта картина уже принадлежала Мэри Скляр, попросил Фриду написать похожий автопортрет, который обещал передать в Музей современного искусства, но до самой смерти держал этот портрет у себя. Фрида, сидя в отеле «Барбизон-Плаза», за неделю создала «Автопортрет с обезьяной» для Конджера Гудъеара.

Фрида не изображала из себя великосветскую львицу, но ей доставляло удовольствие вращаться в обществе, даже и без присутствующего рядом знаменитого супруга. Будучи личностью, с которой следовало считаться, Фрида не желала идти в широком пенном кильватере за Диего, ей требовалось показать свою собственную немалую и эксцентрическую социальную уверенность, увидеть, скольких людей она может очаровать.

Манхэттен кружил как карнавал. Фрида мало занималась живописью, хотя у нее был альбом для набросков, в котором она иногда что-то рисовала (или собиралась рисовать). «Я делала это...» или «Я нарисую это в моем альбоме», — говорила она. Не часто она бывала и в музеях. Жюльен Леви вспоминал, что как-то повел ее в Музей современного искусства, но она пожаловалась, что ей трудно ходить. Она писала Алехандро Гомесу Ариасу:

«В частной коллекции живописи я видела двух великолепных Пьеро делла Франческа, который показался мне самым фантастическим из всего, что я когда-либо видела, и маленького Эль Греко, самого маленького из всего виденного мною, но самого изумительного. Я пошлю тебе репродукции».

Что она любила делать, так это сидеть за столиком в кафе на тротуаре у отеля «Сан-Мориц» и наблюдать за людьми, идущими в Центральный парк. Ее завораживали витрины магазинов. И она получала удовольствие, наблюдая жизнь на разных улицах Нью-Йорка — экзотику Чайнатауна, «Маленькую Италию», Бродвей, Гарлем. Где бы она ни появлялась, всюду производила сенсацию. Жюльен Леви вспоминал визит в Сентрал Хановер Банк на Пятой авеню:

«Войдя с ней в банк, я увидел, что мы окружены толпой ребятишек, влетевших за нами, несмотря на протесты швейцара. Они кричали: «Где цирк?» Точнее надо бы сказать «праздник». Фрида была в полном мексиканском наряде. Она была прекрасна и живописна, но, к сожалению, не надела свои пышные нижние юбки для вящего эффекта. «Я должна носить длинные юбки, тогда не видно моих обезображенных ног», — говорила она».

Леви познакомил ее с группой живых, умных людей, так как он был типичным горожанином, говорливым и привлекательным, любившим приключения и сюрпризы. Через него Фрида познакомилась с одним из сюрреалистов, Павлом Челищевым, выставка живописи которого под названием «Феномен» прошла в галерее Леви накануне перед Фридиной. «Мне нравится этот парень, — сказала Фрида. — Мне нравятся его картины, потому что в них есть причудливость». Сюрреалисты обожали Фриду, ведь она обладала необходимой для сюрреалистов *la beauté du diable*» (дьявольской красотой). Будучи прекрасным рассказчиком, она имела обыкновение вступать в разговор именно с тем, кто находился рядом с ней, являя перед ним всю силу своей личности. Голос ее был мягким, теплым и низким, чуть даже мужским, и она не пыталась усовершенствовать свой колоритный английский или избавиться от иностранного акцента, потому что знала, что это увеличивает ее притягательность. Критик-сюрреалист Николас Калас вспоминает, что она «совершенно точно соответствовала сюрреалистическому идеалу женщины. Она обладала актерскими способностями, была весьма эксцентричной. Она всегда сознательно играла роль, и ее экзотичность немедленно привлекала внимание».

Ей мешало только ее здоровье. Жюльен Леви хотел отвести ее на танцы в Гарлеме, но «Фрида не могла там прыгать, возможно, потому, что слишком устала, чтобы веселиться ночь напролет. Пляски затруднительны для того, у кого нелады с ногами. Достаточно было пройти с ней три квартала, как у нее тускнело лицо и она повисала у вас на руке. Если вы продолжали идти, это вынуждало ее сказать: «Нужно взять машину». Она не любила этого говорить».

У Фриды были причины не любить ходить подолгу. Правая нога не давала ей покоя. На подошве образовалась мозоль, и постоянно болел позвоночник. После того как выставка закрылась, она серьезно заболела, и ее смотрели разные доктора, в том числе и ортопеды. В конце концов муж Аниты Бреннер и хороший друг Фриды доктор Дэйвид Глускер добился успеха, вылечив трофическую язву на ноге, которая годами мучила Фриду. Вдобавок возникли симптомы, вызывающие подозрение, что у Фриды сифилис, это заставило докторов сделать ей анализы по Вассерману и Кану. Результат оказался отрицательным.

Находясь далеко от пистолета своего мужа, Фрида предстала перед миром во всей своей соблазнительности и получала удовольствие от того эффекта, который производила на мужчин. Леви видел во Фриде «мифическое создание, существо не от этого мира — надменное и абсолютно уверенное в себе, однако очень мягкое и женственное, как орхидея».

Фридина самозачарованность очаровывала мужчин, включая Леви, который сделал серию фотографий, где она обнажена до пояса и играет своими черными волосами.

«Она, бывало, создавала прически с разными украшениями в волосах. Когда она распускала волосы, то укладывала эти предметы в определенном порядке на своем туалетном столике. Причесывание превращалось в фантастический обряд. Я написал об этом стихи и послал их Джозефу Корнеллу».

Однажды Леви отвез Фриду в Пенсильванию, чтобы познакомить ее со своим клиентом и другом Эдгаром Кауфманом-ст., который, как сказал Леви, хотел стать Фридиным покровителем. Поезд шел, как все поезда, очень медленно, но при этом неумолимо возникло нечто эротическое в атмосфере. Когда они прибыли, Фрида начала флиртовать не только с Леви, но и со стареющим хозяином, да к тому же и с его сыном. Она была «очень горделива со своими мужчинами», вспоминал Леви. Она любила играть с одним на глазах у других, выбирая одного кавалера, тогда как другие становились лишь досадной помехой или были просто «скучны». Во время отхода ко сну Леви и мистер Кауфман пытались выследить друг друга и остаться наедине с Фридой в последний романтичный момент вечера. Когда Фрида уходила, то сценой вечерней драмы служила расходящаяся надвое лестница. (Выждав, когда, как он думал, все заснули, Леви выходил из комнаты и поднимался по своей стороне лестницы. Каково же было его удивление, когда он обнаруживал, что его хозяин взбирается по другой половине лестницы. Оба ретировались. Подобная конфронтация случалась несколько раз. В конце концов Леви сдался. Но когда он вернулся в свою комнату — там сидела Фрида, которая дожидалась его!)

Более серьезным кавалером был венгр по рождению Николас Мюрэй. Сын почтового чиновника, он прибыл в Соединенные Штаты в 1913 году в возрасте двадцати одного года и с двадцатью пятью долларами в кармане. К концу 20-х годов Мюрэй стал одним из самых успешных американских фотографов-портретистов. Его портреты появлялись в «Харперс Базар» и в «Вэнити Фэа». Одна из его бесчисленных фотографий Фриды опубликована в 1939 году в «Коронет». Мюрэй активно занимался и коммерческой фотографией. Он был разносторонним человеком, выступал как критик в журнале «Данс», летал на аэропланах, был чемпионом Соединенных Штатов по фехтованию в 1927 и в 1928 годах; четырежды женатый, в момент встречи с Фридой Мюрэй был холост и имел четверых детей; он также покровительствовал искусствам и часто покупал картины, чтобы помочь друзьям, нуждающимся в деньгах. В 1920 году, вечером в среду, в его студии собрались такие знаменитости, как Марта Грэхем, Рут Дэнис, Синклер Льюис, Карл ван Вехтен, Эдна Ст. Винсент Милли, Юджин О'Нил, Жан Кокто, Томас С. Элиот, Гертруда Вандербильт Уини и Уолтер Липпман. Однако Мюрэю были присущи не только энергия и обаяние, блеск и соблазнительность; в нем сохранялись ничем не испорченные простота и доброта, способность быть нежным и душевным, что могло и привлечь Фриду. Разумеется, ее также очаровали его привлекательное лицо и изящная фигура. Она повстречалась с ним в Мексике (вероятно, их познакомил Мигель Коваррубиас, который, как и Мюрэй, сотрудничал с «Вэнити Фэа»). Мюрэй помогал Фриде с организацией выставки, фотографировал ее работы, устраивал перевозку картин, упаковывал их и проверял, в каком состоянии они находятся, когда они прибыли в Нью-Йорк. Он также давал советы Фриде по поводу ее каталога. Возможно, связь Фриды с ним началась в Мексике, но в Нью-Йорке, вдали от ревнивых подозрений Риверы, роман расцвел пышным цветом.

Отношения между ними были очень непостоянными, изменчивыми — на вернисаже Фрида поссорилась ним, но сила их любви проявляется в письмах, которые Фрида писала (на английском) из Парижа:

«Мой обожаемый Ник, *mi niño* (мой малыш), — писала она в феврале 1939 года, — твоя телеграмма прибыла сегодня утром, и я сильно плакала — от счастья и потому, что тоскую по тебе всем сердцем, всей кровью. Твое письмо, мой дорогой, пришло вчера, оно такое прекрасное, такое нежное, что у меня нет слов сказать тебе, как я обрадовалась. Я обожаю тебя, моя любовь, поверь мне, так не любила никого — только Диего был так же близок моему сердцу, как ты, — всегда... я тоскую по каждому мгновению твоего существования, по твоему голосу, глазам, твоим рукам, твоим прекрасным губам, по твоему смеху, такому чистому и искреннему. ТЫ. Я люблю тебя, мой Ник. Я так счастлива думать о том, что я люблю тебя, — думать о том, что ты меня ждешь — что ты любишь меня.

Мой дорогой, передай мои поцелуи Мэм. Я никогда не забываю ее. (Неизвестно, кто такая Мэм; дочь Мюрэя, Мими, думает, что Мэм была помощницей в студии Мюрэя. — *Прим. авт.*). Поцелуй также и Арию, и Леа (дочери Мюрэя. — *Прим. авт.*). А тебе — мое сердце, полное нежности и ласки. Один особый поцелуй. В шею. Твоя

Хочитл».

27 февраля 1939 года

«Мой обожаемый Ник!

Этим утром, после стольких дней ожидания, прибыло твое письмо. Я чувствую себя такой счас-

ХЕЙДЕН ЭРРЕРА

тливой, что, прежде чем читать его, я заплакала. Сокровище мое, я не должна жаловаться ни на что случившееся в моей жизни, пока ты любишь меня, а я люблю тебя. Это так истинно и так прекрасно, что заставляет меня забыть все мои боли и беды, заставляет меня забыть даже о расстоянии. Твои слова дают мне ощущение такой твоей близости, что я чувствую, как ты рядом смеешься. Только ты так звонко и искренне смеешься. Я считаю дни до своего возвращения. Еще месяц! И мы снова будем вместе...

Мой дорогой, должна сказать тебе, что ты плохой мальчик. Зачем ты прислал мне этот чек на 400 баксов? Твой друг Смит — фигура воображаемая — на самом деле он очень мил, но скажи ему, что я сохраню его чек нетронутым до своего возвращения в Нью-Йорк, и тогда мы все обсудим. Мой Ник, ты самый милый из всех, кого я знаю. Но, слушай, дорогой, я сейчас действительно не нуждаюсь в деньгах. У меня было еще сколько-то из Мексики, и я настоящая богачка, ты знаешь? Мне хватит денег на этот месяц здесь. У меня есть обратный билет. Все в порядке, моя любовь, несправедливо, чтобы ты тратил лишние деньги... Так или иначе, ты не можешь вообразить, как я тронута твоим желанием мне помочь. Нет слов, чтобы сказать, насколько мне радостно думать, что ты хочешь сделать меня счастливой, и знать, какое у тебя доброе сердце и как я тебя обожаю. Мой возлюбленный, мой сладчайший, мой Ник — моя жизнь, мой маленький, обожаю тебя.

Я похудела из-за болезни, так что, когда я буду с тобой, ты только дунешь и... она взлетела! На пять этажей отеля «Ла Салль». Слушай, детка, прикасаешься ли ты каждый день к огню «вачамайакаллит», который висит у нашей лестницы? Не забудь делать это каждый день. Не забывай спать на своей крошечной подушечке, потому что она мне нравится. Не целуй никого, пока изучаешь знаки и названия улиц. Не бери никого на прогулки в нашем Центральном парке. Он принадлежит только Нику и Хочитл. Не целуй никого на кушетке в твоем офисе.

Только Бланш Хейс (добрый друг Мюрэя. — *Прим. авт.*) может делать тебе массаж шеи. Ты только можешь целовать, сколько хочешь, Мэм. Не занимайся ни с кем любовью, если можешь. Только если найдешь настоящее чудо, но не люби ее. Поиграй разочек со своей железной дорогой, если придешь домой не очень уставшим. Как поживает Джо Джинкс? Как поживает человек, который дважды в неделю делает тебе массаж? Я его немножко ненавижу, потому что он забирает тебя от меня на много часов. Ты много фехтуешь? Как поживает Георгио?

Почему ты говоришь, что твоя поездка в Голливуд была только наполовину успешной? Расскажи мне об этом. Мой дорогой, если можешь, не работай так много. Потому что у тебя устает шея и спина. Скажи Мэм, чтобы она заботилась о тебе, и отдыхай, когда чувствуешь, что устал. Скажи ей, что я еще больше люблю тебя, что ты мой дорогой, мой возлюбленный и что пока меня там нет, она должна любить тебя больше, чем всегда, чтобы сделать тебя счастливым.

Тебе очень досаждает шея? Я отсюда посылаю тебе тысячу поцелуев твоей прекрасной шее, чтобы она чувствовала себя лучше. Вся моя нежность и вся моя ласка — твоему телу, от головы до ног. Я на расстоянии целую каждый его дюйм.

Почаще слушай пластинку Максин Салливан. Я буду там, с тобой слушать ее голос. Я вижу тебя лежащим на твоей кушетке с белой накидкой. Я вижу, как ты фотографируешь скульптуру около камина, я отчетливо вижу, как весна врывается в окно, и слышу твой смех — детский смех, когда у тебя все получается. О, мой дорогой Ник, я обожаю тебя. Ты так мне нужен, что сердце мое разрывается...»

При всем обожании, которое Фрида испытывала к Мюрэю, ни он, ни другие ее кавалеры не могли сравниться с Диего, ни к одному из них у нее не было столь глубокой привязанности, как к нему. И она знала, что и он ее любит. Когда болезнь и тре-

ХЕЙДЕН ЭРРЕРА

вога оттого, что она оставила Диего так надолго, заставляли ее отказываться от поездки в Париж для устройства выставки, которую организовал Бретон, Диего пытался развеять ее сомнения.

3 декабря

Mi niñita chiguitata.

Столько дней я ничего не знаю о тебе; я беспокоюсь. Я рад, что ты чувствуешь себя немного лучше и что Эухения заботится о тебе; передай ей мою благодарность, и пусть она будет рядом с тобой, пока ты там. И я радуюсь тому, что у тебя хорошая квартира, где есть место для занятия живописью. Не торопись со своими портретами и картинами, и это обернется тем, что они будут *retesuares* (великолепны), так как дополнят успех твоей выставки и дадут шанс для заказа на новые портреты...

Есть ли у тебя какие-нибудь хорошие новости? Блистательная Долорес собирается провести Рождество в Нью-Йорке... Ты писала Лоле (уменьшительное имя Долорес дель Рио. — *Прим. авт.*)? Хотя глупо мне задавать тебе такой вопрос.

Я очень обрадован, что тебе заказали портрет для Музея современного искусства (скорее всего, речь идет о заказе от Канджера Гудъеара. — *Прим. авт.*); это будет великолепно, ты попадешь туда сразу же после своей первой выставки. Это будет кульминацией твоего успеха в Нью-Йорке. Наплевать тебе на твои маленькие ручки, сделай что-нибудь такое, что затмит собою все вокруг и превратит Фриду в Великого Дракона...

Не глупи. Я не хочу, чтобы из-за меня ты не воспользовалась возможностью поехать в Париж. БЕРИ ОТ ЖИЗНИ ВСЕ, ЧТО ОНА ТЕБЕ ДАЕТ, ЧЕМ БЫ ЭТО НИ БЫЛО, ЭТО ИНТЕРЕСНО И МОЖЕТ ДОСТАВИТЬ ТЕБЕ НЕКОТОРОЕ УДОВОЛЬСТВИЕ. Когда стареешь, то понимаешь, что значит потерять то, что само шло в руки, когда ты не понимал, что это нужно взять. Если ты действительно хочешь порадовать меня, знай, что для меня нет большего удовольствия, чем сознавать, что и ты довольна. И ты, моя *chiguita* (малышка), всего этого достойна... я не порицаю тех, кому нравится Фрида, потому что мне она тоже нравится, больше, чем что бы то ни было другое...

Tu principal sapo-rana
(твой главный жабец-лягушка. — *Прим. авт.*)
Диего.

В своем дневнике Фрида набросала черновик, который мог быть ответом на письмо Диего. Он написан в день его рождения, 8 декабря 1938 года. Фрида обращается к Диего как к *«Niño nio — de la gtan ocultadora»* («Мое дитя — великой скрытницы»).

Шесть часов утра,
И поют индюки,
Жар человеческой нежности
Сопровождает одиночество —
Никогда в жизни
Я не забуду о твоем существовании.
Ты подобрал меня, когда я была изуродована,
И ты воссоздал меня
На этой маленькой земле.
Куда мне направить свой взгляд,
Такой огромный, такой проникновенный!
Там больше нет времени,
Там больше нет расстояния.
Там есть только реальность:
Что было, было навсегда!
Что явствует — это прозрачные корни,
Что выросли на вечном фруктовом дереве.
Твои фрукты источают ароматы,
Твои цветы сияют всеми красками,
Произрастая в радости ветров и цветения,
Не переставая утолять жажду деревьев,
Для которых ты солнце.
А дерево одаривает тебя семенами...
Диего — это имя любви.

ХЕЙДЕН ЭРРЕРА

15
ЭТОТ УБИЙСТВЕННЫЙ ПАРИЖ

В январе 1939 года, когда Фрида плыла во Францию, Европа находилась в состоянии неустойчивого мира. Гитлер был «умиротворен» Мюнхеном. Гражданская война в Испании приближалась к концу: 27 февраля Британия и Франция признали франкистский режим. В мировой столице культуры — Париже — троцкисты, коммунисты, капиталисты, либералы и консерваторы вели словесные баталии, дебатируя по вопросам теории, в то время как первая волна беженцев в полной неопределенности ожидала решения своей участи.

Сначала Фрида остановилась у Андре и Жаклин Бретон, в их маленькой квартире на Рю Фонтэн, 42 (перекресток, на котором встречались сюрреалисты и троцкисты Парижа), но этот визит был неудачным. Во-первых, выставка, которую собирался организовать Бретон, откладывалась. «В вопросе о выставке — полная неразбериха, — писала Фрида 16 февраля Николасу Мюрэю. — ...пока я не приехала, картины все еще оставались на таможне, потому что Бретон не побеспокоился забрать их оттуда. Фотографии, которые ты послал сто лет назад, он не получил — так он говорит, — галерея совсем не готова к выставке, у Бретона уже давно нет своей галереи. Поэтому я должна была ждать и ждать, как идиотка, пока не встретила Марселя Дюшана (изумительный художник), который единственный крепко стоит на земле, среди всего этого букета лунатиков, сукиных сыновей, сюрреалистов. Он немедленно получил мои картины и стал искать галерею. В результате нашлась галерея «Пьер Колле», которая согласилась устроить эту проклятую выставку. Теперь Бретон хочет выставить вместе с моими работами 14 портретов XIX века (мексиканских), около 32 фотографий Альвареса Браво и множество вещичек, которые он накупил на рынках в Мексике, — весь этот мусор, как тебе это? К 15 марта предположительно галерея должна быть готова. Но... 21 живописная работа XIX века должна быть отреставрирована, и проклятая реставрация займет целый месяц. Я должна ссудить Бретону 200 баксов, потому что у него нет ни гроша. (Я послала Диего телеграмму, где объяснила ситуацию и сообщила, что одолжила Бретону деньги, — он пришел в ярость, но теперь дело сделано и ничего не изменишь.) У меня все еще есть деньги на жизнь здесь до начала марта, так что я особенно не печалюсь.

Итак, после того как все более или менее уладилось, спустя несколько дней Бретон сказал мне, что некто, связанный с Пьером Колле, старый ублюдок, сукин сын, видел мои картины и нашел, что только две годятся к показу, потому что остальные — слишком «шокирующие» для публики! Я была готова убить этого парня и потом съесть его, но я слишком плохо себя чувствую и устала от всей этой затеи, так что решила послать все к черту и удрать из этого гнилого Парижа, прежде чем свихнусь».

Вдобавок Фрида была больна: ее письмо от 16 февраля написано в постели Американской больницы. Насытившись Бретоном и не желая больше жить в одной тесной комнатенке вместе с его маленькой дочерью Оби, Фрида в конце января переехала в отель «Реджина» на Пляс де Пирамид, откуда «Скорая помощь» отвезла ее в больницу, «потому что я даже не могла ходить». У нее началось воспаление почек. 27 февраля она пишет Мюрэю:

«Я очень ослаблена после стольких дней лихорадки из-за проклятой инфекции, отчего чувствую себя насквозь прогнившей. Доктор говорит, что я, должно быть, съела что-то недостаточно вымытое (салат или фрукты). Ставлю об заклад свои ботинки, что у Бретонов — вот где я получила эти вшивые бациллы. Не могу представить себе, как можно жить в такой грязи, как живут эти люди, и есть пищу, которую они едят. Это что-то невероятное. Ничего подобного во всей своей проклятой жизни я не видела. По неизвестной мне причине инфекция проникла в почки, так что я два дня не могла «пи-пи» и чувствовала себя так, что в любую минуту могла лопнуть. К счастью, теперь все о'кей, и единственное, что мне нужно делать, — это отдыхать и соблюдать определенную диету».

Она развивает тему в письме к Элле и Бертраму Вулф.

«Знаете, у меня в животе полно анархистов, и каждый из них заложил в укромном уголочке бомбу. До этого момента я чувствовала, что ситуация безнадежна, и была уверена, что *la pelona* (смерть) собирается забрать меня отсюда. Существуя между болями в животе и тоской от одиночества в этом *pinchissimo* (убийственном) Париже, который будто бы ударил меня в самый пупок, уверяю вас, что предпочла бы, чтобы дьявол живехонько ухватил меня. Но когда я оказалась в Американской больнице, где смогла «тявкать» по-английски и объяснила свою ситуацию, я начала чувствовать себя лучше (то, что Фрида не знала французского языка, несомненно, делало Париж для нее непривлекательным. — *Прим. авт.*). Наконец, я могу сказать: «Извините, что я рыгнула!» (Конечно, не по этой причине я не могла пожаловаться на то, что рыгаю, если быть точной.) Четыре дня назад я впервые смогла «рыгнуть», и с этого счастливого дня до сих пор чувствую себя лучше. Анархисты бушуют в моем животе, потому что он полон колибактерий, эти негодяйки пожелали превысить пределы своей активности, прогуляться в моем мочевом пузыре и в почках, это тут же стало меня сжигать, поскольку они славно делали дьявольское дело у меня в почках и приготовились отправить меня в морг. Словом, я считаю дни, когда лихорадка сойдет на нет и я смогу сесть на корабль и сбежать в Соединенные Штаты, поскольку здесь никто не понимает моего положения и всем на меня наплевать. Понемногу я начала отступать».

Фрида не вернулась в «этот проклятый отель», потому что «не могу быть одна». Мэри Рейнольдс, «изумительная американка, которая живет с Марселем Дюшаном, пригласила меня пожить у нее в доме, я с радостью приняла приглашение, потому что она действительно славный человек и не имеет ничего общего с вонючими художниками из группы Бретона. Она очень добра ко мне и прекрасно обо мне заботится».

К этому времени дела с выставкой окончательно уладились, и Фрида рассказывает Мюрэю:

«Марсель Дюшан очень мне помог, он единственный свой парень среди всего этого гнилья. Выставка открывается 10 марта в галерее под названием «Пьер Колле». Говорят, что она здесь одна из лучших. Этот парень Колле является дилером Дали и некоторых других сюрреалистов. Выставка продлится две недели — но я уже договорилась, что заберу картины 23-го, чтобы у меня было время их упаковать и забрать с собой 25-го. Каталог уже печатается, так что, похоже, все будет в порядке. Я хочу отплыть на «Иль де Франс» 8 марта, но перед тем послала Диего телеграмму, и он настоял, чтобы я ждала, пока мои вещи покажут, потому что он не доверяет ни одному из здешних, боится, что картины не отправят. Он, конечно, прав, ведь после того как я приехала сюда только из-за этой проклятой выставки, глупо уезжать за два дня до ее открытия. Как ты думаешь?»

Несмотря на все свои беды, Фрида принимала участие в «сюрреалистических» удовольствиях Парижа. Она познакомилась с такими светилами сюрреализма, как Поль Элюар и Макс Эрнст; ярко-голубые глаза Эрнста, светлые волосы и клювообразный нос представлялись ей интересными, живопись его

ХЕЙДЕН ЭРРЕРА

понравилась, но как личность он показался ей недоступным, похожим на сухой лед. Новые друзья сопровождали ее в кафе художников и в ночные клубы, такие, как «Бык на крыше», где она слушала джаз (она полюбила музыку черного американского пианиста Гарланда Уилсона) и где обычно наблюдала за тем, как танцуют люди. Зная уже игру *cadavre exguis*, она теперь стала экспертом в другой сюрреалистической игре. Любимой игрой Бретона — он относился к этому очень серьезно и приходил в ярость, если кто-нибудь ему мешал, — была *jeux de la vérité* (истина). Человек, который отказывался отвечать на вопросы, должен был вползти в комнату на четвереньках, с завязанными глазами, и угадать, кто его поцеловал. Однажды Фрида отказалась отвечать на вопрос «Сколько вам лет?», и наказание было следующим: «Вы должны заняться любовью с креслом». Один из играющих вспоминает: «Фрида сидела на полу и делала это превосходно. Она ласкала кресло так, будто это живое создание».

Фриду увлекал и мир высокой моды. Скьяпарелли был под таким впечатлением от Фридиных народных костюмов, что сделал модель *a robe Madame Rivera* для фешенебельных парижанок, и Фрида появилась в нем на обложке *«Vogue»*.

Когда у нее были силы, она ездила в Шартр, в замки на берегах Луары, проводила какое-то время в Лувре. Также она ходила на «блошиный рынок» и покупала «кучу хлама, что представляет собой одно из занятий, которые я люблю больше всего. Я не покупаю платья или что-то подобное, потому что, будучи теуаной, я не могу надеть брюки или даже чулки. Единственное, что я здесь купила, — это две старинные куклы, очень красивые. Одна — блондинка с голубыми глазами, самыми прекрасными глазами, которые ты только можешь себе представить. Платье ее грязное и пыльное, но я его выстирала, и теперь оно выглядит много лучше. Голова ее не очень хорошо держится на шее, потому что резинки, которые ее держали, уж очень старые, но мы с тобой в Нью-Йорке все наладим. Другая — не такая красавица, но весьма милая. У нее белокурые волосы и черные глаза, я пока еще не выстирала ее платья, и оно чертовски грязное. У нее только одна туфелька, другую она потеряла на рынке. Обе хорошенькие, несмотря на то, что головы имеют некоторые утраты. Возможно, именно это придает им очарование. Много лет мне хотелось иметь таких кукол, как эти, потому что кто-то разбил мою, которая была у меня в детстве, и я не могла найти такую же. Так что я очень счастлива, теперь у меня две. У меня в Мексике есть кроватка, которая годится для той, что побольше. Придумай два венгерских имени (письмо адресовано Мюрэю. — *Прим. авт.*), чтобы их окрестить. Обе стоили мне около двух с половиной долларов».

Но, несмотря на все забавы, и даже после того, как Фрида покинула дом Бретонов и поправила свое здоровье, она находила Париж декадентским, приходящим в упадок; больше всего ей было ненавистно пустое существование *Bohéme* (богемы).

«Ты не представляешь, какие суки эти люди. Меня от них тошнит. Они все такие «интеллектуальные» и растленные, что я их больше не могу выносить. На мой характер все это уж чересчур. Лучше я буду сидеть на полу на рынке в Толуке и продавать тортильи, чем иметь дело с этими «артистическими» суками Парижа. Они часами сидят в кафе, грея свои драгоценные задницы и разговаривая не останавливаясь о «культуре», «искусстве», «революции» и так далее и так далее, при этом они воображают себя богами этого мира, мечтают о самой фантастической чепухе и отравляют воздух теориями, которые никогда не станут действительностью. На следующее утро дома у них нечего есть, потому что никто из них не работает, и они паразитируют на букете богатых сук, которые восхищаются их «гением» и «артистизмом». Дерьмо и только дерьмо, вот что они такое. Я никогда не видела, чтобы Диего или ты (Мюрэй. — *Прим. авт.*) тратили время на глупые сплетни и «интеллектуальные» дискуссии. Вот почему вы настоящие мужчины, а не мерзкие «люди искусства». Черт возьми! Стоит приехать сюда, только чтобы посмотреть, почему Европа загнивает, почему все эти люди — от хорошего до ничтожного — являются причиной всех этих Гитлеров и Муссолини. Клянусь жизнью, ненавижу это место и буду ненавидеть его вместе с этими людьми до конца своих дней. Во всем столько фальши и нереального, что они могут свести меня с ума».

Она приходила в отчаяние от гражданской войны в Испании и видела первых беженцев оттуда. С помощью Диего она устроила отправку в Мексику четырехсот беженцев.

«Если бы ты знал, в каком состоянии находятся эти бедные люди, которые бежали из концентрационных лагерей, у тебя бы разбилось сердце. Там был Маноло Мартинес, *compañero* Ребулла (Даниэль Ребулл был одним из испанских военных, его Фрида встречала в Мексике в 1936 и 1937 годах. — *Прим. авт.*). Он говорит, что Ребулл единственный, кто остается на той стороне, так как не может оставить умирающую жену. Возможно, сейчас, когда я это тебе пишу, они уже расстреляли беднягу. Эти французские ишаки ведут себя по отношению к беженцам по-свински, это собрание ублюдков всех видов, из тех, что мне известны. Меня воротит от всех этих прогнивших европейцев — и их гребаной демократии, которая яйца выеденного не стоит».

Хотя Фрида и представляла Мексику на одном или нескольких собраниях троцкистов и продолжала общаться с ними до отъезда из Парижа, на самом деле у нее был мимолетный роман с одним из этих людей. Она жила с ним в доме Мэри Рейнольдс на Монпарнасе. Фрида одобрила Диего, когда узнала, что вскоре после того, как она уехала в Париж, Диего порвал отношения с Троцким.

«Диего теперь сражается с IV [Интернационалом] и сказал ему (Троцкому. — *Прим. авт.*), чтобы он катился к черту, в весьма резкой манере, — писала Фрида Элле и Бертраму Вулф. — Диего совершенно прав!»

Личный и политический конфликт между Риверой и Троцким возник и стал прогрессировать в то время, когда Фрида в октябре уехала из Мексики, чтобы присутствовать на своей выставке в Нью-Йорке. С ее отъездом Диего стал каким-то удрученным и потерянным. Ясно, что назидательная манера разговора Троцкого могла действовать на нервы человеку, у которого и так было скверно на душе. В свою очередь, и Ривера раздражал Троцкого своей непредсказуемостью, своими баснями и потаканием собственным слабостям. Один инцидент выявил разницу между двумя характерами. 2 ноября 1938 года, в День поминовения усопших, Ривера появился в доме в Койоакане в игривом настроении и подарил Троцкому большой фиолетовый сахарный череп с написанным белым сахаром словом «Сталин». Троцкий не понял ни юмора, ни подарка и, как только Диего ушел, попросил Джин ван Хейенорт уничтожить череп.

Вскоре политические споры, которые прежде оба мужчины старались не доводить до точки кипения, дошли до этой температуры. Они не соглашались друг с другом, споря о классовой сущности Советского государства, о вовлеченности Риверы в профсоюзные дела и о поддержке Риверой Франсиско Мухики (которого Троцкий определял как буржуазного кандидата) в текущей выборной кампании. Истинная проблема заключалась в том, что Ривера не был ни глубоким, ни последовательным троцкистом. Он мог сказать, например: «Знаете, а я немного анархист», мог за спиной Троцкого обвинять его в сталинизме.

Со своим анархистским отношением к любым догмам или другим системам, не его собственным, Ривера был не в состоянии подчиняться идеологии троцкизма и не мог служить партийным функционерам. К тому же, как и многие интеллектуалы того времени (перед Второй мировой войной), он не питал иллюзий по поводу троцкистского IV Интернационала, рассматривая его как явление бесполезное, как «тщеславный жест». Риверe было неприятно, когда Троцкий после попыток убедить его в том, что он мог бы лучше служить делу своим искусством, а не административной работой, предпринял шаги, которые ограничили бы влияние Риверы в мексиканской троцкистской партии. В конце декабря Ривера написал Бретону письмо, где критиковал методы Троцкого, и Троцкий попросил его переписать письмо, удалив оттуда два неверных утверждения. Ривера согласился, но на самом деле ничего не изменил.

В начале нового года Ривера отказался участвовать в IV Интернационале. 11 января Троцкий через мексиканскую прессу заявил, что больше не чувствует «моральной солидарности» с Риверой и отныне не может пользоваться его гостеприимством. Однако 12 января Троцкий все еще хотел вернуть Риверу назад в загон; он пишет о конфликте Фриде и надеется на ее помощь. В подтексте письма, детально описывающего политические споры, он рассказывал Фриде о работе Диего в профсоюзах и о его письме к Бретону; письмо проникнуто страстной настойчивостью, которая показывает, насколько Ривера необходим Троцкому как друг и политический соратник. Он пишет:

«Дорогая Фрида,

мы здесь очень счастливы и гордимся твоим успехом в Нью-Йорке, потому что рассматриваем тебя как посла искусства не только от Сан-Анхела, но и от Койоакана. Даже Билл Лэндер, объективный представитель американской прессы, информировал нас, соответственно заметкам в печати, о твоем истинном успехе в Штатах. Наши сердечнейшие поздравления...

Тем не менее... Я бы хотел обсудить с тобой некоторые сложности с Диего, что очень болезненно для меня и для Натальи, да и для всего дома. Мне трудно найти источник недовольства Диего. Дважды я пытался поговорить с ним об этом, но он давал общие ответы. Единственное, что я мог из него выжать, — это его возмущение по поводу того, что я отказываюсь признавать за ним качества, которые необходимы для революционной работы. Я сказал ему, что он никак не займется бюрократией в организации, потому что секретарь, который никогда не пишет, не отвечает на письма, никогда вовремя не приходит на собрания и всегда имеет мнение, противоположное мнению большинства, — это плохой секретарь. И я тебя спрашиваю, зачем Диего быть «секретарем»? Что он настоящий революционер, не нуждается в доказательствах, но он во много раз больше революционер, когда выступает как художник, и именно это не дает ему заниматься рутинной работой в партии...

Несколько дней тому назад Диего вышел из IV Интернационала. Надеюсь, его отставка не будет принята. Со своей стороны, я сделаю все возможное, чтобы уладить политическую сторону вопроса, даже если мне не удастся решить персональный вопрос. Тем не менее я верю, что твоя помощь очень важна в этом кризисе. Разрыв Диего с нами означает не только страшный взрыв для IV Интернационала, но — боюсь сказать — это может означать и моральную смерть самого Диего. Вне IV Интернационала и симпатизирующих ему людей, сомневаюсь, сможет ли он найти окружение, которое понимало бы его и симпатизировало ему не только как художнику, но и как революционеру, и как человеку.

Теперь, дорогая Фрида, ты знаешь о здешней ситуации. Не хочу верить, что все безнадежно. В любом случае я буду последним, кто оставит попытки восстановить политические отношения и личную дружбу, и искренне надеюсь, что ты будешь сотрудничать со мной в этом направлении.

Наталья и я шлем тебе лучшие пожелания, будь здорова, желаем успеха в искусстве и обнимаем тебя как нашего доброго и истинного друга».

После разрыва Троцкий пытался заставить Риверу взять деньги за дом, пока они будут подыскивать новое жилье. Ривера отказывался. В конце концов, в апреле 1939 года, Троцкий с домочадцами перебрался в дом на авениде Вьена в Койоакане, невдалеке от голубого дома на авениде Лондрес. Он оставил в голубом доме «Автопортрет», подаренный ему Фридой, и ручку, которая тоже была Фридиным подарком. Ей было трудно заполучить автограф Троцкого без его ведома, чтобы выгравировать на колпачке ручки.

Хотя Фрида поддержала Риверу в разрыве с Троцким, она сохранила доброжелательность последнему, даже после его смерти. В 1946 году, например, она отказала Ривере, не дав ему ту ручку, которую дарила Троцкому, чтобы он подписал повторное заявление о вступлении в коммунистическую партию. Фрида бесконечно прощала Диего его политические капризы, но в ней жило уважение к памяти старого друга. В итоге, однако, в связи с ее собственным восстановлением в коммунистической партии она тоже осудила Троцкого, определив его письмо к ней от января 1939 года как «абсолютно невозможное». Она также вспоминает встречу с убийцей Троцкого Рамоном Меркадером, иначе называемым Жаком Морнаром, во время пребывания во Франции:

ХЕЙДЕН ЭРРЕРА

«В Париже я встретила Морнара, того, кто убил его, и он обхаживал меня, намекая, чтобы я взяла его в дом Троцкого. «Не просите меня, поскольку я поссорилась со стариком Троцким», — сказала я ему. «Я только прошу вас, пожалуйста, найдите мне дом рядом с ним». — «Поищите сами, я слишком больна, чтобы искать кому-то жилье, и не могу предоставить вам мой дом, и не могу представить вас Троцкому, я никогда не познакомлю вас с ним». Но его подруга (Сильвия Аголофф. — *Прим. авт.*) пришла и представила его».

В то время как Меркадер, агент ГПУ, который изображал из себя троцкиста, ухаживал за Сильвией Аголофф, американский троцкист, бывший в Париже в то же время, что и Фрида, по-видимому, тоже преследовал Фриду, но безуспешно. Подруга Сильвии Аголофф Мария Крепо, желающая объяснить роль Сильвии в убийстве, написала статью, в которой она повторяет историю, рассказанную Морнаром о его встрече с Фридой Кало, историю, которую молодой человек нашел столь веселой, что смеялся до слез.

«Я собираюсь рассказать вам нечто смешное, — начал Морнар. — Мне никогда в жизни не было так смешно. Слушайте: я узнал о прибытии в Париж Фриды Кало, жены Диего Риверы. Я купил огромный букет и пошел ее искать». Морнар неотступно следовал за Фридой со своим громадным цветочным приношением, пока наконец не попытался подарить его ей на вернисаже. Когда Фрида отказала ему и отказалась взять букет, он вышел на улицу и предложил цветы первой попавшейся женщине. Женщина от испуга бросилась в сторону, и цветы упали в грязь. Когда Мария Крепо спросила его, почему он так настойчиво хочет встретиться с Фридой, агент просто сказал: «Было бы очень забавно познакомиться с ней», — и вышел из комнаты.

Когда выставка наконец открылась, Фрида говорила Мюрэю, что ее уже не волнует, будет ли она иметь успех. «Люди в основном до смерти напуганы войной, и никакая выставка не будет иметь успеха, поскольку богатые суки не хотят ничего покупать». (Она отменила выставку в Лондоне, в «Гугенхейм Джун» — галерее Пэгги Гугенхейм на Корк-стрит, весной.) «Какая польза, — риторически спрашивала Фрида, — от того, что я поеду в Лондон, буду прилагать усилия. Только потеряю время».

Парижская выставка называлась «Мексика», хотя не была персональной выставкой Фриды (Бретон и в самом деле окружил Фридины картины доколумбовыми скульптурами, картинами прошлых веков, фотографиями Мануэля Альвареса Браво и своими собственными коллекциями, которые Фрида называла «весь этот хлам», — игрушками, керамическими подсвечниками, огромным сахарным черепом, примитивными артефактами и другими предметами народного искусства Мексики), но Фрида все-таки была там главной фигурой.

Жаклин Бретон вспоминает, что вернисаж прошел очень оживленно, но Фрида почти все время

ХЕЙДЕН ЭРРЕРА

стояла в уголке, оттого что она плохо говорила по-французски, она чувствовала себя отчужденно. И, как она и боялась, выставка не имела финансового успеха. Французы слишком большие националисты, говорит Жаклин Бретон, чтобы интересоваться работами неизвестного иностранца. Кроме того, «женщин все еще недооценивали. Женщине-художнице было очень трудно пробиться». Фрида говорила: «Мужчины — короли. Они правят миром».

Тем не менее в «La fliche» появилось благожелательное обозрение Фридиных работ. Критик Л.-П. Фуко говорил, что каждая из семнадцати выставленных работ была «дверью, открытой в бесконечно продолжающееся искусство». Он назвал колорит Фриды «богатым», а рисунок — «совершенным», хвалил «аутентичность» и «искренность» ее работ, говоря, что в то время, когда «обман и надувательство превратились в стиль, поразительная честность и точность Фриды Кало де Ривера дает нам ощутить присутствие гения». Лувр собирался купить «Раму»: очаровательный портрет Фриды с желто-зеленой лентой в волосах, увенчанной огромным желтым цветком. Теперь эта картина находится в коллекции Государственного музея современного искусства Центра Жоржа Помпиду.

Из всех Фридиных поклонников Диего, естественно, больше всех говорил о ее триумфе в Париже. Он писал, что его жена завоевала сердца парижского мира искусства:

«Чем более серьезны были критики, тем значительнее был их энтузиазм... Кандинского так тронула Фридина живопись, что он прямо при всех поднял ее на руки и целовал щеки и брови, пока слезы не побежали у него по лицу. Даже Пикассо, требовательнейший из требовательных, пел хвалу артистичности Фриды и ее достоинствам. С того момента, как он встретился с ней, и до того дня, как она отправилась домой, Пикассо находился во власти ее обаяния».

Пикассо, в знак своей любви, подарил Фриде серьги в форме крошечных ручек, сделанных из панциря черепахи с золотом. Он также научил ее испанской песне *«Fe Hiérfano soy»* («Я сирота»), которая начинается словами: *«Yo no tengo ni madre que sugren mi penz/Hiérfano soy»*. («У меня нет ни матери, ни отца, которые разделили бы мою боль, я сирота»). Эта песня стала любимой песней Фриды, и она долго позже пела ее Диего и друзьям.

7 марта Фрида суммирует свои впечатления в письме к Элле и Бертраму Вулф:

«Элла, милая, и Бойтито, мои истинные друзья.

Пишу вам спустя два месяца. Я уже знаю, что вы собираетесь сказать, как всегда, — что «чикуа» — упрямый осел! Но в этот раз, поверьте мне, дело не в упрямстве, а в бандитском везении. Далее следуют уважительные причины: а) как только я прибыла сюда, начались ужасные неприятности. Я была злая, как черт, потому что выставка не была устроена. Мои картины спокойно дожидались меня на таможне, потому что Бретон даже не забрал их оттуда. Вы даже представить себе не можете, каков этот старый таракан Бретон, как и все эти сюрреалисты. Можно сказать, все они истинные дети ... мамы. Расскажу вам о выставке во всех деталях, когда увидимся, потому что это долго и противно. В результате выставка задержалась с открытием на полтора месяца.

Все это происходило под аккомпанемент ссор, обид, споров, слухов, злости и раздражения самого худшего сорта. В конце концов Марсель Дюшан (единственный из всех здешних живописцев, который прочно стоит на земле и у которого мозги на месте) вместе с Бретоном смог организовать выставку. Она открылась 10-го числа этого месяца в галерее «Пьер Колле», которая, как мне сказали, здесь одна из лучших. В день открытия было множество людей, масса поздравлений «от друзей», среди них — крепкое объятие от Хуана Миро и щедрая похвала от Кандинского, поздравления от Пикассо и Тангэ, от Палена и других «больших какашек» сюрреализма. В общем, могу сказать, что был успех, и, принимая в расчет качество лести (от толпы поздравляющих), я понимаю, что все идет хорошо...

Скоро обо всем поговорим как следует. Между

ХЕЙДЕН ЭРРЕРА

тем хочу сказать вам, что мне вас очень не хватает — что я люблю вас все больше и больше — что я веду себя хорошо — что у меня нет ни приключений, ни любовников, ничего такого в этом роде, что больше чем когда-либо скучаю по Мексике — что я обожаю Диего больше, чем обожала за всю свою жизнь, — что мне также не хватает Ника (Мюрэя. — *Прим. авт.*), что я становлюсь серьезным человеком. В заключение, пока я не увижу вас, хочу послать вам обоим тысячу поцелуев. Разделите их поровну между Джей, Маком, Шилой и всеми. И если вы хоть на минутку увидите Ника, отдайте ему маленький поцелуй, а другой — Мэри Скляр.

Ваша *chicpa*, которая никогда не забывает вас,

Фрида».

Через неделю после того, как было написано письмо Вулфам, Фрида в конце концов смогла покинуть эту «прогнившую» Европу. 25 марта она отплыла из Гавра в Нью-Йорк. Не все ее воспоминания о Париже были негативными. Там у нее появились добрые друзья, даже среди «больших какашек» сюрреализма, и она была в восхищении от красоты города. Вернувшись в Мексику, она написала письмо, полное тоски (на испанском), подруге в Париже (возможно, Жаклин Бретон, потому что имя «Оби» появляется на полях копии письма, которые Фрида включила в свой дневник, в нем она говорит о дочери этой женщины).

«Поскольку ты писала мне, тот день теперь так далек от меня, я хотела объяснить тебе: я не могу ни убежать от тех дней, ни вернуть время вспять. Я не забыла тебя — ночи такие долгие, такие трудные. Вода. Корабль, и пирс, и отплытие, которое делало тебя такой маленькой, заключенной в круглое окошко, в которое ты смотрела, чтобы сохранить меня в своем сердце. Все это никуда не уходит. Позже пришли дни, новые дни, полные тобой. Я говорю тебе, что твоя дочь — это моя дочь, кукольный народец в твоей большой комнате — наш общий.

Huipill (сорочка) с пурпурно-красными лентами — твоя. Мои же — старые площади твоего Парижа — главным образом площадь Вогезов, такая забытая и неподвижная. Змеи и кукла-невеста тоже твои, так сказать — это ты. На кукле то же платье, которое она не хотела снять в день свадьбы, когда мы нашли ее почти спящей на грязной улице. Мои юбки с кружевными оборками и старая блузка... создают портрет только одной отсутствующей персоны. Но цвет твоей кожи, твоих глаз и твоих волос меняются под ветром Мексики. Ты также *понимаешь*, что все, что видят мои глаза, все мои ощущения, каковы бы ни были расстояния, — это Диего. Одежда, цвет цвета, провода, нервы, карандаши, листы бумаги, пыль, клетки, война и солнце — все, что живет не в минутах циферблата часов и не в календарных датах, не в пустых взглядах, — это ОН. Ты чувствуешь это, и потому ты позволила, чтобы корабль увез меня из Гавра, где ты так и не сказала мне прощальных слов.

Я буду всегда продолжать писать тебе глазами. Поцелуй маленькую девочку».

16

«ЧТО ДАЛА МНЕ ВОДА»

ХЕЙДЕН ЭРРЕРА

На приглашение в пантеон сюрреалистов Фрида ответила невинным испугом. «Я никогда не знала, что я — сюрреалист, — сказала она, — до тех пор, пока в Мексику не приехал Андре Бретон и не сказал мне об этом. Единственное, что я знаю, так это то, что я пишу, потому что мне это необходимо, и я всегда пишу то, что возникает у меня в голове, особенно не раздумывая об этом».

Здесь ее наивность несколько смешана с хитростью. Фрида Кало хотела, чтобы ее воспринимали как нечто особенное, как ту, чьи личные фантазии в основном питались мексиканскими традициями, это было важнее, чем какие-то иностранные «измы». Это как раз именно то, что хотели видеть в ней Бретон и Ривера, и действительно, ее искусство поражает изобретательностью и откровенностью, своей очевидной свободой от влияния направлений европейского искусства. Но Фрида была не так уж проста, она очень хорошо знала искусство прошлого и настоящего, чтобы считаться совершенно «непорочным», создавшим себя самое художником, если таковые вообще существуют. Выразительное заявление Фриды выглядит подозрительно похожим на то, как Бретон определял сюрреализм:

«Чисто психический автоматизм, благодаря которому кто-то выражается вербально, в письме или другим способом, истинное функционирование сознания. Диктат мысли, при отсутствии любого контроля, основанного на здравом смысле и вне какой бы то ни было эстетики и морали».

Теории Бретона наверняка достигли и Мексики, и Фрида, конечно, не могла их игнорировать. Более того, она знала, что ярлык сюрреалиста должен вызвать шумный успех у критиков, и была счастлива тем, что ее приняли в круги сюрреалистов, сначала в Нью-Йорке, где галерея Жюльена Леви была очагом этого направления, а затем и в Париже. Возражай она против этого ярлыка, ее друг Мигель Коваррубиас не определил бы ее как сюрреалиста в каталоге «Двадцать веков мексиканского искусства», выпущенном к выставке в нью-йоркском Музее современного искусства. С другой стороны, Фрида была уверена, что не *сама она* дала себе это определение. Историк искусства Антонио Родригес цитирует Фриду:

«Я обожаю сюрприз и неожиданность. Мне нравится двигаться вне реализма. По этой причине мне хотелось бы видеть, как с книжных полок спрыгивает лев, а не книги. Моя живопись естественно отражает эти пристрастия и также состояние моего мышления. И, без всякого сомнения, правда то, что во многом моя живопись может иметь отношение к сюрреализму. Но у меня никогда не было намерения создавать картины, которые могли бы соответствовать некой классификации».

Нечего и сомневаться по поводу того, что было самым модным направлением в международных кругах искусства в 1940 году. Когда 17 января в Галерее современного искусства Инес Амор в Мехико открылась Международная выставка сюрреализма, она явилась значительным культурным и социальным событием. Эта выставка уже проехала от Парижа до Лондона; она была организована Андре Бретоном, перуанским поэтом Сесаром Моро и художником-сюрреалистом Вольфгангом Паленом, который вместе с женой Элис Раейон, подругой Фриды и тоже художницей-сюрреалистом и поэтом, эмигрировал в 1939 году в Мексику. Список приглашенных на вернисаж, опубликованный в газете, включал в себя «всю Мексику».

Каталог обещал «Ясновидцев часов», «Аромат пятого измерения», «Радиоактивные структуры» и

«Обжигающие приглашения». (Если зрелище и не содержало всего обещанного, то, по крайней мере, выполнило последнее — приглашения, разосланные избранным, были очень элегантными.) Большинство мужчин были в официальных костюмах, а дамы — одеты по последней парижской моде. Сестра Люпе Марин, Исабель, порхала в белой тунике в стиле «явление белого сфинкса ночи», огромная бабочка на голове полускрывала ее прелестное личико. В то время как элита Мехико попивала прекрасные виски и коньяк, поглощая изысканные закуски, предложенные Инес Амор, помощник секретаря Казначейства произносил приличествующий случаю спич. В конце вечера многие гости отправились танцевать в «Эль Патио» — популярное кабаре.

Отклики в прессе были в основном положительными. Однако один критик сказал, что «вернисаж носил характер очень корректного визита в сюрреализм, но не явил собою ничего неожиданного». Фактически, сказал он, сюрреализм потерял своих врагов, стал модным и умер. Думающие обозреватели заметили, что, за небольшим исключением, мексиканские участники выставки вовсе не были сюрреалистами. Фриду, например, исключили из рядов сюрреалистов из-за ее «одухотворенной бесхитростности». Сама она в письме к Николасу Мюрэю объясняла, что все в Мексике стали сюрреалистами, только чтобы участвовать в выставке, но она все-таки дала на выставку картины «Две Фриды», 1939 года, и «Раненый стол», 1940 года, — единственные холсты большого размера, таких у нее еще не было, над ними она работала с большой скоростью, в частности из-за того, что хотела успеть сделать их к выставке.

Хотя Международная выставка сюрреализма имела важное значение как первый прямой контакт с искусством европейского сюрреализма, она не повлияла так сильно на мексиканское искусство, как рассчитывали организаторы выставки. Они рассматривали Мексику как плодородную почву для сюрреализма, однако мексиканцы оказались не особенно восприимчивыми. Одним из препятствий было доминирование монументальной живописи с ее обяза-

44. С Троцкими по их прибытии в Тампико, 1937

45. Фрида и Троцкий, 1937

47. Вечеринка в квартире Люпе Марин в 1938 году. *Слева направо:* Луис Кардоса-и-Арагон, Фрида, Жаклин и Андре Бретон, Люпе, Диего и Лия Кардоса

46. С Троцким (*сидит*), Натальей Троцкой, Ребой Хансен и Джин ван Хейенорт на прогулке в окрестностях Мехико, июнь 1938

48. «Я и моя кукла», 1937

49. «Любимая собачка со мной», 1938

50. «Что дала мне вода», 1938

52. С Николасом Мюрэем. Фотография Николаса Мюрэя, ок. 1938

51. На нью-йоркской выставке Фриды, 1938

53. «Две обнаженные в лесу», 1939

54. «Самоубийство Дороти Хэйл», 1939

55. «Раненый стол», 1940

56. «Автопортрет», 1940

57. «Автопортрет с косами», 1941

58. Керамические часы, одни с датой развода (Фрида написала на них: «Время разбилось»), другие с датой повторного бракосочетания

59. Фрида и Диего с обезьянкой Каймито де Гуаябал

61. В столовой голубого дома в Койоакане. Фотография Эмми Лу Паккард

60. Во время Второй мировой войны. Фотография Николаса Мюрэя

62. «Диего и Фрида.
1929 —1944», 1944

63. «Автопортрет»,
рисунок, 1946

65. «Натюрморт», 1942

64. «Цветок жизни», 1944

66. «Фрукты земли», 1938

67. «Портрет Марианы Морильо Сафы», 1944

68. «Донья Розита Морильо», 1944

69. «Моисей», 1945

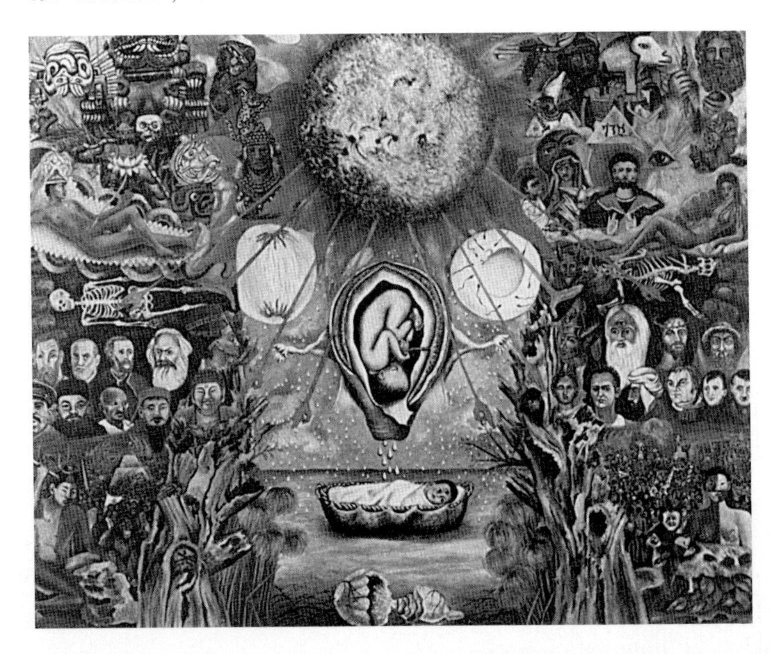

70. С олененком Гранисо, 1939. Фотография Николаса Мюрэя

71. С Диего на политическом митинге, ок. 1946

72. С тремя своими студентами, ок. 1946. *Слева направо:* Фанни Рабел, Артуро Эстрада и Артуро Гарсиа Бустос.

73. Фрида, ок. 1947

74. Деталь фрески Риверы 1947—1948 годов в отеле «Дель Прадо», где он изобразил себя в виде мальчика, рука Фриды, оберегая его, лежит у него на плече

75. Диего с Марией Феликс, 1949

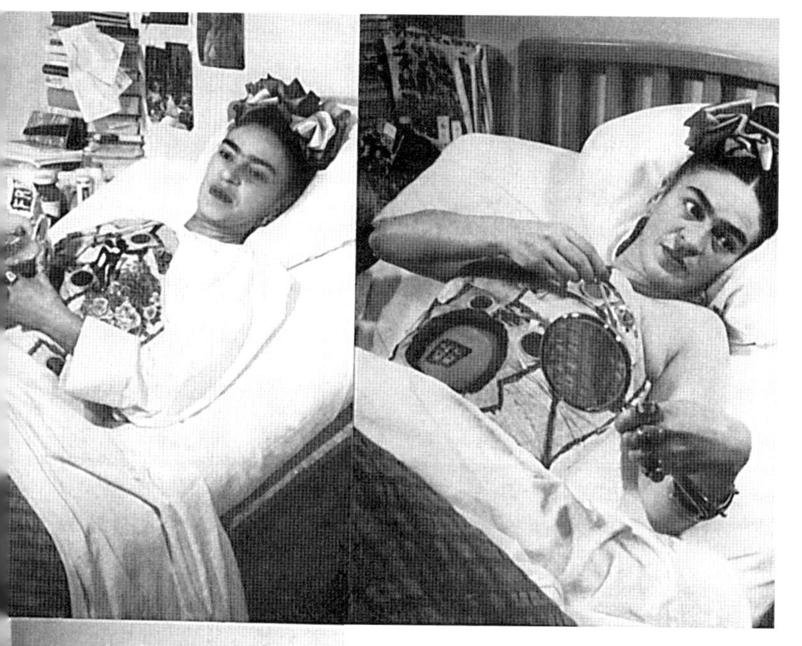

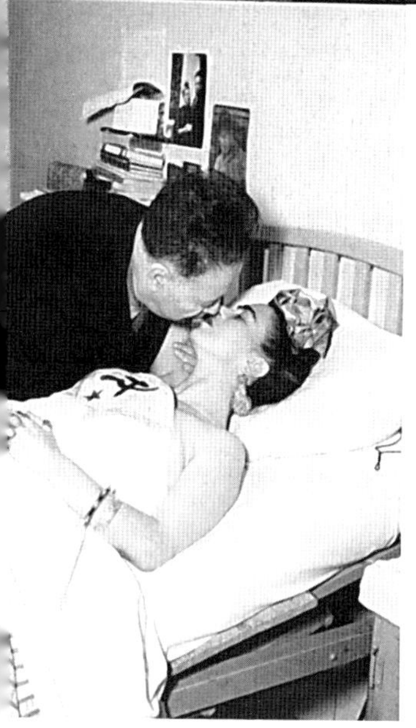

76. Фридин год в госпитале, 1950—1951. *Слева наверху*: она держит сахарный череп со своим именем на нем; *справа наверху:* расписывает один из гипсовых корсетов; *слева внизу* — с Диего

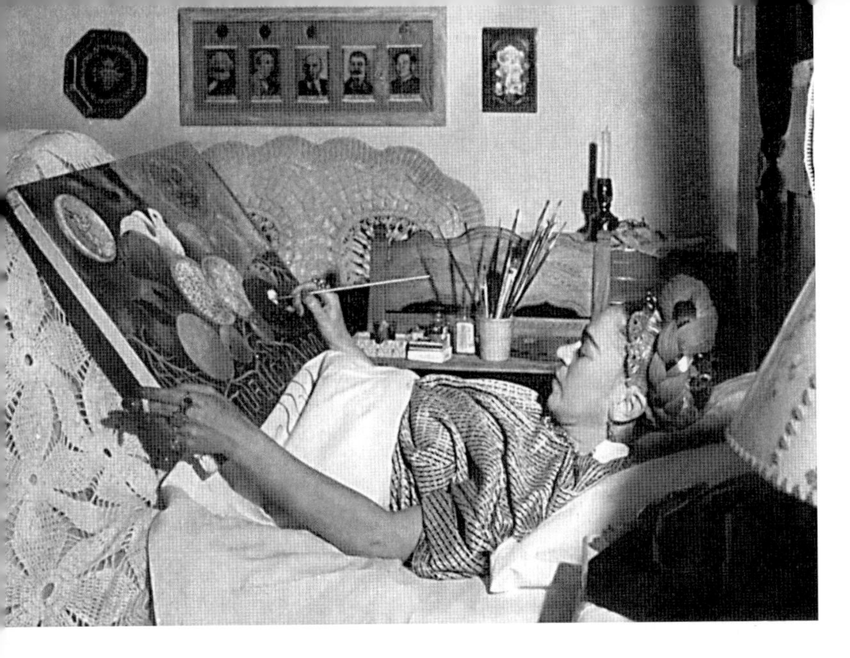

77. Пишет дома картину «Живая природа», 1952

78. Со слугами, ок. 1952

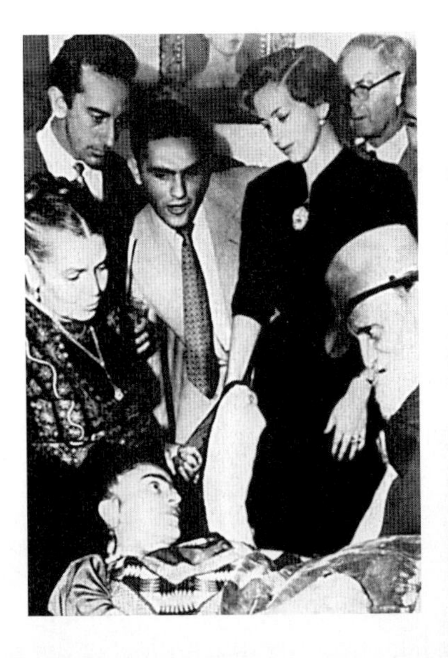

79. В галерее во время открытия выставки Фриды Кало в 1953 году. На Фриду смотрят (*слева направо*): Конча Мичел, Антонио Пелассе, доктор Роберто Гарсиа, Кармен Фаррел и доктор Атл

80. «Марксизм воскресит страждущих», 1954

81. Студия Фриды, на мольберте неоконченный портрет Сталина

82. На демонстрации 1954 года. Около Фриды Хуан О'Горман, позади нее Диего

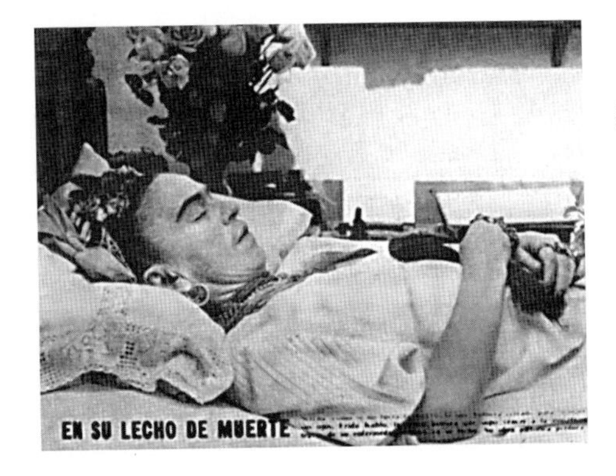

83. На смертном одре

84. Диего, Ласаро Карденас (*слева*) и Андрес Идуарте следуют за катафалком в крематорий

85. Кровать Фриды в Музее Фриды Кало

тельствами перед реализмом. Другое обстоятельство, которое труднее было обойти, заключалось в том, что у Мексики своя собственная магия и мифы, таким образом, она не нуждалась в иностранных идеях и фантазиях. Сознательные поиски подсознательного, которые могли дать европейским сюрреалистам некое освобождение из рационального мира и от обычной буржуазности, мало что могли предложить стране, где реальность и мечты слиты воедино и чудеса случаются каждый день.

Но, хотя Международная выставка сюрреализма и присутствие на ней европейских художников не создали сюрреалистического направления в Мексике, все это сыграло важную роль в стимуляции фантастического реализма в сороковые годы — в то время многие мексиканские художники освобождались от гегемонии монументальной живописи. Разумеется, Фрида была одним из тех художников, для которых контакт с сюрреализмом послужил усилению склонности к фантазии. Несмотря на то что она была, скорее, открытием сюрреалистов, чем истинным сюрреалистом, после ее контакта с этим направлением живописи в 1938 году в ее работе произошли определенные изменения. Картины ранних тридцатых годов, такие, как «Лютер Бербэнк» или «Больница Генри Форда», показывали наивный стиль и фантазию, основывающиеся на мексиканском народном искусстве. После 1938 года живопись Фриды стала более сложной, более пронзительной, будоражащей. В то время как черты, которые определяли индивидуальность Фриды, обретали силу, а скрытое наполнялось двусмысленностью, озорная порывистость ее «Автопортрета» 1929 года и дьявольское женское очарование «Автопортрета», посвященного Троцкому, открывали путь новой загадочности и магнетизму, более глубокому самопознанию. И если это было связано с годами страданий Фриды, то нельзя не принимать во внимание давление сюрреализма на подсознание. Разумеется, теории Бретона действовали на Фриду, и это отразилось в загадочности большинства ее сюрреалистических работ. «Что дала мне вода» (илл. 50) — это картина, которая, как говорила Фрида, особенно значительна для нее. В ней присутствуют страхи и воспоминания, сексуальность, боль и смерть — образы плавают над ногами погруженного в нее купающегося. Настроение подавленное и зыбкое. Мелькают неясные воспоминания. Ощущение нереальности поддерживается общей прозрачной серо-голубой тональностью и необычно тонкой техникой. Есть в картине что-то от Дали, от изобилия его иррационально совмещенных деталей, но также и напоминание о том, что Фрида была очарована Босхом и Брейгелем. Это полотно — наиболее сложное и определенно наиболее загадочное из всех произведений Фриды. Фрида пишет свои собственные ноги с точки зрения человека, погруженного в ванну и частично прикрытого водой. Кончики ступней, выдающиеся из воды, комически удвоены отражением, так что они выглядят подобными мясистым крабам. Правая нога напоминает о несчастном случае и последующей операции. Как в фильме ужасов, извивающаяся вена выползает из стока, и из нее в воду капает кровь. (Фридина навязчивая идея крови обнаруживает себя в ее картинах начиная с 1932 года, но в поздних тридцатых эта «зацикленность» становится все более сексуально окрашенной и приобретает садомазохистскую интенсивность, когда она следит за динамикой движения капель и потоков крови.) Также приходят на ум фильмы ужасов при виде парада насекомых, змей и крошечных танцоров, которые движутся по туго натянутому канату к скале (к фаллосу), к замаскированному, полуобнаженному мужчине.

Веревка, как лассо, затягивает шею и талию утонувшей Фриды, у которой изо рта льется кровь, а обнаженная плоть тронута серым цветом тления.

Неудивительно, что Андре Бретон выбрал картину «Что дала мне вода» для сопровождения эссе о Фриде в книге «Сюрреализм и живопись». Он говорил, что, когда был в Мексике, Фрида как раз заканчивала эту работу.

Легко понять, почему столь многие люди называли Фриду сюрреалистом. В ее самоуничижительных портретах есть сюрреалистическое подчеркивание боли и явно скрытое подавление эротики. То, как она изображает фигуры неких существ (частично животное, частично растение, частично человек), известно в иконографии сюрреализма, где человеческие конечности прорастают ветвями, где тело может быть увенчано головой птицы или быка. То, что Фрида часто показывает отсеченные части человеческого тела, напоминает отсеченные головы и руки, так часто изображаемые в картинах сюрреалистов. Она размещает свои сюжеты в безграничных открытых пространствах — пространствах, которые никак не связаны с каждодневной реальностью, — что тоже можно трактовать как сюрреалистическую затею заставить зрителя порвать все связи с миром рационального. Но и в замкнутых пространствах Фридиных картин, где есть ощущение клаустрофобии, тоже прослеживается сюрреалистический источник: стены из все поглощающей тропической листвы, по которой ползают принявшие защитную окраску насекомые, напоминают пышные ландшафты джунглей Макса Эрнста.

Но, в отличие от сюрреалистов, у Фриды была совсем другая точка зрения. Ее искусство не является продуктом разочарованной европейской культуры, ищущей возможности сбежать от ограничений, накладываемых логикой на абсолют бессознательного. Фантазия Фриды — производное от ее темперамента, ее жизни и своего места в ней, это путь, ведущий до предела реальности, а не уход из реальности в другое царство. Ее символизм почти всегда автобиографичен. Магия Фридиного искусства — это не магия расплавленных часов. Это магия ее тоски по собственным образам, подобным экс-вото, по действенной силе. Фрида исследовала неожиданность, загадку сиюмоментного опыта и истинного ощущения.

Сюрреалисты ввели образы угрожающей сексуальности. Фрида создавала образы своей собственной искореженной репродуктивной системы. Когда в «Корнях» (цв. илл. XXVII), картине 1943 года, она обвила свое тело зеленой виноградной лозой, она таким образом сообщала о своих особых личных ощущениях — бездетная женщина тоскует из-за

ХЕЙДЕН ЭРРЕРА

своего бесплодия. Ее эмоции абсолютно очевидны. Эротика больше присутствует во Фридиных венах, чем в ее голове, — для нее секс не столько фрейдистская доктрина, сколько факт жизни. Ей не нужно было обучаться у де Сада, чтобы изображать с полной откровенностью всю жестокость драмы физических страданий. Когда Фрида пишет раненную ножом обнаженную женщину, исколотую Деву Печали, или собственную изуродованную плоть, это не является анонимным образом боли, фрейдистским символом, вроде уколотого пальца, высунутого из окна в картине Макса Эрнста «Царь Эдип». Когда она раскалывает свой торс, чтобы показать разбитую классическую колонну на месте позвоночника, то этим она говорит о своем собственном физическом состоянии. Когда она пишет себя дважды в картине «Дерево надежды» (1946 год) (цв. илл. XXX), где одна Фрида сидит, а другая лежит, в этом нет ничего общего с иррациональным сопоставлением ради создания «сюрреальности». Это не является парадигмой сюрреализма, описанной французским поэтом Лотремоном, «случайная встреча швейной машинки и зонта на хирургическом столе». Здесь представлена обычная пациентка хирурга, лежащая после анестезии на больничной каталке, рядом находится та, которая дает силы, надежду и волю. Эта прямота сильнейшим образом контрастирует с сюрреалистическими окольными путями и с присущему сюрреализму сглаживанию углов.

«Что дала мне вода», в сущности, более реалистическая, чем сюрреалистическая картина. В то время как накопление мелких, фантастических деталей делает эту картину менее понятной и менее приземленной, чем другие работы Фриды, все ее образы тесно связаны с событиями жизни и с чувствами художницы.

Жюльен Леви вспоминал, что Фрида редко разговаривала о своих работах, но говорила с ним о картине «Что дала мне вода». «Здесь все сказано, — говорил Леви. — Это образ проходящего времени. Она указывает, что картина о времени, и о детских играх, и о печали по поводу того, что случилось в ее жизни». По мере того как Фрида становилась старше, все сновидения становились печальными. Детские сновидения были счастливыми. Ребенком она играла игрушками в ванне. Ей снятся об этом сны. Образы картины относятся к ее играм в прошлых снах, все ее сновидения оборачиваются горькой стороной. Также она часто говаривала о мастурбации в ванне. И затем — о взгляде на себя, что и показано на этой картине.

То, что вода предлагала Фриде, было остановкой, смягчением жестокости объективно существующего мира, так что она могла улететь со своими фантазиями в созвездие таких образов, которые проносятся перед внутренним взором, когда ослабевает сознание. Однако даже здесь, в наиболее фантастичной из всех картин, Фрида вполне реалистична. В сущности, она изобразила «подлинные» образы самым буквальным, прямолинейным способом. Мы можем не понимать, что означает каждая деталь, но она-то это знала. Поэтичность Фриды не отличается тонкими нюансами. В ней нет ничего аморфного и расплывчатого. Она ведет свою линию чрезвычайно конкретно.

Осознавая это и понимая, что реализм и марксизм идут рука об руку, Диего убеждал, что Фрида была реалистом. В статье «Фрида Кало и мексиканское искусство», написанной в 1943 году, Диего говорит:

«В панораме мексиканской живописи конца двадцатых годов творчество Фриды Кало сверкает, как бриллиант среди многих менее значительных драгоценностей; бриллиант чистый и неподдельный, с точнейшими гранями...

Постоянное возвращение к автопортретам, каждый из которых никогда не походит на другой, и все они все больше похожи на Фриду, — это постоянные перемены и постоянство, что соответствует всеобщим законам диалектики. В работах Фриды блистательно представлен монументальный реализм. В рассеченном сердце, в льющейся на столы крови, а еще ванны, растения, цветы и артерии, зажатые щипцами, — во всем выявляет себя оккультный реализм.

Монументальный реализм выражается в мельчайших

измерениях, крошечные головы вылеплены так, будто они колоссальные. Такими они появились бы на стене, если бы их высветил проектор. Когда фотомикроскоп увеличивает фоны картин Фриды, реальность становится очевидной. Паутина кровеносных сосудов и сеть клеток так отчетливо видны, даже при утере некоторых элементов, что это дает новое измерение искусству живописи...

Она пишет одновременно и экстерьер, и интерьер себя и мира...

В небесах соединились кислород, водород, углерод и первое движение электричества, духи пространства. Уаракан, Кукулкан и Гукамац с предками и прародителями, и она появляется на земле, в окружении грома, молний, которые в конце концов создают человека. Но осязаемая Фрида — это мать, центр всего, мать-море, буря, туманность, женщина».

Написанное Риверой вряд ли относится к тому реализму, который понятен массам и подвигнет их на размышления о социальных реформах, тем не менее это реализм в контексте мыслей художника. Картины Фриды, как и фрески Риверы и как многое в мексиканском искусстве, начиная от *retablos* (молитвенных картин) и кончая гравюрами Посады, сплетают в себе факты и фантазию, как если бы они были нераздельны и одинаково реальны.

Юмор Фриды тоже отличается от извращений и разочарования, побуждений, толкающих европейский сюрреализм к парадоксу.

«Сюрреализм, — говорила Фрида, — это магический сюрприз, когда ты находишь льва в гардеробе, где предполагал найти рубашки».

Идея сюрреализма для нее была идеей игры.

«Я пользуюсь сюрреализмом, чтобы повеселиться над теми, кто этого не понимает, и чтобы обрести друзей среди тех, кто это осознает».

Фридин сюрреализм состоял в том, чтобы удивить людей, подвесив игрушечный скелет в изголовье кровати, или украсить гипсовую повязку пятнами йода и отпечатками пальцев, или сделав *cadavre exguis* (мертвеца). И для собственного удовольствия, и для подарков Фриде нравилось собирать смешные предметы — из любопытства. Возможно, эту идею она заимствовала от Бретона, Миро и Дали с их «ассамбляжами», или от Марселя Дюшана, или от Джозефа Корнелла, каждый из которых платил дань Фриде в виде коробок, наполненных всевозможными непонятными предметами. В Мексике ее вдохновляла близкая подруга Мачила Армида, которая создавала странные сочетания предметов, соединяя, например, бабочку, крокодила, змею, маску и электрический провод, чтобы «напугать» куклу, которую Фрида нашла в 1939 году в Париже (и включила все это в свой натюрморт 1943 года «Невеста боялась увидеть жизнь».

В Музее Фриды Кало под стеклянным колпаком расположена коллекция маленьких предметов — ковбой верхом на черепе, оловянные солдатики, кости для игры, игрушечные ангелы на подставках — они могли появиться на одной из Фридиных работ. Предмет, который наверняка принадлежал ей, это подарок от Алехандро Гомеса — глобус, который Фрида покрыла бабочками и цветами. Позже, когда она была больна и несчастна, она снова взяла глобус и покрасила бабочек и цветы красной краской, что символизировало и ее политические симпатии, и ее страдания.

Фрида делала такие инсталляции в том же духе, что и свои интерьеры и наряды. В отличие от сюрреалистов, она не придавала этому особого значения. Для нее двусмысленность являлась игрой. Менее сложный и ироничный, но более фаталистичный и сардонический, чем юмор сюрреалистов, Фридин юмор — сопротивление и насмешка над болью и смертью. Юмор же сюрреалистов смертельно серьезен.

«Беда господина Бретона, — однажды сказала Фрида, — в том, что он слишком серьезно к себе относится».

Некоторые критики (и Ривера) признавали разницу между искусством Фриды и ортодоксальными сюрреалистами. В статье «Возвышение другого Риверы», опубликованной в «*Vogue*» по случаю выставки Фриды в галерее Жюльена Леви, Бертран Вулф писал:

ХЕЙДЕН ЭРРЕРА

«Несмотря на то что Андре Бретон, который спонсировал выставку Фриды Кало в Париже, говорил ей, что она *сюрреалист*, она в своем стиле не следовала методам этой школы... Совершенно свободный также от фрейдистских символов и философии, которые владеют официальными художниками сюрреализма, здесь наличествует своего рода «наивный» сюрреализм, который она изобрела сама для себя... В то время как официальный сюрреализм интересуют по большей части сны, ночные кошмары и невротические символы, в торговой марке мадам Риверы преобладают остроумие и юмор».

Навестив Фриду в 1939 году, чтобы собрать материал для статьи, историк искусства Паркер Лесли написал ей, что главным в его статье будет определение ее живописи как примера «сознательной, целенаправленной и полезной символической живописи в противовес бессознательной, абсолютно неясной продукции истинного мошенника, такого, как Дали. Вы ясно представляете себе, что вы пишете, он допускает в своей работе отсутствие всяческого смысла. Следовательно, разница эстетическая и психологическая между честностью и шарлатанством должна быть донесена до читающей публики».

И Антонио Родригес в серии статей о Фриде, написанных в разные годы, утверждает свой взгляд на то, что Фрида была не сюрреалистом, а, скорее, «художником, глубоко укоренившимся в реальности... совершенно необычным реалистическим живописцем... Фрида, вместо того чтобы бродить по миру в поисках удивительных сновидений, пишет кровоточащую память собственного опыта, своего рода автобиографию».

В последующие годы Фрида яростно отказывалась от ярлыка сюрреалиста. В 40-е сюрреализм становится немодным. Как сказал Жюльен Леви: «Петух прокукарекал. Практически все, когда петух прокукарекал, стали отказываться, что были сюрреалистами, когда это было модно». Многие художники, которых однажды увлек сюрреализм, стали рассматривать его как декадентство, как нечто присущее европейцам. После войны Париж уже не был культурной столицей Европы; американцы почувствовали, что новое, живое искусство рождается в Нью-Йорке, а мексиканцы продолжали гордиться своей национальной культурой. Но у Фриды к тому же были и другие причины для отступничества. Горячность Бретона по поводу троцкизма должна была раздражать Фриду после того, как она и Диего порвали с Троцким, и, разумеется, ее и Диего решение попытаться снова воссоединиться с коммунистической партией заставили их осудить это направление в искусстве. Году в 1952-м Фрида, в письме к Антонио Родригесу, изложила некоторые свои мысли по этому поводу:

«Некоторые критики пытаются классифицировать меня как сюрреалиста, но я не считаю себя таковым... В самом деле, я не знаю, сюрреалистические мои картины или нет, но я знаю, что они являются честным самовыражением... Я отрицаю сюрреализм. Для меня он является декадентской манифестацией буржуазного искусства. Бегством от истинного искусства, которое люди надеются получить от художника... Я, со своими картинами, хочу быть ценима людьми, к которым я принадлежу, чьи идеи дают мне силу... Я хочу, чтобы моя работа служила людям, сражающимся за мир и свободу».

Интересно то, что, возможно, самой сюрреалистической работой Фриды были ее дневники, которые она вела с 1944 года до самой смерти. Книга, переплетенная в красную кожу, с оттиснутыми золотом инициалами «Дж. К.» (говорили, что альбом принадлежал поэту Джону Китсу), нашел в букинистическом магазине Нью-Йорка один из друзей, он подарил этот том Фриде в надежде на то, что заполнение его страниц даст ей некое утешение в болезни и одиночестве. Эти страницы (теперь их только 161, потому что в конце ее жизни часть страниц друзья вырвали) Фрида заполняла поэтическими монологами, рисунками и текстами. Оттого что дневник очень личный и поэтому не было нужды делать его понятным, в нем отсутствует тот реализм, который был основой Фридиных картин. Рисунки создавались играючи, импровизационно, так же, как складывались предметы в «ассамбляжах» или шутливо разрисовывались гипсовые повязки. Дело в том, что все нарисованное и написанное в этом дневнике придумывалось ею только для себя — или для Диего, — и она позволяла себе, если ей хотелось, быть там истинным сюрреалистом.

Образы и слова свободно парили на страницах, что, должно быть, появилось у нее от знания сюрреалистического «автоматизма». Там есть страницы, полные совершенно бессвязных слов и фраз, есть листы со словами, начинающимися с одной буквы, со случайно возникшими стихами. Быть может, Фриде просто нравилось звучание определенных слов. Например, она пишет (на испанском):

«И вот он приходит, моя рука, мое красное зрение. Больше. Более твое. Мученик стекла. Великая беспричинность. Колонны и долины. Пальцы ветра. Кровоточащие дети, микрон слюды. Я не знаю, что думают мои шутливые сны. Тушь, пятно, форма. Цвет. Я — птица. Я — все, без всякого смущения. Все колокола, правила. Земли. Великая роща. Величайшая нежность. Огромная волна. Отбросы. Ванна. Письма на картоне. Игра в кости, дуэт пальцев надеется создать конструкцию. Одежды. Короли. Так глупо. Мои ногти. Нить и волосы. Играющий нерв, теперь я собираюсь сама с собой. Отсутствующая минута. Тебя украли у меня, и я осталась плакать. Он — пустота».

Дневник включает любовные послания к Диего, страницы автобиографии, декларации политического свойства, выражение тревоги, одиночество, боль и мысли о смерти. Фриду привлекал абсурд, и журнал полон примерами этого. Там есть листы с навязчивыми зрительными образами, которые повторяются так же, как и строки с бессмысленными словами. Фрида выдумывает фантастические формы и создания, причудливых людей, дикие церемонии. Два самых странных изображения представляют собой «чудную пару из страны точки и тире». Это обнаженный мужчина «Один-глаз» и «Неферизис» —

обнаженная женщина с эмбрионом. «Один-глаз», — говорит Фрида, — женился на прекрасной Неферизис (огромного ума) в жаркий и оживленный месяц. У них родился сын с удивительным лицом, его назвали Неферунико, он основал город, который все называли *Локура»* (безумие)».

Рисунки в альбоме делаются яркими красками — цветной тушью, карандашами и пастелью в такой манере, что, если вспомнить тщательность картин Фриды, сделанных маслом, эти рисунки выглядят поразительно свободными и живописными. Часто кажется, будто они сделаны в состоянии опьянения или под влиянием наркотиков. Фигуры фрагментарны и искривлены. Лица иногда похожи на гротескные маски, и у некоторых несколько профилей, в этом видно влияние Пикассо, чьей выставкой в Музее современного искусства Мексики летом 1944 года восхищалась Фрида. На многих страницах изображены тела и части тел, никак не связанные друг с другом. Многие образы начинаются с капли туши, упавшей на бумагу. Или иногда Фрида начинала рисовать, брызнув краской на страницу, и потом, пока краска не высохла, закрывала дневник, так что границы краски расплывались и пятно удваивалось. Используя эти силуэты как отправную точку, она детально разрабатывала их, выдумывая чудовищ или драконов. Фрида писала о подобном сюрреалистическом приеме, когда случайность обогащает искусство:

«Кто мог бы сказать, что пятна живут и помогают выживать? Тушь, кровь пахнут. Я не знаю, какой тушью должна воспользоваться, чтобы возникли подобные формы. Я уважаю ее желания и буду делать, что смогу, чтобы улететь из своего мира, мира затушеванных миров — земля свободна, и она моя. Далекое солнце зовет меня, потому что я состою из части его атомов. Глупость... Что бы я делала без абсурда и полетов?»

Идея использования линии и формы, чтобы ухватить фантастические образы из подсознательного, осуществляется в нескольких рисунках, сделанных на маленьких листках бумаги в 1940-х годах. Некоторые из них представляют собой замысловатое сплетение линий, в которых образы — лица, груди, ноги, вены и глаза, — кажется, возникли из энергии линии и момента времени. Фридина паутина и ее бессмысленные рисунки столь же навязчивы, как рисунки лунатика. Однако иногда они выглядят нарочито безумными. Будто бы Фрида сознательно использует технику сюрреалистического автоматизма, чтобы прозондировать собственные неврозы. И результатом является искусная проделка, которая сродни искусству.

Парадоксально, но даже в этих рисунках и дневниковых набросках, в которых Фрида пытается ухватить спонтанность процесса мысли посредством свободно летящих цветов и форм, проявляется своего рода «реализм». Потому что для инвалида, часто прикованного к постели, приключения подсознания и неожиданная встреча с сознательным есть в конце концов главная реальность, такая же реальная, как и сновидение. В итоге Фрида права, когда говорит:

«Они думали, что я была сюрреалистом, но это не так. Я никогда не писала сновидения. Я писала свою собственную реальность».

ЧАСТЬ 5

17
ТЕРНОВОЕ ОЖЕРЕЛЬЕ

После визита в Париж Фрида ненадолго остается в Нью-Йорке со своей подругой Эллой Пареске и вскоре, еще до конца апреля, уезжает в Мексику. Ее роман с Николасом Мюрэем подошел к концу.

«Дорогая, дорогая Фрида, — пишет в середине мая Мюрэй. — Я должен был давным-давно тебе написать. Мы живем в мире препятствий.

Тебя охватило отчаяние, но и меня — не меньшее, когда я оставил тебя в Н.-Й. и когда узнал от Эллы П. [Пареске] все о твоем отъезде.

Я не был поражен или рассержен. Я понимал, насколько ты была несчастна, как тебе необходимы твое окружение, твои друзья, Диего, твой собственный дом и образ жизни.

Я знал, что Н.-Й. был лишь временным заменителем, и, надеюсь, ты по возвращении нашла свое убежище невредимым. Между нами всегда незримо стоял третий. Я постоянно это чувствовал. Об этом мне говорили твои слезы, когда ты слышала его голос. Тем не менее я безмерно благодарен за Счастье, которое столь щедро дарила мне половина тебя. Моя дражайшая Фрида, как и ты, я изголодался по истинной любви. Когда ты ушла, я понял, что все кончено. Тебя так мудро вел твой инстинкт. Ты должна была сделать единственную логическую вещь, потому что я не мог переместить для тебя Мексику в Н.-Й., и я понял, насколько это важно для того, чтобы ты была счастливой...

Моя любовь к тебе странным образом не изменилась и не желает меняться. Твои картины — это радость для меня. Очень скоро отправлю тебе тот цветной портрет, который я обещал. Он теперь на выставке в Центре искусств Лос-Анджелеса. Я хочу знать все, что ты хотела бы, чтобы я знал.

Любящий Ник».

Если даже Фрида и уехала домой из-за того, что нуждалась в «своем окружении», совершенно очевидно, что она была глубоко уязвлена тем, что Мюрэй завязал отношения с женщиной, на которой и женился в июне. Один из друзей вспоминает, что, когда Фрида вернулась в Мексику, она была несчастна, потому что ее увлек и обманул «красивый американец», и причиной этому было то, что ее физические недуги препятствовали физической свободе в выражении сексуальности. Красивый американец вполне мог быть Мюрэем. Определенно одно: заключительная часть его майского письма скорее нежная, чем пылкая.

В отчаянии Фрида звонит ему по телефону из Мексики, и он пишет:

«Дорогая, ты должна собраться и сама выбраться, приложив все усилия. Ты до кончиков пальцев одарена Господом Богом, и никакие сплетни не отнимут у тебя этот дар. Ты должна работать, работать, писать, писать, работать, работать. Ты должна верить в себя и свои силы. Также я хочу, чтобы ты была уверена, что я остаюсь твоим другом, что бы ни случилось с тобой или со мной. Ты должна понимать, что я имею в виду. Мне неловко писать тебе о любви и сердце, потому что я не уверен, правильно ли ты истолкуешь то, что я хочу сказать...

Никогда не перестану заботиться о тебе. Это невозможно! Лучше лишусь своей правой руки, уха или мозгов. Фрида, ты — великий человек, великий художник. Я знаю, ты будешь жить достойно. Также я знаю, что я тебя ранил. Попытаюсь залечить эту рану дружбой, которая, надеюсь, так же важна для тебя, как и для меня.

Твой Ник».

13 июня она пишет прощальное письмо, в котором есть нечто от резкости ее первого «Автопортрета» и вовсе нет ничего от бодрости ее прежних писем к Мюрэю или от дерзости автопортретов предыдущих лет.

«Ник, дорогой, я получила мой замечательный портрет, который ты мне послал, и нахожу его еще более прекрасным, чем в Нью-Йорке. Диего говорит, что это так же изумительно, как Пьеро делла Франческа. Для меня — это даже больше, это — сокровище, и, кроме того, он всегда будет напоминать мне то утро, когда мы вместе завтракали в кафе «Барбизон-Плаза», а потом пошли к тебе в магазин, чтобы сделать фото. Это — одно из тех. А теперь оно рядом со мной. Ты всегда будешь внутри моей пурпурной накидки (с левой стороны). Миллион благодарностей за то, что ты мне его послал.

Когда несколько дней тому назад я получила твое письмо, я не знала, что мне делать. Должна сказать тебе, что слезы мне не помогают. Я чувствовала, что-то застряло у меня в горле, будто я проглотила целый мир. Не знаю наверняка, сошла ли я с ума, ревновала ли, злилась, но первое ощущение было ощущением величайшего отчаяния. Множество раз читала твое письмо, думаю, что это было слишком, и теперь наконец я осознала то, чего не видела вначале. Сейчас я очень четко все понимаю, и единственное, что хочу тебе сказать, — ты заслуживаешь в жизни всего самого лучшего, потому что ты один из немногих людей в этом мерзком мире, кто честен по отношению к самому себе, и это единственное, что действительно ценно. Не понимаю, почему, узнав, что ты счастлив, я на мгновение почувствовала себя уязвленной, так глупо иногда относятся к жизни мексиканские девушки! Но я знаю, что ты простишь мне эту глупость. И тем не менее ты должен понимать, что независимо от того, что происходит с нами в жизни, ты для меня всегда будешь тем самым Ником, которого я встретила однажды утром в Нью-Йорке. Я рассказала Диего, что ты скоро женишься. Он рассказал об этом Розе и Мигелю [Коваррубиас], когда они пришли к нам в гости, и я им подтвердила

ХЕЙДЕН ЭРРЕРА

это. Мне очень неловко, что я должна была это сказать, прежде чем спросить у тебя разрешения, но что сделано, то сделано, и я умоляю тебя простить мой неблагоразумный поступок.

Хочу попросить тебя о великом одолжении: пожалуйста, пошли мне маленькую диванную подушечку, не хочу, чтобы кто-то еще пользовался ею. Обещаю сделать тебе другую, но я хочу ту, которая теперь лежит на диване внизу, около окна. Еще одна любезность: не позволяй «ей» дотрагиваться до огневых сигналов на лестницах (ты знаешь, до которых). Если можешь, и это не будет для тебя затруднительно, не езди на Кони-Айленд с ней, особенно в полулуние. Убери мое фото, которое было на камине, и поставь его в комнате Мэм в магазине, я уверена, что она все еще любит меня, как раньше. Кроме того, другой даме не очень-то приятно видеть мой портрет в твоем доме. Мне хотелось бы еще многое сказать, но нет смысла досаждать тебе. Надеюсь, что ты и без слов понимаешь все мои желания...

О моих письмах к тебе — просто отдай их Мэм, и она пошлет их мне. Не хочу никаким образом затруднять твою жизнь.

Пожалуйста, прости меня за то, что я веду себя как старомодная возлюбленная, которая просит вернуть ей ее письма, это выглядит смешно, но я делаю это не для себя, а для тебя, потому что понимаю, что тебе вовсе не интересно иметь их при себе.

Пока я писала это письмо, позвонила Роз и сказала мне, что ты сегодня женился. Нечего говорить о том, что я почувствовала. Надеюсь, ты будешь счастлив, очень счастлив.

Если когда-нибудь у тебя найдется время, пожалуйста, напиши мне несколько слов, расскажи, как поживаешь, напишешь?

Спасибо за великолепное фото, еще и еще раз. Спасибо за последнее письмо и за все те сокровища, которые ты подарил мне.

Любовь
Фрида

Пожалуйста, прости меня за телефонный звонок тем вечером. Больше я так не сделаю».

Фрида потеряла любовь Николаса Мюрэя, ее заменили другой женщиной, ее сердце было разбито, и не только потому, что роман с Мюрэем был больше чем просто случайная связь, но и потому, что, даже несмотря на то что Мюрэй писал: «Среди нас троих вас было всегда двое», она и Диего разошлись. В середине лета Фрида переехала в свой голубой дом в Койоакане, оставив Диего в Сан-Анхеле. 19 сентября они начали процедуру развода и в середине октября представили суду в Койоакане прошение о разводе по обоюдному согласию. Адвокатом Фриды был ее старый друг Мануэль Гонсалес Рамирес. Бракоразводный процесс закончился к концу года.

Друзья по-разному объясняли этот развод, но ни одно из объяснений не выглядит достаточно убедительным. Возможно, Диего узнал о романе Фриды с Мюрэем; определенно, страсть, которую она испытывала к лихому венгру, должна была заставить Диего ревновать больше, чем обычно. Некоторые говорили, что источником стычек Риверы и Фриды были сексуальные проблемы — физическая слабость Фриды — она не могла, а может быть, и не хотела удовлетворять сексуальные потребности Диего. Другие считали, что Ривера был импотентом. Фрида однажды попеняла Люпе Марин, что та разрушала их брак с Диего. И в самом деле, у Риверы всегда сохранялось тяготение к его экс-жене, и его привязывало то, что она была матерью их детей.

«Когда Фрида стала ни на что не годной, он пришел петь под моими окнами», — заявила Люпе.

Его преклонение перед ее красотой явно показано в «Портрете Люпе Марин», написанном в 1938 году, но Люпе при этом помнила, что Диего писал этот портрет по настоянию Фриды, и Фрида не всегда ревновала мужа к бывшей жене. Есть и другая теория — якобы Ривера разводился с женой для того, чтобы уберечь ее от репрессий за его политическую активность. Джин ван Хейенорт думает, что Ривера мог узнать о романе Фриды с Троцким.

Когда только начинался бракоразводный процесс, пошли слухи, что Ривера надумал жениться на хорошенькой художнице, венгерке Ирен Бохас, но, хотя она стала одной из ассистенток Риверы после

ХЕЙДЕН ЭРРЕРА

того, как процесс был завершен, и хотя Фрида определенно ревновала к ней, совершенно очевидно, что женщины стали близкими подругами, и фото венгерской художницы среди других украшало спальню Фриды. Возможно, возник треугольник: на фотографии (опубликованной в 1939 году) Бохас и Диего в студии Риверы, где оба художника пишут портрет знаменитой американской киноактрисы Полетт Годар; Ривера убежден, что романтически влюбился в актрису, которая занимала резиденцию в роскошном отеле «Сан-Анхел Инн», как раз напротив студии Риверы. Пресса горячо обсуждала этот роман, как, впрочем, и Диего. Но, хотя Фриде было неприятно увлечение Риверы, она и Полетт также стали друзьями, и в 1941 году Фрида пишет «Цветочную корзину», очаровательный натюрморт, для своей экс-соперницы.

В октябре Фрида и Диего заявляют прессе, что развод был единственным способом сохранить их дружбу. Нью-йоркская «Геральд Трибьюн» замечает, что Фрида и Диего разъехались уже пять месяцев назад, и называет развод делом «легализации для общего удобства», как выразился Диего, что поясняет в журнале «Тайм»:

«В наших прекрасных отношениях ничего не изменилось. Мы сделали это для того, чтобы юридически улучшить положение Фриды... только лишь по причине правового удобства, в духе нынешнего времени».

Некоторые газеты писали, что к разводу привела «разница в творчестве» — только это! — что развод дал Фриде возможность «писать более свободно».

На вечеринке, которую Ривера устроил в честь развода, он предложил совсем другое толкование его причин. В те дни как раз вышла книга Бертрама Вулфа «Диего Ривера: его жизнь и его времена», в ней Вулф писал: «Идет десятый год их брака, и Диего все больше и больше становится зависимым от суждений жены и от ее соучастия в его делах. Если бы он теперь потерял ее, одиночество, которое он стал бы испытывать, было бы гораздо тяжелее того, что он испытывает сейчас». На вечеринке Диего просил друзей сказать Берту, что «я развелся с Фридой, чтобы доказать моему биографу, что он ошибается».

Расставание не сопровождалось «ни трудностями, ни хлопотами». Диего сказал репортеру: «Здесь отсутствуют сентиментальные, творческие или экономические вопросы. Это действительно предупредительная мера». Денег на содержание Фриды, продолжал он, теперь уходит больше, чем когда-либо раньше. «Тем не менее я уверен, что, решившись на это, я помогаю Фриде устроить ее жизнь самым наилучшим образом. Она молода и прекрасна. У нее большой успех в самых популярных галереях. Я считаю ее одним из пяти-шести самых выдающихся художников современности».

Когда тот же самый журналист интервьюировал Фриду в Койоакане, она мало что могла сказать. «Мы жили врозь в течение пяти месяцев. Трудности начались после моего возвращения в Мексику из Парижа и Нью-Йорка. У нас были нелады». Она добавила, что у нее нет намерений снова выйти замуж и что поводом для развода стали «труднообъяснимые интимные, личные причины».

Как и в 1934—1935 годах, во время разрыва из-за романа Диего с Кристиной, разъединение супругов было лишено всяческих условностей. Они часто виделись, и жизни их замысловато переплетались. Фрида продолжала следить за тем, чтобы у Диего все было в порядке, получала его корреспонденцию и помогала в деловых вопросах.

Когда американский инженер Зигмунд Файерстоун заказал пару автопортретов Фриде и Диего в знак признательности за их гостеприимство, оказанное ему и его дочери, именно Фрида вела переговоры. 9 января 1940 года, как раз после завершения развода, Файерстоун писал Диего из США:

«Я уверен, что именно сейчас вы и Фрида заняты тем, что пишете себя для меня. Пожалуйста, сделайте портреты на холстах одинакового размера, поскольку я предполагаю всегда держать их вместе в память о нашем приятном знакомстве. Вы помните о моем разговоре с Фридой в «Реформе» и о том, что я предложил ей, чтобы оплата в размере 500 долларов была поделена между вами за две картины».

15 февраля Фрида отвечает (на английском) за Диего, она пишет потому, что «у него дрянной английский, и он стесняется писать». Она пишет, что возникли «некоторые трудности», но что ее портрет закончен и она вышлет его, как только Диего закончит свой. Затем Фрида в самой доступной пониманию манере описывает, в чем состоят эти «трудности»:

«Диего теперь гораздо счастливее, чем тогда, когда вы его видели. Он хорошо ест, хорошо спит и очень энергично работает. Я часто вижу его, но он не хочет жить в одном доме со мной, потому что любит быть один, и говорит, что я всегда хочу, чтобы его бумаги и другие вещи лежали в порядке, а он любит, чтобы они были в беспорядке. Что ж, так или иначе, но я изо всех сил забочусь о нем на расстоянии и буду любить его всю свою жизнь, даже если он и не хотел бы этого».

Фрида подписала письмо, как она имела обыкновение это делать, отпечатком губ, накрашенных ярко-розовой губной помадой, и окружила отпечаток розовыми перышками (тоже по привычке) в знак своей любви.

Диего и Фрида продолжали принимать гостей и появляться вместе на публике. Друзья вспоминали, какое смятение вызывало появление разведенных супругов, всегда с опозданием, в ложе Риверы в концертном зале Дворца изящных искусств, куда их сопровождали его дочери, очередная любовница и даже Кристина Кало или Люпе Марин. Один из таких случаев вспоминает Паркер Лесли:

«Никто не обращал внимания на танец Кармен Амайи. Все уставились на Фриду, на которой было надето тиуанское платье и все золотые украшения, подаренные ей Диего и звеневшие, как рыцарские доспехи. Прямо-таки византийское богатство императрицы Теодоры, смесь варварства и элегантности. У нее было два золотых зуба, и иногда она снимала коронки и надевала золотые с розовыми бриллиантами спереди, так что у нее действительно была сверкающая улыбка».

Фриде была приятна компания историка искусства, потому что Лесли не только восхищался ею как личностью, но и обожал ее работы. «Для нее работа была лучше, чем любовь», — говорит он.

Когда танцовщица ушла отдохнуть, Фрида взяла за руку красавца-американца и повела его к бару. Толпа расступилась перед ними, как если бы она была королевой.

Фрида была откровенно обольстительна. Она любила «танец флирта» и хорошо его исполняла. Но даже когда она развлекалась с другими, ее истинные интересы оставались сфокусированными на Диего. Так же, как народный костюм скрывал Фридины физические недостатки, так же ее брильянтовая улыбка и ее откровенный флирт прятали боль отставки. На людях она вся вибрировала, вела себя бесшабашно, открыто вступала в любовные отношения. У нее была связь с испанским беженцем Рикардо Ариасом Виньясом, которого она, возможно, встретила, работая на Испанскую республику. В частной жизни она доверяла свою боль лишь немногим близким друзьям — и своему искусству.

«Ник, дорогой, — писала она Нику Мюрэю 13 октября, — я не могла написать тебе раньше, поскольку с тех пор, как ты уехал (Мюрэй в сентябре был в Мексике. — *Прим. авт.*), мои отношения с Диего становились все хуже и хуже, пока не пришли к концу. Две недели назад мы начали разводиться. Не нахожу слов, чтобы рассказать тебе, как я страдаю, и, зная, как я люблю Диего, ты должен понять, что эти трудности не окончатся до конца моей жизни, но после последнего сражения, которое было у нас с ним (по телефону), потому что я почти месяц не видела его, я поняла, что для него будет лучше, если он уйдет от меня... Теперь я чувствую себя настолько никуда не годной и одинокой, что мне кажется, будто никто в мире не страдает так, как я, но, разумеется, я надеюсь, что через несколько месяцев все будет по-другому».

Конец 1939 года и зиму 1940-го Фрида проболела и испытывала депрессию. Она подцепила где-то грибковую инфекцию на пальцах правой руки, отчего иногда не могла работать, и, что еще хуже, ужасно болел позвоночник. Некоторые доктора, с которыми она советовалась, предлагали сделать операцию, другие — возражали. Доктор Хуан Фарилл говорил ей, что она нуждается в полноценном отдыхе, и заказал для нее аппарат, весом в двадцать килограммов, который должен был вытянуть позвоночник. На фотографии, сделанной Николасом Мюрэем, она закована в этот механизм; сдержанное выражение лица кричит о сильнейшем страдании из-за неподвижности. К концу 1939 года она уже была в таком отчаянии, что в течение дня выпивала по целой бутылке бренди.

Несмотря на одиночество, Фрида избегала общения, особенно с общими с Диего друзьями. В октябрьском письме к Мюрэю она говорила, что не виделась с Коваррубиасами и с Хуаном О'Горманом, потому что «я не хочу видеть никого из тех, кто рядом с Диего». Она пишет Вольфгангу Палену, что отказывается встречаться с ним и Алисой Раон, потому что сейчас находится в тяжелейшей ситуации, и лучшее, что она может сделать для своих друзей, это отстраниться от всех. В январе она писала Мюрэю: «Никого не вижу. Я почти весь день провожу дома. Как-то заходил Диего, уверял меня в том, что в мире нет никого, подобного мне! Какая чепуха. Я не могу его простить, и это все». Спустя годы в своей автобиографии Ривера вспоминает о разводе с Фридой со свойственной ему смесью самоосуждения и самовосхваления. По крайней мере он был осведомлен о душевной травме Фриды:

> «Я никогда не был верным мужем... даже с Фридой. Как и с Анхелиной и Люпе, я прощал себе капризы и любовные интриги. Теперь, тронутый чрезвычайностью Фридиного состояния (он ссылается на ее болезнь. — *Прим. авт.*), я начал расценивать себя как партнера в браке. Мало чего я могу сказать в свою защиту. И, однако, я знаю, что не мог бы перемениться.
>
> Однажды, обнаружив, что у меня роман с ее лучшей подругой (он имеет в виду Кристину. — *Прим. авт.*), Фрида ушла от меня, только для того, чтобы вернуться с несколько убавившимся самолюбием, но с той же любо-

вью. Я слишком любил ее, чтобы желать быть причиной ее страданий. Чтобы избавить ее от дальнейших страданий, я решил жить врозь с ней.

Вначале у меня только мелькала идея развода, но, когда мои мысли не нашли ответа, я открыто сделал предложение. Фрида, которая в этот момент лечилась, спокойно отвечала, что она вытерпит что угодно, лишь бы вовсе не потерять меня.

Наши отношения становились все хуже и хуже. Однажды вечером, поддавшись импульсу, я позвонил ей, умоляя согласиться на развод, и от волнения изобрел глупый и вульгарный предлог. Я настолько сильно боялся длинного, разбивающего сердце объяснения, что импульсивно выбрал самый короткий путь.

Это сработало. Фрида заявила, что тоже хочет немедленного развода. Моя «победа» быстро обернулась ссадиной на сердце. Мы были женаты 13 (в действительности 10. — *Прим. авт.*) лет. Мы все еще любили друг друга. Я просто хотел быть свободным в отношениях с любой женщиной, которая мне понравится. Фрида не возражала против моей неверности. Чего она не могла понять, так это того, что я выбираю женщин, которые были недостойны меня или ниже ее. Она расценивала это как личное оскорбление, коли ее меняли на какую-то дрянь. Но если бы она гнула свою линию, разве это не ограничивало бы мою свободу? Или я был просто развратная жертва своего собственного аппетита? И не было ли просто утешительной ложью думать, что развод положит конец Фридиным мучениям? Не стала ли бы Фрида страдать еще больше?

За те два года, что мы жили врозь, Фрида сделала несколько своих лучших работ, сублимируя свою муку в живописи».

В день, когда были оформлены документы по разводу, Фрида почти закончила картину, которая, возможно, стала самой известной ее работой, — «Две Фриды» (цв. илл. XIV). При этом присутствовал американский историк искусства МакКивли Хелм:

«Я пил чай с Фридой Кало де Ривера... в декабрьский день 1939 года, когда в студию принесли бумаги о завершении бракоразводного процесса с Риверой. Фрида пребывала в меланхолии. Не она была инициатором расторжения брака. Она сказала, что именно Ривера настаивал на этом. Он считал, что для них обоих лучше будет развес-

ХЕЙДЕН ЭРРЕРА

тись, уговорил ее покинуть его. Но он совершенно уверенно убеждал ее, что она будет счастлива и что ее карьера будет успешной, не то что у него.

Тогда она работала над своей первой большой картиной, огромным полотном, называвшимся *«Las dos Fridas»*... Это два автопортрета в полный рост. Один из них Фрида, которую любил Диего... второй — женщина, которую Диего больше не любит. Там были разорванные артерии, Фрида пытается остановить поток крови хирургическим зажимом. Когда прибыли документы о разводе, а мы в это время смотрели на картину, я почти представил себе, как она хватает этот инструмент и швыряет его через комнату».

«Я начала писать картину три месяца назад и закончила вчера, — спустя несколько дней сказала репортерам Фрида. — Вот все, что я могу вам сказать».

Две Фриды сидят на лавочке бок о бок, руки их соединены в мучительном сцеплении. Фрида, которую Диего больше не любит, в белом викторианском платье, другая одета в юбку и блузку теуаны, и лицо ее, возможно, чуть темнее, чем лицо ее более «испанской» товарки, что подразумевает (как в картине «Две обнаженные в лесу») Фридино двойственное происхождение — частично мексиканско-индейское, частично — европейское. Обе Фриды демонстрируют свои сердца — тот же прямолинейный прием, показывающий боль от любви, который Фрида использовала в «Памяти». Кружевное белье нелюбимой Фриды порвано, чтобы показать ее грудь и ее разбитое сердце. Сердце другой Фриды — целое.

Каждая Фрида разместила руки около лона. Нелюбимая женщина держит в руке хирургический зажим, Фрида-теуана — миниатюрный портрет Диего Риверы ребенком, сделанный по фотографии, которая теперь находится среди экспонатов в Музее Фриды Кало. Из темно-красной овальной рамки миниатюры вытекает длинная красная вена, что также сходно с пупочной веной, выходящей из плаценты. Портрет Диего, таким образом, существует в двух ипостасях — потерянного ребенка и потерянного возлюбленного. Для Фриды Диего был и тем и другим.

Вена обвивается вокруг руки Фриды-теуаны, затем проходит сквозь сердце, перепрыгивает через пространство к другой Фриде, окружает ее шею, входит в ее разбитое сердце и в конце концов оказывается у нее на коленях, где Фрида останавливает кровь хирургическим зажимом. В дневнике Фриды есть заметка для Диего: «Моя кровь — это чудо, которое путешествует по венам воздуха из моего сердца в твое». В ярости и отчаянии от развода Фрида обрезает магическое кровотечение хирургическим инструментом. Но кровь продолжает капать и образует лужицы на коленях. Эхом к этим кровавым пятнам откликаются цветы вышивки на подоле юбки. Поразительный образ крови на белой одежде заставляет вспомнить о родовых муках, выкидыше, о простынях, испачканных кровью, на нескольких Фридиных картинах.

Два нарочито бесстрастных лица чуть повернуты на фоне серо-белого неба, такого же тревожного, какое изображено на картине Эль Греко над холмами Толедо: темные пробоины в рваных облаках отражают образы внутреннего беспокойства и увеличивают напряжение в застывших фигурах. Так же, как и в других автопортретах, Фрида одинока в бесконечном, пустом, плоском пространстве. (В погрудных портретах стены и растительность часто закрывают пространство за фигурой.) За исключением мексиканской лавки, на которой сидят фигуры, Фрида совершенно не связана ни с каким устойчивым объектом, который мог бы создавать удобства и уют. Все ее силы сосредоточены на собственном образе — этот отстраненный образ еще больше грозит взрывом.

Полное одиночество. Фрида сама себе единственный товарищ. Удвоение себя усугубляет холод одиночества. Брошенная Диего, она сама держит свою руку и связывает две свои ипостаси кровавой веной. Ее мир, таким образом, замкнут на себе. Однажды Фрида сказала, что «Две Фриды» определяют двойственность ее личности». Как и другие ее двойные портреты — «Две обнаженные в лесу» и «Дерево

ХЕЙДЕН ЭРРЕРА

надежды», — «Две Фриды» — это образ самовоздействия: Фрида утешает, охраняет и защищает себя.

В этой работе есть еще и другой тип дуализма. Долгие часы, проведенные за тщательным рассматриванием своего отражения в зеркале, должны были усилить ощущение того, что Фрида обладает двумя личностями: наблюдателя и наблюдаемого, существующую внутри себя и во внешнем мире. Таким образом, в этом и других автопортретах Фрида не только рисовала себя дважды, она раскалывала себя. Тело свое, обнаженное или одетое в оборки и ленты, она писала как предмет художнического изучения; как женщину в пассивной роли прелестного объекта, жертвы боли или участницу естественного цикла плодоношения.

Глядя на свое лицо в зеркале, она представляла себя рисовальщиком, а не объектом для рисования. Она, таким образом, становилась и активным художником, и пассивной моделью, и бесстрастным исследователем чувств женщины, и страстным собирателем женских эмоций. Ривера осознал эту дихотомию «мужчина — женщина», когда называл Фриду *«ba pintora mas pintor»* (больше художница, чем художник).

В январском письме Николасу Мюрэю Фрида упоминает, что она «чертовски много работала», чтобы закончить большую картину к выставке сюрреалистов, а в феврале, говорит она, собирается послать ту же картину Жюльену Леви, к тому же она напряженно работает для выставки, которую Леви предложил ей устроить в октябре или ноябре. (Выставка не состоялась, потому что, как говорил Леви, война в Европе сделала открытие невозможным.)

Работа, о которой говорит Фрида, это «Раненый стол» (илл. 55) — еще одна картина, полная капающей крови. Как и «Две Фриды», эта работа драматизирует одиночество. В двойном автопортрете Фрида сопровождает саму себя. В картине «Раненый стол» с ней племянник и племянница, Антонио и Изольда Кало, ее олененок по имени Эль Гранизо.

Фрида и трое ее *неживых компаньонов,* сидя за длинным столом, выглядят как трибунал. Грубый

Иуда обнимает Фриду. Длиннорукий идол (написанный со скульптуры обнимающейся сидящей пары, которая теперь находится в Музее Фриды Кало) изображен таким образом, что он и обнимает Фриду, и является продолжением ее правой руки. Сидящий рядом улыбающийся костлявый скелет, который ласкает и прядь ее волос. Грудь и правая нога Иуды истекают кровью, у идола — ноги-колышки, у скелета сломана правая стопа (как у Фриды). Даже стол ранен. Кровь медленно сочится из досок и капает на пол, на ноги Иуды и скелета, в оборки Фридиной юбки; ножки стола — это человеческие ноги с содранной кожей. Раненый стол, как символ домашности, символизирует Фридин разрушенный брак.

Фрида тщательно выписала эту сцену. Две тяжелые складчатые занавески отодвинуты, чтобы открыть деревянную сцену, штормовое небо и хищные растения джунглей, героев картины, замерших, как актеры при поднятии занавеса.

Фридина поглощенность смертью во время ее развода снова обнаруживается в картине «Сон» (цв. илл. XV), написанной в 1940 году, где она спит на кровати, плывущей в лиловатом, облачном небе. И снова она в паре со скелетом, в этот раз с одним из изображений Иуды, которого она поместила на верх кровати, которым она хочет напугать или озадачить зрителя, забавляя его напоминанием о его собственной смертности. Пока Фрида спит, растения, вышитые на ярко-желтом покрывале (она на самом деле имела покрывало, вышитое цветами), оживают, становятся колючими виноградными лозами, которые разрастаются вокруг ее лица и тянутся с кровати в воздух, как если бы это были настоящие растения, а не вышитые на покрывале узоры. Похоже, что Фрида рассуждает о времени после своей смерти, когда растения прорастут из ее могилы.

Как и Фрида, скелет положил голову на две подушки, но вместо виноградной лозы его оплетают провода, и он держит в руках букет лиловой лаванды. У Фриды во сне лицо спокойное, а скелет уставился на зрителя и гримасничает. Можно представить себе, что в любой момент он может взорваться,

ХЕЙДЕН ЭРРЕРА

превратив сны Фриды о смерти в реальность. Скелет — это Фридин «возлюбленный», как однажды, поддразнивая, говорил Диего. Он — вторая половина Фриды.

Почти во всех автопортретах, написанных в год развода, Фрида находит себе компаньона — скелет, Иуду, племянника и племянницу, свою собственную альтернативу себе и своих домашних животных. Самые загадочные из них — это ее обезьяны, которые часто обнимают ее как близкие друзья.

В первом автопортрете с обезьяной, написанном в 1937 году, «Фуланг-Чанг и я», любимец Фриды в первую очередь есть символ неверности. Но это также и ее отпрыск, и ее предок (в картине «Моисей», датированной 1945 годом, она нарисовала самку и самца обезьян рядом с мужчиной и женщиной): Фрида проводит параллель между чертами лица обезьяны и своим лицом и подчеркивает связь с животным, опутывая свою шею и шею животного шелковой лентой цвета лаванды. Все это сделано с любовью и юмором.

После развода Фридины обезьянки, и особенно обезьяна-паук по имени Каймито де Гуайябал (что означает название фрукта), которую Диего привез ей из путешествия по южной Мексике, помогают заполнить пустоту, образовавшуюся с уходом ее великого озорника, ревнивого ребенка Диего. Они также занимают место ребенка, которого теперь уже никогда у нее не будет. Таким образом, обезьяны в искусстве Фриды играют тонкую и сложную роль. Начиная с 1939 года, когда Фрида пишет свои погрудные портреты с такими аксессуарами, как ленты, вены, виноградные лозы, ветви терна, обезьяньи лапы или пряди своих собственных волос, обвивающих ее шею, можно ощутить, как эти «связи» пугают тем, что могут задушить ее; они усиливают чувство клаустрофобии, созданное стенами агрессивных растений джунглей, которые закрывают собою пространство за персонажем портрета. И хотя обезьяны поддерживают Фриду, составляют ей компанию, они же подчеркивают ее ужас от одиночества. Эта физическая близость очень тревожна. При всей их детской невинности, обезьяны-пауки определенно не детки; они дикие звери джунглей. В картинах Фриды подвижность животных лишь усиливает напряжение королевского спокойствия и намекает на звериную дикость ее нутра.

В другом «Автопортрете» (1940 год) (цв. илл. XV), который Фрида продала Николасу Мюрэю, ее окружают Каймито де Гуайябал и черный кот, а с ожерелья, сплетенного из терновых ветвей, свисает мертвый колибри. В обезьяне сочетаются почти человеческое участие к своей покинутой хозяйке с обезьяньей непредсказуемостью. Обезьяна так ухватила ожерелье из терновника, что зритель ощущает, как глубоко она может поранить шею Фриды. Кот тоже представляет собою угрозу. Застывший в прыжке, с прижатыми назад ушами, он сверлит взглядом мертвую птицу, которая висит на обнаженной, уже кровоточащей Фридиной груди. Поскольку птица не только представляет собою определенный вид живых существ, с которыми Фрида чувствует особую близость (в рисунке 1946 года Фрида изобразила свои брови в виде птицы, а люди говорили, что она двигалась с нежной легкостью птицы), безжизненное тело колибри, возможно, дает понять, что Фрида чувствует себя «убитой птицей». Но при этом существует и другое толкование: в Мексике колибри служит амулетом, возвращающим любовь.

Фрида надевает терновый венец Христа как ожерелье еще в одном погрудном «Автопортрете» того же года, в том, где брошь в виде руки держит ленту, на которой Фрида пишет: «Я написала мой портрет в 1940 году для доктора Элоиссера, для моего доктора и моего лучшего друга. С большой любовью, Фрида Кало». Как в «Автопортрете», принадлежащем Мюрэю, как в «Сломанной колонне» и как во многих других автопортретах, Фрида усиливает личное страдание, придавая ему значение страданий Христа. Она представляет себя мучеником, из-под колючек терна течет кровь. Хотя Фрида и отвергала религию, но христианские образы, особенно театрализованные кровавые мучения, всегда присутствующие в мексиканском искусстве, пронизывают ее работы.

ХЕЙДЕН ЭРРЕРА

Кровавость и самоуничтожение уносит нас в прошлое, к древним традициям ацтеков, ведь ацтеки не только приносили человеческие жертвы, но и пронзали собственную кожу и наносили себе раны *во имя* лучшего урожая. Но именно христианство принесло в колониальную Мексику реализм в изображение боли, в результате чего почти в каждой мексиканской церкви существуют пугающие скульптуры Христа, который несет свой крест и которого избивают бичом или уже мертвого. Его тело всегда залито кровью, раны его воспалены. Фрида использовала реализм в изображении сильнейшей боли, чтобы донести до зрителя свое послание. Если она занимала риторику у католицизма, то для того, чтобы ее живопись, посредством личного метода, служила к спасению.

Несмотря на то что в это время Фрида старалась увеличить продуктивность своего труда, чтобы можно было жить за счет продажи картин, и хотя есть некоторое однообразие в погрудных портретах, Фрида не пользовалась какой-то формулой. Угол, под которым повернута ее голова, часто одинаков, ясно, что этот угол ограничен взглядом в зеркало. Но каждая картина трактуется как отдельное противостояние самой себе. Обостренное внимание к деталям, подобным колибри, свисающей с тернового ожерелья, выбор и размещение растений (белые бутоны рядом с засохшими сучьями в «Автопортрете» доктора Элоиссера, например) или точность ритма, с которым повязаны ленты, делают каждый портрет непохожим на другие. Во всех этих автопортретах Фрида очень серьезна, голова всегда поднята с обычной горделивостью. Лицо старше, напряженнее и даже настороженнее, чем было на портретах до развода с Диего. Под маской, за которой Фрида прячет накал эмоций и собственную уязвимость, зритель угадывает, как она владеет собой, но в то же время она хочет быть уверена, что зритель осознает ее страдания. Ее тщательно разработанное представление самомифологизации создает психологическую дистанцию от того, что в другом случае должно было быть ошеломительной печалью. Вспоминая детскую веру, она превращает себя в икону, перед которой она сама да и другие могут поклоняться — столь сильна ее боль.

Автопортреты сорокового года также ясно показывают уровень, которого в то время достигла Фрида в использовании цвета для передачи эмоций. Для глаз, привыкших к французским традициям в визуальном искусстве, выбор цветов Фриды — оливкового, оранжевого, пурпурного, множества оттенков цвета земли и желтого цвета из галлюцинаций — диссонанс. Хотя ее причудливая палитра отражает любовь к колористическим комбинациям цветов мексиканского народного искусства, Фрида удачно создает колорит психологической драмы. Розовый часто используется как иронический контраст к жестокости или смерти; в нескольких автопортретах желто-оливковый подчеркивает чувство угнетающей клаустрофобии; серо-голубые небеса и земля цвета лаванды и жженой сиены выражают предел отчаяния. Поскольку для моделирования форм мало употребляется черный цвет, ее картины часто обладают видимым свечением.

В своем дневнике середины 1940 года Фрида объясняла значение цветов в своего рода прозаической поэме.

«Я буду пытаться, — писала она, — пользоваться карандашами, остро заточенными, всегда глядящими вперед».

Дальше следует лист с перечнем оттенков цветов, некоторые обозначены маленькими пятнами красок, цветными линиями, другие описываются по названиям:

«ЗЕЛЕНЫЙ: теплый и золотой свет.

КРАСНОВАТО-ФИОЛЕТОВЫЙ: ацтек. Тлапали (ацтекское слово, обозначающее рисование и живопись, «цвет». — *Прим. авт.*). Старая кровь, груши с шипами. Самый живой и самый старый.

КОРИЧНЕВЫЙ: цвет родинки, падающих листьев. Земля.

ЖЕЛТЫЙ: безумие, болезнь, страх. Частично солнце и радость.

СИНИЙ КОБАЛЬТ: электричество и чистота. Любовь.

ХЕЙДЕН ЭРРЕРА

ЗЕЛЕНАЯ ЛИСТВА: листья, печаль, наука. Вся Германия в этом цвете.

ЧЕРНЫЙ: нет ничего черного, действительно ничего.

ЗЕЛЕНОВАТО-ЖЕЛТЫЙ: еще больше безумия и тайны. Все фантомы одеваются в костюмы этого цвета... или, по крайней мере, у них такое белье.

ТЕМНО-ЗЕЛЕНЫЙ: цвет плохих новостей и удачного бизнеса.

МОРСКОЙ СИНИЙ: дистанция. И нежность может быть такого цвета.

ПУРПУРНО-КРАСНЫЙ: Кровь? Ну, кто знает!»

«Автопортрет» для Элоиссера сделан в бледных тонах — розовом, зеленоватой охры, желтом, ярко-красном — цвета Фридиных губ и крови. Его барочная пышность и сила опалесцирующего розового сильнейшим образом контрастируют с болезненным видом кровоточащей Фридиной шеи. Он напоминает истерзанные фигуры Христа в мексиканских церквях, где разверстые раны окружены прелестными цветами, роскошными кружевами, бархатом и золотом. По контрасту «Автопортрет с обезьяной» темный и суровый; чернота в просветах между листьями подразумевает, что это ночное время, мрачность ночи усиливается красной лентой, обвивающей Фридину шею. В «Автопортрете», заказанном Зигмундом Файерстоуном (илл. 56), с другой стороны, комбинация яркого желто-зеленого фона с фиолетовой лентой в волосах, плюс нефритовое ожерелье и вышивка цвета лаванды на белой *huipil* (сорочке) заставит зрителя скрежетать зубами, в чем Фрида была уверена. Если желтый и зелено-желтый обозначают безумие, то Фрида сама должна была это испытать, поскольку она часто употребляла желтый цвет в живописи во время развода с Диего.

В 1940 году Фрида пишет еще один автопортрет, в котором цвет нервным ожогом передает ее горе от разлуки с Диего. На «Автопортрете с остриженными волосами» (цв. илл. XVIII) художница сидит на ярко-желтом мексиканском стуле посреди большого пространства красновато-коричневой земли, покрытой прядями ее остриженных черных волос. В небе розоватые перламутровые облака, которые должны быть мягкими и приятными, но выглядят они так, будто их сдавили, будто им не хватает воздуха. Веселый деревенский стул — единственный яркий предмет на картине, что еще больше подчеркивает ощущение опустошенности.

Спустя месяц после завершения бракоразводного процесса Фрида сделала то же, что в ответ на роман Риверы с Кристиной: она остриглась. 6 февраля она пишет Николасу Мюрэю:

«У меня для тебя плохие новости: я остриглась и выгляжу просто волшебно. Ну, они снова отрастут, надеюсь!»

Рассказывают, якобы Фрида предупреждала Диего, что острижет свои длинные волосы, которые он обожал, если он будет продолжать связь с Полетт Годар. Диего упорствовал, и она выполнила свою угрозу. Правдива эта история или нет, но в любом случае типична для Фриды. В «Автопортрете с остриженными волосами» выражено настроение злобной мести. Диего любил, когда она носила народные костюмы, но на этом портрете она одета в мужской костюм, явно великоватый, должно быть, он принадлежит Диего. Она сидит, расставив ноги, как мужчина, на ней мужские ботинки и мужская рубаха. Только серьги свидетельствуют о ее женственности.

Разрушая атрибуты женской сексуальности, Фрида совершила акт мщения, который только усиливает ее одиночество. Прядь волос, свисающая с колен, похожа на шкурку убитого животного. Угрожающе близко к телу она держит ножницы. В картинах ощущается некий мрачный намек — жестокое отторжение женственности или желание отсечь от себя ту часть, которая способна любить. Стрижка волос, как символ уязвимости и самонаказания, разумеется, не убавляет злости и печали. В «Двух Фридах» кровь продолжает капать из разрезанной вены. В «Автопортрете с остриженными волосами» Фрида окружена зловеще живыми прядями своих волос, которые расползлись по земле и обвивают, подобно змеям или виноградным лозам, желтый стул. Кажется, что эти пряди плавают в воздухе, напоминая некие путы, виноградные лозы, корни и ленты, которые на других

ХЕЙДЕН ЭРРЕРА

автопортретах являют собою символы Фридиного ощущения связи с реальностью. Здесь, как и в «Двух Фридах», злость и боль объединяют силы, чтобы разорвать связь с внешним миром — и особенно с Диего. Фрида абсолютно одна в огромном, пустынном пространстве под небом без солнца. Поверху картины написаны слова песни: «Слушай, если я любил тебя, то это было из-за твоих волос. Теперь, когда ты облысела, я больше не люблю тебя». Фрида совершает отчаянный жест бессмысленного мщения, отрезав волосы, признак женственности, она всего лишь иллюстрирует популярную песенку. Бросающая вызов, одинокая, окруженная свидетельствами ее мести, что так же печально, как и капли и пятна крови на других картинах, Фрида создает незабываемый образ злости и оскорбленной сексуальности.

Диего, говоря о том, что во время их развода она делает свои лучшие работы, был прав. Фрида напряженно работает, потому что решила не брать денег от Диего. В письме к Мюрэю от 13 октября 1939 года она писала:

«Дорогой, должна тебе сказать, что я не послала с Мигелем [Коваррубиасом] картину. На прошлой неделе я ее через Мизрахи кому-то продала, потому что мне были нужны деньги для адвоката. С тех пор как я вернулась из Нью-Йорка, я не приняла ни одного проклятого цента от Диего, причины этого ты можешь понять. Никогда до самой смерти не буду брать денег у мужчин. Хочу умолять тебя простить меня за то, что я это сделала с картиной, которая была написана для тебя. Но я выполню свое обещание и, как только буду лучше себя чувствовать, напишу другую. Это дело решенное».

(Картина, вероятно, была автопортретом. Вместо нее она пишет автопортрет с колибри.)

Фрида пыталась жить на деньги от продажи своих картин, изо всех сил стараясь их продать, посылая небольшими партиями Жюльену Леви. Вокруг нее сплотились друзья, которые всегда были рядом, когда она в них нуждалась. Конджер Гудъеар, например, писал Фриде 3 марта 1940 года:

«Я думаю, ты совершенно права в том, что ничего не берешь у Диего. Если тебе действительно нужны деньги, дай мне знать, я тебе пришлю. В любом случае я хочу еще твою картину. Позволишь ли мне выбрать первому из того, что ты послала [Жюльену Леви]?»

Анита Бреннер пишет ей и предлагает помощь в оплате лечения и говорит, что доктор Валентайнер хочет знать, нужны ли Фриде деньги. Мэри Скляр и Николас Мюрэй посылали ей деньги каждый месяц.

«Ник, дорогой, — пишет она Мюрэю 18 декабря 1939 года. — Ты скажешь, что я совершенный ублюдок! Я просила у тебя денег и даже не поблагодарила тебя за них. Это действительно полное безобразие! Пожалуйста, прости меня. Я две недели проболела. Снова моя нога и грипп. А теперь я миллион раз благодарю тебя за твое доброе расположение по поводу возврата суммы — прошу тебя, будь ласковым, подожди до января. Картину купит Аренсберг из Лос-Анджелеса. (Уолтер Г. Аренсберг был очень известным коллекционером, который влюбился в кубизм на выставке сюрреализма в 1913 году. — *Прим. авт.*) Я уверена, что в будущем году у меня будут баксы, и тогда я немедленно отошлю тебе сотню. О'кей? В случае, если они понадобятся тебе раньше, я что-нибудь устрою. Так или иначе, хочу тебе сказать, что это в самом деле так мило, что ты одолжил мне деньги, которые мне были очень нужны... Думаю, что постепенно справлюсь со своими проблемами и выживу!»

Чтобы зарабатывать, Фрида думала сдавать свой дом туристам, но из этого ничего не вышло.

«Чтобы привести дом в порядок, нужно много денег, которых у меня нет, а Мизрахи не одалживает мне, — говорила Фрида Мюрэю, — и потом, моя сестра не тот человек, чтобы заниматься подобным делом. Она слова не может сказать на этом проклятом английском, и все это для нее невозможно. Так что теперь я надеюсь только на свою работу».

Друзья заставляли ее обратиться в Фонд Гугенхейма, чтобы в 1940 году участвовать во внутриамериканском конкурсе, в надежде, что она получит грант. Двумя ее спонсорами были брат Мэри Скляр, критик, историк Мейер Шапиро, и Карлос Чавес. Письма с рекомендациями написали Уильям Валентайнер, Уолтер Пэч, Конджер Гудъеар, Андре Бретон, Марсель Дюшан и Диего Ривера. Шапиро говорил:

«Она великолепный живописец, истинно оригинальный, один из самых интересных художников Мексики среди всех, кого я знаю. Ее работы прекрасно смотрятся рядом с картинами Ороско и Риверы; они в некотором роде даже более настоящие мексиканские. Если в ее работах и нет героики и трагедии, то она все-таки гораздо ближе к общей мексиканской традиции и декоративному ощущению формы».

Заявление Фриды (на испанском) есть образец скромности (возможно, она должна была сделать его более пространным и с большим чувством собственной значительности).

ПРОФЕССИОНАЛЬНАЯ ПРЕДЫСТОРИЯ

Я начала заниматься живописью двенадцать лет назад во время выздоровления после автомобильной катастрофы, из-за чего я почти год пролежала в кровати. Все эти годы я работала, поддаваясь спонтанному импульсу своих чувств. Я никогда не следовала какой-либо школе и не зависела ни от чьего влияния.

Я не ожидала от своей работы ничего, кроме удовлетворения от самого факта занятия живописью и возможности выразить то, что мне хотелось сказать.

РАБОТА

Я делала портреты, композиции с фигурами, также картины, в которых были важными натюрморты и пейзажи. Я смогла без давления каких бы то ни было предубеждений найти свою собственную выразительность в живописи. За двенадцать лет работы исключалось все, что не исходило от внутренней лирической мотивации, которая заставляла меня писать.

Поскольку моими темами всегда были собственные ощущения, состояние моего рассудка и ответные реакции на то, что вкладывала в меня жизнь, я все это часто воплощала в образе себя самой, что являлось наиболее искренним и настоящим, так я могла выразить все, что происходит во мне и во внешнем мире.

ВЫСТАВКИ И ПРОДАЖИ КАРТИН

Я не выставлялась вплоть до прошлого года (1938-го), первая выставка была в Нью-Йорке, в галерее Жюльена Леви, где было показано двадцать пять картин. Двенадцать картин были проданы следующим людям:

Конджер Гудъеар	Нью-Йорк
Миссис Сэм Льюисон	Нью-Йорк
Миссис Клэр Льюс	Нью-Йорк
Миссис Саломон Скляр	Нью-Йорк
Эдвард Г. Робинсон	Нью-Йорк
Уолтер Пэч	Нью-Йорк
Эдгард Кауфман	Питсбург
Николас Мюрэй	Нью-Йорк
Доктор Роуз	Нью-Йорк

и еще двоим, имени которых я не помню, но Жюльен Леви может их восстановить. Выставка имела место быть с 1-го по 15 ноября 1938 года.

После этого у меня была выставка в Париже, ее организовал Андре Бретон в Галерее «Колле» с 1-го по 15 марта 1939 года. Мои работы заинтересовали критиков и художников Парижа. Одну работу приобрел Лувр.

Хотя Фрида хотела жить на деньги от продажи своих картин, она не шла ни на какие компромиссы, чтобы сделать свои работы более продаваемыми. Только друзья могли покупать такие болезненные и кровавые картины, как та, которую приобрел Мюрэй. А в тех редких случаях, когда картину ей заказывали, она вовсе не всегда создавала то, что хотел заказчик, она скорее превращала этот заказ в еще одну возможность передать свое отчаяние. Даже в

ФРИДА КАЛО

том случае, когда бывал заказан портрет какого-либо лица, не ее самой, Фрида ничего не могла с собой поделать, портрет все равно оказывался интимно связан с обстоятельствами Фридиной жизни.

Именно так произошло с одной из картин, которую Фрида заканчивала во время развода с Диего, — это «Самоубийство Дороти Хэйл» (илл. 54), с работой такой трагичности, что она напоминает ужас картины «Немного маленьких уколов». Самоубийство показано в трех последовательных стадиях. Сначала у высоко расположенного окна «Хэмпшир-Хауз», из которого Дороти Хэйл выпрыгнула 21 октября 1938 года, вы видите крошечную фигуру. Затем — падающую фигуру больших размеров, летящую сверху вниз. И последнее — большая, неподвижно лежащая на земле в луже крови фигура, похожая на фарфоровую куклу. Кровь вытекает из ее ушей, ног и рта, странно подчеркивая красоту лица. Глаза ее все еще открыты, и они глядят на нас с тоскливым спокойствием раненого животного.

Клэр Бут Льюс, которая заказывала этот портрет к открытию Фридиной нью-йоркской выставки, говорит, что знала Дороти, встречалась с ней и в Мексике, и в Нью-Йорке. Дороти принадлежала маленькому кругу друзей журнала «Вэнити Фэа» (где миссис Льюс была директором-распорядителем), в эту группу входили Мигель и Роза Коваррубиас, Мюрэй и Ногучи.

«Она была очень красивой девушкой, — вспоминает Ногучи, — все мои девушки были красивыми. В 1933 году я ездил с ней в Лондон. Мы с Баки (Бакминистер Фуллер) были там вечером перед тем, как она это сделала. Я очень хорошо помню, как она сказала: «Ну, водка кончилась, больше нету». Что-то в этом роде, понимаете. Я не очень-то об этом помнил, но потом догадался, о чем она говорила. Дороти была очень мила и странствовала по этому лживому миру. Она не хотела ни для кого быть второй и решила, что должна исчезнуть».

Миссис Льюс впоследствии рассказывала историю портрета:

«Дороти Донован Хэйл была одной из самых красивых женщин, каких я когда-либо знала. Даже прекрасней, чем молодая Элизабет Тэйлор, с которой у нее было сходство. В прошлом модель у Зигфельда, теперь она стала женой Гарднера Хэйла, модного нью-йоркского художника-портретиста. У молодого Хэйла было много друзей, и не только в обществе, где он получал заказы на портреты, но и среди художников, включая Диего Риверу и Фриду Кало.

В середине тридцатых Хэйл погиб в автомобильной катастрофе, оставив Дороти почти без денег. Когда она провалилась на просмотре в Голливуде, то вернулась в Нью-Йорк, где друзья — среди них и я — время от времени давали ей деньги, чтобы она могла жить так, как привыкла жить с Гарднером.

Мы все считали, что девушка такой невероятной красоты не долго будет тосковать и сделает себе карьеру или снова выйдет замуж. К несчастью, Дороти оказалась бесталанна и неудачлива.

Как я вспоминаю, весной 1938 года она с радостью поделилась со мной новостью о том, что встретила «великую любовь всей моей жизни» — Гарри Хопкинса, политического советника и ближайшее доверенное лицо президента Франклина Д. Рузвельта. Вскоре, сказала она, состоится помолвка. Но тем не менее ей нужны были деньги, чтобы платить за квартиру в «Хэмпшир-Хауз».

В некоторых газетах, в колонках слухов, появились статьи о помолвке. Но другие слухи цитировали «источник из Белого дома», который опровергал то, что этот роман завершится алтарем. Брак никогда не состоится. Знающие люди в Вашингтоне говорили, что Гарри Хопкинсу приказано прекратить роман с Дороти и жениться на близкой подруге Рузвельта, Лю Мейси, что Хопкинс и сделал. Большинство газетчиков хамски писали, что Дороти оказалась брошеной.

И снова Дороти понадобились деньги, чтобы заплатить за квартиру. И я снова сказала: о'кей. Но

ХЕЙДЕН ЭРРЕРА

при этом я также сказала: «Дороти, тебе обязательно нужно работать». Мы решили, что она с легкостью могла бы работать в американском павильоне искусств на Всемирной выставке. Бернард Барух, хороший мой друг, дружил с Бобом Моузесом, главным администратором выставки. И я устроила встречу Дороти с Барухом, и было подготовлено письмо, чтобы представить ее Моузесу.

Несколько дней спустя я примеряла платье в ателье Бергдорфа Гудмэна. Манекенщица, которая крутилась там, была одета в совершенно роскошный вечерний туалет. Я заинтересовалась ценой. Пятьсот-шестьсот долларов! — гигантская сумма для платья сорок лет тому назад. Я сказала: «Для меня это слишком дорого». И продавщица ответила: «Только что его оставила для себя миссис Гарднер Хэйл». Я разозлилась: вот как она тратит деньги, хотя говорит, что они ей до зарезу нужны в уплату за квартиру!

Когда она позвонила через несколько дней, мне не захотелось с ней разговаривать, я просто не желала слушать, что она будет говорить. Тогда она решила отправиться в очень долгое путешествие. Она хотела сохранить пункт назначения в тайне, но, поскольку собиралась отбыть надолго, то устроила прощальную вечеринку, приглашены были только ее ближайшие друзья. Поэтому я должна была прийти. «Дорогая, как ты думаешь, что надеть на прощальную вечеринку?» — был ее вопрос.

У меня на кончике языка вертелось: «А что насчет роскошного платья от Бергдорфа, которое ты купила на деньги, что я дала тебе для уплаты за квартиру?» Но я ничего не сказала. Если она действительно собирается в долгое путешествие, то дрянная история с деньгами для уплаты за квартиру так или иначе закончилась. Я довольно холодно ответила ей: «Извини, я не смогу быть на твоей вечеринке. Ты лучше всего выглядишь в своем прежнем черном бархатном от мадам Х. Надеюсь, что путешествие оправдает твои ожидания». И повесила трубку.

На следующее утро после вечеринки позвонили

из полиции: около шести часов утра Дороти Хэйл выбросилась из окна своей квартиры на верхнем этаже «Хэмпшир-Хауз». Поскольку коктейль-парти закончился приблизительно около полуночи, у нее было много времени, чтобы подумать.

Она была одета в мое любимое черное бархатное платье *«femme fatale»*, с маленькой желтой розой, которую прислал ей Исаму Ногучи.

Единственной запиской, которую она оставила в квартире, была записка, адресованная мне. Она благодарила меня за дружбу и просила проследить, чтобы ее мама, которая жила на севере штата Нью-Йорк, похоронила ее на семейном участке кладбища.

Все это было так бессмысленно. Дороти была так прекрасна. И так ранима. Берни Бару позвонил в ту же минуту, как прочел новости в газетах. Он рассказал мне, что, когда Дороти попросила его повлиять на Боба Моузеса, чтобы тот дал ей работу, Берни ответил, что для нее слишком поздно пытаться найти работу, которая позволила бы ей жить так, как она обычно жила. Что ей нужно — так это не работа, а муж. И лучший способ для этого — ходить на вечеринки, выглядеть так прекрасно, как только возможно. Поэтому, сказал он ей, он дает ей тысячу долларов, но только при одном условии — чтобы она купила себе самое роскошное платье, какое только можно найти в Нью-Йорке.

Вскоре после этого я пошла в галерею на выставку Фриды Кало. На выставке была толпа народу. Фрида Кало пробилась ко мне сквозь толпу и сразу же начала говорить о самоубийстве Дороти. Мне не хотелось об этом разговаривать, поскольку меня все еще мучило то, что я несправедливо обвинила Дороти. Кало, не тратя времени, сказала, что предполагает, что могла бы сделать *recuerdo* (воспоминания) в память о Дороти. Я недостаточно хорошо знаю испанский, чтобы понять, что значит слово *recuerdo*. Я думала, Кало хотела бы написать портрет Дороти в ее память, в стиле ее собственного «Автопортрета»,

ХЕЙДЕН ЭРРЕРА

[посвященного Троцкому], который я купила в Мексике (и до сих пор владею им).

Внезапно до меня дошло, что портрет Дороти, сделанный известным художником, должен быть тем, что утешит мать Дороти. Я сказала об этом, и Кало тоже так подумала. Я спросила о цене, Кало ответила, и я сказала: «Давайте. Пришлите мне портрет, когда он будет закончен. А я пошлю его матери Дороти».

Я буду всегда помнить тот шок, который испытала, развернув упаковку портрета. Я физически, на самом деле, почувствовала тошноту. Что я должна была делать с этой ужасной картиной, где изображен вдребезги разбитый труп моей подруги, где ее кровь капает вниз через раму? Я не могла вернуть его — поверху картины ангел развертывал знамя с объявлением на испанском, что это «Самоубийство Дороти Хэйл, написано по заказу Клэр Бут Льюс для матери Дороти». Я не могла бы заказать столь ужасную картину о своем злейшем враге, тем более в память о моей несчастной подруге.

Среди многочисленных поклонников Дороти были Константин Алажалов, известный художник из «Нью-Йоркера», и Исаму Ногучи, скульптор. Не помню теперь, кому я позвонила, с просьбой приехать ко мне по срочному делу, связанному с Дороти. В любом случае тому, кто приехал, я сказала, что собираюсь изрезать картину ножницами и хочу, чтобы был свидетель этому действу. Однако в конце концов я согласилась не губить картину, поскольку надпись объявляла, что я ее заказала, но при том условии, что это знамя будет уничтожено и записано. Тогда поклонник Дороти взял картину и уничтожил эту оскорбительную надпись».

Память Фриды о Дороти выразилась скорее как *retablo* (молитвенная картина), чем в *recuerdo* (воспоминании), так как картина показывает несчастье, и на ней был, как указывает миссис Льюс, ангел в небесах. На серой ленте, идущей по низу портрета, красными буквами написан текст: «В городе Нью-Йорк, 21 октября 1938 года, в шесть утра, миссис Дороти Хэйл совершила самоубийство, выбросившись из окна очень высокого здания «Хэмпшир-Хауз». В память о ней (дальше идет черное пространство, где были закрашены слова. — *Прим. авт.*) это *retablo*, исполненное Фридой Кало». Справа от надписи, под словами «совершила самоубийство» и над словом «Кало», есть красное пятно, из которого вниз капает кровь. И как в картине «Немного маленьких уколов», кровь, выписанная очень реалистично и в реальном масштабе, пачкает раму картины. Похоже, что в двух наиболее пугающих образах жестокой смерти женщин — обе картины со значением написаны в тот период, когда Диего доставлял Фриде особую боль, — Фрида чувствует настоятельную необходимость вывести пространство картины в реальное пространство зрителя, выводя наружу ужас изображения. Она волшебно передала ощущение сиюминутности происходящего, написав ногу Дороти Хэйл без туфли, в чулках, так что нога врывается в наше пространство. С первого взгляда тень от ступни показывает на слово «Хэйл» в надписи под картиной.

Мрачная нереальность места, в котором произошло самоубийство, характерна для живописи Фриды, если объект изображения одинок или предается отчаянию. Мертвая Дороти Хэйл лежит на пустой коричневой земле. Это не городская улица, не тротуар перед «Хэмпшир-Хауз», это безымянное место есть просто сцена, не связанная ни масштабом, ни перспективой с небоскребом, угрожающе возвышающимся позади. В этом пространстве нет ни одного конкретного предмета из нашего «реального», нормального мира. Ни до чего нельзя дотронуться, чтобы не повредиться рассудком. Все выглядит нереальным, незнакомым, как в дурном сне.

Несмотря на весь ужас, который вызывает «Самоубийство Дороти Хэйл», картина обладает странной, удивительной лиричностью. Нежную, свежую красоту мертвой женщины не повредило даже падение. Так же прекрасны знаки женственности Дороти — платье «*femme fatale*» от мадам X, желтая роза, подаренная поклонником. Быть может, Дороти Хэйл была жертвой набора ценностей, чуждых для Фриды, но Фридино сочувствие — истинное и выраженное в живописи — и ее самосопоставление с погибшей придает «Самоубийству Дороти Хэйл» особенную напряженность. Отвергнутая Диего, Фрида легко могла понять, почему брошенная женщина захотела устроить прощальную вечеринку и затем броситься в смерть в своем самом красивом платье. В течение тех месяцев, что Фрида жила отдельно от Диего, она часто, как и после автомобильной аварии, думала, что лучше бы *lapelona* (смерть) забрала ее прочь. Но Фрида выжила: *«No hay remedio* (нет выхода), нужно с этим жить». Она писала Николасу Мюрэю:

«Позволь мне сказать тебе, парнишка, что сейчас самое худшее время всей моей жизни, и я удивлена, что при этом можно жить».

Но она, разумеется, жила.

18
ПОВТОРНЫЙ БРАК

24 мая 1940 года спальня Троцкого была обстреляна из автомата группой сталинистов, в которую входил и художник Давид Альфаро Сикейрос. Убийцы ничего не добились — Троцкий и Наталья спрятались за кроватью, и пули в них не попали.

«Они действовали как налетчики, — говорила Фрида об убийцах. — Они убили гринго по имени Шелтон Харт, они похоронили его в Десиерто-де-лос-Леонес и улетучились. Естественно, полиция поймала их; они посадили Сикейроса в тюрьму, но его другом был Карденас». (Сикейроса выпустили меньше чем через год, при условии, что он покинет страну. Он уехал на Кубу писать фрески.)

Оттого что Ривера слишком часто выступал против Троцкого, он немедленно попал под подозрение, и вскоре после покушения Полетт Годар наблюдала из окна своего отеля, как полиция окружила студию в Сан-Анхеле. Она позвонила Ривере по телефону, чтобы предупредить его, и Ирен Бохас, которая в это время была у него, спрятала Диего на полу своего автомобиля, накрыв его ковром, и провезла прямо мимо полковника полиции Де ла Роса и тридцати полицейских. В течение тех недель, когда он прятался, говорил Диего, Полетт Годар была единственным человеком (кроме Ирен), кто знал, где он находится. «Она приносила деликатесы и вина, когда посещала меня. Ее милое присутствие сделало мое уединение приятным». Как и у Сикейроса, у Риверы были друзья среди правительственных чиновников. Двое из них обнаружили место, где его прятали, рассказывал он, приехали предупредить, что ему грозит опасность, привезли ему паспорт, подготовив выезд в Соединенные Штаты.

«Я спокойно улизнул из Мексики и отправился в Сан-Франциско».

Естественно, отъезд не был таким уж спокойным. Ривера покидал страну через аэропорт Мехико и ехал с обычным паспортом и с обещанием заказа на роспись библиотеки колледжа в Сан-Франциско.

Вскоре он поселился вместе с Ирен Бохас в квартире-студии в доме № 49 на Кэлхау-стрит, что на Телеграфном Холме. (Он планировал поместить изображение Бохас в свою фреску — она была символом женщины-художницы, — но Ирен покинула его, ушла из студии, прежде чем портрет был закончен, потому что ее мать возражала против сожительства с художником вне брака. Ривера заменил персонаж, и теперь ему позировала Эмми Лу Паккард, другая ассистентка, — но она не жила в его студии.)

Фреска «Остров сокровищ», с ее темой панамериканского объединения, выражала политические взгляды Риверы на политику того времени. Хотя он и откололся от Троцкого, но оставался (еще несколько лет) ярым антисталинистом и после сталинско-гитлеровского пакта в 1939 году стал страстным адвокатом межамериканской солидарности, как оппозиции тоталитаризму. Его реальной политической целью, как он писал Зигмунду Файерстоуну 30 января 1941 года, было установить «общее гражданство» для всех американцев и уничтожить тоталитарные режимы Гитлера, Муссолини и Сталина. Он хотел создать простую демократическую интерконтинентальную культуру, союз, как он говорил, древних традиций Юга и индустриальной активности Севера.

На этой фреске он писал свой персональный образ панамериканизма: Ривера и Полетт Годар, держа друг друга за руки, обнимали дерево любви и жизни; ее голубые глаза, его карие застыли в любовном взгляде, ее девичье белое платье взметнулось вверх, показывая красивые ноги. Она представляет «американское девичество», «выраженное в дружеском контакте с мексиканским мужчиной», так говорит Ривера в своей автобиографии. За спиной у Риверы стоит одинокая Фрида с кистями и палитрой в руках, взгляд ее устремлен в пространство, он так же абстрактен, как взгляд статуи Свободы. Она — «Фрида Кало, мексиканский художник со сложным европейским происхождением, который обратился за вдохновением к национальным пластическим традициям, она олицетворяет собою союз культур Америки».

После покушения на Троцкого и последовавшего за тем поспешного отъезда Риверы в США Фрида жестоко заболела. Когда спустя три месяца Рамон Меркадер, который в конце концов добился Фридиного доверия, ее дружбы, убил Троцкого ледорубом, Фрида обезумела от горя. Она позвонила Диего в Сан-Франциско, чтобы сообщить ему эту новость.

«Он этим утром убил старика Троцкого, — плакала она. — *Estupido!* (Безумец!) Это ты виноват в том, что они его убили! Зачем ты привел его?»

Оттого что Фрида встречала убийцу в Париже и приглашала его на обед в дом в Койоакане, на нее пали подозрения. Полиция увезла ее и допрашивала в течение двенадцати часов.

«Они обыскивали дом Риверы, — вспоминала Фрида. — Они украли изумительные часы, которые я подарила ему, рисунки, акварели, картины, брюки, костюмы — обчистили дом сверху донизу. Тридцать семь полицейских совали нос во все углы дома. Я знала, что они придут, и спрятала все бумаги, касающиеся политики, в подвале большого дома, под кухней. Затем они увезли [нас] в полицию, и мы — моя сестра и я — два дня проплакали в тюрьме. И в это время дом оставался пустым, и маленькие дети моей сестры остались одни, без еды, и мы умоляли полицейского: «Будьте добры, просто сходите и покормите детей». Через два дня нас освободили, потому что мы не были виновны ни в убийстве, ни в покушении».

После войны Ривера, видимо с целью возвысить компартию, горделиво утверждал, что предоставлял Троцкому убежище с целью его убийства, и некото-

ХЕЙДЕН ЭРРЕРА

рые люди считали, что Диего и Фрида могли фактически участвовать в разработке плана убийства Троцкого. Это кажется притянутым за волосы: супруги могли не исповедовать принципов общепринятой морали, но они не были циничными политиканами и слишком уважали жизнь, чтобы быть способными на убийство, независимо от того, что им диктовал Коминтерн. Хвастовство Риверы типично для его эпатажного политического оппортунизма, ему ничего не стоило сказать, что он сражался с Сапатой или с Лениным, или он говорил чилийскому поэту Пабло Неруде, который приезжал в Мексику в 1949 году, что он, Ривера, частично еврей и является настоящим отцом немецкого генерала Роммеля (другим он говорил, что отцом нациста Роммеля был Панчо Вилья). Он предупреждал Неруду, что этот факт должен храниться в секрете, иначе могут последовать ужасающие международные неприятности. Ривера был в своих политических взглядах похож на флюгер. Когда в пятидесятых годах он услышал об убийстве Берии, шефа ГПУ, он обратился к другу, искусствоведу Рокуэлю Тиболу, и сказал:

«Рокелито, мы должны открыть бутылку водки и поднять тост за возвращение троцкистов в Советский Союз».

Что на самом деле он думал о влиянии убийства Троцкого на политику того времени, Ривера оставлял при себе. Но в тот момент его состояние было совершенно объяснимо: он приказал охранять его во время работы над «Островом сокровищ», потому что был убежден в возможности нападения.

Если Диего недолго горевал, печалясь о своем экс-товарище, то он был глубоко поражен, когда услышал об аресте Фриды и ее ухудшившемся здоровье. Он обратился за медицинским советом к доктору Элоиссеру. Доктор порекомендовал Фриде приехать в Сан-Франциско и позвонил ей, говоря, что в Мексике она не получит должной медицинской помощи. По его мнению, у нее был «нервный срыв», для лечения которого в Мексике не было лекарств.

«Диего очень вас любит, — писал доктор Элоиссер, — и вы любите его. Вы знаете лучше меня, что, кроме вас, у него есть две великих любви: 1) живопись, 2) вообще все женщины. Он никогда не был и никогда не будет моногамным, что и неразумно, и в некотором смысле антибиологично.

Обдумайте это, Фрида. Чего вы хотите?

Если вы думаете, что могли бы принять факты жизни такими, каковы они есть, могли бы жить с ним при этих условиях и для того, чтобы жить более или менее мирно, то должны умерить вашу естественную ревность, отдавшись со всем пылом работе, живописи, преподаванию, чему угодно... и занять себя так, чтобы ложиться спать уставшей от работы.

Либо одно, либо другое. Подумайте, дорогая Фрида, и решайте».

Фрида решила. В начале сентября она полетела в Сан-Франциско, где в аэропорту ее встречали Диего и доктор Элоиссер. Проведя несколько дней в квартире Диего, она поступила в больницу «Сан-Люк», где доктор Элоиссер отменил мрачный диагноз мексиканских докторов и прописал отдых и отказ от алкоголя. Он также рекомендовал физиотерапию и кальций. Здоровье и дух Фриды вскоре улучшились. «Я в Мексике была очень больна», — писала она Зигмунду Файерстоуну в ноябре, уже из Нью-Йорка, куда приехала, чтобы устраивать выставку 1941 года по предложению Жюльена Леви и участвовать в процессе, который Люпе Марин затеяла против Бертрама Вулфа (и его издателя), злобно высказывавшегося о ней в биографии Риверы. Фрида продолжает письмо (на английском):

«Три месяца я пролежала с ужасным аппаратом на груди, отчего испытывала дьявольские мучения. Все доктора Мексики считали, что мне нужно оперировать позвоночник. Они пришли к выводу, что вдобавок к последствиям автомобильной катастрофы у меня начался туберкулез костей. На визиты к специалистам, занимающимся костями, я потратила все деньги, которые могла добыть, и все говорили одно и то же. Я испугалась, поверив, что скоро умру. Кроме того, я так беспокоилась за Диего, потому что еще до того, как он уехал из Мексики, я целых десять дней не знала, где он, после (до. — *Прим. авт.*) того, как он уехал, на Троцкого было совершено покушение, и он был убит. Таким образом, вся ситуация вокруг меня и физически, и морально была такой, что это невозможно описать. За три месяца я потеряла 15 фунтов веса и вообще чувствовала себя прегадко.

В конце концов я решила отправиться в Штаты и не обращать внимания на мексиканских докторов. И так я прибыла в Сан-Франциско. Там я больше месяца пролежала в больнице. Мне сделали все возможные исследования и не нашли ни туберкулеза, ни необходимости в операции. Можешь себе представить, насколько я была счастлива. Кроме того, я видела Диего, и это помогало мне больше, чем что бы то ни было другое...

Они нашли, что у меня сильная анемия и инфекция в почках, что и было причиной сильнейшей невралгии, которая отдавала в правую ногу. Мои объяснения не слишком-то научные, но это то, что я поняла из разговоров докторов со мной. Как бы то ни было, я чувствую себя получше и понемногу занимаюсь живописью. Я вернусь обратно в Сан-Франциско и снова выйду замуж за Диего. (Он хочет, чтобы я это сделала, потому что он говорит, что любит меня больше всех других девушек.) Я очень счастлива... Мы снова будем вместе, и ты увидишь нас в своем доме» (она напоминает о двух портретах, которые заказывал им Файерстоун).

Фрида как о свершившемся факте объявила о повторном браке, но окончательное решение не было таким простым. Среди осложнений был роман с молодым Хайнцем Берггрюеном. Теперь он весьма уважаемый дилер и коллекционер искусства, а тогда он был двадцатипятилетним беженцем из нацистской

Германии. Будучи офицером по связям с общественностью международной выставки «Золотые ворота», он встретился с Диего Риверой, и двое мужчин подружились. Однажды Диего упомянул, что в Сан-Франциско приезжает Фрида, чтобы проконсультироваться с докторами по поводу ноги.

«Он повел меня в больницу, — вспоминает Берггруен, — и я никогда не забуду, как он посмотрел на меня перед тем, как мы вошли в комнату Фриды, он тогда сказал: «Приготовься, Фрида произведет на тебя сильное впечатление». Он произнес это весьма многозначительно. Диего был очень прозорлив и интуитивен, он будто знал, что случится. Быть может, он и хотел, чтобы это случилось. В нем было что-то дьявольское. Он ввел меня в комнату, держа за руку».

Когда изящный молодой человек с чувственными глазами, при своей хрупкой, поэтической красоте и романтической чувствительности, вошел в комнату Фриды, «что-то щелкнуло», — вспоминает Берггруен. «Она была невероятной, точно такой же прекрасной, как и ее портреты. Я остался, а Ривера ушел. Целый месяц, пока Фрида лежала в больнице, я приходил к ней каждый день».

Им трудно было уединиться — по правилам больницы пациенты не имели права запирать свою комнату, там вообще дверь не имела запора, — но «риск быть обнаруженными, — говорит Берггруен, — только усиливал интенсивность нашего общения. Для необузданных молодых людей — а Фрида была очень темпераментным, очень страстным человеком — опасность лишь добавляла остроты чувствам».

Когда Фрида поехала в Нью-Йорк, Хайнц Берггруен отправился вместе с ней, на день раньше, дождавшись ее на одной из остановок по пути следования. Пара провела вместе около двух месяцев в «Барбизон-Плаза».

«Мы были счастливы. Фриде было со мной очень весело. Она водила меня на вечеринки. У Жюльена

Леви постоянно устраивались вечеринки. Хотя у нее и болела нога, она с легкостью бродила повсюду».

У них было одинаковое чувство юмора и взгляд чужеземцев на все странности, присущие США. По утрам, например, когда они читали газеты, Фрида могла прыснуть со смеху при виде фотографии колумниста, которая сопровождала его тексты. «Глянька на эти уродские головы!» — говорила она. Фрида не могла понять, зачем газета помещает фотографии вовсе непривлекательных журналистов. «Это невозможно! В этой стране они все сошли с ума!» — восклицала она. Еще Фриду очень смешило то, что завтрак в отеле подается автоматически. Нужно было лишь нажать кнопку и объявить заказ: «Термос кофе и тарелку тостов».

«О господи, эти американцы! — восклицала Фрида. — Все в этой стране механизировано, даже завтраки!»

Но проходили недели, и начались битвы. «Фрида была взрывчатой, бурной женщиной. Я был впечатлительным и незрелым». Ссоры перемежались примирениями. Будучи старше Хайнца на восемь лет и не настолько сильно в него влюбленной, Фрида бывала надменной. «Она рассматривала наши отношения скорее как что-то случайное, временное, не то что я, — говорит Берггруен. — Мне это доставляло большие страдания. Но, возможно, также ей было нужно больше, чем я мог дать. Я еще был недостаточно взрослым, чтобы быть лидером в этом союзе. Я хотел двигаться вперед в своей собственной жизни и чувствовал, что с Фридой возникнут огромные сложности и помехи. Она так страдала. Ее отношения с Диего были чрезвычайно трудными. Они больше не понимали друг друга. Она была с ним глубоко несчастна. С другой стороны, она чувствовала, что ее должен вести кто-то сильный. Он психически был очень труден; в сущности, он был огромным животным, а она такая хрупкая и физически, и психически. Он давал ей нечто устойчивое, основание, с которого можно было двигаться вперед».

Нью-йоркская идиллия кончилась очень болезненно. Фрида согласилась на предложение Риверы снова выйти за него замуж, и Берггруен, еще прежде чем этот брак состоялся, вернулся в Сан-Франциско. Хайнц и Фрида больше никогда не виделись.

На самом деле Диего просил руки Фриды несколько раз, его посредником был доктор Элоиссер. Он предупреждал Фриду, что Ривера не изменится, а Ривере говорил, что развод обострил Фридину болезнь и что, снова женившись, он поможет ей выздороветь.

Диего знал, что здоровье Фриды в плохом состоянии.

«Я собираюсь жениться на ней, — говорил он Эмми Лу Паккард, — потому что она действительно нуждается во мне». Но правда состояла в том, что и он нуждался в ней. Развод, по его словам, «оказал плохое воздействие на нас обоих».

Фрида получала советы и от друзей. Анита Бреннер писала ей о «глупостях» Диего и рассуждала с точки зрения женщины, которая на самом деле знала, что такое независимость, будучи к тому же женщиной, остро чувствующей человеческую натуру. Она говорила:

«Он, в сущности, безумец. Он ищет тепла и определенной атмосферы, которая всегда является точным центром мироздания. Естественно, он ищет тебя. Хотя я вовсе не уверена, знает ли он, что ты единственная из всех действительно любишь его. (Вероятно, Анхелина [Белофф] тоже.) Естественно и твое желание вернуться к нему, но я бы этого не делала, потому что Диего привлекает тебя тем, чего он не имеет, и, если он не привяжет тебя совершенно, он будет продолжать искать этого и нуждаться в тебе. Разумеется, хочется быть рядом с ним и помогать ему, заботиться о нем, сопровождать его, но всего этого он не допустит. Каждый раз, завернув за угол, он становится помешанным. И ты должна стать луной, находясь в подобном неустойчивом положении... Мне кажется, что тебе лучше было бы кокетничать. Не давай себя полностью привязать, живи своей жизнью для того, чтобы подготовить мягкую подушку, когда раздастся взрыв и придется упасть. А главное, внутри удар не так силен, если можно сказать себе: я существую, я чего-то стою, я не являюсь тенью кого-то, и если я не оказываюсь в его тени, то не становлюсь ничем, и я чувствую, что меня могут оскорблять и унижать до тех пор, пока я это терплю. Основное, что я хочу сказать, — это то, что каждый зависит только от самого себя, с этого понимания должно начинаться все, что необходимо для того, чтобы быть в состоянии справляться со всем и, не теряя иронии, добиваться всего».

Несмотря на совет Бреннер, Фрида из Нью-Йорка 23 ноября 1940 года посылает доктору Элоиссеру телеграмму, где говорит, что прибывает в Сан-Франциско 28 ноября, и просит его зарезервировать ей комнату в «не очень элегантном отеле». Недели, проведенные на Манхэттене, «воодушевили» ее. Она повидала старых друзей и даже закончила несколько картин. Она просит доктора никому не говорить о ее приезде: «Я хочу избежать церемонии инаугурации наподобие фрески. Не хочу встречаться с Полетт и другими дамами». Доктор ответил, что Фрида может прислать свой багаж прямо в его дом, который будет к ее услугам.

Существовало несколько условий, по словам Диего, на которых Фрида соглашалась вступить с ним в повторный брак (возможно, советы Аниты Бреннер возымели свое действие):

«...она будет финансово содержать себя за счет продажи своих картин... я должен оплачивать половину домашних расходов — не больше, и у нас не будет сексуальных отношений. (Объясняя последнее условие, он говорил, что с пролетающими в ее сознании образами всех моих женщин она просто будет не в состоянии спать со мной. — *Прим. авт.*)

Я был так рад вернуть Фриду назад, что согласился со всем».

8 декабря 1940 года, в пятьдесят четвертый день рождения Риверы, Фрида и Диего во второй раз сочетались браком. Церемония оказалась очень скорой. Они подали заявление 5 декабря. Клерк передал документы так быстро, что комната для совершения церемонии ради этого была открыта в воскресенье. Брак зарегистрировал муниципальный судья Джордж Шенфилд в присутствии лишь двух друзей: ассистента Диего Артура Ниендорффа и его жены Алисы. На Фриде испанский костюм с длинной зелено-белой юбкой и коричневая шаль. Лицо ее всегда прекрасно, но со следами, оставленными на нем месяцами страданий. Не устраивалось никакого приема. Ривера, всегда влюбленный в свою живопись, и в день свадьбы отправился работать на «Остров сокровищ». Там перед ассистентами и публикой, пришедшей посмотреть на фреску «Искусство в действии», Диего снял с себя рубашку, чтобы показать нижнее белье, покрытое отпечатками губной помады его жены.

После свадьбы Фрида и Диего вместе прожили в Калифорнии около двух недель, прежде чем Фрида вернулась в Мексику, чтобы провести Рождество вместе со своей семьей.

«Дорогая Эмилуча, — писала она Эмми Лу Паккард из Койоакана. — Я получила два твоих коротких письма, множество благодарностей, *compañera* (подруга). Я так взволнована тем, что вы кончаете свою работу и оба будете в Мексикалпан-де-лас-Тунас. Что бы я дала, чтобы оказаться там, за углом, и навещать вас каждый день, но что толку, я должна дожидаться, сестра...

Мне так не хватает вас обоих... Не забывайте меня. Я доверяю большого ребенка (Диего. — *Прим. авт.*) вам, и вы не знаете, как я всем сердцем благодарю вас за то, что вы думаете о нем, заботитесь о нем ради меня. Скажите ему, чтобы он особенно не раздражался и держал себя в руках.

А сейчас я только считаю часы и дни до вашего приезда... Удостоверьтесь, что Диего посетил в Лос-Анджелесе окулиста. И чтобы он не ел чересчур много спагетти, а то слишком растолстеет».

В феврале фреска «Остров сокровищ» и несколько других заказанных картин были закончены. Убийцу Троцкого поймали, и Риверу уже не обвиняли в пособничестве. Диего упаковал вещи и уехал домой к Фриде, в Мексику, где он поселился в синем доме на Лондрес-стрит, сохраняя в Сан-Анхеле студию.

Фрида с любовью приготовила его спальню в Койоакане. В ней стояла кровать темного дерева, достаточно широкая, чтобы ему было просторно, на кровати лежали вышитые цветами подушки (быть может, это делала сама Фрида). На одной стене Фрида поместила старинную вешалку, в надежде, что Диего повесит туда свою одежду: стетсоновскую шляпу и другие принадлежности туалета, вместо того чтобы бросать их на пол. Там были и полки для доколумбовых идолов, комод для его огромных рубашек и стол, за которым он мог писать. (Конечно, Диего оставил себе и спальню в Сан-Анхеле на те случаи, когда он будет сопровождать гринго, чтобы «посмотреть виды Мехико», и возьмет их в плен своим сверкающим сверхвыразительным взглядом и мягкой улыбкой Будды. Ему нужно было место, куда можно привести «гостей» после прогулки по городу.)

Воссоединение Фриды и Диего вскоре стало удобным, разумным, счастливым образом жизни. Этот порядок не был установлен Диего, это было обоюдное соглашение или компромисс, с этого момента и впредь Фрида более или менее могла жить своей собственной жизнью. Став увереннее и независимее благодаря своим выставкам, благодаря своей финансовой и сексуальной автономии, Фрида проявляла к Диего более материнские чувства, и это состояние отразилось в ее письме от 15 марта 1941 года к доктору Элоиссеру:

«*Queridissimo* (дражайший) докторсито.

Вы вправе думать, что я ослица, потому что я даже не написала вам, когда мы прибыли в Мексикалпан-де-лас-Тунас, но вы должны понять, что я не законченная лентяйка, потому что по приезде мне пришлось сделать столько вещей, чтобы устроить

ХЕЙДЕН ЭРРЕРА

дом Диего, и вы должны знать, как он нуждается в заботе, как он обращается со временем, поскольку, как всегда, стоит ему приехать в Мексику, у него бывает ужасное настроение, пока он не акклиматизируется, не привыкнет к ритму этой безумной страны. В этот раз дурное настроение продолжалось больше двух недель, пока ему не принесли несколько изумительных идолов из Найарита, и, глядя на них, он снова полюбил Мексику. Также на другой день он отведал изысканной утиной *mole*, и это тоже вернуло ему радость жизни. Он так объелся утиной *mole*, что я думала, у него будет расстройство желудка, но, как вы знаете, он все может переварить. После этих двух событий — идолов из Найарита и утиной *mole* он решил отправиться писать акварели в Хочимилко и постепенно обрел хорошее расположение духа».

Фрида продолжает рассказывать доктору о своей жизни и о трудностях с гостьей Джин Уайт, которая сопровождала ее в Мексику. Недостатками Джин, как это казалось Фриде, были неразумность, лень и сталинизм:

«Не то чтобы я жаловалась, но если она нездорова, то мне хуже, чем ей, и тем не менее я, изо всех сил стараясь волочить ноги, что-то делаю, пытаюсь как можно лучше исполнять свои обязанности и заботиться о Диего. Я стараюсь писать моих маленьких обезьян или, по крайней мере, содержать дом в порядке, зная, что это облегчит многие трудности для Диего и сделает его жизнь более приятной, поскольку он работает как мул, чтобы было что проглотить...

Я поставила себе целью, хоть я и хромая, не обращать особого внимания на нездоровье, потому что любой может ушибить коленку, поскользнувшись на банановой кожуре. Расскажите мне, что вы делаете, постарайтесь не работать подолгу, развлекайтесь, поскольку мир наш ведет к вратам смерти, и неплохо немного повеселиться перед тем, как покинуть этот мир...»

ФРИДА КАЛО

По свидетельству Эмми Лу Паккард, которая приехала в Мексику с Риверой, продолжала работать его ассистентом и которая жила в голубом доме в Сан-Анхеле почти год, типичный день у Риверы начинался с неторопливого завтрака, во время которого Фрида или Эмми Лу читали утренние газеты, полные новостей о войне, — чтение шло вслух, потому что у Диего были трудности со зрением. После завтрака Ривера должен был начинать работать. В десять-одиннадцать часов он с Эмми Лу отправлялся в студию в Сан-Анхел. В 1.30 или в 2.00 они возвращались в Койоакан на обед, принося в те дни, когда Ривера проводил утро, рисуя на местном рынке, индейскую еду, например, *huitlacoche* (грибы, которые растут на кукурузе), чтобы это потом приготовили. На обед обычно было мясо или курица, всегда подавалось гуакамоле, завернутое в тортильи, Фрида выпивала несколько рюмок, отчего оживлялась и становилась веселой. Ривера не пил, потому что беспокоился в то время о своем здоровье. (Вдобавок к неладам со зрением возникли еще проблемы со щитовидкой и постоянные жалобы на депрессию из-за мыслей о том, что он скоро умрет.)

Если Фрида утром писала, то она появлялась иногда не в своих обычных цветастых юбках, а в рабочей одежде — джинсовых штанах и куртке западного стиля — и приглашала Диего и Эмми к себе в студию, чтобы до обеда посмотреть, что она сделала.

«Он всегда с чем-то похожим на благоговение смотрел на ее работу. Он никогда не говорил чего-либо негативного. Он постоянно поражался ее воображению, — вспоминает Эмми Лу. — Диего говорил: «Она лучший художник, чем я...»

Если Фрида утром не работала, то могла пойти на рынок с подругой или с одной из сестер, чтобы купить цветов, чего-нибудь для домашнего хозяйства или какую-нибудь вещь, которая ей понравилась... Она была знакома с ремесленниками и владельцами магазинов, одной из ее любимых была Кармен Кабальеро Севилья, которая продавала особые фигурки Иуд, а также другие поделки, такие, как игрушки или пиньятас (горшочки для подарков), которые делала сама. Диего тоже покупал у нее, но сеньора Кабальеро помнит, что «*niña* (маленькая) Фридита больше всех баловала меня, она платила мне чуть больше, чем маэстро. Ей не нравилось, что у меня нет зубов. Меня однажды ударил мужчина, и я осталась без зубов, это было как раз тогда, когда я делала для нее очень славную вещь, и она подарила мне золотые коронки, которые я и теперь ношу. Я ей благодарна. Я давала ей только скелетик, а она сама одевала его и даже делала ему шляпу».

Фрида помогала не только сеньоре Кабальеро. Бродя по рынку, она познакомилась со многими бедными людьми, которые подходили попросить несколько сентаво, когда ее машина останавливалась у рынка. И даже если там их оказывалось шесть-семь человек, она всем давала сколько-то денег.

«Она любила их и разговаривала с ними по-дружески, что было дороже денег», — говорит Жаклин Бретон, которая приезжала в Мексику в середине сороковых.

Фрида также любила домашние обязанности: сделать дом привлекательным для Диего было не тяжелой повинностью, а радостью, и Ривера часто принимал участие в решении домашних проблем. Когда Фрида усовершенствовала кухню и покрыла стены синими, белыми и желтыми плитками, как традиционно делают в провинциальных кухнях, в первую очередь она посоветовалась с Диего. Разумеется, он был согласен — кухня стала подчеркнуто *mexicanista*, с большими глиняными кувшинами, мисками, стоящими на полках, и бесконечным количеством маленьких керамических кружек, висящих на крючках, которые были расположены так, что образовывали слова «Фрида и Диего».

Оформление столовой тоже показывало приверженность семейства к мексиканской *campesino* (крестьянской) культуре. Стены ее были увешаны примитивными натюрмортами, масками и другими предметами народного искусства, пол покрашен *polvo de condo*, желтой краской, которой красят полы в деревенских домах, и покрыт соломенными *petates* (циновками). Как в домах бедноты, с потолка на шнуре свисала электрическая лампочка без абажура, и обычно некрашеный грубый деревянный стол Фрида покрывала клеенкой в мелкий цветочек. Гости сидели здесь часами, пили из красных глиняных чашек, ели из керамических тарелок и редко пользовались «буржуазной» гостиной.

Эмми Лу Паккард вспоминает, что «каждый день Фрида создавала на столе натюрморт для Диего» из блюд, фруктов и шести-семи огромных букетов цветов, которые она приносила из утренних экспедиций за покупками. Диего всегда сидел в конце стола, чтобы перед ним открывался лучший вид, Фрида и Эмми располагались по бокам.

Фриде нравилось оживлять стол бурундуком в клетке или маленьким попугаем Бонито, который тогда был ее любимцем и, бывало, забирался к ней под одеяло, когда она ложилась отдыхать. Во время ленча Бонито болтал, крутил головкой и искоса поглядывал на людей круглыми глазками, прежде чем одарить кого-нибудь своим клювастым поцелуем. Его любимой едой было масло. Тем временем снаружи, в патио большой попугай-самец, любитель пива и текилы, пронзительным голосом посылал проклятия: *«No mepasa la cruda!»* («Плохо с похмелья!») Если его клетка бывала открыта, он свешивал вниз голову и устремлялся на колени к ничего не подозревавшему гостю.

После *comida* (еды) Фрида иногда отдыхала на солнышке в патио, раскинув свои оборчатые юбки по теплым керамическим плитам и слушая пение птиц. Или прохаживалась с Эмми Лу по дорожкам сада, любовно разглядывая каждый маленький цветок, который собирался распуститься, играя со стаей своих голых ацтекских собак, подымая руки в виде насеста для прирученных голубей или ее домашнего орла, которого называла «Гертруда Кака Бланка», потому что птица повсюду разбрасывала белые экскременты. Самым лучшим развлечением было наблюдение за двумя серыми индюками, которые жили в саду.

«Самец танцевал танцы мачо, — вспоминает Эмми Лу, — перед самкой, которая не обращала на него внимания. Когда же он начинал громко топать лапами по земле, это вызывало в ней интерес. В конце концов она опускалась, распластавши крылья на земле. Он вспрыгивал к ней на спину и начинал колотить крыльями по воздуху. Так все кончалось. Самые простые вещи жизни — животные, дети, цветы, деревья — вот что больше всего занимало Фриду. Животные были для нее что дети».

15 декабря 1941 года, когда Эмми Лу вернулась в Калифорнию, Фрида написала ей:

«Представляешь, маленький попугай Бонито умер. Я устроила ему маленькие похороны, все, и я в том числе, плакали, ты же помнишь, он был изумительный. Диего тоже очень печалился. Маленькая обезьяна Эль Каймито заболела пневмонией и тоже была близка к смерти, но сульфаниламид вылечил ее. Твой маленький попугай в полном порядке — он здесь со мной».

В середине дня, когда Эмми Лу и Диего возвращались в студию в Сан-Анхеле, Фрида иногда отдыхала. Также она могла навестить кого-то из друзей, заняться делами Диего или писать картины. Иногда она среди дня шла в кино или, случалось, на матч боксеров. Диего любил симфонии, но Фрида — не любила, поэтому она одевала Эмми Лу в свои платья и посылала ее вместо себя. Фрида предпочитала концерты уличных оркестров-марьячос, которые слушала на Гарибальди-пласа, где она могла наслаждаться такос (пирожками) и за несколько песо заказать свои любимые песни, которые исполняли музыканты, соревнуясь в красоте пения и живости танца при туго обтягивающих ноги штанах, в величине шрамов на лицах и в размерах шляп.

Вечерами Диего приходил домой к позднему ужину, состоящему из горячего шоколада с *pan dulce* — мягких булочек и печенья, которые подавались на большом подносе, они были самых разных форм, некоторые из них с юмором изображали (иногда хулигански) разные части человеческого тела. Фрида и Диего веселили друг друга, рисуя *cadabres exguise* (мертвеца) или песнями *corridos* (балладами). Хотя у Диего был не очень хороший слух, он любил петь и

ХЕЙДЕН ЭРРЕРА

получал большое удовольствие, слушая Фриду, потому что пела она очень душевно и могла прекрасно вытягивать фальцетом все трудные места в «Малагенье». Диего также восхищала Фридина способность резать правду-матку и остроумие ее ответов в пикировке. Часто он поддразнивал так, что это ее задевало, только для того чтобы получить от нее достойный ответ. Он мог, например, намекать на свой роман с Кристиной, говоря гостям: «Фрида сочинила мексиканскую песню под названием «Эль Петате», потому что там есть такая строка: «Я не люблю тебя, я люблю твою сестру». Такие уколы, случалось, оставляли Фриду безучастной, но чаще она все-таки отвечала. Однажды она уколола Диего насмешками над одной его натурщицей, у которой, по ее мнению, были слишком большие, безобразные груди. «Они не такие уж и большие», — защищался Диего. Но Фрида бесстрашно парировала: «Это потому, что ты всегда смотришь на них сверху, когда она лежит».

Свидетельством инстинктивной совместимости Фриды и Диего служит еще одна история, рассказанная Эмми Лу. Однажды, когда они втроем пошли в кинотеатр, чтобы посмотреть фильм о вторжении Германии в Россию, Диего и Эмми Лу потеряли Фриду в толпе. Диего просвистел первый куплет «Интернационала». Откуда-то из глубины толпы раздался второй куплет — это была Фрида. Свист продолжался, пока они не нашли друг друга, после чего все трое отправились в кинозал.

Спокойное, уверенное настроение письма Фриды доктору Элоиссеру от 15 марта изменилось в письме от 18 июля. За это время умер отец Фриды, а ее здоровье ухудшилось. И тем не менее она пишет о несчастье в сдержанном тоне; даже с таким близким другом, как доктор Элоиссер, она старается спрятать печаль и боль:

«Дражайший докторсито.

Что вы скажете обо мне — что я скорее подобна музыке саксофона, чем джазу. Ни благодарности за ваши письма, ни слова «спасибо» за ребеночка-мальчика (доктор Элоиссер прислал ей в подарок эмбрион. — *Прим. авт.*), что доставило мне такую радость, — ни единого слова за месяцы, за многие месяцы. Вы будете совершенно правы, если пошлете меня к черту. Но знайте, даже если я вам и не пишу, это не значит, что я реже о вас вспоминаю. Вы знаете, насколько я ленива, особенно по части того, чтобы писать письма. Но, поверьте, я много думала о вас и всегда с любовью...

Мое копыто, лапа, или стопа, — лучше. Но в основном мое состояние скорее... Я думаю, это из-за того, что я мало ем — много курю! — что-то странное! Я больше не пью коктейльчики. Чувствую в животе какое-то жжение, и у меня постоянная отрыжка во рту. Мое пищеварение как у *bil tiznada* (тайных пьяниц). Настроение отвратительное. С каждым днем я становлюсь все более болезненно раздражительной (в мексиканском понимании этого слова), не доблестной (академический испанский стиль языка!), так сказать, весьма брюзгливой. Если есть в медицине какое-нибудь лекарство, которое возвращает людям чувство юмора, — предложите мне его, так чтобы я немедленно могла его проглотить и посмотреть, эффективно ли оно...

Повторный брак оказался удачным. Малая толика ссор — лучшее общее взаимопонимание, и, с моей стороны, меньше скучных расследований, безразличие к другим женщинам, которые часто занимают большое место в его сердце. Таким образом, вы можете понять, что наконец я уразумела, что *жизнь такова*, и отдых — это «нарисованный хлеб» [просто иллюзия]. Когда здоровье мое становится чуть лучше, можно сказать, что я счастлива, — но чаще иное состояние настолько сокрушительно для меня, начиная с головы и кончая ногами, что иногда у меня мутится сознание, и это доставляет мне жестокие мучения. Слушайте, вы не собираетесь на Международный медицинский конгресс, который состоится в этом — так называемом — прекрасном городе? Имейте совесть, хватайте стальную птицу и [летите] в Зокало Мехико. Получится? Да и да? Привезите

ФРИДА КАЛО

ХЕЙДЕН ЭРРЕРА

мне побольше «Лаки» и «Честерфильд» (сигареты. — *Прим. авт.*), потому что здесь они, мой друг, предмет роскоши. И я не могу позволить себе ежедневно тратить такие деньги на курево.

Расскажите мне о своей жизни. Что-то мне говорит, что вы еще помните, что на этой земле индейцев и туристов-гринго существует и девушка, которая является вашим истинным другом.

Рикардо (вероятно, Рикардо Ариас Виньяс, беженец из Испании, любовник Фриды. — *Прим. авт.*) начнет к вам ревновать, потому что он говорит, будто я обращаюсь к вам с фамильярным ТЫ, но я ему все объяснила, все, что можно было объяснить. Я его очень сильно люблю и сказала ему, что вы это знаете.

Сейчас должна выйти — должна пойти в город купить кисти и краски на завтра, а уже поздно.

Давайте посмотрим, когда вы напишете мне длинное письмо. Передайте приветы Стаку и Джинетте (Ральф и Джинетт Станкпоул. — *Прим. авт.*) и сестрам в Св. Луке (больница. — *Прим. авт.*). Особенно той сестре, которая была так расположена ко мне, — вы знаете, которая — я сейчас не помню ее имени. Не забывайте меня.

Любовь и множество поцелуев от

Фриды.

Смерть моего отца была для меня чем-то ужасным. Думаю, это стало причиной того, что мне стало много хуже и я страшно похудела. Вы помните, каким он был красивым и добрым».

Из-за плохого состояния здоровья и смерти отца Фрида впала в депрессию; ее дурное настроение усиливала и война в Европе. Она разделяла с Диего волнения по поводу гибели людей, городов, политических ценностей, которые были уничтожены или разграблены; огорчение усиливалось еще от вторжения немцев в Россию.

Диего всегда любил Россию и русских. В свои парижские годы он выучил русский язык в общении с Ангелиной Белофф и множеством русских друзей. Идеалы русской революции наполняли его сердце и мысли все последующие годы — он продолжал верить в эти идеалы, несмотря на двуличие и предательство Сталина.

«Его отчаяние осложнялось тем, что, покинув троцкистское движение и все еще подвергаясь нападкам со стороны коммунистической партии, он не принадлежал ни к какой организации, с помощью которой мог бы преобразовать свои чувства в действия. Таким образом, хотя его пыл по отношению к России не заставил его подвергнуть немедленной переоценке Сталина, прошло еще некоторое время, прежде чем «палач» трансформировался в «Дядюшку Джо». В этот период Ривера начал пересматривать свое отношение к обоим советским лидерам и к коммунистической партии. Если пакт о ненападении выставлял Сталина предателем, то героическая защита России превращала его в героя. И моральное беззаконие советских чисток сменилось удивлением, когда множество людей, которые считались умершими, были освобождены из лагерей, отправились сражаться на фронт. Эмми Лу Паккард вспоминает, что когда она читала Ривере газеты, то «все, что Ривера желал знать, — это новости с русского фронта. Я должна была читать имена русских генералов, и Диего говорил: «Значит, это неправда, что они убили всех людей, кто находился в лагерях!»

Фрида, у которой в политических пристрастиях не было такой страсти, как у Диего, понимала его чувства.

«Pobrecito! — говорила она Эмми Лу о нем. — Несчастный! Он так одинок теперь, не будучи членом партии, не будучи в гуще движения».

В сочельник 1942 года Фрида пишет доктору Элоиссеру, лежа в кровати, куда ее уложили грипп, ангина и «все другие неприятности»: «Я считаю, что война достигнет своего апогея в этом году, который вот-вот народится, и нам не стоит надеяться на очень счастливые дни... Мне нечего особенно рассказать вам, потому что я веду самую простую жизнь, какую только можно представить. Диего работает во дворце, а я остаюсь дома и пишу *moninches* (Фридино слово, обозначающее обезьян. — *Прим. авт.*), или почесываю свой живот, от случая к случаю хожу среди дня в кино, и больше мне нечего вам рассказать. С каждым днем мне все больше не нравятся «нужные» люди, и вечеринки, и дерьмовые буржуазные праздники, поэтому я изо всех сил стараюсь этого избежать».

Фридина мрачность красноречивее всего отразилась, разумеется, в ее картинах. «Автопортрет с косой» (илл. 57), датированный 1941 годом, один из первых погрудных портретов, которые она сделала после возвращения в Мексику из Сан-Франциско. Его можно рассматривать как комментарий к ее повторному замужеству, как дубликат «Автопортрета с остриженными волосами» периода развода. Будто бы волосы, рассыпавшиеся по земле в раннем автопортрете, были собраны, сплетены и в виде кренделя водружены на голову Фриды. Возвращенные волосы есть знак доказательства ее женственности, от которой она, было, отказалась, но это безрадостное утверждение. В неправильных прядях какая-то неуверенная живость, они являют собою нервные всполохи взволнованной психики. Не менее беспокойны и огромные хищные листья джунглей с острыми краями, которые прикрывают Фридину наготу. Их трепещущий ритм подразумевает волнение, которое прячется за внешним спокойствием лица. Толстые стебли, напоминающие кровеносные сосуды в «Двух Фридах», обвивают грудь, не допуская какого-либо движения. Давление усиливается тяжелой удавкой доколумбовых ожерелий; невыразительный колорит картины добавляет настроению меланхоличности. Несмотря на то что повторный брак должен быть, как Фрида говорит, «во всем хорош», но роз без шипов не бывает.

В «Автопортрете с Бонито» 1941 года Фрида одета в нетипичную для нее простую темную блузку, что подразумевает траур — по отцу, по жертвам войны и, возможно, также по умершему Бонито, который вцепился в ее плечо. Листва, окружающая лицо, расползается как живая. В некоторых листьях гусеницы проели дыры — это говорит о непрочности, тленности жизни. Одна гусеница запуталась в паутине рядом с волосами Фриды, она — звено между Фридой и миром. При несчастьях Фрида всегда искала возможности снова за что-то ухватиться в жизни. Одна из таких возможностей с течением времени делается все более и более значительной, коль скоро ее жизнь становилась все более ограниченной, — ее близость и связь с природой. И это было уже не делом привычки или образом жизни, а сутью судьбы.

Вероятно, именно для того чтобы утвердить эту судьбу и создать нечто постоянное в мире, полном смертей и разрушений, семья Ривера в 1942 году начала строить Анауакалли, причудливый, мрачный храм-музей на застывшей лаве вулкана в районе Педрегал — «педрегал» означает «каменная земля» — рядом с Койоаканом.

«Фрида и я начали строить необыкновенное ранчо, — рассказывал Ривера. — Мы планируем здесь производить собственные продукты, молоко, мед и овощи, пока будем готовиться к строительству музея. В первые недели мы возвели помещение для животных... Во время войны это сооружение стало «домом» для Фриды и для меня. После войны оно было превращено в помещение для моих идолов».

Строительство «дома» помогало цементировать их повторный брак, этот проект позволял им улизнуть из буржуазного общества и мира, нарушенного войной, и пустить корни в мексиканскую землю.

В конце концов постройка стала антропологическим музеем (его открыли для публики в 1964 году), который служил своего рода монументом страсти одного человека к своей родной культуре. В том стиле, который Ривера описывал как сочетание ацтекского, майя и «традиционно риверовского» (тот же стиль, в котором он построил новое крыло к дому в Койоакане), Диего построил из серых вулканических глыб с окружающих полей сооружение, которое было одновременно и брутальным, и элегантным. Благодаря своему торжественному великолепию Анауакалли альтернативно назывался «пирамидой» Риверы или его «мавзолеем», и Ривера тратил на него все деньги до последнего сентаво. Фрида старалась ему помочь. Она дала мужу право собственности на участок земли, купленный ею самой, и продала свою квартиру на улице Инсурхентес. 14 февраля 1943 года она пишет своему другу, патрону и персонажу портрета, Марте Р. Гомес, известному специалисту по сельскому хозяйству, затем министру сельского хозяйства Мексики:

«Я долгое время расстраивалась из-за Диего. Из-за его здоровья и экономических трудностей, которые из-за последствий войны он начал испытывать как раз в тот момент, когда я хотела, чтобы он почувствовал себя спокойным и уверенным в своей работе настолько, чтобы он делал, что ему хочется, после жизни, проведенной в безостановочном труде. Меня беспокоит не то, что существуют сиюминутные проблемы, связанные с тем, чтобы жить более или менее нормально. Это касается того, что для Диего имеет колоссальное значение, а я не знаю, чем ему помочь. Как ты знаешь, после живописи, что интересует его больше всего в жизни, единственное, что дает ему радость и приводит в восторг, — это его идолы. Больше 15 лет он тратит почти все, что зарабатывает, на формирование своей великолепной коллекции археологических предметов. Не думаю, что где-либо еще в Мексике есть лучшая коллекция, и даже в Государственном музее нет некоторых очень значительных вещей. У Диего всегда была мысль построить дом для своих идолов, и год назад он нашел место, которое действительно заслуживает быть «домом идолов», в Педригале вблизи Койоакана. Он купил клочок земли в маленьком городе, Сан-Пабло-Тепетлапа. Восемь месяцев назад он начал строить дом. Ты не можешь себе представить, с какой радостью, с каким восторгом он делал план дома, работая над ним всю ночь, после целого дня работы над фресками. Поверь мне, никто никогда не видел человека, работающего с большей радостью и увлечением, чем Диего Ривера, когда ему что-то нравится. Ведь этот участок земли великолепен именно для того, что он хочет сделать, и пейзаж, который можно увидеть с этого места, — самый изумительный, какой только можно себе представить, с Ахуско (горами. — *Прим. авт.*) вдали. Я хотела, чтобы ты увидела это собственными глазами, потому что я не могу этого описать.

Дело в том, что война и все обстоятельства, о которых ты знаешь, лишили Диего денег, чтобы закончить строительство, которое остановилось на половине первого этажа. У меня нет слов, чтобы передать, насколько это трагично для Диего, а мне больно, что я не в состоянии хоть чем-то ему помочь. Единственное, что я могу сделать, и я уже это сделала, — продажа маленького дома на Инсурхентас, для того чтобы погасить расходы, но, естественно, это только частично решает проблему».

Фрида продолжает и просит, чтобы правительство помогло в финансировании строительства археологического музея для коллекции Риверы. Она предлагает, чтобы музей стал собственностью Мексики, при условии, чтобы Диего до конца жизни мог жить и работать около своих идолов, в студии на вершине пирамиды. Такой музей, убеждает Фрида, «был бы гордостью нынешней цивилизации... Ты знаешь, как сильно я его люблю, и можешь понять, как больно мне видеть его страдания, поскольку у него нет того, что он так желает, ведь то, чего он просит, — ничто по сравнению с тем, что он дает».

Спустя шесть лет, когда Фрида писала «Портрет Диего», она все еще не утратила своего энтузиазма:

«Изумительный дом, который он спроектировал... вырастает в невероятно прекрасном пейзаже Педригала, подобно огромному кактусу, который

ХЕЙДЕН ЭРРЕРА

смотрит на Ахуско, серьезный и элегантный, сильный и совершенный, древний и вечный; изнутри вулканической скалы он кричит голосами веков: Мексика жива! Подобно Коатлику, в нем слились жизнь и смерть; как таинственная почва, на которой он построен, он обнимает землю силою жизни и вечного растения».

Точно так же Фриду обнимает каменная земля в картине «Корни» (цв. илл. XXVII), которая выражает их с Диего любовь к безбрежному океану вулканической породы, где они построили Анауакалли и которая была названа «Эль Педригал», когда в 1953 году Фрида послала эту картину и четыре других работы на выставку мексиканского искусства в лондонской галерее «Тэйт».

И в самом деле Педригал, постройка которого началась в 1943 году, появляется фоном на многих Фридиных автопортретах. Осуществили ли Фрида и Диего свои планы по выращиванию овощей на земле Педригала, достоверно неизвестно, но в «Корнях» Фрида «посадила» свое собственное тело. Прорастая корнями в землю, которую любил Диего, она становилась еще ближе ему.

«Корни» дают блистательное свидетельство тому, что у Фриды росло желание как можно теснее соединиться с природой. В дневнике 1944 года она писала об «овощном чуде пейзажа моего тела». Ее жажда деторождения трансформировалась в почти религиозную веру в то, что под солнцем все внутренне связано и что она сама является частью потока мироздания. «Корни» — картина с обратным знаком (или противоположность) к картине «Моя няня и я». В картине 1937 года Фрида была ребенком, сосущим из груди-растения матери-земли. В «Корнях» теперь сама Фрида питает природу, давая жизнь виноградной лозе.

Опираясь плечом на подушку, Фрида мечтает о том, что ее тело протянется на всю землю. Ее единоличное присутствие в дикой пустыне так же таинственно — и естественно, — как в картине Руссо «Спящая цыганка», которую Фрида наверняка знала и любила. Окно в теле Фриды открывается не для того, чтобы показать переломанные кости или бесплодную матку, а чтобы стал виден пейзаж. Из этой мистической матки гибкая зеленая лоза распространяется по пустынной земле. Кровь Фриды струится по ее артериям и продолжается в черенках листьев. Так Фрида становится источником жизни, укоренившейся в пересохшей земле Мексики.

«Корни» могут также намекать на идею продолжения жизненного цикла после смерти: перед Фридой, у ее ног, потрескавшаяся земля образует впадину, похожую на могилу, и сколько времени Фрида пробудет над этой пропастью, зависит от продолжительности ее сна.

Точно так, как Фрида врастала в землю, храм Диего, с его нутром вулканической породы, рос, как «огромный кактус», обнимая жизнь, смерть и почву Мексики, подобно живому и вечному растению. Для достижения бессмертия Диего строил — Фрида, в «Корнях», связывала свое тело с цепочкой жизни.

ХЕЙДЕН ЭРРЕРА

19

ПОКРОВИТЕЛИ, ПОЛИТИКИ, ОБЩЕСТВЕННОЕ ПРИЗНАНИЕ

В сороковых годах, возможно, в результате шумного успеха выставки за границей или из-за участия в большой Международной выставке сюрреализма в Мехико, карьера Фриды получила некий импульс. Признание принесло покровителей, заказы, преподавательскую работу, премии, дружбу, участие в культурных организациях, конференциях, проектах, связанных с искусством, и даже временами приглашения писать для периодических изданий. Благодаря всему этому она стала серьезнее относиться к себе как к художнику. Кроме того, Фрида определила, сколько должна зарабатывать на жизнь, и вследствие этого стала работать даже прилежнее, чем прежде.

Картины, которые она теперь делала, стали больше по размеру, чем картины тридцатых годов, и их теперь нужно было показывать более широкому кругу зрителей, они уже не были теми личными талисманами или исполненными по обету картиночками для собственных нужд или для удовольствия Диего. В то время как совершенствовалась техника Фриды и уровень ее реалистического моделирования форм, передачи текстуры, образы стали более изощренными, почти лишившимися детского очарования.

Фрида теперь писала больше детализированных погрудных автопортретов, чем портретов-повествований, таких, как «Сломанная колонна» и «Дерево надежды», в которых ее фигура появляется всегда в болезненной ситуации. Они больше похожи на *retablo,* подобно картинам тридцатых годов. Тем не менее живопись остается первой и главной движущей силой выражения личности.

«С тех пор как авария переменила мой путь и многое другое, — говорила Фрида Антонио Родригесу, — я не позволяла себе предаваться желаниям, которые весь мир счел бы нормальными, и не было ничего естественнее, чем занятие живописью... моя живопись — наиболее искреннее выражение меня самой, при этом отсутствуют размышления о чьих-то суждениях или предубеждениях. Я мало писала, при этом не было ни малейшего желания славы или удовлетворения амбиций, но было убеждение, что прежде всего я хочу доставить удовольствие себе и затем иметь возможность жить за счет своего ремесла... Для того чтобы сделать все, что мне хотелось, в живописи, не хватило бы много жизней, и это-то мне и нравится».

Фрида продолжала быть очень самокритичной по отношению к своему искусству.

Она писала доктору Элоиссеру 18 июля 1941 года: «Я все равно продолжаю писать. Пишу мало, но чувствую, что кое-чему учусь». И все-таки обычно нуждалась в толчке, который побудил бы ее писать. Помогал в этом Ривера, иногда каким-то словом, иногда ограничивая в средствах, но ее разбросанность вкупе с физическими недостатками не давали ей работать быстро. Тем не менее Фрида участвовала во многих групповых выставках, не успевая сделать достаточно картин для выставки персональной. В 1949 году, кроме участия в выставке сюрреалистов в Мехико и в международной выставке «Золотые ворота» в Сан-Франциско, она послала картину «Две Фриды» в Музей современного искусства, подсказав Франку Кроунinduшелду написать в «Vogue», что «самая недавняя из экс-жен Риверы — художница, которая, по-видимому, очень интересуется кровью». В 1941 году ее картина «Фрида и Диего Ривера» была выставлена в Бостонском институте современного искусства на выставке «Современные мексиканские художники», которая путешествовала по США и побывала в пяти музеях, а в 1942 году «Автопортрет с косой» был включен в экспозицию «Портреты

ХЕЙДЕН ЭРРЕРА

XX века», организованную Монро Уиллер для Музея современного искусства. «Две Фриды», «Что дала мне вода» и «Автопортрет» 1940 года, на котором она изображена с терновым ожерельем, обезьяной и котом, были показаны в 1943 году в Филадельфийском музее искусств на выставке «Мексиканское искусство сегодня», и в том же году «Автопортрет» 1940 года был включен в экспозицию «Женщины-художники» в галерее Пегги Гугенхейм — «Искусство этого века».

(Спустя несколько лет в своей «Исповеди увлеченного искусством» Гугенхейм призналась, что в то время, как она ненавидела огромные фрески Риверы, Ороско и Сикейроса, она очень любила работы Фриды Кало. «Включив ее в мою женскую выставку, я осознала, насколько она одарена с точки зрения сюрреалистических традиций».)

Оттого что Фридины работы стали поздно выставляться в Мексике и это было не столь престижно, она всегда понимала, что ее ценность как художника впервые была признана в Соединенных Штатах. И тем не менее ее репутация в Мексике росла. В январе и феврале 1943 года Фрида участвовала в выставке «Сто лет мексиканского портретного искусства» в Библиотеке Бенджамина Франклина. На следующий год библиотека представила другой исторический аспект — «Ребенок в мексиканской живописи», и Фрида дала работу «Солнце и Луна» (ныне утерянную). В 1944 году работы Фриды и Диего были представлены в новой (но недолго просуществовавшей) Галерее искусств «Мопассан» на Пасео-де-ла-Реформа. Афиша объявляет, что в галерее выставляются Ороско, Ривера и Фрида Кало, а также скульптор Мария Тереса Пинто.

Фрида была приглашена участвовать и в «Салоне де ла Флор» в выставке картин с цветами, что было частью ежегодного цветочного шоу в Мехико. Особое Фридино пристрастие к природе с течением времени все усиливалось, при том что ее неспособность родить была уже неоспоримым фактом. Она посылает в «Салон де ла Флор» «Цветок жизни» (илл. 64), «Магнолии», картину 1945 года, и «Солнце и жизнь» (цв. илл. XXXII). Можно представить, насколько удивила любителей цветов Мехико нескрываемая сексуальная символика картин 1944 и 1947 годов. В обеих картинах Фрида превратила тропические растения в женские и мужские гениталии.

В этих картинах соединяются космические и сексуальные силы. Солнце явно представляет собою силу плодородия. Взрыв спермы, дающей жизнь, из фаллоса в картине «Цветок жизни» (вначале названной «Пламенный цветок») тоже можно считать лучами божественного света, которые льются на эмбрион, появляющийся из матки. Всплески света усиливают драматичность ситуации. В картине «Солнце и жизнь» капли семенной влаги, которые брызжут из фаллического вида растений, отражаются в слезах солнца и в плачущем эмбрионе, упрятанном в матке из листьев. Слезы означают, что Фрида, плодовитая от природы, болезненно жаждала потомства. И в самом деле, в то время когда она писала «Солнце и жизнь», у нее случился еще один выкидыш, это был ребенок любовника, не Диего. (Она говорила критикам в 1944 году, что три факта заставляли ее писать: ее живые воспоминания о собственном кровотечении во время аварии, мысли о рождении, смерти и «направляющей нити жизни» и ее желание стать матерью.)

Во второй половине сороковых годов работы Фриды были столь хорошо оценены в ее родной стране, что она стала постоянным участником самых главных выставок. К тому же изменилась мексиканская «панорама искусства». Хотя монументалисты продолжали писать социально-реалистические фрески, они больше не затеняли ни модернистов, ни сюрреалистов. Авангард теперь возглавлял Руфино Тамайо, чьи работы прежде считались слишком европейскими. Иностранное влияние не вызывало уже прежней неприязни, и достижения искусства других стран становились все более известными. Раньше единственной значительной галереей была Галерея мексиканского искусства, которой владела Инес Амор. Теперь же открылось множество новых. Галереи нуждались в коллекциях картин для выставок и для

ХЕЙДЕН ЭРРЕРА

продажи, поэтому станковая живопись, которая прежде рассматривалась как буржуазное декадентство, стала наиболее популярной продукцией. Фрида, разумеется, все время писала небольшие станковые картины.

Одним из признаков возросшей репутации Фриды было избрание ее постоянным членом Общества мексиканской культуры, организации (под покровительством министерства образования), которая состояла из двадцати пяти художников и интеллектуалов и целью которой было распространение мексиканской культуры посредством лекций, выставок и публикаций.

(Когда Алехандро Гомес Ариас выдвинул Фриду в члены-основатели более престижной Коллегии Насиональ, организации, сравнимой с Французской академией, были голоса против нее. Вспоминает Гомес Ариас: «Министр образования попросил меня в 1942 году помочь ему образовать Коллегию Насиональ, и я предложил двух женщин: одну — известного биолога, которая написала знаменитый труд о кактусах, и Фриду. Обе были отвергнуты: Фрида — из-за того, что там уже было два художника — Ороско и Ривера, — а биолог потому, что в коллегию вошел ее учитель». Все это были отговорки. Гомес Ариас настаивает на том, что его предложение отвергли потому, что он хотел включить в состав коллегии именно женщин.)

Общество мексиканской культуры издавало научный журнал, во втором выпуске которого была напечатана статья Риверы «Фрида Кало и мексиканское искусство». И старый друг Фриды качуча Мигель Н. Лира, который возглавлял общество, просил Фриду писать одну-две статьи ежемесячно для радио или газет. В 1943 году Фрида как член этой организации устроила первую бесконкурсную выставку, названную «Салон Либре 20 де Новиембре» (чтобы отпраздновать день начала Мексиканской революции). Вдобавок она помогала устраивать Национальную выставку живописи в Аламеда парке, и в 1944 году ее пригласили участвовать в конференции по искусству монументальной живописи, которую проводило министерство образования.

Фрида была выбрана одним из шести художников, получивших государственную стипендию в 1946 году, но самая большая честь была ей оказана в сентябре того же года на ежегодной государственной выставке во Дворце изящных искусств. Ороско был награжден Национальной премией искусства за его фреску в Мехико, но специальное решение президента и министра образования сделало возможным дать премии (каждая в пять тысяч песо) еще четырем художникам. Премии получили Фрида (за «Моисея»), доктор Атл, Хулио Кастельянос и Франсиско Гоития. Хотя Фрида и была закована в гипс после операции на позвоночнике, она предстала на открытии вернисажа, одетая как принцесса.

Появились и государственные заказы. В 1941 году ее просили сделать серию портретов пяти мексиканских женщин, внесших наиболее значительный вклад в истории «пуэбло» (народа), для столовой в Национальном дворце. «Теперь они пытаются выяснить, какими такими существами были эти женщины... — писала Фрида доктору Элоиссеру, — какого типа были их лица, что представляла собой их психология, так чтоб, когда я их намалюю, публика знала, как отличить их от вульгарных, обычных женщин Мексики — которые, скажу я вам, по моему мнению, более интересны и более значительны, чем группа леди, о которых шла речь. Если среди ваших любопытных вещей вы найдете какую-нибудь толстую книгу, где говорится о донье Хосефе Ортис де Домингес, о донье Леоне Викарио (обе женщины были связаны с движением за независимость. — *Прим. авт.*), о донье Хочитла (во время правления толтекского короля Хочитла насаждала употребление «очищающего» питья, называемого *pulque,* делавшегося из перебродившего сока агавы. — *Прим. авт.*), о Сор Хуане Инес де ла Крус (великой мексиканской монахине-поэтессе, 1651—1695. — *Прим. авт.*) — сделайте одолжение, пришлите мне несколько фактов или фотографий, гравюр и т.д. об эпохе и их благопристойное изображение. Этой работой я

ХЕЙДЕН ЭРРЕРА

собираюсь заработать несколько баксов, которые я определила потратить на одного козла, который доставит удовольствие моим глазам, обонянию и осязанию, — и на несколько очень милых цветочных горшков, которые я как-то видела на рынке».

К сожалению, портреты знатных дам Фрида так и не написала. Вторым, меньшим государственным заказом было необычное тондо с натюрмортом, которое Фрида создала для президента Мануэля Авилы Камачо, для его столовой. Но тондо, сделанное в 1948 году, было отвергнуто. Вероятно, сеньора Авила Камачо нашла, что фрукты, овощи и цветы намекают на детали человеческой анатомии.

У Фриды продолжались трудности с поисками клиентов и удовлетворением их желаний. Часто Диего посылал американцев, которые залетали в его студию, к Фриде в Койоакан, чтобы они посмотрели на работы. Но по большей части это были праздные зеваки, а не покупатели. Уолтер Аренсберг, например, колебался два года после того, как Фрида сообщила Николасу Мюрэю, что он намерен «купить картину». 15 декабря 1941 года Фрида пишет Эмми Лу Паккард:

«Из того, что ты рассказала мне об Аренсбергах, прошу тебя сказать им, что у Кауфмана есть картина «Рождение». Я бы хотела, чтобы купили «Меня сосущую» («Моя кормилица и я». — *Прим. авт.*), поскольку они должны дать мне хорошенькую стопочку [денег]. Я теперь собираюсь стать совершенной негодяйкой. Если у тебя появится возможность быть с ними моей дубинкой, то сделай все так, будто это исходит от тебя. Скажи им, что эту картину я писала в то же самое время, что и «Рождение», и что и тебе, и Диего она очень нравится. Ты ведь знаешь, какая это картина? Та, где я с моей кормилицей и сосу молоко. Помнишь? Надеюсь, ты заставишь их купить ее у меня, поскольку ты даже не можешь себе представить, как я сейчас нуждаюсь в баксах (скажи им, она стоит 250 долларов), — я пошлю тебе фото, так что ты сможешь наговорить им кучу приятных слов и пробудишь в них интерес к этому «произведению искусства». О'кей, детка! Также расскажи им о картине с кроватью «Сновидение», которая в Нью-Йорке, может быть, они заинтересуются ею — это та, где наверху скелет, помнишь? Она стоит 300 баксов. Давай посмотрим, сможешь ли ты чуть подсобить мне, лапочка, потому что, честно говорю, я так нуждаюсь в деньгах».

Эмми Лу ответила, предсказывая конечный результат:

«Я собираюсь побиться за тебя. Кто знает, чем это кончится. Мне кажется, что Аренсберги хотят только картину с рождением как документ — он сейчас тратит все бабки, пытаясь показать, что Бэкон писал за Шекспира. Стендал (арт-дилер из Лос-Анджелеса. — *Прим. авт.*) говорит, что он сейчас не покупает никаких картин».

Будучи далекой от могущественных покровителей, Фрида не делала ничего, чтобы снискать их расположение.

«Я не особенно печалюсь из-за смерти Альберта Бендера, — писала она доктору Элоиссеру, — потому что мне не нравятся коллекционеры искусства, не знаю почему, но сейчас искусство, потребляемое каждый день, вообще меня не трогает. Главное, «знатоки искусства», которые хвастаются тем, что они «избраны Богом», хуже знакомых мне плотников, сапожников и пр. — эти ремесленники лучше толпы глупых, так сказать, цивилизованных болтунов, называющихся культурными людьми».

Даже когда в середине сороковых годов продажи картин увеличились, заработать на жизнь было непросто. В счетной книге Фриды за 1947 год, например, показано, что она продала картину «Две Фриды» в Музей современного искусства Мехико за четыре тысячи песо; эти деньги были заплачены, по свидетельству директора музея Фернандо Гамбоа, потому, что Фрида отчаянно нуждалась и никто ни-

ХЕЙДЕН ЭРРЕРА

чего не хотел покупать. Со временем, однако, у Фриды появилось несколько восторженных покровителей, которые нерегулярно, но покупали ее работы. Среди них главным был Эдуардо Морильо Сафа, агроном и дипломат, который купил за несколько лет около тридцати картин Кало и в 1944 году заказал портреты двух дочерей, Марианы и Люпиты, и их матери, доньи Розиты Морильо, портрет своей жены, сына и свой собственный.

Заказные портреты почти всегда получались у Фриды менее трепетными и оригинальными, чем автопортреты и другие картины. Возможно, потому что в портрете некой персоны она не могла полностью проявить свою фантазию, превратить чувства — ее «собственную реальность» — в образ на картине.

Есть, правда, одно исключение. Разумеется, наиболее необычным портретом, который написала Фрида, был портрет ее подруги доньи Розиты Морильо, в который она без колебаний вложила всю силу личных эмоций (илл. 68). В год написания этого портрета Фрида создает картины с дотошной реалистичностью или с примитивной простотой, но портрет доньи Розиты Морильо показывает движение художницы к чрезвычайно рафинированному реализму миниатюры, который далек от мексиканских портретов в стиле фресок 1929—1930 годов или от наивных портретов 1934 года, которые основывались на народных традициях иллюстративности.

Мудрая, но осуждающая, сильная, но усталая донья Розита воплощает сущность бабушки семейства. Кажется, что в ней сконцентрирована человеческая тоска по таким семейным ценностям, как уют, общность и продолжение рода. Как в картине Ван Гога «Колыбельная», где веревка ведет из картины к невидимой люльке, так донья Розита держит свое вязанье, и вместе с шерстяной нитью наш взор уходит за пределы картины. Подобным образом Фрида использует ленты и другие такие же предметы, чтобы установить эмоциональную совместимость, мы можем представить себе, что нить связывает зрителя с объектом на портрете.

Заросли растений, закрывающих пространство за старой женщиной, отражают ее сущность. Темнота в просветах между листьями свидетельствует о наступившей ночи, что для Фриды означало конец жизни. Другими знаками старости и смерти являются коричневые листья и пять высохших, голых стеблей. Но, как всегда, Фрида представляет смерть частью жизненного цикла: мертвые стволы поддерживают молодые зеленые колючие цветущие растения, которые петляют и вьются по поверхности картины. В донье Розите есть тоже некоторая колючесть. При всей мудрости и сострадании в ее глазах очертания рта говорят о придирчивости и сварливости старой женщины, наблюдающей за тем, как последующие поколения совершают ошибки, которых можно было избежать.

В этой картине Фрида придает необычно серьезное значение особой текстуре, создавая образ наложением толстых слоев красок и выписывая каждую деталь мельчайшими мазками кисти. Так написаны шерстяной жакет и шаль, они подобны волокнистой текстуре растений. Прописан каждый волосок мягких седых волос старой женщины. Тщательность исполнения деталей картины становится почти назойливой; такое ощущение, что Фрида хотела, чтобы донья Розита материализовалась. Фрида представляет собою противоположность тому типу художников, которые работают размашистыми, крупными мазками. Она пишет каждую мелочь, которую видит, точка за точкой, сантиметр за сантиметром, мазок за мазком. Для нее типично, и это является ее сущностью, — воссоздать мир доскональной реальностью своих картин.

Портрет Марианы Морильо Сафы, внучки доньи Розиты, показывает ту же сосредоточенность на каждой детали и ту же специфическую напряженность, которая отражает симпатию Фриды к объекту изображения (илл. 67). Этот ребенок, со взглядом

ХЕЙДЕН ЭРРЕРА

фавна, с розовым бантом, так и просится на картину; девочка выглядит такой реальной, и мы чувствуем, что можем дотронуться до ее щеки или погладить ее. Как сбрызнутый росой персик с голландского натюрморта семнадцатого века, девочка является объектом обожания.

Фрида боготворила детей. Она относилась к ним как к ровне и в своем искусстве, как и в жизни, признавала за ними особые достоинства. Когда в начале 1928 года Ривера, зная, как Фрида нуждается в деньгах, нашел ей работу преподавателя рисования для детей, она обращалась с учениками одновременно как с детьми и как со взрослыми, одобряя творчество молодых. Подобно Ривере, который писал элегии о творчестве детей, Фрида чувствовала, что дети, прежде чем «превратятся в идиотов благодаря школе или своим мамашам», обладают чистейшей созидательной силой, более значительной, чем энергия взрослых.

«Диего нашел мне работу учительницы рисования, — говорила Фрида, — и я ложилась на живот на пол, как и мои ученики, и мы рисовали, и я говорила им: «Ничего не копируйте, пишите свой дом, своих матерей, братьев, автобус, то, что видите вокруг». Мы с ними играли, и я становилась их лучшим другом».

Позже Фрида больше не играла в детские игры, но ее отношение к ним не изменилось ни на йоту. Ее племянник Роберто Бихар вспоминает Фридины посещения, когда он в 1940 году учился в католической школе-интернате. Заметив однажды, что на нем монашеская пелерина, она закричала: «Что это такое?» Он объяснил, что если умрет и на нем будет эта одежда, то он сразу же попадет в рай. «Кто тебе это дал?» — спросила Фрида. Монашка, ответил Роберто. *«Dile a la madrecita que vaya chingar a su madre peronoti»,* — завопила Фрида. «Иди и скажи монашке, чтобы она надела это на свою мать, а не на тебя!» В другой раз Роберто показал Фриде контурную карту, которую он начертил как домашнее задание.

«Что это? — неодобрительно воскликнула Фрида. — Сделай более размашисто, свободней». Роберто послушался с явным нежеланием, опасаясь, что контуры будут неверными. Он был прав — учитель поставил ему за карту ноль. При следующем визите Фриды он показал ей оценку. Она решительно поставила перед нолем единицу и заявила: «Это я — учитель!»

Фриде было необходимо стать (и так и произошло) важным человеком для всех «ее» детей. Мариана Морильо Сафа вспоминает, как она позировала Фриде:

«Мы с ней любили друг друга, и она все время баловала меня. Я уверена, что она так любила меня и мою сестру, потому что у нее не было собственных детей. Мой отец говорил нам: «Любите Фриду, выражайте ей свои чувства. У нее нет своих детей, и она так любит вас».

Родители Марианы привозили свою младшую дочь в дом Фриды в субботу утром и забирали ее в конце дня. Фрида не могла писать больше часа подряд, потом ей приходилось отдыхать, поэтому, чтобы завершить портрет, понадобилось два или три месяца.

Фрида сажала свою модель на маленький стул, который был куплен специально для этого. Мариана забрала его домой как память, когда портрет был закончен.

«Она просила, чтобы я была очень спокойна и не двигалась. Я уставала, но она со мной все время разговаривала и рассказывала веселые истории. Она просила меня держать голову прямо, чего я не могла сделать. Она всегда была такой ласковой».

Фрида любила дарить Мариане подарки. Специально для племянницы она сделала теуанское платье, а в другой раз, когда Мариана выиграла в какой-то игре, Фрида дала ей кошелечек в форме ботинка. Когда Эдуардо Морильо Сафа приходил забирать дочь, он говорил ей, что нельзя принимать бесконечные подарки. Фрида сердилась. «*Metiche* (зану-

ХЕЙДЕН ЭРРЕРА

да)! — кричала она. — Это наши с Марианой игры!» — и Мариана сохранила кошелечек.

Привязанность Фриды к Мариане продолжалась долгие годы. С 1946 по 1948 год семья Морильо Сафа жила в Каракасе, столице Венесуэлы, где бывший агроном стал мексиканским послом. Фрида как раз выздоравливала после одной из своих операций, когда получила письмо от Марианы, порадовавшее ее так, что она ответила девочке запиской и длинным стихотворением:

Из Койоакана, такая печальная,
о, качита [частица] моей жизни,
я посылаю тебе эти сбивчивые стихи
от твоего истинного дружка, Фриды.

Не думай, что я изображаю «мертвую»
и что я не пишу тебе.
Со всей моей любовью
я пою эту балладу тебе.

Ты улетела в Каракас
в ревущем аэроплане,
и с тех пор я тоскую по тебе
всем моим сердцем...

Не забывай свою Мексику,
это корень твоей жизни,
и всегда помни, что с песнями
твоя подруга Фрида ждет тебя.

Кроме Морильо Сафы, другим Фридиным любимым покровителем был инженер Хосе Доминго Лавин, который заказал круглый портрет своей жены в 1942 году и в 1945-м — «Моисея» (илл. 69). Картина стала результатом беседы, которая происходила за обедом в доме Лавина. Хозяин дома как-то показал Фриде книгу Фрейда «Моисей и монотеизм». Фрида посмотрела несколько страниц и попросила дать ей ее почитать. Книга захватила ее, и, когда Фрида дочитала Фрейда, Лавин предложил выразить идеи, вызванные книгой, в картине. «Моисей» был закончен за три месяца. Через два года Фрида прочитала неформальную лекцию о картине людям, собравшимся в доме Лавина.

Один из абзацев Фридиного текста интересен тем, что обнаруживает ее искренность и абсолютно скромную оценку собственного искусства:

«Поскольку я впервые в своей жизни пытаюсь объяснить одну из своих картин больше чем трем персонам, вы должны будете простить меня, если я слегка сбиваюсь и выражаюсь неточно...

Я читала [«Моисея» Фрейда] только один раз и начала писать картину по первому впечатлению, которое оставила во мне эта книга. Вчера, когда я набросала для вас эти слова, я перечитала книгу и должна признаться, что нашла картину очень несовершенной и совсем не той интерпретацией, которая должна была быть, ведь Фрейд проводит столь блестящий анализ в своем «Моисее». Но теперь нечего делать, уже ни убавить ни прибавить, поэтому расскажу, что я писала и что вы можете увидеть здесь, в картине. Разумеется, главная тема — это МОИСЕЙ или рождение героя. Но я обобщила, по-своему (с большим сомнением), дела и образы, которые произвели на меня самое сильное впечатление, когда я читала книгу. Поскольку картина — всего лишь мое личное мнение, вы можете сказать, удалось мне это или нет».

Из-за обширности темы и множества крошечных фигурок многие зрители сравнивают Фридиного «Моисея» с фреской, но это далеко от «публичного» искусства. Подавая свою историю в свободной индивидуалистической манере, Фрида делает так, что выражает свою личную озабоченность рождением потомства как частью жизненного цикла. Даже композиция картины содержит в себе идею воспроизводства потомства: Фрида сочетает наивный метод изображения деталей фигур (видимый в разных частях картины) со всеобщей согласованностью, связанностью, основанной на двусторонней симметрии и напоминающей анатомию, сконцентрированной на тазовой области женщины. Рождение Моисея происходит точно посередине.

Дитя рождается под огромным красным солнцем, испускающим лучи, которые заканчиваются руками. Этот образ, конечно, ведет свое происхождение от египетских рельефов Амарны, столицы Древнего

ХЕЙДЕН ЭРРЕРА

Египта, но Фриде ближе другой непосредственный источник — это фреска Риверы в подготовительной школе, где руки в конце солнечных лучей означают, по мнению Диего, «солнечную энергию, всеобщий источник жизни». Фрида в своем эссе объясняет, что солнце в ее картине задумано как «центр всех религий, как Первый Бог, создатель и продолжатель жизни».

Рождение Моисея становится рождением всех героев. Вокруг расположены особенные личности: от Христа до Ленина, от Будды до Гитлера — «большие воители» — так называла их Фрида. Над ними — боги, под ними люди, кипящие в котле войн, которыми заполнена история. В нижнем левом углу, говорила Фрида, — первый человек-строитель, в четырех цветах (четыре расы), его сопровождает ближайший предок, обезьяна. В нижнем правом углу изображена «Богоматерь с ребенком на руках», сопровождаемая женщиной-обезьяной, которая также держит своего детеныша. Между раем, населенным богами, и шеренгой героев расположены человек и скелет животного, вдобавок, для правильного соотношения, и дьявол. Большие обнимающие руки представляют собою землю, открывшую объятия, чтобы защитить и принять смерть, «полностью и без колебаний», — точно такого типа руки иногда изображал в своих фресках Диего.

«С другой стороны ребенка, — объясняла Фрида, — я поместила в стихии, создавшие его, оплодотворенное яйцо и деление клеток». Поток дождевых капель сопровождает воды рождения и (как в картине «Цветок жизни») фаллопиевы трубы, которые выглядят и как цветы, и как человеческие руки, простирающиеся из матки.

Стволы двух древних деревьев надвое разделяют центральную сцену рождения, что является излюбленным символом Фриды, цикла жизнь — смерть. Погибшее дерево прорастает новыми ростками с зелеными листьями, и старые разломанные ветви напоминают фаллопиевы трубы. Новая жизнь, говорила Фрида, всегда прорастает из «ствола веков».

В центре основания картины раковина, обвитая корнями, словно венами, символизирует «любовь».

«Моисей» обнаруживает усилия Фриды охватить все время, все пространство одним взглядом. Как и «Корни», это есть выражение ее религии, животворная форма пантеизма, который она в значительной степени разделяла с Диего. Верой Фриды был всеобъемлющий взгляд на мироздание как на паутину «управляемых нитей», как на гармонию «форм и цвета», в которой все «движется, соответствуя лишь одному закону — жизни. Никто не отделен ни от кого. Никто не сражается за себя. Всё — это все и единица. Мука и боль, удовольствие и смерть ничто, лишь *процесс существования*». В дневнике (этот отрывок относится к 1950 году) Фрида продолжает мысль:

«Ни один человек не представляет собою больше чем функцию или часть общей функции... Мы направляем себя к себе через миллионы сущностей: камни — птиц — звезды — микробов — фонтаны — к себе. Многообразие *единичной* неспособности миновать *двух,* трех и так далее — для того чтобы вернуться к *единице.* Но не к *сумме* (иногда называемой *Бог,* иногда *свобода,* иногда *любовь*) — нет — мы всегда были ненависть — любовь — мать — дитя — растение — земля — свет — светило — и такдалее — мир, дающий мир — космос и космические частицы».

«Ла Эсмеральда» не относится к названию ювелирного магазина или к изумрудам. Это — Школа живописи и скульптуры министерства образования, переименованная студентами по названию улицы, где она располагалась. Когда в 1942 году эта школа открылась, там было больше факультетов, чем учащихся, потому что директор Антонио Руис, художник немногих работ, полных юмора и фантазии, начал с того, что набрал штат преподавателей в составе двадцати двух человек. К 1943 году в штате были такие выдающиеся художники, как Хесус Герреро Галван, Карлос Ороско Ромеро, Агустин Ласо, Мануэль Родригес Лосано, Франсиско Суньига, Мария Искьердо, Диего Ривера (который учил композиции) и Фрида Кало. Сначала Фрида получала

ХЕЙДЕН ЭРРЕРА

252 песо за двенадцать часов преподавания три дня в неделю. Хотя после первых трех лет она работала неофициально, она целых десять лет регистрировалась в документах как преподаватель.

Не все преподаватели были мексиканцами — француз по рождению, сюрреалист, поэт Бенжамин Пере учил, например, французскому языку, — но дух их был подчеркнуто *mexicanista*. Хотя школа была обшарпанной и убогой, состояла из одной большой классной комнаты и патио, где студенты занимались живописью (когда шел дождь, патио заливало водой и ученики должны были ходить по дощечкам), но для преподавателей «Ла Эсмеральды» студией была вся Мексика. Вместо того чтобы требовать от студентов рисования гипсов или копирования европейских картин, учителя посылали учеников на улицы и в поля, чтобы работать на натуре. Их целью было не производство художников, а «подготовка индивидуальностей, чьи творческие личности [должны были] позже выразить себя в искусстве». Пятилетняя программа включала математику, испанский язык, общую историю, историю искусств и французский. Непосредственный контакт с учителями подстегивал любые студенческие инициативы. Поскольку учащиеся были по большей части бедняками, то и обучение, и материалы были бесплатными.

Один из первых студентов, художник Гильермо Монрой, вспоминает: что «...вначале было только около десятка учащихся. Затем из моего квартала пришла орава из двадцати двух мальчишек. Когда я поступил в школу, я ничего не знал об искусстве, потому что был рабочим из семьи плотников. Я только шесть лет проучился в обычной школе и даже не знал, что существует школа искусств. Я был полировщиком и обойщиком мебели. Позже я хотел выучиться работать с деревом, поскольку работал в мебельном магазине. Так, как рабочий, я пришел в «Ла Эсмеральду».

Появление Фриды в «Ла Эсмеральде» произвело огромное впечатление. Некоторые студенты восхищались ею, другие, как Фанни Рабел (затем Фанни Рабинович), сначала были скептиками:

«Не доверять женщинам — это старинный женский недостаток. Поэтому вначале, когда мне сказали, что у меня будет женщина-учительница, мне это не понравилось. У меня были мужчины-друзья и мужчины-преподаватели. В Мексике почти все управлялось мужским полом, и в школе было очень мало девушек. Мой учитель по пейзажу Фелисиано Пенья сказал мне: «Так вот, я встретил в канцелярии Фриду Кало, и она спросила: «Ты здесь преподаешь?» — и я ответил: «Да». Тогда Фрида сказала: «А что это такое — преподавать? Я ничего об этом не знаю». Пенья был очень раздосадован и заявил мне: «Как она может быть учителем, если ничего в этом не понимает?»

Но в тот момент, когда я увидела Фриду, она меня покорила, потому что у нее был дар очаровывать людей. Она была уникальна. Она обладала огромной *alegria* (жизнерадостностью), юмором и любовью к людям. Она пользовалась своим собственным языком, у нее была особая манера разговаривать на испанском, полная живости, сопровождающаяся жестами, мимикой, смехом, шутками и большим чувством иронии. Первое, что она сделала, когда я встретилась с ней, она сказала: «О, ты одна из здешних *muchachitas* (девчоночек)! Ты собираешься стать моей студенткой! Слушай, что надо делать в классе? Я не знаю. В чем тут дело? Я совершенно не понимаю, как надо учить. Но, думаю, все будет хорошо». Это меня обезоружило. Она была очень дружелюбной, и ее отношения со всеми студентами начались с фамильярного «ты», что заложило основы равенства. Она стала старшей сестрой, мамой, которая наблюдает за своими *muchachitos*».

Как вспоминает Гильермо Монрой, Фрида была «как родная, удивительный учитель, товарищ. Она подобна ходячему цветку. Говорила нам, чтобы мы рисовали то, что есть у нас дома, — керамические горшки, предметы народного искусства, мебель, игрушки. Мы себя не чувствовали чужаками в школе».

Если Фрида была «ходячим цветком», то ее ученик Монрой запомнил то, чему она учила: он стал автором цветистой грациозности. Среди нескольких

 ХЕЙДЕН ЭРРЕРА

его страстных статей о любимой *maestra* есть описание первого дня Фридиного преподавания в «Ла Эсмеральде»:

«Я помню ее первый приход в Школу живописи и скульптуры «Ла Эсмеральда». Она, подобная изумительной цветущей ветке, появилась внезапно, радостная, доброжелательная и очаровательная. Все это было наверняка из-за ее теуанского платья, в которое она была одета и всегда носила с такой грациозностью. Молодые люди, которые собирались стать ее студентами... приняли ее с истинным энтузиазмом и восторгом. Она после милого приветствия стала болтать с нами и потом очень живо сказала: «Ну, ребята, давайте работать, я буду вашей так называемой учительницей, но я не учитель, я только хочу быть вашим другом, я никогда не была учителем рисования и не думала, что когда-нибудь буду им. Определенно живопись — самая потрясающая вещь из всего на свете, но хорошо писать очень трудно, необходимо работать, учиться этому искусству, быть очень дисциплинированным и превыше всего любить, ощущать великую любовь к живописи. Раз и навсегда хочу сказать вам, что, если тот маленький опыт, которым я обладаю как живописец, пригодится вам, вы мне об этом расскажете, и со мной вы будете писать все, что вам захочется, все, что вы почувствуете. Я буду стараться понимать вас. Время от времени я позволю себе устроить просмотр ваших работ, но также буду вас просить, поскольку мы *cuares* (друзья), что, когда я покажу вам свои работы, вы сделаете то же самое. Я никогда не отберу у вас карандаш, чтобы править ваши работы, хочу, чтобы вы, дорогие дети, знали, что во всем мире не существует ни одного учителя, который был бы в состоянии научить искусству. Сделать это в самом деле невозможно. Мы, разумеется, будем много разговаривать по поводу некоторых теоретических вопросов, о разных техниках, используемых в пластических искусствах, о форме и обо всем том, что тесно связано с вашей работой. Надеюсь не наскучить вам, и, если случится так, что я вас разочарую, прошу вас, будьте откровенны, не скрывайте этого, хорошо?» Эти простые и ясные слова были произнесены без всякой аффектации или какого-то позерства.

После короткого молчания *la maestra* Фрида спросила своих учеников, что бы им хотелось писать. Услышав этот прямой вопрос, вся группа пришла в смущение, мы не знали, что отвечать, но я, видя, насколько она хороша, вежливо попросил ее попозировать нам. Она явно была тронута и с легкой улыбкой согласия, которая расцвела на ее губах, попросила стул. Как только она села, ее тут же окружили студенты.

Перед нами была Фрида Кало — удивительно спокойная, хранящая столь глубокое и выразительное молчание, что никто из нас не решался его нарушить...»

Фридины студенты признают, что учила она без всякой программы. Она не внушала им своих идей, скорее позволяла талантам развиваться соответственно их темпераменту и учила быть самокритичными. Ее замечания были проницательными, но никогда не были недобрыми, она смягчала свою отрицательную оценку тем, что давала понять — это только лишь ее, личное, мнение, которое может быть и ошибочным.

«Мне кажется, что это должно быть чуть сильнее по цвету, — говорила она. — Это должно быть в равновесии с тем, эта часть сделана не очень хорошо. Я бы сделала так, но это я, ты есть ты. Я говорю свое мнение, но могу и ошибаться. Если это поможет тебе — согласись, если же нет — забудь».

«Единственное, в чем выражалась ее помощь нам, было то, что она давала нам стимул, и ничего больше, — вспоминает другой ее ученик, Артуро Гарсия Бастос. — Она не говорила ни полслова о том, как мы должны писать, или чего-нибудь о стиле, как делал маэстро Диего. Она не претендовала на то, чтобы теоретизировать. Но была полна энтузиазма по отношению к нам. Она говорила: «Как хорошо ты это написал!» или «Эта часть выглядит совершенно безобразной». Чему она нас основательно учила — это любить людей и понимать народное искусство. Она, например, говорила: «Гляньте на этих Иуд! Как великолепно! Посмотрите на эти пропорции! Как Пикассо, должно быть, нравилось следовать в живописи этой экспрессивности, этой силе!»

Фанни Рабел считает, что «самое главное во Фридином обучении было то, что она смотрела на все глазами художника, она открывала нам глаза, чтобы мы увидели мир, увидели Мексику. Она не

ХЕЙДЕН ЭРРЕРА

пыталась влиять на нас своей живописью, но влияла своим образом жизни, своим взглядом на мир, на людей и на искусство. Она заставила нас чувствовать и понимать определенный тип красоты Мексики, чего мы сами не осознали бы без нее. Она не передавала этих чувств словами. Мы были еще очень молоды, простоваты и подвержены влияниям, одному из нас было всего лишь четырнадцать лет, другой был крестьянином. Мы не были интеллектуалами. Фрида ничего не навязывала. Она говорила: «Пишите то, что видите, то, что вам хочется». Мы писали по-разному, следуя собственным мыслям. Мы не писали так же, как писала она. Мы много болтали, шутили, веселились. Она не давала нам уроков. С другой стороны, Диего мог в одну минуту создать теорию по любому поводу. Но она была инстинктивна, спонтанна. Увидев нечто прекрасное, она испытывала истинное счастье».

«*Muchachos* (ребята), — заявляла она, — запираем класс, в школе мы ничего не сможем сделать. Давайте пойдем на улицу. Давайте пойдем и будем писать жизнь на улице».

И они шли на рынки, в трущобы, в монастырь или в барочные церкви, в соседние города, как Пуэбло, к пирамидам Теотиуакана. Однажды, опираясь на костыль, она повела студентов в Хочимилко, навестить Франсиско Гоитию, которому год назад правительство заказало написать типы и обычаи индейцев и который, имея все это, бросил живопись и поселился в простеньком домике, обучая деревенских детей.

В пути Фрида учила своих студентов *corridos* (балладам) и революционным мексиканским песням, а они учили ее песням, которые слышали в молодежной коммунистической организации. Часто они останавливались в *pulquerias* (пивнушках), где тамошние барды пели песни о *la rasa* (народе) за несколько песо. Живописец Эктор Хавьер, который учился в «Ла Эсмеральде», но не во Фридином классе, однажды присоединился к их группе в путешествии к Теотиуакану.

«Когда мы возвращались в город, — вспоминал

он, — грузовик остановился перед *pulqueria.* Фрида ехала впереди рядом с шофером, частично потому, что она обнаружила, что у него очень интересное лицо, частично потому, что там ей было удобнее, чем сзади. Она позвала меня и сказала, что надо выйти из машины. «Всем *muchachos,* — сказала она, — в *pulqueria!* Что же касается меня, я остаюсь с джентльменом, который крутит руль». Так что мы все спустились вниз, и она дала нам небольшой кошелек с деньгами. Мы вошли в *pulqueria,* и я впервые увидел чаши из тыквы для *pulque,* и, кажется, мы там всех пригласили выпить. Ну, ведь платила Фрида. В конце концов Фрида сказала: «Всем наверх», и мы вскарабкались в грузовик. Она продолжала болтать с шофером, который рассказывал ей смешные анекдоты. Не доезжая двух кварталов до школы, Фрида сказала: «Кто себя чувствует в настроении, может продолжать путешествие и идти с нами в школу, а кто не хочет, может слезать». Поэтому мы прибыли в школу небольшой группой, но были очень счастливы, радовались всему — и Теотиуакану, и *pulque* в *pulqueria,* и присутствию Фриды».

Спустя несколько месяцев Фрида поняла, что долгий путь от Койоакана до «Ла Эсмеральды» отражается на ее здоровье. Она тем не менее не желала бросать преподавания, поэтому попросила студентов приходить к ней домой. Сначала в Койоакан добиралась большая группа студентов, но значительная часть их, естественно, из-за долгой езды отпала и ушла из ее класса. В жизни четырех оставшихся у нее студентов — Артуро Гарсия Бастоса, Гильермо Монроя, Артуро Эстрады и Фанни Рабел — Фрида стала главным человеком, как и в жизни Марианы Морильо Сафы и Роберто Бихары.

«Фрида так много значила для нас, и мы так ее любили, что, казалось, она существовала всегда, — вспоминала Фанни. — Все странным образом любили ее. Казалось, будто ее жизнь всегда была настолько близка к тем, кто находится рядом с ней, и вы настолько к ней привязывались, что не могли без нее жить».

Ученики оставались с ней многие годы, даже

ХЕЙДЕН ЭРРЕРА

когда уже закончили школу. Как студенты Диего назывались «лос диегитос», так и Фридины стали называться «лос фридос».

Когда студенты впервые явились к ней домой, она сказала:

«Весь сад наш. Давайте писать. Я пойду работать у себя в студии. И не буду ежечасно выходить и смотреть вашу работу».

На самом деле расписание ее дня было непредсказуемым. Она могла высказать свое мнение раз в две недели или три раза за неделю. Занятия, бывало, выглядели как дружеские посиделки. Фрида предлагала еду и напитки, а иногда после работы вела студентов в кино.

«Особенно помню один случай, когда она спустилась в сад в черном, держа в руке трость, и голову ее украшало множество цветов, — говорит Гарсия Бастос. — Мы все были влюблены во Фриду. У нее была особая грация, особая привлекательность. Она была настолько *alegre* (веселой), что создавала вокруг себя поэзию».

В другое утро, в июне 1944 года, так же околдован был Монрой. Сад окутывала легкая дымка, Монрой, пришедший раньше всех, сразу стал писать какое-то растение около бассейна с рыбками. Радостный оттого, что может писать, что видит перед собой, он запел. И тогда, вспоминает он, «я плечами ощутил что-то странное, легкий озноб, потом жар, затем легкий электрический разряд; я чувствовал, что мои плечи раскалываются от удара молнии... Я обернулся, чтобы увидеть, а никого, кроме Фриды Кало... которая, смеясь, смотрела мне в глаза и говорила: «Продолжай пение, Монрокито, ты же знаешь, что я тоже люблю петь... Как ты замечательно пишешь, получай удовольствие и трепещи от вида этого цветка. Он будто создан для того, чтобы его нарисовать! Что за прекрасное растение!» Затем Фрида нежно улыбнулась, поцеловала Монроя в щеку и, уходя, посоветовала: «Не оставляй работы, продолжай петь».

Учеников Фриды воспитывал сам дом в Койоакане. Все модели были под рукой — обезьяны, со-

XVII. «Автопортрет с обезьянкой», 1940

XVIII. «Автопортрет с обрезанными волосами», 1940

XIX. «Автопортрет», 1940

XX. «Автопортрет с обезьянками», 1943

XXI. «Автопортрет в теуанском костюме», 1943

XXII. «Думая о смерти», 1943

XXIII. «Автопортрет
с маленькой обезьянкой», 1945

XXIV. «Автопортрет», 1947

XXV. «Автопортрет», 1948

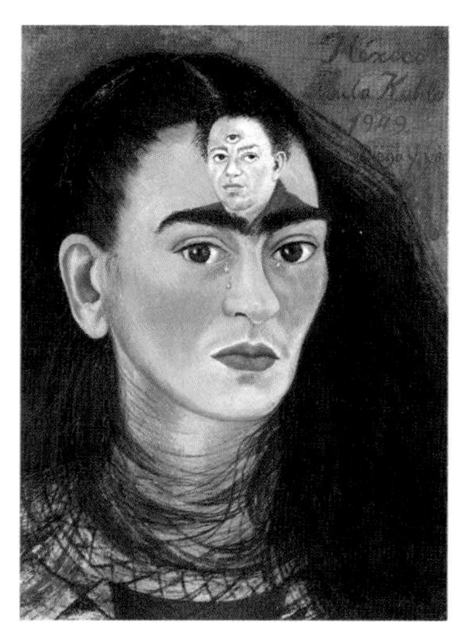

XXVI. «Диего и я», 1949

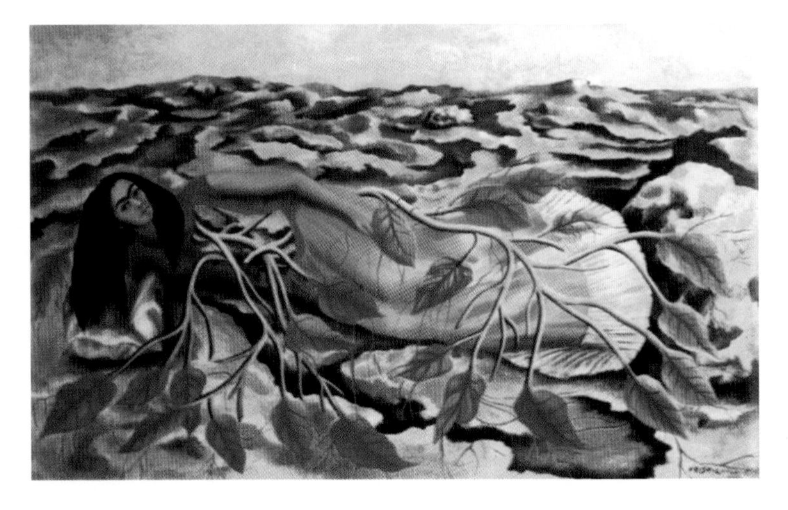

XXVII. «Корни», 1943

XXVIII. «Сломанная колонна», 1944

XXIX. «Без надежды», 1945

XXX. «Дерево надежды», 1946

XXXI. «Маленький олень», 1946

XXXII. «Солнце и жизнь», 1947

XXXIII. «Любовное объятие вселенной, Земля (Мексика), Диего, я и сеньор Ксолотль», 1949

XXXIV. «Автопортрет с портретом доктора Фариля», 1951

XXXV. «Да здравствует жизнь», 1954

баки, кошки, лягушки и рыбки, все растения в саду, все произведения искусства в доме. Фрида старалась привить ученикам эстетическое отношение к повседневной жизни через игры, когда надо было особым образом положить, а потом переложить фрукты, поставить цветы и керамические тарелки в столовой и затем посмотреть, кто сделает более удачную композицию.

«[Она] постоянно обновляла расположение предметов, окружающих ее, — вспоминает Фанни Рабел. — Она могла в один день надеть на пальцы двадцать колец, а в другой — другие двадцать. Ее обстановка состояла из множества вещей, и все они всегда содержались в порядке».

Фрида сделала из своих учеников семью — ее семью, а свой дом — их экзотическим домом, который стал для них целым новым миром.

«Когда она бывала больна и оставалась дома, — вспоминает Фанни Рабел, — всегда вокруг нее были люди. Что поражало меня больше всего — это все были «безумные» люди вроде Жаклин Бретон, Леоноры Каррингтон (художник-сюрреалист, англичанка, которая жила в Мексике с 1947 года. — *Прим. авт.*), Эстебана Франсеса (испанский художник-сюрреалист. — *Прим. авт.*), Бенжамина Пере, художника и коллекционера, и всевозможных других друзей. Я смотрела на них, широко раскрыв глаза, и Фрида, бывало, мне подмигивала, поскольку я находилась под невероятно сильным впечатлением. И помню, как после многих лет я решилась сказать ей, что думала, будто никогда не стану художником, потому что я слишком обычная, а для того чтобы стать большим живописцем, человек должен быть личностью. Тогда Фрида ответила: «Знаешь, почему они вытворяют все эти сумасшедшие штучки? Потому что они не обладают индивидуальностью. Они вынуждены так себя вести. Ты хочешь стать художником, потому что ты талантлива. Ты — художник, поэтому тебе нечего вытворять все эти глупости».

Поскольку Фрида настаивала на прямой связи искусства и жизни, она хотела, чтобы ее студенты читали (Уолта Уитмена и Маяковского, например),

ХЕЙДЕН ЭРРЕРА

учили историю искусств, делали наброски с доколумбовых скульптур в Музее антропологии и с предметов колониального искусства в других музеях. Доиспанское искусство Фрида называла «корнями нашего современного искусства», и, кроме неизвестных художников, писавших *retablos* (молитвенные картины), ее любимыми мастерами были Хосе Мария Эстрада, Эрменегильдо Бустос, Хосе Мария Веласко, Хулио Руэлас, Сатурнино Эрран, Гоития, Посада, доктор Атл и, разумеется, Диего. Она показывала ученикам альбомы с репродукциями работ таких европейцев, как Руссо и Брейгель. Пикассо, говорила Фрида, «великий и многогранный живописец». Она также внушала ученикам интерес к биологии, показывая им слайды живой материи под микроскопом и рассказывая о микроорганизмах, так же как о растениях и животных. Стремясь разделить с учениками собственную зачарованность всеми сторонами жизни, не колеблясь, включала в свою программу сексуальное образование. Она показывала студентам книги с иллюстрациями развития плода, так же как и книги по эротическому искусству, которые любила сама.

Некоторые ученики Фриды занимались у Риверы, постигая методы работы над фресками. Зная об этих их интересах, Фрида предлагала им рисовать варианты фресок. Около ее дома на углу Лондрес-стрит, как раз рядом с домом бывшего короля Румынии, находилась *pulqueria* «Ла Розита». Как и в других *pulquerias* Мексики, правительство приказало закрасить белой краской все фрески. Фрида добилась разрешения для своих студентов, чтобы они могли расписать новыми фресками две наружные стены, и скоро трое из четверых «фридос» плюс несколько других студентов-художников в возрасте от четырнадцати до девятнадцати лет работали, не получая никакой платы, кистями и красками, выданными им Фридой и Диего. *El maestro* и *la maestra* приходили наблюдать за работой и давали советы, но сами в росписи не участвовали.

Проект задумывался и исполнялся с веселым настроением. Никто не предполагал, что будет создано великое произведение искусства. Стиль фрески был смесью размашистого, упрощенного реализма Риверы и неуклюжих традиций *pulquerias*. Темы — городские и деревенские сцены, основанные на названии («Маленькая роза») и на сути *pulque* (браги), — были разобраны студентами в соответствии с их пристрастиями. Фанни Рабел вспоминает, что она должна была написать маленькую девочку. Она также нарисовала и розы в траве. (В те дни дети рассматривались как основной объект для изображения женщинами-художницами, и неудивительно, что позже Фанни стала специалистом по рисованию детей.)

Объявления о празднике в честь обновленной «Ла Розиты» развесили на площадях, рынках и улицах Койоакана:

> «Зритель, болтающий о новостях этого дня! Добрые слушатели радио! 19 июня 1943 года, в субботу, в 11 утра — великая премьера декоративной живописи в знаменитой *pulqueria* «Ла Розита» на углу Агуайо и Лондрес, Койоакан. Картины, которые украсили этот дом, нарисовали Фанни Рабинович, Лидия Уэрта, Мария де лос Анхелес Рамос, Томас Кабрера, Артуро Эстрада, Рамон Виктория, Эрасмо В. Ландечи, Гильермо Монрой под руководством Фриды Кало, профессора Школы живописи и скульптуры министерства образования. Спонсоры и почетные гости дон Антонио Руис и донья Конча Мичел предлагают всем уважаемым клиентам заведения прекрасный обед, состоящий из изумительного жареного мяса, доставленного прямо из ТексReferences, который сбрызнули *pulques* из лучших гасиенд, производящих деликатесный народный нектар. Добавят очарования празднику оркестр марьячи со своими лучшими певцами из долины, фейерверки, воздушные шары, воздушные змеи, сделанные из листьев агавы, а кто хочет быть матадором, может выйти в субботу в круг после полудня, потому что там появится и бык для *aficionados* (любителей). Изысканные *pulque* (напитки), прелестные призы, милые подарки, великолепное качество, внимательное отношение».

«Весь Мехико» прибыл на открытие — известные люди из мира искусства, литературы, кино, музыки плюс студенты из «Ла Эсмеральды» и жители Койоакана. Праздник получился эффектным. Показали

ХЕЙДЕН ЭРРЕРА

почти все, что обещано: фейерверки, воздушные шары и выступление музыкантов. Народная певица Конча Мичел, Фрида и девушки из числа студентов — все пришли одетыми в теуанские костюмы. *Pulqueria* и улицы были украшены цветным серпантином, и конфетти сыпалось как дождь. Все это снимали на кинопленку, и фильм о празднике потом демонстрировался во всех кинотеатрах, принадлежащих самим киношникам. Присутствовали пресса и фоторепортеры. Громко играл ансамбль марьячос, Фрида и Конча Мичел пели *corridos* (баллады), им много аплодировали. Среди песен были *corridos,* написанные к этому случаю и рассказывающие о Фриде, о «Ла Розите» с новыми фресками. Стихи напечатали на дешевой цветной бумаге и раздали гостям.

Гильермо Монрой спел пятнадцать стихов из *corridos*, из которых здесь приводятся шесть:

Квартал Койоакана
в прошлом был таким грустным!
И все потому, что ему не хватало
чего-то, чтобы он стал счастливым.

Расписать «Ла Розиту»
было тяжелой работой!
Люди уже забыли
искусство *pulquerias.*

Донья Фрида де Ривера —
наша любимая учительница —
говорит нам: «Давайте, ребята,
я покажу вам жизнь.

Мы распишем *pulquerias,*
а также и фасад школы —
искусство начинает умирать,
если оно остается академичным».

Друзья и соседи,
я хочу предложить вам
не пить так много,
потому что вас раздует.

Подумайте о том, что у вас есть жены
и любимые маленькие дети!
Можно веселиться,
но нельзя терять рассудок!

Песенка-баллада Артуро Эстрады говорила о прошлом и настоящем фресок *pulqueria:*

Раньше все выглядело так плохо,
что мы от прошлого отказались;
когда это начали расписывать,
это начало походить на *pulqueria,*

с языком уличных ребятишек,
ругающих пьяниц.
Кто-то сказал: Как славно!
а другие сказали: Ай, как отвратительно.

Назло всему этому, сэры,
люди пришли в восторг,
и им очень интересно,
и это и есть награда.

Поскольку играла музыка, на улице начались танцы. Есть фотография Риверы в сомбреро, с руками, сведенными за спиной, где он танцует юкатаканскую *jarana* с Кончей Мичел. Фрида, несмотря на боль, разбуженную текилой, танцевала *jaranas, danzones* и *zapateados* с Диего. И, разумеется, кто-то из подвыпивших устроил клоунаду. Осмелевший Эктор Хавьер стащил шляпу у друга, водрузил ее себе на голову, затем окунул руки в соус и нарисовал им полосы на лице какого-то мужчины. «Но, — говорит Хавьер, — самое главное в этот день произошло, когда я сказал Диего: «Маэстро, учитель французского [Бенжамин Пере] хотел бы потанцевать с вами», — и Диего, шустрый и проворный, подошел к парню и небрежно сказал ему: «Давайте танцевать». Парень ответил: «Нет, я не танцую. Я не умею танцевать *zapateado*». Он только недавно прибыл из Европы. Самое странное то, что Диего, будучи великим художником, был при этом весьма ребячливым, но мог и вспылить. Когда мужчина отказался танцевать *zapateado,* то Диего вынул свой пистолет и заявил: «Я вас научу», — и учитель французского стал танцевать *zapateado* с Диего. Диего двигался как медлительный, грациозный слон». Все важные гости произносили речи. Конча Мичел страстно говорила о Мексиканской революции, которая не сделала ничего, кроме того, что привела к власти реакционеров, поэтому народ Мексики все чаще увлекается выпивкой. Диего пошел дальше: он сказал, что необходима еще одна революция. Затем сгладил острые углы и добавил, что это дело художников — совершить революцию, расписывая фресками все *pulquerias,* и «таким образом люди смогут выразить недовольство, нужды, идеалы, право на жизнь — все это обретет свое выражение». В конце поэт Сальвадор Ново обратился к фрескам, к тому, ради чего был устроен праздник, он поздравил художников и Фриду, которая, как он сказал, обновила отношение к искусству в Мексике. Еще больше поздравлений досталось Фриде от киноактрисы Долорес дель Рио, потому что эта культурная работа создаст истинное искусство и сделает произведения художников доступными нашему народу, который не бывает во дворцах и которому не увидеть творений искусства, если люди проводят время в *pulquerias.*

Можно понять, что студенты были очень взволнованы своим успехом. Судя по высказываниям газеты «La Prensa», людям так понравились фрески, что было получено несколько заказов на роспись других *pulquerias.* И репортер, взявший интервью у Фриды во время праздника, отметил:

«Удовлетворенная своей работой, Фрида Кало сказала нам, что она надеется, что этот крестовый поход во имя искусства стал результатом возрождения непосредственного и чистого отношения к живописи, поскольку все происходит на открытом воздухе и в атмосфере разумной критики, что только и служит совершенствованию стиля. Фрида хотела бы, чтобы удалось расписать мексиканскими мотивами все *pulquerias* Мексики».

Другой репортер отнесся более прагматически к намерениям Фриды: «В конце концов, прослеживается тенденция воскресить то, что и есть *мексиканец* — каждый на своем собственном пути».

Благодаря успеху в «Ла Розите» Фрида получила еще одну работу для «фридос». В 1944 году старый друг их семьи построил в Посада-дель-Соль роскошный отель и хотел, чтобы Диего и Фрида сделали фрески в зале для свадебных банкетов. Хотя Диего было это неинтересно, а состояние здоровья Фриды не позволяло ей браться за такую объемную работу, они все же не отказались от предложения. Они сказали, что согласятся при условии, что «фридос» будут помогать им в работе. Хозяин отеля задал тему: великая любовь в мировой литературе. Молодые художники представили свои эскизы и приступили к работе. Но поскольку они посчитали тему банальной и старомодной, то пренебрегли заданием и вместо него написали сюжеты, относящиеся к Мексике, — например, флирт во время праздника или отчаянные страсти солдат во время революции. Хозяина это не позабавило. Он разорвал контракт, и фрески были уничтожены.

Более приемлемый проект для «фридос» возник в 1945 году. Для того чтобы улучшить условия труда прачек — в основном вдов и одиноких матерей, которые брались за грошовую стирку и нередко толпами стирали в грязных ручьях, — президент Карденас приказал построить общественные прачечные. Одна такая, в Койоакане, состояла из нескольких маленьких навесов, там выделили место для глажки, можно было пообедать, отвели и комнату для собраний. И вот там «фридос» писали свои фрески.

После двух лет общения с Фридой и Диего хорошо знакомые с теорией молодые художники были рады участвовать в проекте, который служил бы на пользу обществу. Фрида давала им кисти и краски, а прачки собирали деньги, чтобы кормить художников во время работы. После того как был составлен общий план, каждый из студентов работал независимо один от другого, по своему собственному замыслу.

«Позже, после тщательного отбора, с помощью зоркого взгляда *maestra* Фриды, мы создали общий план, взяв от каждого все самое лучшее и правильное, объединив это общей темой, создав единый ансамбль».

Гарсия Бастос вспоминает, что они представили варианты проекта Фриде, а затем большой группе прачек.

«Именно мой проект глубоко задел прачек. Они, разглядывая его, плакали, потому что, как они сказали, он напоминает им о горестях жизни. Они просили нас чуть приглушить изображенные невзгоды, потому что многое на фреске выглядит слишком по-

ХЕЙДЕН ЭРРЕРА

хоже на них самих. В конце концов выбрали проект Монроя, потому что он воспринимался не так болезненно».

Каждый художник отвечал за свой участок стены, и каждый из них участвовал в исполнении всех панелей, уважая индивидуальность их автора.

Группа работала с большим воодушевлением, кроме Фанни Рабел, которая говорит, что она чувствовала себя подобно «собаке без хозяина», потому что ее проектом была фреска в яслях (снова она выбрала тему детства), а на него не хватило денег. Но, говорит она, опыт этой работы «был прекрасен, потому что целый день нас окружали женщины и мы могли делать с них наброски». «Фридос» включили портреты прачек в сцены стирки, глажки, шитья и еды. Фотографии эскизов росписи (фрески, исполненные темперой по сухой штукатурке, не сохранились) показывают, что стиль фресок был более мастерский и изысканный, чем в «Ла Розите». Большие упрощенные плоскости делились несколькими короткими линиями — своего рода риверовская версия метода, применяемого Пикассо и Матиссом в двадцатые годы.

Когда фреску закончили, было сделано официальное приглашение на ее открытие.

«Группа молодых людей: Фанни Рабинович, Гильермо Монрой, Артуро Эстрада и Артуро Гарсия Бастос из Школы живописи и скульптуры министерства образования приглашают вас посмотреть фреску, которую они написали в Доме женщин «Жозефина Ортис де Домингес», расположенном в Койоакане, Тепалкатитла-стрит (квартал Дель Ниньо Хесус)».

В приглашении говорилось о том, на какие финансовые жертвы пошли прачки, чтобы построить общественную прачечную.

8 марта, в Женский день, ученики и учителя «Ла Эсмеральды» и прачки собрались для открытия сооружения. Фанни Рабел говорит, что произносилось множество речей, и все было больше похоже на политический митинг, чем на торжество. Но при этом играла музыка, раздавали листовки с напечатанными текстами для пения *corridos* и подносы с

блюдами из мексиканского кактуса, приготовленными прачками.

Фрида продолжала устраивать карьеру своим студентам. Она помогала им найти работу в качестве помощников художников, а также выставлять свои произведения. Как в начале июня 1943 года, когда они только начали учиться у нее, она устроила им выставку, так и в 1944 году они вместе с другими студентами «Ла Эсмеральды» показывали свои работы во Дворце изящных искусств. В феврале 1945 года у них была еще одна совместная выставка в Галерее пластических искусств на Пальма-авеню, которой владел Фридин друг.

В «Экспозисьон де Арте Либре 20 де Новиембре» 1945 года «фридос» в лице Эстрады, Гарсия Бастоса и Монроя представили большую работу темперой, над которой они вместе трудились в саду у Фриды. Картина была полна революционного пыла. Работа с зажигательным названием «Кто эксплуатирует нас и как они эксплуатируют нас» привлекала внимание, но не всегда благожелательное. Сначала кто-то плеснул на нее серной кислотой. Затем, после высказывания о работе руководства Департамента изящных искусств, разразился шторм общественного негодования. Спокойствие восстановилось, когда один из помощников Диего подправил картину, и она была куплена за девятьсот песо известным коллекционером.

Неудивительно, что возникли политические споры. Фрида всегда рассматривала своих студентов как «товарищей», и Ривера не преувеличивал значение политического импульса, который давала своим студентам его жена, когда писал:

«Она поощряла развитие персонального стиля в живописи, понуждала своих последователей к четкому взгляду на политику и общество. Большинство ее приверженцев стали членами коммунистической партии».

Фрида внушала своим студентам левацкие теории на своем с Диего примере. В 1946 году Ривера подал заявление о возобновлении его членства в партии, и Фрида, хотя и не сразу, последовала за ним. Как говорил один их друг: «Если Диего скажет:

ХЕЙДЕН ЭРРЕРА

«Я — Папа», то Фрида станет паписткой». Еще лучше об этом сказала сама Фрида. В ее бумагах нацарапаны стихи: *«Yo craeí a D.R.Kon el burgués una fiera/ pero adoro sus ideas/ porque no escoge a los feas»* («Я верю Диего Ривере/ Черт возьми эту буржуазию/ Но я обожаю его идеи/ Потому что он плохого не выберет»).

По иронии судьбы, до 1954 года несколько прошений Диего о восстановлении его в партии встречали отказ. Фриду же, возможно потому, что она никогда не была (официально) троцкисткой, восстановили в партии в 1948 году, после совершения ею обычного жестокого ритуала «самокритики», чего потребовали от нее ортодоксы.

Несмотря на то что и не возникает вопроса о симпатиях при всем заинтересованном отношении Фриды к политике, предмет для спора существует. Некоторые люди видели ее героиней левацкого направления, другие же считали, что она в основе своей аполитична. Жар или холод ее высказываний, казалось, зависит от того, с кем она разговаривала. Разумеется, все это соответствовало взглядам Диего. Так, левые считали ее яростной коммунисткой, а люди, не сведущие в политике, или политически индифферентные, или не одобряющие Фридиного коммунизма, рассматривали ее как существо, вовсе далекое от политики. (Интересно, что Фанни Рабел совсем не помнит ее политических высказываний: «Она была гуманистом и неполитизированной женщиной».) Можно с уверенностью сказать, что, по крайней мере в начале сороковых годов, Фрида подчеркивала значение социального содержания искусства, политически развивала своих молодых протеже, рекомендовала им марксистскую литературу и вовлекала их в политические дискуссии с нею и с Диего. Живопись, говорила она, играет свою роль в обществе. Легко допустить, что она сама была не в состоянии создавать политически направленную живопись и никогда не подталкивала своих студентов к тому, чтобы они следовали риверовским традициям и «мексиканскому» реализму, она скорее направляла их к станковой живописи, в духе современного европейского модернизма.

Естественно, что «фридос» образовали организацию с левыми взглядами, разделяя идеалы несения искусства в народ. Назвавшись *молодыми революционными художниками,* они составили группу из сорока семи членов и устраивали выездные выставки в базарные дни в различных рабочих кварталах Мехико. Они доверяли Фриде свое политическое образование. Несколько лет спустя после ее смерти, на открытии ее ретроспективной выставки, Артуро Эстрада провозгласил панегирик в честь своей учительницы:

«Выросшая на традициях своего народа, она всегда была озабочена главными проблемами, почеловечески относясь к обычным заботам своих соседей, униженных женщин района Эль-Кармен в Койоакане, где старые и молодые женщины нашли во Фриде друга, который и духовно, и экономически помогал им справиться с бедами; они называли ее «нинья Фридита»...

Активная политическая воинственность сделала *maestra* Фриду Кало истинной дочерью народа, с которым она отождествляла себя во всех его проявлениях».

Четверо Фридиных последователей поддерживают связь и до нынешних дней. Для них, прозванных «фридос», это составляет предмет гордости. При этом они никогда не копировали свою учительницу, каждый из них выработал свой собственный стиль. Их объединяет симпатия к беднякам Мексики и любовь к мексиканской культуре.

Когда «фридос» закончили курс обучения в «Ла Эсмеральде», Фрида сказала им:

«Я буду очень тосковать, потому что вас здесь больше не будет».

Ривера знал, как утешить жену. «С этого момента они пойдут в одиночку, — сказал он ей. — Но даже если у каждого из них свой путь, они всегда будут приходить навещать нас, потому что они наши товарищи».

20 «МАЛЕНЬКИЙ ОЛЕНЬ»

«Автопортрет с маленькой обезьяной», написанный в 1945 году, — один из наиболее впечатляющих образов; на картине обезьяна держит ленту, которая сначала окаймляет Фридину подпись, обвивает доколумбова идола, затем — шею Фриды и наконец закручивается вокруг острого, тщательно выписанного гвоздя, который «вбит» в фон картины (цв. илл. XXIII). Лента для Фриды всегда являет образ связанности. Здесь, как и гвоздь, она выглядит зловеще и пугающе. Сделанная из желтого шелка (желтый — цвет болезни и безумия), она намекает на некое психическое удушье, в то время как гвоздь указывает на муки физической боли.

В 1944 году Фрида стала меньше преподавать — резко ухудшилось ее здоровье. Все больше болели позвоночник и нога. Специалист-остеопат, доктор Алехандро Зимброн, прописал полный покой и заказал для нее металлический корсет (он надет на Фриде в «Сломанной колонне»), который немного ослаблял ее страдания. Без этой поддержки Фрида не могла бы ни сидеть, ни стоять. Она потеряла аппетит и за шесть месяцев похудела на тринадцать фунтов. Слабость и повышенная температура удерживали ее в постели. Затем, после некоторых анализов, доктор Рамирес Морено объявил, что у нее еще и сифилис, и прописал переливание крови, солнечные ванны и лечение висмутом; другие доктора назначали рентген и пункции спинного мозга. Доктор Зимброн сказал, что нужно укрепить позвоночник, и рекомендовал операцию, но ее не сделали.

24 июня, когда Фрида, лежа в кровати, писала письмо доктору Элоиссеру, она уже пять месяцев была закована в аппарат доктора Зимброна и совсем не могла сидеть.

«С каждым днем мне все хуже... Вначале было трудно привыкнуть к аппарату, но вы не можете себе представить, что еще хуже мне было до того, как на меня его надели. Я больше не могла работать, потому что любое движение доводило меня до изнеможения. Мне стало немного лучше, после того как я надела корсет, но сейчас я снова совершенно больная и прихожу в отчаяние, потому что не могу найти ничего, что улучшило бы состояние позвоночника. Доктора говорят, что у меня менингит, но я не могу понять, что происходит, потому что мой позвоночник неподвижен и не тревожит нервы, но в этом корсете я все равно испытываю боль и такое же раздражение.

Во имя Господа, объясни мне, что со мной случилось, есть ли какое-либо лечение, или *la tastada* (смерть) собирается прибрать меня? Некоторые доктора снова настаивают на операции, но я не хочу оперироваться, по крайней мере до того момента, когда будет совершенно необходимо, тогда ТЫ это сделаешь».

В один из дней 1945 года на Фриду надели новый корсет, сделанный по заказу доктора Зимброна, но боль в спине и ноге только усилилась, и через два дня корсет пришлось снять. Судя по медицинскому заключению, ей была сделана инъекция липидола, но лекарство не приглушило боль. В результате увеличилось давление на мозг и начались постоянные головные боли. (Алехандро Гомес Ариас вспоминает, что липидол, вместо того чтобы распространиться по позвоночнику, попал в черепную коробку, где его можно было увидеть в рентгеновских лучах.) Шли месяцы, позвоночник болел все больше, особенно если Фрида волновалась.

К концу жизни Фрида описывала корсеты, которые она носила после 1944 года, и лечение, проводимое при этом, как «наказание». Всего было двадцать восемь корсетов — один из стали, три кожаных и остальные — гипсовые. Один из корсетов, говорила она, был особенно неудобным, он не давал ни сидеть, ни откинуться назад. Это ее так разозлило, что она сняла его и для того, чтобы поддержать позвоночник, привязала себя к спинке стула кушаком. Однажды в течение трех месяцев она постоянно находилась в вертикальном положении, с мешками с песком, привязанными к ногам, для того чтобы растянулся позвоночник.

После операции Фрида, находясь в больнице, висела продетой в стальные обручи, и ноги ее чуть касались пола, в таком состоянии ее увидела Аделина Сендехас. Перед Фридой стоял мольберт.

«Мы были в ужасе, — вспоминает Аделина. — Она писала, шутила и рассказывала анекдоты. Когда она уставала и больше не могла стоять, приходили служанки и укладывали ее в кровать вместе с аппаратом, но кольца при этом не снимали, чтобы позвоночник не сжимался и позвонки не касались друг друга».

Еще одна печальная история рассказана Фридиной подругой, пианисткой Эллой Парески. Доктор-испанец, который ничего не понимал в ортопедии, надел на Фриду гипсовый корсет.

«Ночью корсет начал затвердевать и сжиматься, что и должно было происходить. Случилось так, что я была рядом, в соседней комнате, и около половины пятого утра услышала плач, почти вопли. Я выпрыгнула из кровати и вошла к Фриде, которая сказала, что не может дышать! Затвердевший гипс сдавил легкие. Я попыталась позвать доктора. Но никто не обращал на меня внимания. Тогда я взяла острое лезвие и наклонилась над Фридиной кроватью. Медленно-медленно начала разрезать корсет над ее грудью. Я сделала разрез в два дюйма, так что Фрида смогла дышать, и мы стали ждать, когда появится доктор; он пришел и довершил начатое мною дело. Потом мы до слез смеялись, и она расписала корсет, который теперь можно увидеть в музее в Койоакане».

Фрида очень страдала, хотя старалась, чтобы ее лечение выглядело не так серьезно. Она хотела разузнать о своем состоянии все, что было возможно: читала статьи, которые ее огорчали, медицинские книги и консультировалась со множеством докторов. Инвалида можно извинить за ипохондрию. В случае с Фридой, конечно, присутствовал также и элемент нарциссизма. В самом деле, можно поспорить, была ли инвалидность сущностью создаваемого ею образа. И если проблемы были настолько мрачными, как она это подавала, то должна ли была она воплощать их в своем искусстве. Весьма авторитетный специалист доктор Элоиссер считал, что не было необходимости в большинстве Фридиных операций, что у нее проявился известный психологический синдром, который заставляет пациента желать операции. В конце концов, операция заставляет привлечь к себе внимание. Многие люди считали, что Ривера бросил бы Фриду, если бы она не была так больна, и Фрида вполне могла соглашаться на операцию, если это укрепляло ее связь с Диего.

Вдобавок хирургический разрез — вещь вполне определенная, он дает своего рода уверенность людям, чье отношение к реальности, чье чувство своей связи с миром несколько нарушено. Операция позволяет пациенту проявить пассивность, не принимать решений и при этом знать, что происходит нечто конкретное. К тому же в хирургическом вмешательстве присутствует некий мазохизм. В конечном счете операция может внушать надежды — еще один доктор, еще один выход, еще одна операция принесут спасение.

Жестокие автопортреты Фриды были формой молчаливого плача. В образах безногой, безголовой, с расколотым телом, кровоточащей Фрида превращала боль в драматический образ, который интенсивно доносил до зрителя силу ее страданий. И, проецируя боль на холст, она также извлекала ее из своего тела. Автопортреты зафиксировали изображение того, что она видела в зеркале, которое, так же как и холст, не чувствовало боли.

Как *противоядие к боли,* автопортреты могли служить и другой цели. В зеркале можно поймать взгляд, отражающий момент физического или психического мучения. Образ в зеркале поразителен — он выглядит как мы, но не чувствует нашей боли. Разделение между нашим чувством собственной боли (проникшего изнутри наружу) и поверхностным свидетельством, предложенным зеркалом, явно свободным от боли (видимое теперь уже внутри), может воздействовать как устойчивое внушение. Отраженный образ напоминает нам о таком знакомом психическом состоянии — ощущении определенного продолжения. Когда Фрида писала себя, глядя в зеркало, которое несколько успокаивало ее, то рисование того, что она видела в зеркале, было способом сохранить этот образ незыблемым. Такие автопортреты помогали ей проявлять объективность или отстраняться от своего образа. При этом, видя себя на картине столь несчастной, Фрида могла воображать, что она сильный, нелицеприятный зритель своего собственного несчастья.

ХЕЙДЕН ЭРРЕРА

В картине «Без надежды», написанной в 1945 году, Фрида изображает драматическую сцену в безбрежном море скал Педригала (цв. илл. XXIX). Изломы и трещины в земле символизируют жестокие страдания ее тела. Драматизм действия не очень ясен, но ужас вполне недвусмыслен. Плачущая Фрида лежит в кровати. Во рту она держит огромную перепончатую воронку — рог изобилия с поросенком, курицей, мозгами, индюком, мясом, сосиской, рыбой плюс череп из леденца со словом «Фрида», написанным на его лбу. Содержимое ее рвоты изливается на мольберт, оседлавший кровать, и эта кровавая мешанина является источником ее искусства.

Есть и другое объяснение. Фрида писала «Без надежды», выздоравливая после операции, и этот «рог изобилия» отображает ее отвращение, вызванное словами доктора: «Теперь вы можете есть что угодно!» Оттого что она была очень худой, доктора заставляли ее есть каждые два часа. На задней стороне рамы картины Фрида написала стихи: «Во мне не осталось нисколько надежды... Все, что содержит желудок, находится в движении».

Простыня, укрывающая обнаженную Фриду, усыпана микроскопическими организмами, которые выглядят как споры с ядрами или как яйцеклетки, ожидающие оплодотворения. Их формы созвучны кроваво-красному солнцу и бледной луне, которые вместе появляются на небе. Так Фрида снова выражает мысль о несчастье, случившемся с ее телом, которое существует в двух противоположных мирах — микроскопической и солярной системах. Может быть, точно так же она помещает ужас «рога изобилия» между клетками и орбитами светил, чтобы не возвеличить, а преуменьшить, по контрасту с великим движением сил природы, свои собственные, личные несчастья.

Очень похоже, что одновременное присутствие солнца и луны отсылает нас, как и в некоторых других картинах Фриды, к представлению ацтеков о вечной борьбе между светом и тьмой или к мукам Христа, где солнце и луна обозначают печаль всего сущего о смерти Спасителя. Таким образом, «рог изобилия» — это то ли кровоизлияние, потерянный в выкидыше ребенок, вопль или насильно проглоченная пища, воронка, забитая Фриде в рот, то ли напоминающий крест мольберт, который можно рассматривать как нечто ритуальное, как личный, воображаемый обряд.

«Любимая Элла и дорогой Бойт, — пишет Фрида Вулфам 15 февраля 1946 года. — Вот опять появилась комета — донья Фрида Кало, хотя вы и не поверите в это! Я пишу вам в кровати, потому что *четыре* месяца была в плохом состоянии из-за моего скрюченного позвоночника, и после того, как повстречалась со множеством докторов в этой стране, я решила ехать в Нью-Йорк, чтобы встретиться еще с одним, который, говорят, совершенно ужасен... Здесь все «костяные доктора» и ортопеды считают, что мне нужна операция, это мне кажется очень опасным, поскольку я чрезвычайно худа, устала и вообще собираюсь отправиться к чертям и в таком состоянии не хочу, чтобы меня оперировали без консультаций

ХЕЙДЕН ЭРРЕРА

с самым главным доктором Гринголандии. Таким образом, прошу вас о великом одолжении, которое состоит в следующем.

Я вкладываю в конверт копию истории моей болезни, откуда ясно, чем я страдала в этой проклятой жизни. Если возможно, покажите доктору Уилсону, с которым я и хочу проконсультироваться. Этот доктор специализируется на костях, его полное имя доктор Филип Уилсон, 321 Ист 42-я стрит, Н.Н.

Меня интересуют следующие пункты:

1) Я могла бы приехать в США в начале апреля. Будет ли доктор Уилсон в это время в Нью-Йорке? Если нет, когда бы я могла повидаться с ним?

2) После того как он более или менее что-то поймет из истории моей болезни, которую вы покажете ему, готов ли он будет обследовать меня и высказать свое мнение?

3) Если он согласится, то мне необходимо сразу же ложиться в больницу или я могла бы жить в другом месте и только ездить к нему в офис?

(Все это чрезвычайно важно для меня, потому что мне надо рассчитать бабки, которых сейчас маловато. Вы, ребята, понимаете, что я имею в виду?)

4) Вы можете предоставить ему следующую информацию обо мне: я пролежала в кровати 4 месяца и чувствую себя очень слабой и бессильной. Я прилечу на самолете, чтобы избежать всяческих неприятностей. На меня наденут корсет, который поможет мне выдержать неудобства (ортопедический корсет из гипса).

Сколько времени понадобится ему, чтобы поставить диагноз, если учесть, что у меня есть рентгеновские снимки, анализы и все, что нужно? Рентгенограмма позвоночника и ноги 1945 года. (Если будет необходимо сделать новые, я в его распоряжении, готова ко всему!..)

5) Попытайтесь объяснить ему, что я не «миллионерша» и даже не близка к этому.

6) ОЧЕНЬ ВАЖНО:

Я отдаю себя в его волшебные руки потому, что, кроме прекрасной репутации, о которой мне сообщили доктора, мне его персонально рекомендовал человек в Мексике, его бывший пациент, Аркадий БОЙТЛЕР. Скажите ему, что Бойтлер и его жена говорят о нем с восторгом, я абсолютно счастлива встретиться с ним.

7) Если вы подумаете о других практических вещах (вспомните, что я в этом осел), я буду очень вам благодарна от всего моего маленького сердца, обожающего детишек.

8) На случай консультаций с доктором Уилсоном я пошлю вам деньги, сколько скажете.

9) Вы можете рассказать ему, какая деревенщина, какой таракан эта ваша *cuate* Фрида Кало *pata de palo* (деревянная нога). Предоставляю вам полную свободу дать ему любые объяснения, и вы даже можете описать меня (если будет необходимо, попросите фото у Ника, чтобы он знал, как я выгляжу).

10) Если понадобится другая информация, нежно попросите его написать мне, так чтобы все было оговорено, прежде чем я ступлю в это ногой (худой или толстой).

11) Скажите ему, что я создание болезненное, но скорее стоик, хотя теперь мне все немножко трудно, потому что в этой дерьмовой жизни страдаешь и учишься, и вдобавок в этой куче лет я стала более *pen...sadora* (вдумчивой, но она, возможно, собиралась сказать *pendeja,* что является ругательным словом. — *Прим. авт.*).

Вот несколько фактов для вас, а не для докторито Уилсонито.

Первое, вы найдете меня несколько изменившейся.
Мне надоели седые волосы. А также худоба.
Я слегка мрачновата из-за всех неприятностей.
Второе, замужняя жизнь в полном порядке...
Множество поцелуев и благодарностей от вашей

Фриды.

Привет всем друзьям».

10 мая Фрида телеграфировала Элле, что прилетит в Нью-Йорк двадцать первого, чтобы оперироваться у доктора Уилсона. Поскольку она отказыва-

ХЕЙДЕН ЭРРЕРА

лась подвергнуться анестезии, если не сможет держать за руку свою сестру, то Кристина сопровождала ее в этой поездке.

В июне в специальной хирургической больнице Фриде была сделана операция. Посредством металлического штыря пятнадцати сантиметров длиною соединили четвертый позвонок с частью кости, взятой из таза. Фрида быстро поправлялась. За те два месяца, что Фрида пролежала после операции в больнице, настроение ее заметно улучшилось. Поскольку ей было запрещено писать маслом, она стала рисовать. Но вскоре пренебрегла приказом доктора и создала, лежа в больнице, картину (неизвестную), которую позже продала в «Салон дель Пайсаче», на выставке пейзажа в Мехико.

Среди множества друзей, которые посещали Фриду в больнице, был и Ногучи. Тогда он видел ее в последний раз.

«Она была там с Кристиной, — вспоминает он, — и мы долго обо всем разговаривали. Она постарела, но была так полна жизни, дух ее восхитителен».

Ногучи принес Фриде стеклянную коробочку, в которой лежали бабочки, Фрида повесила коробочку над дверью больничной палаты, а позже пристроила на стойке своей кровати.

30 июня она писала Александро Гомесу Ариасу (ее письмо было наполнено выдуманными словами, пересыпанными английскими):

«Алекс, дорогой.

Мне не позволяют слишком много писать, но я пишу лишь для того, чтобы сказать тебе, что большая операция уже совершилась. Три недели тому назад мне предлагали резать и резать кости. Он волшебный доктор, и тело мое ожило, и мне уже предлагают встать и постоять на моей «кукольной» ноге две маленьких минутки, но я сама в это не верю. Две первые недели я так страдала и плакала, что не пожелаю никому такой боли. Доктора были очень резкими и сердитыми, но теперь, на этой неделе, я стала меньше ныть и благодаря таблеткам чувствую себя более или менее хорошо. Сзади у меня два больших шрама вот такой формы (Фрида рисует свое обнаженное тело с двумя огромными шрамами, со следами от хирургических швов. Один шрам бежит от талии до копчика, другой расположен на правой ягодице. — *Прим. авт.*). Отсюда (стрелка указывает на шрам на ягодице. — *Прим. авт.*) вытащили кусок тазовой кости, для того чтобы поместить его в позвоночный столб. Вот там мой шрам кончается. Пять позвонков, которые были повреждены, теперь как ствол винтовки (в смысле «ужасной формы». — *Прим. авт.*). Беда в том, что костям нужно много времени, чтобы вырасти и исправиться, я все еще должна провести шесть недель в постели, прежде чем они отпустят меня и я смогу улететь из этого ужасающего города в мой любимый Койоакан. Как ты поживаешь, пожалуйста, пиши и пошли мне одну книгу, пожалуйста, не забывай меня. Как твоя мамочка? Алекс, не бросай меня одну в этой проклятой больнице и пиши мне. Кристи ужасно, ужасно устала, и мы сгораем от жары. Здесь невероятно жарко, просто не знаем, что делать. Что происходит в Мексике? Что там народ?

Расскажи мне обо всех, а главное — о себе.

Фрида.

Шлю тебе огромную любовь и множество поцелуев. Я получила твое письмо, которое так меня порадовало! Не забывай меня».

В октябре Фрида возвращается в Койоакан, она полна планов. Одиннадцатого она пишет своему покровителю Эдуардо Морильо Сафе в Каракас:

«Мой дорогой инженер!

Сегодня получила ваше письмо, спасибо за то, что вы так же добры ко мне, как и всегда, спасибо за ваше поздравление по поводу приза (этим призом Фрида была награждена министерством образования за «Моисея». — *Прим. авт.*) (я все еще не получила его)... вы их знаете, этих медлительных ублюдков. Вместе с вашим письмом, можно сказать, в тот же самый момент я получила письмо и от доктора

ХЕЙДЕН ЭРРЕРА

Уилсона, который меня оперировал. Он сделал так, что теперь я ощущаю себя ружейным стволом! Он говорит, что теперь я могу заниматься живописью два часа в день. Еще до того, как я получила его разрешение, я уже начала писать и могла стоять три часа, чтобы писать и писать. Я почти закончила вашу первую картину («Дерево надежды». — *Прим. авт.*), что оказалось возможным только благодаря этой проклятой операции!..

Ваше письмо очаровало меня, но я продолжаю думать, что вы слишком одиноки и не общаетесь со всеми этими людьми, которые живут такой старомодной жизнью и в дерьмовом мире! И тем не менее вам полезно кинуть *ojo avisor* (острый взгляд) на всю Южную Америку, и потом вы сможете написать чистую, голую правду, проведя сравнение с Мексикой, с тем, чего она достигла, несмотря на все свои беды. Мне очень интересно что-нибудь узнать о художниках в Венесуэле. Можете послать мне фото или журналы с репродукциями? Это художники-индейцы? Или только метисы?

Послушайте, молодой человек, со всей своей любовью я буду писать миниатюрные портреты доньи Роситы (матери Морильо Сафы, чей портрет Фрида написала в 1944 году. — *Прим. авт.*). Я сделаю фотографии с картин и с фотографии большого портрета смогу написать маленький, что вы думаете? Я также буду расписывать алтарь с Девой Марией и маленькие горшки с зелеными растениями, поскольку моя мама устраивала такого рода алтарь каждый год, и, как только кончу первую картину, о которой я вам говорила как о почти готовой, начну вашу, идея написать «лысую» (смерть. — *Прим. авт.*) с женщиной в шали мне также кажется великолепной. Буду делать все, что могу, так что сверх вышеупомянутых картин обернусь к чему-то *piochas* (ужасному). Как вы меня и просите, я доставлю их в ваш дом, к тете Хулии. Как только закончу, пошлю вам фото каждой из них, колорит, мой друг, вы сможете вообразить, потому что вам это нетрудно, поскольку у вас уже так много Фрид. Знаете, иногда я устаю малевать, особенно когда меня пронзает боль и я работаю больше трех часов, но надеюсь, что через несколько месяцев не буду так уставать. В этой проклятой жизни так страдаешь, братец, и, хотя жизнь заставляет, все-таки сильно мучаешься, можно негодовать, но по прошествии времени — неважно, как долго мне нравилось изображать из себя сильную женщину, — наступают моменты, когда я хотела бы стать похожей на губку. Я не шучу! Слушайте, мне не нравится, что вы такой печальный, вы же видите, что в этом мире есть люди вроде меня, которым хуже, чем вам, но продолжают рыть землю, так что не уничижайте себя и, как только сможете, возвращайтесь в Мексику, страну *pulque,* и вы уже понимаете, что жизнь здесь трудна, но обладает своим вкусом, и вы заслуживаете множества самого хорошего, поскольку истинная правда состоит в том, что вы огромная величина, товарищ. Вы же знаете, что я говорю это от всего сердца.

Я действительно не могу рассказать вам какие-то сплетни об этой жизни, потому что провожу дни запертой в этом дурацком доме, который всеми забыт, и рассчитываю на предположительное выздоровление и занятия живописью. В моменты лени я забываю о классах, не вижу ни «высокой» нации, ни пролетариата, не хожу на «литературно-музыкальные» встречи. По большей части я слушаю ненавистное радио, которое служит скорее наказанием, чем утешением, читаю ежедневную прессу, которая точно так же плоха. Читаю толстую книжку Толстого, под названием *War and Peace* (Война и мир), которая мне кажется ужасно длинной. Романы о любви и ненависти не доставляют мне удовольствия, и только время от времени в руки попадают детективы, с каждым днем мне все больше нравятся стихи Карлоса Пеллисера и еще одного поэта, Уолта Уитмена. Кроме этого, меня ничто не привлекает в литературе. Хочу, чтобы вы рассказали, что любите читать, чтобы я могла вам это послать. Наверняка вы слышали о смерти доньи Эстерситы Гомес, матери Марти (инженера Марти Гомеса. — *Прим. авт.*). Я лично не видела его, но послала ему с Диего письмо. Диего

ХЕЙДЕН ЭРРЕРА

рассказывает, что тому очень трудно, он очень опечален. Напишите ему.

Благодарю вас за то, что вы так мило предложили послать мне что-нибудь оттуда, что бы это ни было, это будет память, которую я буду хранить с глубочайшей любовью. Я получила письмо от Марианиты, и оно чрезвычайно порадовало меня, я ей отвечу, передайте мою любовь Личе и ближайшим друзьям.

Вам, как вы уже поняли, я шлю поцелуи и искреннюю любовь вашей подруги.

Фрида.

Спасибо за то, что вы прислали мне деньжат, они были очень кстати».

Фрида упоминает о «пронзающей боли». Правда состояла в том, что укрепление позвоночника не решило проблем со спиной. Когда она вышла из больницы и вернулась в Мексику, она сначала лежала в кровати, затем на восемь месяцев надела стальной корсет. Доктор Уилсон велел ей вести спокойную жизнь, не перенапрягаться, но Фрида не следовала его приказам, и ее здоровье вновь ухудшилось. Боль в спине становилась все сильнее, она худела, началась анемия, и на правой руке прицепилась грибковая инфекция.

Александро Гомес Ариас считает, что доктор Уилсон усилил не тот позвонок. С этим мнением соглашается один из Фридиных докторов, Гильермо Веласко-и-Поло, помощник хирурга доктора Хуана Фариля. Он говорит, что металлическая пластина, которой доктор Уилсон скрепил позвонки, была помещена неточно, а именно ниже больного позвонка. Возможно, как раз по этой причине Фрида затем отдала себя в руки доктора Фариля. Здесь, в Английском госпитале, встал вопрос о том, чтобы извлечь кусок металла, вставленный доктором Уилсоном, и попытаться укрепить позвоночник новой пересадкой костной ткани. Поддерживая это мнение, Кристина говорит, что операция, сделанная в Нью-Йорке, была столь болезненной, что Фриде давали чрезмерно большие дозы морфина, и у нее начались галлюцинации, она видела в больничной палате животных. После этого она никак не могла освободиться от наркозависимости. И правда, Фрида стала писать крупнее, записи в ее дневнике носят исступленно-эйфорический характер.

Операция оказалась неудачной. Но сама Фрида говорила, что хирург был «изумительным» и что она чувствует себя великолепно. Может быть, Фрида сама вредила своему выздоровлению. Вспоминает Люпе Марин:

«Фрида после операции доктора Уилсона чувствовала себя совершенно прекрасно, но в течение какой-то ночи отчаяния — возможно, Диего не пришел домой или еще что-то случилось — Фрида терзалась, и открылись все ее раны. С ней ничего нельзя было поделать, абсолютно ничего».

Нечто похожее случилось после операции, когда Фрида в беспокойстве рухнула на землю, и скрепляющая пластина отделилась от позвоночника. К сожалению, неизвестна точная дата, но Фрида говорит, что у нее еще был и остеомиелит, воспаление костной ткани, что послужило причиной ухудшения состояния костей, и, разумеется, скрепляющая позвонки пластина оказалась неэффективной.

«Дерево надежды», картина 1946 года, которую в своем письме к Морильо Сафе Фрида считает «не чем иным, как результатом этой проклятой операции», показывает плачущую Фриду, одетую в красный теуанский костюм, которая сидит, охраняя другую Фриду, обнаженную, лежащую на больничной каталке и едва прикрытую простыней (цв. илл. XXX). Лежащая Фрида еще находится под наркозом после операции, на спине у нее глубокие разрезы — те самые шрамы, которые она рисовала в письме к Алехандро Гомесу Ариасу, только здесь они разверсты и кровоточат. Сидящая Фрида горделиво держит ортопедический корсет — с иронией, обычной для Фриды, — раскрашенный ярко-розовым и с красной пряжкой, это ее трофей за хирургический марафон. О том, что она одета еще в один корсет, свидетельствуют два зажима, которые поддерживают ее грудь.

ХЕЙДЕН ЭРРЕРА

На флаге в правой руке красным по зеленому написано то, что Фрида часто повторяла своим друзьям: «Дерево надежды, держись». Это первая строчка стихов из Веракруса, которые она любила напевать. Продолжение песни: «Не позволяй своим глазам плакать, когда я скажу «прощай» — подразумевает, что дерево надежды является метафорой по отношению к человеку, и особенно это относится к данной картине, где охраняющая Фрида плачет от сострадания, но держится стойко. Идея создания картины на основе песен идет от риверовских фресок третьего этажа министерства образования, так же как и от листков с балладами Посады. Фрида, однако, всегда использовала песни лишь как отправную точку в создании образа личной драмы. «Дерево надежды, держись!» было ее девизом.

Но дерево надежды Фриды произрастало из ее боли: в картине красные кисточки на флаге — это аналог капающей крови из ран пациента, и острие флага, тоже красное, подразумевает острый конец хирургического инструмента. С одной стороны двух Фрид разверзлась пропасть (где клочья «обнадеживающей» травы произрастают из вулканической породы), с другой — прямоугольная могила или траншея, еще один вариант темного ущелья, что протянулось по растрескавшейся земле, и это служит метафорой раненой плоти Фриды. Но, несмотря на весь ужас, на всю опасность, эта картина есть символ веры, подобно *retablo.* Здесь Фрида верит в себя, не в святой образ. Охраняющая Фрида в ее великолепном платье олицетворяет собственного чудесного избавителя.

В письме к Морильо Сафе Фрида пишет: «Пейзаж — это день и ночь, и там есть скелет (или смерть), что пролетает, вызывая ужас на лице *моего желания жить.* Вы более или менее можете себе это представить, хотя мое объяснение несколько неуклюже. Как вы можете видеть, я не обладаю ни языком Сервантеса, ни способностями к поэтическому слогу, но вы наделены достаточно живым умом, чтобы понять мой язык, который несколько «вольно» себя ведет».

На картине, в том виде, в каком она существует

сейчас, хотя желание Фриды было высказано вполне определенно, скелета нет. Смерть присутствует только лишь метафорически, в траншее, подобной могиле, и в диалектике света и тьмы (солнца и луны), которые сопровождают живую Фриду и Фриду при смерти. Странно, что Фрида, которая держит в руках «надежду на жизнь», сидит под луной, в то время как дневной свет солнца указывает на мученицу, подвергшуюся операции. Кто-то может и поспорить, считая, что огромное красноватое солнце питается, соответственно ацтекским верованиям, человеческой кровью.

Другая картина 1946 года, отражающая операцию на позвоночнике, — «Маленький олень», автопортрет, в котором Фрида представляет себя в виде молодого олененка (моделью ей служил Гранисо, олененок-самец), голова которого увенчана рогами (цв. илл. XXXI). Первоначально эта картина принадлежала Аркадию Бойтлеру, человеку, который рекомендовал Фриде доктора Уилсона и который, как Фрида упоминает в письме к Элле Вулф, сам имел проблемы с позвоночником. Как и «Сломанная колонна», «Маленький олень» использует простые метафоры, чтобы показать, что он — жертва страданий. Пробегающий по поляне олень пронзен девятью стрелами, которые медленно убивают его. Наверняка это прообраз собственного Фридиного путешествия по жизни, где ее постепенно сводят в могилу преследующие ее болезни и беды. Раны, причиненные оленю, кровоточат, но лицо Фриды спокойно.

Картина указывает и на психологические страдания. В самом деле, в жизни Фриды, как и в ее искусстве, физические и психические страдания связаны неразрывно. Начиная с развода, а возможно, и еще раньше болезни слишком часто совпадают с периодами душевных травм, так что можно заподозрить, что она «пользовалась» ими, чтобы удержать или вернуть назад Диего. Элла Вулф говорит, что «Маленький олень» свидетельствует об «агонии в отношениях с Диего». Другой близкий друг считает, что стрелы означают Фридины страдания от притеснения мужчины, и это делает их аналогом кинжала в картине «Немного маленьких уколов».

В «Маленьком олене» Фрида еще раз использует израненный объект, чтобы показать свои боли и разрушения: и физические, и психологические. Массивные стволы деревьев с расколотой древесиной и обломанными ветвями означают распад и смерть, а сучки и трещины коры — это парафраз ран оленя. Под копытами зверька лежит свежесломанная ветка с листьями, символ погубленной жизни художника (и оленя). Эта ветка также указывает на Фридино пристрастие к поломанным вещам. Однажды, когда садовник принес ей старый стул, спрашивая, можно ли его выбросить, Фрида потребовала, чтобы он дал ей сломанную ножку стула, и начала ее целовать накрашенными губами, чтобы потом подарить человеку, которого она любила. Ветка также может иметь и другое значение: Антонио Родригес говорит, что «в доиспанском мире существовало поверье, будто для входа в рай нужно положить сухую ветку [на могилу умершего человека], и сухая ветка воскреснет веткой зеленой».

Изображая себя оленем, Фрида снова выражает свое чувство единства со всем живущим. Источник этих ощущений лежит в культуре ацтеков. Как объясняет Анита Бреннер в «Идолах за алтарем», распространенная индейская мифология в мексиканской культуре допускает, что человек «участвует в создании бытия наравне с другими существами». По этой причине доколумбовы художники создавали абстрактные, воображаемые изображения, наполовину людей, наполовину животных, что символизировало идею сосуществования и перерождения. Доколумбовы боги не были какими-то особыми существами, они представляли собой нечто сложное, с постоянно меняющимися формами и атрибутами.

«Богослужение, — писала Анита Бреннер, — не было плачем по невозможности обрести черты характера божества (что никогда не могло быть достигнуто), а скорее идентификацией с некоторыми атрибутами и функциями, свойственными божеству. Так, ацтек мог говорить в молитве: «Я — цветок, я — перышко, я — барабан и зеркало богов. Я — песня, я цветок дождя, я дождь воды».

Это, разумеется, соотносится с тем, что говорила

сама Фрида, называя себя горой или деревом или записывая в своем дневнике, что человеческое бытие есть часть потока и что люди направляют себя друг к другу «сквозь миллионы каменных ипостасей, птичьих жизней, жизней звезд, микробов, фонтанов...»

Для ацтеков каждое животное имеет свое значение. Попугай, например, оттого что он может говорить, считался сверхъестественным созданием и символизировал птицу с головой человека. Также ацтеки верили, что новорожденный ребенок имел двойника в животном мире. Точно так же Фрида рассматривала себя как создание, потенциально способное к метаморфозе. Ее голова могла бы быть цветком, руки могли стать крыльями, тело превратиться в тело оленя. Наверняка была в этом и доля сюрреалистического влияния, но отношение к жизни как к чуду и волшебству имело своим истинным источником древнюю мексиканскую культуру.

И «Маленький олень» явился из мексиканского фольклора. Существует народная песня, которая начинается такими словами:

> Я бедный маленький олень, живущий в горах.
> Поскольку я не очень приручен, днем я не спускаюсь к водопою.
> Ночью, шаг за шагом, приду к твоим рукам, любовь моя.

Сор Хуана Инес де ла Крус пишет в своих «Стихах, выражающих чувства возлюбленных»:

> Если ты видишь раненого олененка,
> который торопится вниз,
> спускаясь с горы,
> со стрелою в сердце,
> ищущего в ледяном потоке
> облегчения своей ране
> и жаждущего напиться
> хрустальной воды, не облегчение,
> боль отражается во мне.

Фридин автопортрет в виде «Маленького оленя» отсылает к ее собственной жизни: идея раненой жертвы, раненого олененка выражена во вступлении к ее дневнику 1953 года. Печалясь о преждевременной смерти близкой подруги, художницы Исабель

(Чабелы) Вильясеньор (которая играла в фильме Эйзенштейна «Да здравствует Мексика!» молодую индианку), Фрида нарисовала свой портрет с голубем в руках и с линиями, подобно ланцетам, пересекающими крест-накрест ее тело.

«Чабела Вильясеньор, — писала Фрида, — пока я жива, пока я иду по твоей тропе — пусть будет хорошим твое путешествие, Чабела! Алая, Алая, Алая, Живая Смерть».

На следующей странице — поэма в память о потерянном друге:

Ты покинула нас, Чабела Вильясеньор,
но твой голос,
твое электричество,
твой огромный талант,
твоя поэтичность,
твой свет,
твоя загадочность,
твоя Олинка —
все ты, ты осталась живой.

Исабель Вильясеньор — художник, поэт, певец.
Алая,
Алая,
Алая,
Алая,
как кровь,
что бежит,
когда убивают
оленя.

21
ПОРТРЕТЫ БРАКА

Спустя годы после смерти Фриды и смерти Диего друзья вспоминали их, называя «священными чудовищами». Их эскапады и эксцентричность лежали за пределами мелочного осуждения, общепринятой морали; на это не просто смотрели сквозь пальцы, но их очень ценили и создавали о них мифы. Будучи «чудовищем», Ривера мог предоставлять убежище Троцкому, петь в своей живописи победные песни Сталину, строить языческие храмы, размахивать пистолетом, пугать каннибализмом и в браке вести себя как всемогущий бог с Олимпа. К сороковым годам Диего, разумеется, превратился в античный миф. Фрида, с другой стороны, была еще новенькой в череде мифов.

После второго бракосочетания связь между Диего и Фридой углубилась, но при этом они стали гораздо более автономными. Даже когда они жили вместе, Диего часто и подолгу отсутствовал. У обоих были любовные приключения: он делал это открыто, она (с мужчинами) — тайно, из-за его бешеной ревности. Неудивительно, что их жизнь была полна столкновений с последующими болезненными разъездами и нежными воссоединениями.

Начиная со «свадебного» портрета 1931 года Фрида фиксировала все злоключения их брака. Разные картины, которые показывают Фриду и Диего вместе или присутствие Диего лишь подразумевается — например, в слезах на щеках Фриды, — составляют летопись, протянувшуюся на годы; их отноше-

ХЕЙДЕН ЭРРЕРА

ния изменялись, в то время как основа их сосуществования оставалась неизменной.

«Фрида и Диего Ривера», 1931; «Автопортрет в костюме теуаны», 1943; «Диего и Фрида», 1929—1944; «Диего и я» и «Любовное объятие Вселенной», «Земля (Мексика)», «Диего, я и сеньор Ксолотль», обе 1949 года, — все эти картины выражают Фридину великую любовь и потребность в Диего. Важно то, что Диего в каждой картине связан с Фридой по-разному. В самом раннем, свадебном портрете не ощущается непринужденности. Как фигуры на двойных портретах народных художников, они смотрят прямо вперед, а не друг на друга. Это и большое расстояние между фигурами, как и легкое касание их рук, указывают на то, что пара представляет собою партнеров, которые еще не выработали совместных, взаимно пересекающихся движений в танце брака. По контрасту в «Автопортрете в костюме теуаны» Фридина навязчивая любовь к ее независимому супругу заставила поместить его образ на своем лбу в форме «мысли» (цв. илл. XXI). Годом позже в картине «Диего и Фрида. 1929—1944» (илл. 62) она так близко приближает себя к Диего, что их лица образуют одну голову — это символически утверждает, что союз, очевидно, мучителен, негармоничен. В «Диего и я» отчаяние Фриды из-за флиртов мужа доходит до истерики; его изображение находится на ее лбу, но сам он — неизвестно где, и Фрида кажется задушенной завитками своих волос — это женщина, оставленная в одиночестве (цв. илл. XXVI). Когда Фрида пишет «Любовное объятие», она все так же плачет, но отношения, похоже, пришли к какой-то развязке; Фрида все-таки не душит Диего, а держит его в объятиях (цв. илл. XXXIII). Если в свадебном портрете 1931 года Фрида играет роль дочери, а в 1944 году пара, кажется, достигла если не взаимности, то, по крайней мере, более или менее согласованного ведения войны, то в «Любовном объятии» Фрида в конце концов обрела роль, которая, предположительно, устраивала их обоих: Диего — это большой ребенок, удовлетворенно лежащий на материнских коленях.

У Фриды и Диего было много общего: юмор, интеллигентность, преданность Мексике, общественное сознание, богемное отношение к жизни. Но самым значительным, что их связывало, было и огромное уважение к искусству друг друга. Ривера гордился профессиональными успехами жены и восхищался ее растущим мастерством художника. Диего рассказывал людям, что, прежде чем он или другие его коллеги оказались со своими картинами в Лувре, Фриде уже была оказана эта честь; он любил покрасоваться, показывая Фриду друзьям. Один из визитеров вспоминает, как Диего первым делом сообщил, что гость увидится с Фридой.

«В Мексике нет художника, который может с ней сравниться!» — воскликнул он. И тут же рассказал мне, что, когда он был в Париже, Пикассо взял рисунок Фриды, долго смотрел на него и затем произнес: «Глянь на эти глаза: ни ты, ни я не в состоянии сделать ничего подобного». Я заметил, что при этом его собственные глаза блестели от слез».

Говоря о Фридиной гениальности, Ривера признавался: «Мы олухи рядом с Фридой. Фрида лучший живописец своей эпохи». В статье 1943 года «Фрида Кало и мексиканское искусство» он писал: «В панораме мексиканской живописи последних двадцати лет творчество Фриды Кало сияет, как бриллиант, среди множества прочих драгоценностей — чистый, неуязвимый, с тщательнейше ограненными фацетами». Фрида была, говорил он, «высочайшей пробы представителем ренессанса в искусстве Мексики».

Фрида возвращала комплименты Диего. Для нее он был «архитектором жизни». Но она скептически выслушивала его истории и теории, иногда вставляя замечание: «Диего — это ложь» или прыская со смеху. Когда он говорил, она часто совершала странное, еле заметное движение руками, так подавались сигналы слушателям, чтобы они реально оценивали, что правда, а что фальшь. В своем «Портрете Диего» она пишет:

«Создание им мифов имеет прямое отношение к его колоссальному воображению. Он, так сказать, настолько же лжец, насколько поэт или ребенок, которого не превратили в идиота школа или мама. Я слышала, как разнообразно он сочиняет, начиная от самых невинных, кончая самыми сложными историями о людях, которых его воображение поставило в фантастические ситуации, приписывая им невероятные поступки, всегда с большим чувством юмора и изумительной критичностью. Но я никогда не слышала, чтобы он говорил глупость или банально лгал. Обманывая или играя в обман, он снимает маски со многих людей, он изучает их внутренний механизм, а они, возможно, гораздо большие лжецы, чем он, и самая любопытная вещь во вранье Диего — это то, что, не сразу или тут же, те, кто оказывается вовлеченным в воображаемые ситуации, начинают злиться не из-за лжи, а скорее из-за правды, содержащейся в этой лжи, что всегда выплывает на поверхность.

...Испытывая вечное любопытство, он в то же время является интереснейшим собеседником. Он может писать без отдыха много часов и дней, может во время работы болтать. Он разговаривает и спорит о чем угодно. Его беседы всегда интересны. Иногда они поразительны, иногда ранят; бывают трогательными, но никогда у слушателя не остается впечатления, что они дурацкие или бессмысленные. Его слова тревожат, потому что они живые и правдивые».

Фрида терпима к Ривере и иногда даже прощает его эгоцентрические черты характера, яростно отстаивает его, всегда выступая в его защиту. Например, в том случае, когда он подвергается нападкам за работу на миллионеров или когда люди обвиняют его за то, что он сам миллионер. В «Портрете Диего» Фрида бросает вызов критикам с таким накалом, что кажется, будто у нее из ноздрей вырывается пламя.

«Против глупейших нападок Диего всегда выступает жестко и с большим чувством юмора. Он никогда не идет на компромисс и не поддается; он встречается с врагами лицом к лицу, большинство из них трусливы, среди них мало храбрецов. Он всегда рассчитывает на реальность, никогда в этом нет элемента «иллюзии» или чего-то «идеального». Непримиримость и революционность — вот что лежит в основе Диего, и это украшает его портрет.

Самым распространенным из всего, что говорится о Диего, является утверждение о том, что он мифотворец, не любит гласности и, что самое чудовищное, он — миллионер... Трудно поверить, правда, что самое дурацкое и глупейшее измышление извергается на Диего в его родном доме, в Мексике. Посредством прессы, посредством варварских и вандальских действий, которыми хотят уничтожить его работу, используя для этого все, начиная с невинного зонтика «приличной» сеньоры, которая царапает им фреску, до кислоты и кухонных ножей, не говоря уж об обычных плевках, соответствующих своим хозяевам, у которых такая обильная слюна и такие маленькие мозги; посредством «благопристойных» юношей, которые забрасывают камнями его дом и студию, уничтожают докортесово мексиканское искусство — часть коллекции Диего, — тех, кто, смеясь, убегает, подбросив анонимные письма (бессмысленно говорить о доблести тех, кто их посылает). Или те, власти предержащие, призванные защищать культуру во имя доброго имени страны, кто посредством нейтрального или пилатоподобного молчания не замечает нападок на человека, который со всей гениальностью творческих усилий старается защитить свободу выражения личности не только для себя, но и для всех...

Но оскорбления и поношения не изменят Диего. Они являются частью социального феномена мира, пришедшего в упадок, и ничего больше. Жизнь продолжает интересовать его, поражать своей изменчивостью, его удивляет красота всего сущего, но ничто не смущает, ничто не пугает, потому что он понимает диалектический механизм этого феномена».

Фрида была готова защищать мужа физически, так же как и словесно. Однажды в ресторане пьяный, сидевший за соседним столом, начал цепляться к Диего, назвав его «проклятым Троцким».

Диего повалил мужчину на пол, но его приятель вытащил револьвер. В ярости Фрида подскочила и, встав перед ним, начала его ругать. Она получила удар в живот и упала. К счастью, вмешался официант, но, так или иначе, Фрида привлекла всеобщее внимание, и нападающие улетучились.

Если «Корни» подразумевают семейное спокойствие и удовлетворенность жизнью, то маленькая картина «Диего и Фрида. 1929—1944» указывает на

ХЕЙДЕН ЭРРЕРА

то, что в 1944 году этому пришел конец. И в самом деле, большую часть 44-го года Фрида и Диего жили врозь. Как обычно, они часто виделись друг с другом и, несмотря на раздельную жизнь, праздновали пятнадцатилетие своей свадьбы, устроив большой праздник с подарками друг другу. Фрида подарила Диего картину «Фрида и Диего. 1929—1944». Спрятав свое побуждение к воссоединению, она написала себя и мужа как единую голову, поделенную вертикально пополам. Ожерелье из корней дерева и колючих веток обвивает их общую шею. Ясно, что хрупкость уз брака заставляет Фриду еще больше, еще трепетнее желать обладания Диего, и в картине она сливается с ним.

Имена супругов и дата их свадьбы написаны на маленьких ракушках, которые украшают раму картины, имеющую форму лилии, изогнутые края которой напоминают о картине «Цветок жизни», тоже написанной в 1944 году. Хотела ли Фрида, чтобы рама двойного портрета подразумевала цветок или матку, — она сама была, по ее словам, эмбрионом, «зачатым им», — но она наверняка ввела нежно-розовые и красные ракушки с блестящей поверхностью, чтобы был понятен сексуальный намек. Для Фриды ракушки были символом рождения, плодовитости и любви: в самой картине гребешок и конус, обвитые корнями, по Фридиному представлению (можно сравнить с раковинами в «Моисее»), — «два пола, оплетенные корнями, всегда новые и живые».

Женско-мужской дуализм также виден в одновременном присутствии солнца и луны и в самой разделенной голове портрета. Дуализм разделенной надвое головы, возможно, взят из доколумбова искусства (Фрида часто носила брошь с изображением головы из Тлатилко, где два лица соединены в одно, с одной бровью) или из мексиканского изображения Троицы, там три бородатых головы слились воедино.

Есть некий диссонанс в том, что картина «Диего и Фрида. 1929—1944» была знаком любви. Подчеркнуто изогнутые очертания кажутся внешним обозначением внутренней нервности. Лица супругов неодинаковы по размерам, так что, хотя они и соединены, части лиц не совпадают. Разъединение подразумевает взрывчатую нестабильность этого брака. Для того чтобы удержать супругов вместе, Фрида обвязывает их ожерельем из ветвей, но ветки — без листьев, так и союз с Риверой — бездетен. Введение ветвей выглядит как напоминание о венце Христа — брачный союз напоминает мученичество.

Через три месяца, когда они все еще жили врозь, Диего на Рождество посылает письмо с надписью: «К празднику — художнику и важной сеньоре донье Фриде Кало де Ривера с любовью, преданностью и глубоким уважением к твоему безусловному *milagro* (чуду)». На другой стороне листка он писал: «Моя дорогая, миленькая Физита, не позволяй борьбе сделать тебя злой. Пойми мои страдания. Я верю в то, что мы еще смотрим вместе на мир, как мы делали это в прошлые годы, и что я увижу снова твою улыбку и буду знать, что ты счастлива. Дай этой дружбе и любви продлиться долгие годы».

Они воссоединились, и их любовь, в глубочайшем смысле этого слова, «продлилась навсегда». Как и боль. Она часто возникала из-за сумасбродств Диего и оттого, что он себе все прощал. Он должен был постоянно кого-то обольщать и после обладания предметом расставался не задумываясь, как ребенок отбрасывает старую игрушку. Когда доктор говорил, что верность ему не годится, он с радостью следовал этому предписанию.

Некоторые считают, что Фрида без волнений выслушивала рассказы Диего о его амурных похождениях. И правда, она часто шутила над своим неисправимым волокитой. На публике она посмеивалась:

«Быть женой Диего — это самая замечательная вещь на свете... Я позволяю ему играть в супружество с другими женщинами. Диего — ничей муж и никогда им не будет, но он великий *camarada* (товарищ)».

В своем «Портрете Диего» она развивает эту мысль:

«Я не буду говорить о Диего как о «моем муже», потому что это чудовищно. Диего никогда не был и никогда не будет чьим бы то ни было «мужем». Также я не буду гово-

ХЕЙДЕН ЭРРЕРА

рить о нем как о любовнике, поскольку для меня он превосходит все пределы в области секса. Я говорю о нем как о сыне и буду описывать или объяснять только свои эмоции, почти автопортрет, но не портрет Диего.

...Возможно, кто-то ожидает от меня очень личного, «женского», анекдотически забавного портрета, полного жалоб и даже сплетен, того типа сплетен, которые «приличны», понятны и привычны. Возможно, они надеются услышать от меня стенания по поводу того, как «много приходится страдать», живя с таким человеком, как Диего. Но я не считаю, что берега реки страдают, давая бежать водам, или земля страдает от того, что льются дожди... Боли и радости, которые регулируют жизнь в обществе, повреждены ложью, но она меня не касается. Если ко мне относятся с предубеждением или если действия других людей, даже действия Диего Риверы, ранят меня, я считаю себя неспособной здраво смотреть на вещи и должна принять это.

Такая широта взглядов может быть отнесена к поздним годам жизни Фриды и к тем случаям, когда романы были незначительны. Однако с ближайшими друзьями она сетовала на трудности своего брака.

«Когда мы были с ней наедине, — вспоминает Элла Вулф, — она рассказывала мне, как печальна ее жизнь с Диего. Она никогда не могла привыкнуть к его романам. Каждый раз это было новой раной, и она до самой смерти продолжала жить в страданиях. Диего это никогда не заботило. Он говорил, что иметь сексуальный контакт — все равно что помочиться. Он не мог понять, почему люди так серьезно к этому относятся. Но сам он *ревновал* Фриду — двойной стандарт *el macho* (большого самца)».

То, что Фрида продолжала терзаться, видно по ее автопортретам. Особая горечь страданий ощущается в тех двух, где она в праздничных народных головных уборах. В обоих, и в «Автопортрете в костюме теуаны» 1943 года и в «Автопортрете» 1948 года (цв. илл. XXI и XXV), Фридино лицо с пронзительным взглядом из-под темных, сросшихся на переносице бровей, чувственными красными губами и легким пушком над верхней губой кажется даже вызывающим и почти демоническим. В работе 1948 года ей сорок лет, ее лицо уже полнее, грубее, менее овально. Но Фрида не прячет свой возраст, не употребляет косметики для собственного успокоения, не поддается самообману.

Есть что-то зловещее в том, как Фрида выражает свою тоску по Диего в ранней картине. Она выглядит как плотоядный тропический цветок. Живая сеть щупальцев будто исходит из Фриды — это энергия и чувства того, кто страдает от одиночества и заключения, подобного тюремному, и кто хочет исторгнуть жизненную силу из границ своего тела. Как женщина-паук, выглядывающая из середины своей паутины, Фрида поместила образ Диего у себя на лбу; кажется, она должна поглотить свою жертву и растворить мысли о ней внутри себя.

В «Автопортрете» 1948 года упрямая любовь Фриды выглядит совсем по-другому. Кроме намека на напряжение (вокруг рта) и печального блеска в глазах, она здесь выглядит очень решительной. Однако внутри бушует ярость. Наверху картины, на листе, Фрида написала свое имя и год, надпись сделана тем же цветом, что и прожилки листьев, — кроваво-красным. Три сверкающие слезы на смуглой коже подчеркивают ее очарование в скорби, в любовании собой и в печали. Можно прочувствовать, как в момент отчаяния, когда по лицу сбегают горячие слезы, она обернулась к зеркалу, чтобы найти там другого человека, сильную Фриду и написать ее. Когда Фрида пишет обеих — и страдающую, и наблюдающую, она перемалывает собственные эмоции.

Разделенность между Фридой и ее костюмом теуаны в картине — лицо ее выглядит совершенно отдельным от кружев, которые его обрамляют, — передает психологическую двойственность плачущей Фриды. Эта расщепленность кажется очень болезненной, потому что легко себе представить, зачем Фрида украшает себя фатой невесты — этот автопортрет есть мольба о любви Диего. Но эффектный головной убор — и маска, и магнит; он говорит о красоте и любви, в то же время пряча более тяжелые чувства — отверженность, ревность, ярость, страх быть брошенной. Таким образом, чем сильнее опас-

ХЕЙДЕН ЭРРЕРА

ность потери, тем более отчаянно Фрида отвлекает себя украшениями.

Если кружева и оборки были способом вернуть Диего, то другим способом Фрида заставляла его осознать, что ее страдания могут стать фатальными. В картине «Думая о смерти», написанной в тот же год, что и «Автопортрет в костюме теуаны», печатью на лбу показан череп со скрещенными костями на фоне пейзажа (цв. илл. XXII). Те же большие листья, в которых бежит сок Фридиной жизни, как и в «Корнях», собраны здесь в плотную, сочную массу позади ее головы. Но среди листьев, на переднем плане этой массы, извиваются злобные сучья терновника. Фрида глядит на зрителя мудрым и трезвым, почти египетским взглядом, полным невозмутимости; платье и все линии в этом автопортрете напоминают известный бюст гордой Нефертити, которую Фрида обожала. Однажды Фрида сказала: «Изумительна Нефертити, жена Эхнатона. Представляю себе, что, кроме того что она была невероятно красива, она еще должна была быть «необузданной» и самым умным союзником своего мужа».

Нет сомнений, что картина «Маска» 1945 года, на которой Фрида держит фиолетовую маску с оранжевыми волосами, была написана в другой период, когда ее предал Диего. Слезы падают на маску, и ее собственные черные глаза проглядывают сквозь две дырки в глазах маски, которые кажутся настоящими дырами в холсте картины. Слезы плачущего человека, стекающие на плачущую маску, тревожат еще больше. Фрида ясно показывает, что маска не может скрыть эмоций, когда существо под ней не выдерживает жестокого испытания. Ощущение истерики, которое передает картина, усиливается тяжелой серо-зеленой стеной безобразных листьев и колючих кактусов, которые сзади наступают на Фриду.

Два рисунка сороковых годов тоже показывают Фридино состояние. Она плачет в «Автопортрете» 1946 года (илл. 63) и в «Руинах» (подарок Диего), она выражает свое несчастье словами «Авенида Энганьо» («Улица лжи»). Расколотая голова с надписью «Руина» — это могло быть сочетанием Фриды и

Диего — пересечена деревом с порубленными ветвями. Двадцать проекций этого дерева указывают на множество внебрачных любовных связей Диего. Справа на том, что выглядит как памятный монумент, написаны слова: «Руины Дом для птиц Гнездо для любви Все ни к чему».

Как можно видеть, Фрида, без всякого сомнения, была пассивной жертвой нескончаемой похотливости Диего и знала обо всех его случайных и неслучайных связях. Хотя ее хрупкость, болезненность, ее бесчисленные операции не позволяли вести активную сексуальную жизнь, Фриду нельзя было сравнивать с пассивным стереотипом (как это отражается в литературе) «вечно страдающей» мексиканской женщины. Один из ее любовников вспоминает, что физический недуг вовсе не был помехой:

«Я никогда не встречал никого, более сильно выражающего свою чувственность, чем Фрида!»

Фрида не испытывала угрызений совести, если начинала преследовать мужчину, которого ей захотелось. Она хотела быть первобытной в своем образе жизни и предпочитала откровенность и в делах секса (хотя не говорила о деталях своей сексуальной жизни). Она часто думала о сексе, это видно по ее живописи и рисункам, так же как и в ее дневнике.

Самая длинная и глубокая любовная связь была у нее с художником, который бежал из Испании и остался в Мексике. Он рассказывает, что фактически жил в доме в Койоакане и Диего принял это вполне спокойно. Но Фридины письма свидетельствуют о том, что она старалась скрыть эту связь от Диего. В октябре 1946 года, например, после того как она побыла со своим любовником в Нью-Йорке, она пишет Элле Вулф в США с просьбой быть ее почтовым ящиком:

«Элла, любовь моего сердца.

Тебя удивит, что ленивая и бесстыдная девушка пишет тебе, но ты, так или иначе, знаешь, с письмами или без писем, я очень тебя люблю. Кроме этого, новостей нет; мне лучше, я уже пишу (идиотскую картину), но лучше это, чем ничего...

Хочу попросить тебя о громадном одолжении, большом, как пирамида Теотиуакана. Поможешь мне? Я собираюсь писать Б. на твой адрес, чтобы ты передавала ему письма туда, где он будет, или хранила бы их, чтобы передать потом в его собственные руки, когда он будет в Нью-Йорке. Во имя Господа, не выпускай их из своих рук, кроме того, чтобы передать их *прямо ему*. Ты понимаешь, что я имею в виду, детка. Я даже не хочу, чтобы об этом знал Бойт, если тебе удастся этого избежать, поскольку лучше было бы, чтобы только ты хранила мою тайну, понимаешь? Здесь *никто* об этом не знает, только Кристи, Энрике — ты, я и мальчик. Если хочешь спросить у меня что-либо о нем в своих письмах, спрашивай, называя его *Сонха*. Понятно? Умоляю тебя рассказывать мне, каков он, что он делает, счастлив ли, заботится ли о себе и т.д. Даже Сильвия (вероятно, Сильвия Аголофф. — *Прим. авт.*) не знает ни малейшей детали, так что не говори *ни с кем* о нем, пожалуйста. Тебе я могу сказать, что я действительно его люблю и что он заставил меня снова жаждать жизни. Рассказывай ему обо мне только хорошее, тогда он будет счастлив и тогда он поймет, что я если и не очень хороший человек, то по крайней мере *reqularcita* (человек постоянства).

Шлю тебе тысячу поцелуев и мою любовь.

Фрида.

Не забудь порвать это письмо, на случай возможного недоразумения. Обещаешь?»

К тому дню Фридин любовник продолжал быть страстно преданным ей, он как к сокровищу относился к крошечному овальному «Автопортрету» — миниатюре в два дюйма высотой, — который Фрида сделала для него в 1946 году. Он сохранял его в коробке вместе с другими реликвиями — розовой лентой для волос, серьгами, несколькими рисунками и изображением головки из Тлатилко в виде серебряной броши. Роман продолжался до 1952 года, но с течением времени, в связи с Фридиной слабостью, ее отношения с противоположным полом стали все более затруднительными, возросло Фридино внимание к женщинам, часто к тем, у которых были романы с Диего. Как полагает Рэйчел Тибол: «Она отвлекала себя тем, что поддерживала дружбу с женщинами, у которых были любовные отношения с Диего».

То, что в конце сороковых годов утрата женственности у Фриды стала более очевидной, выражено в ее автопортретах, она делает более мужскими очертания своего лица, пишет усики более темными, чем они были на самом деле. Но и Фриду, и Диего привлекали в партнере свойства своего пола. Ривера любил Фридино мальчишество, как он любил и ее «сапатовские» усики — однажды он пришел в ярость, когда она эти усики удалила. Фрида любила мягкость, ранимость Диего, его большие груди; Фрида писала:

«Из-за его груди можно было бы сказать, что, если бы он приплыл на остров женщин, которым управляла Сафо, его бы не прикончили. Его приняли бы благодаря чувствительности его изумительных грудей. Даже такая мужественность, специфическая и странная, делает его желанным и во владениях царственных особ, жадных до мужской любви».

Одной из «особ» была кинозвезда Мария Феликс, связь которой с Диего стала публичным скандалом. Неприятности начались, когда Диего готовился к своей громадной ретроспективе во Дворце изящных искусств. Он планировал сделать портрет Марии Феликс центром экспозиции, естественно, это вызывало волнение еще до того, как портрет был закончен. Пресса задавалась вопросом: позировала ли Мария Феликс обнаженной во время сорока сеансов, на которые не допускались зрители? Прозрачное платье, замечали газеты, нисколько не прикрывает очертаний ее тела. Были опубликованы фотографии Диего, любовно глядящего в глаза своей модели. (В конце концов Мария не позволила показывать этот портрет на выставке, и Ривера заменил его равно провокационным, в натуральную величину ню другой красавицы, поэтессы Питы Амор.)

Пренебрегая опровержениями Риверы, пресса

ХЕЙДЕН ЭРРЕРА

также докладывала, что *muy distinguido pintoa* (очень известный художник) планирует жениться на актрисе, как только получит развод. Три главных газеты опубликовали «новости», где Мария Феликс принимала предложение Диего при условии, что она берет с собой двадцатидвухлетнюю подружку, прекрасную беженку из Испании, которая была Фридиной сиделкой и компаньонкой, что создавало бы в этом браке своего рода «брак втроем». Диего настаивал на том, что его роман с Марией Феликс не имеет ничего общего с его намерениями (и это он не отрицал) развестись с Фридой.

«Я обожаю Фриду, — сказал он, — но думаю, что мое присутствие пагубно для ее здоровья». Он говорил, что увлечен Марией Феликс, «как и сотнями тысяч мексиканок». Он был в нее влюблен.

Существует множество воспоминаний об этом романе. Большинство свидетельствует о том, что Ривера был увлечен Марией Феликс, но не глубоко, и что она никогда в действительности не собиралась выходить за него замуж, но ей нравилось внимание из-за этого скандала. Некоторые говорят, что ради независимости от Диего Фрида в это время сняла квартиру в центре Мехико, около монумента Революции. Возможно, то, что там она чуть не погибла от пожара — свеча, которую зажгла на столе, упала ей на юбку, и Фриду спас хозяин дома, услышавший ее крики, — убедило Диего вернуться к жене. Есть люди, которые говорят, будто Фрида насмехалась над этим романом, что Ривера постоянно информировал ее обо всех деталях и проблемах, посылая ей записки и рисунки с такими словами: «Это от твоей влюбленной лягушки-жабы» или рисуя себя в виде плачущей лягушки: «Вот как плачет твой жабец-лягушка». Фрида старалась ни на что не обращать внимания. Она даже написала Марии Феликс провокационную записку с предложением принять Диего в подарок (Мария отвергла предложение).

Типично для Фриды то, что в течение всего этого периода ее отношения с Марией Феликс продолжались и продлились еще и потом. На самом деле Фрида, Мария и Пита Амор — с которой, как говорят, у Риверы тоже был роман, были близкими подругами. (Фотография Питы Амор стояла на прикроватном столике Фриды, а имя Марии Феликс значилось первым в списке имен, украшающих Фридину спальню в Койоакане.)

Аделина Сендехас рассказывает о времени, когда ее, как репортера журнала «Tiempo», послали проинтервьюировать Диего по поводу его романа с Марией.

— Вы собираетесь развестись?

— С кем?

— С Фридой, ведь вы собираетесь жениться на своей богине Марии Феликс?

Диего ответил:

— Если хотите, можете прямо сейчас позвонить по телефону, и вы увидите, что Фрида и Мария болтают друг с другом.

Аделина настаивала на том, что она слышала, будто Диего уже подал документы на развод. Диего сказал:

— Это, должно быть, сплетни ОФБЖ.

Аделина была озадачена.

— ОФБЖ, — объяснил Диего, — это *Frente Unido de las Feas* (Объединенный фронт безобразных женщин). Потому что они ревнуют к красоте и Фриды, и Марии.

Аделина, чьим информатором о разводе была прекрасная Люпе Марин, заметила:

— Мне об этом рассказывали не только безобразные женщины.

— Тогда — это ОФПЖ.

Снова он поставил Аделину в тупик, но Ривера объяснил:

— ОФПЖ — это *Frente Unido de las Abandonadas* (Объединенный фронт покинутых женщин). Вот кто может об этом рассказывать.

Диего подозревал, что это Люпе Марин, но, когда Аделина вернулась к своему источнику, Люпе сказала:

— Фрида не чокнутая, чтобы допустить Марию в свой дом и дать ей украсть Диего. Диего негодяй, но дурочка здесь — Фрида.

Однако именно потому, что Фрида не была ду-

ХЕЙДЕН ЭРРЕРА

рочкой, она не потеряла ни дружбы с Марией Феликс, ни мужа. Диего в автобиографии подробно излагает исход дела с нетипичной для него точностью. Когда Мария Феликс отказалась выйти за него замуж, он вернулся к Фриде, которая была «несчастна и травмирована». «Спустя короткое время все снова стало хорошо. Я переступил через отказ Марии. Фрида была счастлива получить меня обратно, и я был благодарен за то, что снова оказался женат».

Ни один из рассказов о романе Диего и Марии Феликс и «мудрой» Фридиной реакции на это не может опровергнуть гнев и печаль, которые видны в «плачущих» автопортретах 1948 и 1949 годов. «Диего и я» был просто наброском, показывающим Фриду с цветами в прическе, когда фотограф и писательница Флоренс Аркуин и ее муж Самуэль А. Уильямс купили его в Мексике. Портрет, который переехал в Соединенные Штаты, показывает Фриду плачущей (кажется, что плачет все лицо, а масса распущенных волос, вьющихся вокруг шеи, будто хочет ее задушить). Как и в «Автопортрете теуаны», у нее на бровях поместился маленький облик Диего — Диего постоянно врывался в ее мысли. Неважно, что Фрида говорила, неважно, как она пожимала плечами и смеялась на людях, «Диего и я» остается живописным свидетельством одиночества и страсти к мужу, ее отчаяния от осознания возможности потерять его.

Подобное свидетельство появляется и в дневнике. Большинство его страниц может быть определено как поэма в прозе, адресованная Диего. Его имя — повсюду. «Я люблю Диего — и больше никого», — пишет она. В моменты ощущения одиночества она восклицает: «Диего, я одинока». Затем, через несколько страниц: «ДИЕГО», и в конце, спустя несколько дней, месяцев или, возможно, лет (Фрида обычно не датировала записи, а иногда добавляла страницы, написанные раньше): «Мой Диего, я больше не одинока. Ты сопровождаешь меня. Ты укладываешь меня спать и оживляешь меня». Повсюду, среди страниц с нелепыми словами и фразами, долго и нудно выражающими бессвязный поток сознания, встречаются отрывки, где отражается одиночество

Фриды в отсутствие Диего. «Я иду сама по себе. Момент отсутствия. Тебя у меня украли, я иду и плачу. Он *vacilón* (джокер)».

Многие говорят, что между Фридой и Риверой никогда не было сексуальной связи, что они в основном были товарищами и товарищество было самой значительной частью отношения Фриды к мужу. Но в ней, безусловно, оставалось и сильное эротическое чувство к нему, даже когда после нескольких лет брака его физическое желание к ней сошло на нет, и она при повторном бракосочетании согласилась с условием соблюдать целибат (воздержание). Ее плотская любовь к Диего придает записям в дневнике характер любовных писем:

«Диего, ничто не сравнится с твоими руками, и нет ничего равного зеленому золоту твоих глаз. Мое тело чувствует себя с тобой постоянно. Ты зеркало ночи. Жестокий свет молнии. Влажность земли. Твои подмышки — мое убежище. Кончики моих пальцев прикасаются к твоей крови. Для меня главная радость чувствовать жизнь, выстреливающую из твоего фонтана-цветка, который наполняет все тропинки моих нервов, принадлежащих тебе».

Или через несколько страниц:

«Мой Диего.

Зеркало ночи.

Твои зеленые глаза внутри моей плоти. Волны между нашими руками. Весь ты в пространстве, полном звуков, — в тени и на свету. Тебя назовут АУХРОМ — впитывающим свет. Я ХРОМОФОР — дающая цвет. Ты — все комбинации цифр, жизнь. Я жажду понять линию, образующую движение. Ты наполняешь, и я получаю. Твои слова пересекают все пространство и достигают моих клеток, которые и есть мои звезды многих лет, помнящих наши тела. Прикованные словами, которые мы не могли сказать кроме как спящими губами. Все было окружено растительным чудом ландшафта твоего тела. Над тобой мне отвечают реснички цветов, звук реки. Все фрукты в соке твоих губ, кровь граната... и ананаса. Я прижимаю тебя к своей груди, и чудо твоих форм проникает сквозь мою кровь, через кончики моих пальцев. Аромат сущности дуба, память об орехе, о зеленом дыхании пепла. Гори-

ХЕЙДЕН ЭРРЕРА

зонты и ландшафты — которые я пересекаю, целуя. Незабываемость слов образует точные идиомы, чтобы понять взгляды наших закрытых глаз.

Ты — настоящее, неуловимое, и ты — вся вселенная, которую я образовываю в пространстве своей комнаты. Твое отсутствие стреляет боем часов, пульсацией света; зеркало источает твое дыхание. Мои руки проходят по всему твоему телу, я с тобой в эту минуту, и я с тобой в этот момент, и моя кровь — чудо, которое движется по венам воздуха из моего сердца в твое.

ЖЕНЩИНА

МУЖЧИНА

Растительное чудо ландшафта моего тела в тебе во всем своем естестве. Я перемещаюсь в полете, и мои пальцы гладят округлости холмов... долины тоскуют по обладанию и объятьям мягких зеленых свежих ветвей, покрывающих мое тело, все ощущается как свежесть нежных листьев. Их роса — это пот всегда нового любовника. Это не любовь, не нежность, не симпатия, это вся жизнь моя, которую я нашла, когда увидела ее в твоих руках, в твоих губах, в твоей груди. У меня во рту миндальный вкус твоих губ. Наши слова никогда не выходят наружу. Только гора знает, что внутри другой горы. Временами твое присутствие бесконечно проплывает, будто бы обернувши все мое существование во взволнованное ожидание утра. И я замечаю, что я с тобой. В этот момент, все еще удивительный, мои руки погружаются в органы тела, и мое тело чувствует себя окруженным тобой».

Представляя себе интенсивность плотской любви Фриды к Диего, неудивительно, что так ранила его неверность. Чтобы защитить себя, Фрида создавала образ прощающей матери — в этом был смысл: она оставалась его половиной, частью, только в ином качестве. Вместо того, чтобы чувствовать «зеленый меч глаз [внутри] моей плоти», вместо того, чтобы ее тело чувствовало «объятия» и «пронзительность чуда» физической ипостаси Диего, она стала той, которая держит его на коленях, купает его, заботится о нем подобно матери. На самом деле эта связь матери — сына была настолько физиологичной, что Фрида заявляет в дневнике о желании «родить» Диего. В 1947 году она пишет:

«Я — эмбрион, микроб, первая клетка — в потенции — он зародился во мне — я есть ОН из самых примитивных, самых древних клеток, которые «со временем» станут им».

В другой раз она признается: «В каждый момент — он мой ребенок, мое произведение рождается каждый момент, ежедневно, из меня», и в «Портрете Диего» она сказала: «Женщины... среди них я — всегда хотели держать его в руках, как новорожденного ребенка».

Именно это она и делает в картинах «Любовное объятие Вселенной», «Земля (Мексика)», «Диего, я и сеньор Ксолотль», написанных приблизительно в то же время, что и «Диего и я». Здесь Фрида выступает как своего рода мексиканская мать-земля, а Диего — как ее ребенок. Ярко-красная расщелина вскрывает Фридину шею и грудь, и волшебный фонтан молока брызжет из того места, где должны быть ее грудь и сердце, льется пища для большого бледного ребенка Диего, лежащего у нее на коленях. Он держит растение, окрашенное оранжевым, желтым и серым, — эмблему своего «фонтана-цветка», так метафорически Фрида представляет его пол. Слезы делают Фриду плачущей Мадонной, Мадонной, которая потеряла или боится потерять свое дитя.

В «Портрете Диего», написанном в тот год, когда создавалась картина «Любовное объятие», Фрида описывает Диего, которого она рисовала со всей обостренной физиологичностью безумно любящей матери:

«Его внешний вид: при голове азиатского типа, с темными волосами, столь тонкими, что кажется, будто они летят по ветру, Диего — это огромный ребенок с добродушным лицом и слегка печальным взглядом... и очень редко ироническая и нежная улыбка, цветок его образа, сходит с его уст Будды, с его свежих губ.

Увидев его обнаженным, вы тут же представляете себе лягушонка, стоящего на задних лапках. У него зеленовато-белая кожа, точно как у этого водяного существа. Темнее только лицо и руки, потому что солнце обжигает их. Его

ХЕЙДЕН ЭРРЕРА

инфантильные плечи, узкие и округлые, перетекают без углов и выступов в женственные руки, которые заканчиваются изумительными кистями, маленькими и деликатными по абрису, чувственными и нежными, как антенны, которые связывают его со всей Вселенной. Удивительно, как эти руки служат его живописи и до сих пор непрестанно работают».

Суета вокруг Диего доставляла Фриде удовольствие. Она посмеивалась над его нижним бельем огромных размеров, из дешевого ситца, предпочтительно яркого мексиканского розового цвета (он был слишком толстым, чтобы носить готовое белье). Или восторженно ворчала: «Ох, этот парень уже закапал рубашку». Когда Диего швырял белье на пол, Фрида безропотно подбирала его. Даже если действительно сердилась, он в ответ опускал голову, как провинившийся ребенок, стараясь, чтобы она это увидела.

Ривере нравилось, когда к нему относились как к ребенку. То, что в нем есть очень многое от маленького мальчика, он сам показал на своей фреске в «Отеле дель Прадо» (илл. 74), где написал себя в виде толстого мальчика-дьявола в коротких штанишках (в одном кармане лягушка, в другом змея), стоящего перед Фридой, изображенной зрелой женщиной, и ее рука, как бы защищая его, лежит у него на плече. Одним из счастливейших моментов дня было для него купание. Еще будучи школьницей, Фрида говорила своей подруге Аделине о том, как ей нравится Ривера, как бы она хотела купать и мыть его в ванне. Ее желания были удовлетворены, потому что, как и его предыдущие жены, она обнаружила, что ванна для него — это отличное развлечение. Фрида накупила самых разных игрушек, которые плавали в ванне; растирание мужа губками и щетками стало своего рода ритуалом.

Как и дети, Диего, не получивший того, что ему хотелось, начинал дуться. Антонио Родригес вспоминает случай, когда он пришел навестить Фриду вместе со своим младшим сыном, к которому она относилась с большой симпатией. Диего не было дома. Фрида дала ребенку игрушку, «один из тех танков, которые появились в Мексике во время войны, говоря: «Спрячь игрушку, потому что, если Диего придет и увидит, что ты ею играешь, он разозлится и заберет ее». Мой сын не обратил внимания на эти слова и продолжал играть. Когда появился Диего и увидел моего сына с игрушкой, у него сделалось лицо ребенка, готового заплакать, и он сказал Фриде: «Почему ты даришь мне какие-то вещи, а потом забираешь их?» Фрида ответила: «Я дам тебе другую. Я куплю другую». Но Диего пошел прочь из комнаты, бормоча: «Я больше ничего не хочу». Он чуть не плакал. Казалось, что перед нами настоящий ребенок».

В «Портрете Диего» Фрида пишет об инфантильном эгоцентризме Риверы:

«Образы и идеи проносились в его сознании в ритме, отличном от ритмов обычной жизни, и поэтому интенсивность его навязчивых идей и его желания всегда сделать как можно больше нельзя было сдержать. Это делало его нерешительным. Но его нерешительность неглубока, потому что в итоге он добивается успеха, делая то, что ему хочется, с полной уверенностью в правильности решений. Ничто лучше не иллюстрирует его характер, чем история, которую рассказала мне его тетушка Сесария, сестра его матери. Она вспомнила, что, когда Диего был совсем маленьким, он вошел в магазин, в один из тех небольших магазинчиков, где полно всяких волшебных и удивительных вещиц, которые все мы с восторгом вспоминаем, и, встав перед прилавком, зажав в руке несколько сентаво, долго рассматривал всю Вселенную, вместившуюся в этом магазинчике, пока в отчаянии и в ярости не воскликнул: «Чего я хочу?» Магазин назывался «Будущее», и эта разбросанность Диего растянулась на всю его жизнь. Но хотя он редко приходит к определенному решению, будучи поставленным перед выбором, внутри его существует некий вектор, ведущий точно в центр его желания и воли».

Восприняв «вектор» желаний и воли Диего, Фрида сразу встала на его защиту.

«Никто даже не понимает, как я люблю Диего, — писала она в дневнике. — Я не хочу, чтобы его чем-то ранили, ничто не должно надоедать ему или отвлекать его энергию, которая необходима ему, чтобы

ХЕЙДЕН ЭРРЕРА

жить, — жить таким образом, как ему хочется, писать, глядеть, любить, есть, спать, чувствовать себя в одиночестве, чувствовать себя окруженным людьми, — но я хотела бы *все* это дать ему. Если бы у меня было здоровье, я была бы рада *все* отдать ему. Если бы я была молода, он мог бы и это забрать».

Фрида не так уж жертвовала собой во имя любви, которая была как романтической, так и материнской. Она делала это для Диего, потому что при всей его «детскости» Фрида видела его превосходство. Для Фриды Диего был человеком, чье видение, приводимое в движение безошибочным вектором его желания, обнимало всю вселенную, подобно тому, как «Любовное объятие Вселенной» обнимало его. Для того чтобы показать это в картине, Фрида поместила в середине его лба третий глаз и назвала этот глаз «сверхвидением» или *ojo avisor* (всевидящий глаз). О «Портрете Диего» Фрида писала:

«Его большие, темные и чрезвычайно умные навыкате глаза — почти вылезающие из своих орбит — с трудом удерживаются на своем месте веками, как это бывает у лягушек. Они гораздо более отдалены друг от друга, чем у других людей. Они способны охватить гораздо более широкое поле зрения, будто были специально созданы для художника, который пишет миры и их многообразие. Между этими глазами, так широко расставленными, можно угадать невидимый глаз восточной мудрости».

Фрида держит Диего, а ее, в свою очередь, держит богиня, которая представляет собою Мексику и напоминает доколумбову богиню. Богиня имеет очертания конусовидной горы, что соотносится с символом доколумбовой мифологии — горой-пирамидой, или, как пишет в своем дневнике Фрида, она и Диего и есть горы. Склоны горы наполовину зеленые, наполовину коричневые, вероятно, чтобы показать и землю Мексики, и ее растительность или, может быть, чтобы обозначить контраст между мексиканской пустыней и джунглями или сосуществование сухих и дождливых сезонов. Как и у Фриды, у горы-идола длинные распущенные волосы из кактусов. И грудь, как и у Фриды, расколота и открыта, как *barranca* (трещина в земле). Около этой раны проросло пятно зеленой травы — таким способом Фрида говорит о естественной альтернативе смены циклов разрушения и возрождения, о жизни и смерти. Трещина простирается до соска богини-земли, из которого, как слеза, стекает капля молока.

Как и всегда во Фридиной живописи, особая связь «Любовного объятия» с определенными обстоятельствами жизни (роман с Марией Феликс) не выражает всей правды. Хотя Фрида ранена и плачет, ей также достались и объятия любви, что не только выражает ее веру во взаимосвязанность всего во Вселенной, но также образует матрицу, которая соединяет и поддерживает ее и ее супруга. Вырвавшись из земли, гора плывет в небесах, так что корни кактусов прорастают через склон горы в пространство. Эти корни, некоторые из них красные, как вены, подобно всем корням во Фридиных картинах, удивительно живые. Фрида рисует свое представление о любви в виде спутанного клубка корней, прорастающих вниз, и в «Любовном объятии» свисающие, но живые корни символизируют крепость любви ее и Диего.

В необычной космологии Фриды гора-идол (земля, Мексика), в свою очередь, находится в объятиях еще большего божества, богини космоса, похожей на доколумбова идола, поделенной на свет и тьму и только частично конкретизируемой в полуночном и полуденном небе. Фрида и Диего, таким образом, дважды окружены любовью Вселенной и любовью древних предков, и на земном уровне, и на уровне божественном. «Любовное объятие» может рассматриваться как фантастическое явление Девы, в которой в доколумбовом раю соединились Мать и Сын. Но этот образ, со знакомыми мексиканскими растениями, с включением любимой Фридиной собаки Ксолотля (имя списано с древней керамической фигурки), свернувшейся в руках космоса, является конкретным выражением особого времени, когда Фридино ощущение непорочности отношений с Диего как с мужем сделало ее более решительной в стремлении удержать его как «ребенка».

В конце концов Фрида удержала мужа. Она была

женщиной, которую Диего любил больше всех других женщин.

«Если бы я умер, не познав ее, — однажды признался Диего Кармен Хайме, — я бы ушел, не зная, что такое истинная женщина!»

В другой раз Кармен слышала, как Фрида говорила Диего: «Зачем я живу? Для какой цели?» — и он отвечал: «Потому что живу я!»

Для Фриды Диего был всем. Она писала в дневнике:

«Диего — начало
Диего — строитель
Диего — мой ребенок
Диего — мой любовник
Диего — живописец
Диего — мой желанный
Диего — «мой муж»
Диего — мой друг
Диего — моя мать
Диего — я
Диего — Вселенная
Несходство в объединении.

Почему я называю его *мой* Диего? Он никогда не был и никогда не будет моим. Он принадлежит самому себе».

ЧАСТЬ 6

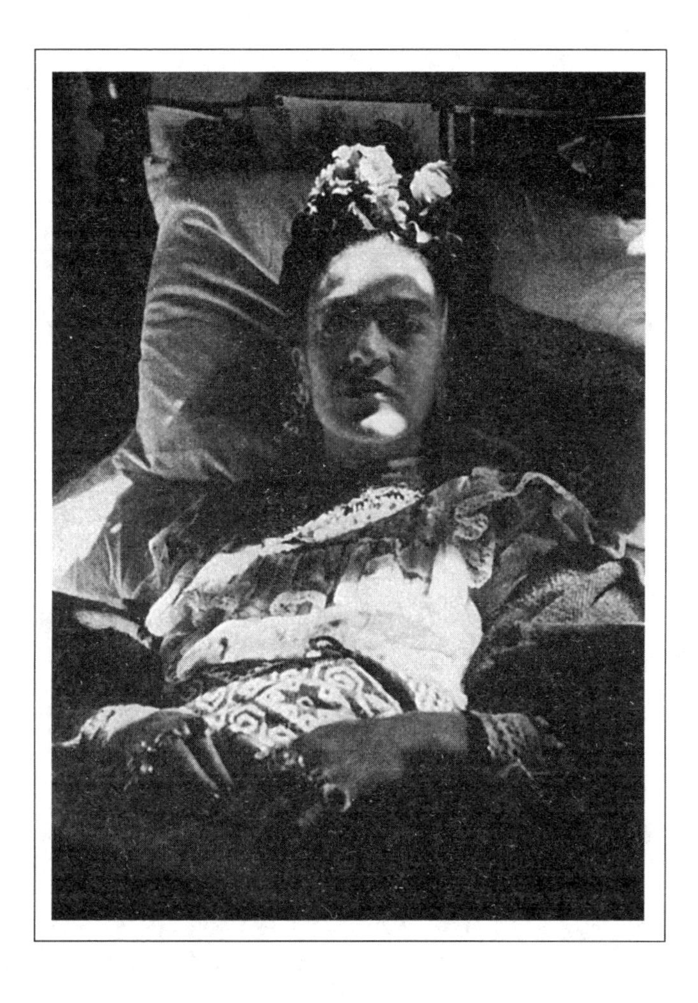

22
ЖИВОЙ НАТЮРМОРТ

Стрелы, которые пронзили бока «маленького оленя», проникли глубоко и не упали. При всей жизненной силе, что оставалась в теле олененка, он не мог найти выхода из чащи леса, закрывающего море и небо. «Повреждения позвоночника, — пишет в 1946 году Мигель Н. Лира, — послужили началом крестных мук, которые привели ее к концу». В начале 1950 года Фрида была так больна, что должна была лечь в больницу в Мехико. Она оставалась там целый год.

Во время короткого визита в Мексику доктор Элоиссер увидел ее еще до того, как она была госпитализирована, 26 января 1950 года он сделал запись по поводу состояния Фриды. Он писал, что третьего января Фрида «заметила, что четыре пальца на правой ноге почернели. Предыдущей ночью с пальцами все было в порядке. В тот же день приехал доктор и отправил ее в больницу. Прошедший год очень мало ела — теряла вес. За последние три года принимала много секонала. Три года никакого алкоголя». Доктор Элоиссер упоминает, что за три месяца до его визита Фрида писала, что у нее были головные боли и все это время постоянно повышенная температура. У нее всегда болела нога. Дальше текст неразборчив, кроме слова «гангрена».

12 января в письме к своему дантисту, доктору Фастличу, Фрида пишет о сломанном протезе и еще говорит: «Простите меня за неприятности, которые я вам доставляю. Я все еще в больнице, поскольку

меня снова оперировали, и не смогу выйти отсюда до завтра, до субботы, чтобы отправиться в мой Койоакан. Я все еще в корсете, будто замурована! Но меня это не обескуражит, я постараюсь начать писать, как только смогу».

Кроме неприятностей с позвоночником, Фрида страдала еще и от плохой циркуляции крови в правой ноге, что объясняет почернение пальцев и слово «гангрена». 11 февраля Фрида пишет доктору Элоиссеру, что ее смотрели пять докторов, в том числе доктор Хуан Фариль, которому она доверяет, поскольку он ей казался самым «серьезным». Он вынес вердикт: ампутировать часть стопы, оставив пятку.

«Мой дорогой докторсито.

Я получила ваше письмо и книгу, тысяча благодарностей за вашу нежность и ваше громадное великодушие.

Как вы поживаете? Каковы ваши планы? Я в том же положении, что и раньше, когда вы покинули меня в тот последний вечер, когда я видела вас.

Доктор Глускер привел доктора Пуига, каталонского костного хирурга, учившегося в США, чтобы он посмотрел меня. Он, как и вы, думает, что надо ампутировать пальцы, но он считает, что было бы лучше ампутировать до плюсны, чтобы добиться менее опасного рубцевания.

К сегодняшнему дню существует пять мнений — и все *ампутация*. Только варьируется место ампутации. Я не очень хорошо знаю доктора Пуига, не знаю, на что решиться, поскольку это настолько важно для меня, эта операция, что я боюсь сделать что-то глупое. Умоляю вас высказать искреннее мнение о том, что мне делать. По причине, известной вам, для меня невозможно поехать в США, и также это означает большие расходы, я же знаю, что в этот момент потребуется много усилий [для Диего], поскольку песо ценится дерьмово. Если сама по себе операция не бог весть что, вы думаете, что эти люди смогут ее сделать? Или я должна дождаться, когда приедете вы? Я в отчаянии, ведь если это действительно надо сделать, то лучше всего как можно скорее, как вы думаете?

Здесь, в кровати, я существую как капуста и в то же время думаю, что надо все изучить, для того чтобы достигнуть позитивного результата. То есть ходить работать. Но они мне говорят, что, поскольку кровь циркулирует очень медленно, несколько месяцев я не смогу ходить.

Молодой доктор, доктор Хулио Зимброн, предлагает мне странное лечение, о котором хочу у вас спросить. Он говорит, что гарантирует исчезновение гангрены. Речь идет о подкожной инъекции летучих газов, гелия-гидрогена или оксигена... Каково ваше впечатление, есть в этом какая-то правда? Не может случиться эмболия? Я очень этого боюсь. Он говорит, что при таком лечении не понадобится ампутация. Думаете ли вы, что это так?

Они доводят меня до сумасшествия и вгоняют в отчаяние. Что я должна делать? Я будто превратилась в дурочку, я очень устала от этой проклятой ноги, и я хотела бы писать картины и не расстраиваться из-за всех этих проблем. Но мне ничего не помогает, я должна пережить все несчастья, пока ситуация не разрешится...

Пожалуйста, Lindissimo (дражайший), будьте добры, посоветуйте мне! Что вы думаете, как мне поступить?

Книга Стилвелла показалась мне фантастической, надеюсь, вы еще достанете мне об учении дао и книги Агнесы Смидли о Китае.

Когда я снова вас увижу? Мне так приятно знать, что вы действительно любите меня, и неважно, где вы путешествуете, вы за мной наблюдаете (с воздуха). Я чувствую, что в этот раз видела вас всего лишь несколько часов. Если бы я была здорова, то пошла бы с вами помогать вам делать добро другим. Но в том виде, в каком нахожусь, я так же бесполезна, как водосточная воронка.

Я обожаю вас.
Фрида».

ХЕЙДЕН ЭРРЕРА

Вскоре после этого письма доктору Элоиссеру Фрида вернулась в Английский госпиталь и предоставила заботиться о себе доктору Хуану Фарилю. Ее уже дважды прооперировали, когда в середине апреля ее сестра Матильда написала доктору Элоиссеру:

«Я сегодня отвечаю на ваше письмо Фриде в госпиталь и от имени Фриды благодарю вас за всю вашу любовь и добрые пожелания, которые посланы в вашем письме Фриде. Она хочет, чтобы я рассказала вам все, что было с ее операцией, я делаю это с удовольствием, несмотря на то, что рассказ вызывает у меня ужасные страдания и вплоть до нынешнего дня не видно никакого улучшения.

Она истинно прошла через Голгофу, и не знаю, как дело пойдет дальше, поскольку, как я сообщила вам в моем первом письме, они соединили три позвонка единой костью; первые одиннадцать дней были для нее чем-то ужасным. У нее отказал кишечник, температура поднялась до 39 и 39,5 градуса и держалась все время после операции, ее постоянно рвало, и все время болела спина, и, когда на нее надели корсет, ей пришлось лежать на том месте, где был сделан разрез, так начался этот абсцесс, и, чтобы успокоить ее, доктора делали ей двойную инъекцию димедрола... и других лекарств, кроме морфина, потому что она не переносит морфин. Температура держалась, и она начала страдать от боли в ноге, и, хотя они пришли к мнению, что это флебит, они не делали инъекций против флебита, но потом все-таки начали давать лекарства и делать уколы. Лихорадка не прекращалась, и тогда я заметила, что от ее спины очень плохо пахнет, я указала на это докторам, и на следующий день... они открыли корсет и обнаружили абсцесс, или воспаление в ране, и прооперировали ее еще раз. И снова она страдала, кишечник не работал, боль ужасная, и вместо улучшения другие ужасающие проблемы. На нее надели новый гипсовый корсет, и он засыхал четыре или пять дней, и ей поставили дренажи для отделения секреций.

Ей каждые четыре часа давали хлоромицетин, и

температура понемногу начала снижаться, а теперь корсет грязный, поскольку у нее сзади идут выделения, и эти «сеньоры» констатируют, что рана не затягивается, и бедная малышка — их жертва. Теперь ей нужен другой корсет и другая операция или другое лечение, чтобы избавить ее от всех этих болезней. Не знаю почему, доктор Элоиссер, но я думаю (не говорю этого Фриде), что инфекция не поверхностная, а скорее, думаю, имплантированная кость не приросла к позвонку, и инфекция распространилась уже повсюду. Разумеется, я ей этого не говорю, поскольку бедняжка так мучается и заслуживает сострадания. Не могу понять, как она решилась на эту глупую операцию, не обладая хорошим здоровьем, ведь они делали анализ крови, когда у нее была высокая температура, и она уже была прооперирована, и у нее гемоглобин был всего лишь 3 тысячи, и это уже было сигналом. Вдобавок она плохо ест, измучена и устала оттого, что все время находится в одном положении, и она говорит, что все время чувствует, будто лежит на битом стекле. Видя ее страдания, я готова отдать ей свою жизнь, но эти «сеньоры» все время уверяют, что все идет хорошо. Мне неловко говорить об этом вам, доктор Элоиссер, не понимая ничего в медицине, но я понимаю, что Фридины дела плохи. Необходимо, видимо, подождать, пока они сделают третью операцию или еще как-нибудь полечат ее, и мы посмотрим, что будет. Швы не закрываются, и рана не заживает. Она этого не знает, ей уже достаточно и того, что безмерно страдает. Лучше бы она оставалась в том положении, в котором была, пока гангрена не сошла бы и черные кончики не отвалились бы.

Мы страдаем рядом с ней, потому что все мы, ее сестры, обожаем ее, и нам так больно, что она сильно мучается. Она заслуживает любви, потому что она не думает о себе, настолько она сильная. Я хотела написать вам раньше, доктор, но не могла, ведь со всеми этими волнениями у меня ни на что нету времени. Сегодня она ела получше, на душе стало полегче. Ей дают много витаминов, и так она выживает. Она шлет вам слова любви и говорит, что вы должны считать мои письма, как если бы они были от нее, сама она не может писать. Диего тоже шлет вам приветы, он очень прилично ведет себя все это время, и она спокойна.

Фрида велит послать вам множество поцелуев, любовь, чтобы вы ее не забывали... Все мои сестры шлют вам приветы, и мы часто вспоминаем вас, поскольку Фрида все время о вас говорит, и для всех нас вы ее замечательный друг.

С уважением к вам, дорогой доктор.

Матильда».

На тот год, что Фрида провела в Английском госпитале, Диего снял комнату, соседнюю с ее палатой, так что мог ночью быть рядом с ней. В течение некоторого периода он спал в госпитале каждую ночь, кроме вторников, когда был занят работой в Анауакалли, по крайней мере, так он говорил. Диего мог быть чрезвычайно нежным, укачивал Фриду на руках, чтобы она заснула, словно она была маленькой девочкой, читал, сидя у ее кровати, стихи или однажды, когда у нее ужасно болела голова, развлекал ее, танцуя вокруг кровати с тамбурином, изображая медведя. Временами он бывал менее внимательным. По мнению доктора Веласко-и-Поло, одной из причин того, что Фрида оказалась в госпитале, было то, что это устраивало Диего, который нуждался в свободе. «И подъемы, и спады в состоянии Фриды зависели от того, как себя вел Диего». Если он был внимателен, она чувствовала себя счастливой, и боль ее исчезала. Если его не было рядом, она плакала, и боли усиливались. Она поняла, что если будет тяжело больна, то он будет около нее. Как говорит об этом Веласко-и-Поло: «Она не могла принести в жертву свою боль Деве Марии, поэтому приносила эту жертву Диего. Он был ее богом».

Фрида была необычным пациентом. Медицинские сестры обожали ее за веселость и великодушие; доктора любили ее, потому что, как говорил Веласко-и-Поло, «она никогда не жаловалась. Она никогда не говорила, что что-то плохо сделано. Она во

ХЕЙДЕН ЭРРЕРА

всем оставалась слегка *a la Mexicana,* страдая, но не протестуя». Фрида цеплялась за свое чувство юмора; любила играть, и в те дни, когда ее натура перебарывала боль, она сооружала сцену из простыни и полукруглого хитрого механического приспособления, при помощи которого ее нога поднималась, и устраивала спектакль, где куклой была ее нога. Когда из банка донорских костей прислали кость, изъятую у трупа, на емкости с наклейкой было написано имя донора (Франсиско Вилья), и Фрида почувствовала себя такой же живучей, такой же мятежно настроенной, как революционный повстанец Панчо Вилья.

«С моей новой костью, — кричала она, — я чувствую, как выстрелами проложу себе выход из госпиталя и начну свою собственную революцию».

Оттого что одна из пересаженных костей внесла грибковую инфекцию, Фриде каждое утро делали укол в спину (она была первым человеком в Мексике, которому делали инъекции террамицина), и, когда доктор вынимал дренаж, она издавала возглас, восхищаясь его прекрасным зеленым цветом. Еще ей нравилось просить друзей просовывать палец в отверстие в корсете, чтобы они могли коснуться раны.

Комната Фриды была так же необычна, как и ее хозяйка. Она была украшена сахарными черепами, ярко раскрашенными подсвечниками из Матамороса в виде дерева жизни, голубями из воска с бумажными крыльями, что для Фриды обозначало мир, и русским флагом. На прикроватном столике башней возвышалась кипа книг и стояли маленькие горшочки с краской и банка с кистями. К стене был прикреплен лист бумаги, и Фрида заставляла своих гостей — среди которых были Мигель Коваррубиас, Ломбардо Толедано, Эулалия Гусман и другие известные коммунисты — подписываться в поддержку Стокгольмского конгресса мира. (В 1952 году Диего изобразил Фриду, сидящую в инвалидном кресле и протягивающую своим соотечественникам для подписи копию Стокгольмской мирной декларации, героиней своей фрески «Ночной кошмар войны и мечта о мире». Героем этой фрески, более величественным и рослым, был Сталин.)

ХЕЙДЕН ЭРРЕРА

Визитеры также расписывались на разных гипсовых корсетах Фриды и украшали их перышками, зеркальцами, фотографиями, камешками и рисунками. Когда доктор приказал убрать от Фриды краски, она стала рисовать йодом и губной помадой. Существует фотография, на которой Ривера наблюдает за лежащей на кровати женой, тщательно рисующей серп и молот на корсете, который закрывает весь ее торс.

Лежа в больничной кровати, Фрида создала серию так называемых эмоциональных рисунков. Это было частью эксперимента, который устроила ее подруга Ольга Кампос, в это время изучавшая в университете психологию, она собиралась написать книгу о взаимосвязи человеческих эмоций и линий, форм и цвета. Двенадцать пар рисунков были результатом спонтанного ответа Фриды и Диего на темы боли, любви, веселья, ненависти, смеха, ревности, злобы, страха, волнения, паники, огорчения и мира. Фридины рисунки, скомпонованные из множества линий, показывают ее увлечение паутиной и формами корней. По контрасту с ней Диего выразил свою реакцию в виде нескольких широких, быстрых штрихов.

Когда Фрида чувствовала себя достаточно хорошо и доктора разрешали ей работать, она писала, пользуясь специальным мольбертом, который прикреплялся к ее кровати так, что она могла работать, лежа на спине. К началу ноября, после шести операций, она была в состоянии писать по четыре-пять часов в день. Она работала над картиной «Моя семья», начатой несколько лет тому назад и так и не законченной; в ней она снова собрала вокруг себя своих предков, в этот раз добавив сестер, племянницу и племянника. Получалось так, что родственные связи поддерживали ее, когда она чуть не умерла. Сам факт живописи становился душевной поддержкой.

«Когда я через два месяца покину госпиталь, — сказала она, — я хочу делать три вещи: писать, писать, писать».

Фридина комната в госпитале всегда была полна визитерами. Доктор Веласко-и-Поло вспоминает о ее страхе одиночества и тоски. Что она любила, так это веселье, острые сплетни и неприличные анекдоты. Непостоянная в своих привычках, говорит доктор, «она бывала очень возбуждена и говорила: «Послушайте этого сукина сына и, пожалуйста, вышвырните его отсюда. Пошлите его к черту». Когда она видела меня со славной девушкой, она кричала: «Одолжите мне ее! Я сама ее выкурю!» Она любила разговаривать о медицине, о политике, о своем отце, о Диего, о сексе, свободной любви, пагубности католицизма».

Частью привлекательности Фриды была ее способность слушать. Элена Васкес Гомес, близкая подруга Фриды в последние годы, говорит: «Мы, здоровые люди, которые приходили навестить ее, уходили оттуда успокоенные, морально укрепленные. Мы все нуждались в ней».

Похожи и воспоминания Фанни Рабел:

«Она не сосредоточивалась на себе. Когда ты был с ней, ты не чувствовал, что она несчастна. Она была полна интереса к собеседнику и внешнему миру. Она могла сказать: «Расскажи мне кое о чем. Расскажи мне о своем детстве». Фрида говорила, что любит такие рассказы больше, чем кино. Ее всегда это очень трогало, и иногда, когда люди ей что-то рассказывали, она плакала. Она могла слушать часами. Однажды, когда я пришла в госпиталь, Фрида только что вернулась после анестезии. Когда она увидела через окно меня и моего сына, она сказала, что хочет с нами повидаться. В другой раз она рассказала о другом пациенте этого госпиталя. Она очень печалилась, потому что он был тяжело болен. Будто бы сама она здесь находилась на каникулах».

Визиты детей доставляли Фриде особое удовольствие. У нее был маленький ученик, девятилетний индеец из Оаксаки, по имени Видал Николас, который часто навещал ее. Он стоял около ее кровати, завернувшись в серапе, и следил своими огромными глазами за тем, как она пишет.

«У него великий талант, — говорила Фрида, — и я собираюсь заплатить за его образование и послать его в Академию Сан-Карлос».

ХЕЙДЕН ЭРРЕРА

Фрида скончалась прежде, чем Видал смог проявить свой талант, но этот случай иллюстрирует ее импульс бросить всю свою энергию на исполнение больших планов. Она хотела отправить мальчика и в Европу, но в 1950 году Фрида была уже очень слаба, чтобы осуществить свои затеи.

Другой формой развлечения было кино. Ривера притащил проектор и каждую неделю брал напрокат новый фильм. Особенно Фрида любила Лорел и Харди, Чарли Чаплина и фильмы, сделанные Эль Индио Фернандесом. Она, просмотрев всю серию его фильмов, начинала смотреть их заново. Компанию ей составляли сестры и друзья. Ольга Кампос вспоминает:

«Кристина принесла полную корзину еды, и несколько человек закусывали вместе с Фридой. Мы смотрели последние фильмы. В корзине всегда была бутылка текилы. Каждый день в комнате Фриды устраивалась маленькая пирушка».

Вот как описывает год, проведенный в госпитале, сама Фрида:

«Я никогда не теряла присутствия духа. Всегда проводила время, занимаясь живописью, потому что мне продолжали давать димедрол, это меня возвращало к жизни и позволяло чувствовать себя счастливой. Я разрисовывала свой гипсовый корсет и писала картины, я шутила, писала друзьям, мне приносили кинофильмы. Я провела три года (опять Фрида преувеличивает. — *Прим. авт.*) в госпитале так, как будто бы это была праздничная феерия. Я не могу пожаловаться».

Несмотря на то что ее медицинская история кажется сплошной неудачей, Фрида получала лучший медицинский уход, доступный в то время. Доктор Уилсон был пионером в ортопедической хирургии и знаменитым специалистом-спинальником, доктор Фариль — один из самых выдающихся хирургов Мексики, основатель больницы для хромых детей, не брал денег с бедняков. Он окружал своих пациентов любовью и был для них большим авторитетом. Всегда знавшая от докторов о своем состоянии,

Фрида называла его «дружок» и с такой верой в него следовала его советам, что Ривера даже просил доктора заставлять делать Фриду то, в чем ему самому не удавалось ее убедить. Когда Фриде стало настолько хорошо, что она уехала домой, она все равно продолжала видеться с доктором почти каждый день. Возможно, Фрида так привязалась к нему потому, что он, как и она, был хромым (у него была ампутирована нога, несколько лет он ходил с костылями, а потом на протезе).

Фрида подарила доктору Фарилю две картины: «Натюрморт» 1953 года с голубем и мексиканским флагом, с надписью *«Viva la vida»* («Да здравствует жизнь»), и необычный «Автопортрет с доктором Фарилем», 1951 года (цв. илл. XXXIV), на котором она изобразила себя рисующей его. Сделанная во время выздоровления, уже дома, после всех операций, эта картина своего рода светское *retablo,* где Фрида является спасенной жертвой, а доктор Фариль занимает место святого образа. Странная интенсивность воздействия этой картины убеждает нас в том, что она повествует о реальном, жизненном событии и является не простой благодарностью за участие, а не меньше как подтверждением веры.

На картине Фрида, сидя в инвалидной коляске, пишет портрет доктора Фариля. Одета просто, почти как монашка, на ней любимая *huipil* (шаль) из Ялалага и длинная черная юбка, на шее ожерелье с лавандовой кисточкой. Сидит очень прямо. Просторная блуза скрывает громоздкий ортопедический корсет. Пустая комната подчеркивает ее аскетизм и благородство. И говорит о ее одиночестве, несмотря на то что в жизни ее окружают друзья. Фрида, будучи инвалидом, была очень одинока. Одинока, как огромная пустыня, которая часто служит фоном в ее картинах, как голые стены комнаты, олицетворяющие ее одиночество. Светло-синяя полоса нижней части стены — почти единственный яркий цвет в картине, но этот приглушенный цвет звучит скорее горестно. Человек, который близок к смерти, не нуждается в

ХЕЙДЕН ЭРРЕРА

ярко-красном, чтобы чувствовать себя живым, для него даже беж, коричневый, черный и серый кажутся яркими цветами.

Дневник Фриды описывает ее состояние ума:

«Я год была больна... Доктор Фариль меня спас. Он вернул мне радость жизни. Я все еще в инвалидной коляске и не знаю, скоро ли смогу снова ходить. На мне гипсовый корсет, и несмотря на то, что он мне надоел, он помогает моему позвоночнику чувствовать себя лучше. У меня нет болей. Только слабость... и, что естественно, часто отчаяние. Нет слов, чтобы описать это отчаяние. Но тем не менее я хочу жить. Я уже начала писать небольшую картину, которую собираюсь подарить доктору Фарилю и которую делаю со всей моей любовью к нему».

Фрида поместила свое извлеченное из груди сердце, как кружевом украшенное красными и синими венами, на палитру в форме сердца. Она предлагает доктору палитру и как знак своей привязанности к нему, и как свидетельство своих страданий. В другой руке она держит пучок кистей с острыми венчиками. С них капает красная краска, и кисти напоминают зрителю о хирургических инструментах. В конце концов, живопись была для Фриды своего рода психологической хирургией: она рассекала и исследовала свой дух. Когда кисти погружались в палитру ее сердца, они становились красными.

«У меня нет болей, — повторяет она, — но вот слабость... и меня охватывает отчаяние». По возвращении домой из госпиталя состояние Фридиного здоровья вновь начало ухудшаться; несмотря на все старания докторов, ничто не могло улучшить ее самочувствие. Она по большей части оставалась дома одна, в плену рутинной жизни, храбрясь при этом в разговорах о своей боли. Она сама передвигалась в инвалидной коляске. Устав сидеть, ходила, но на короткие расстояния, да и то с тростью или с костылем, а также благодаря ослабляющим боль инъекциям, которые делала ей медицинская сестра — сначала индианка, сеньора Майет, а потом, в 1953 году, костариканка по имени Юдит Феррето. Конечно, такая жизнь скрашивалась визитерами и работой, ограниченной во времени, но эти моменты были слишком короткими.

Как и тогда, когда она была подростком, попавшим в автомобильную катастрофу, и писала своему другу, что одинока и «тоскует с «о» — осликом и хочет, чтобы *la pelona* (смерть) забрала ее, Фрида часто бывала охвачена тоской и суицидальными настроениями. Ее, разумеется, поддерживал миф о том, что она очень сильный человек, миф, который она сама творила долгие годы. Но теперь ушла *allegria* (радость), жизнь довела ее до отчаяния, разукрашенная маска износилась и порвалась, как бумага.

День Фриды начинался с чая, который приносила ей в постель медицинская сестра. После легкого завтрака она писала, обычно в кровати, или, если могла, в студии, или на воздухе в патио. После полудня появлялись визитеры: актрисы Мария Феликс и Долорес дель Рио с мужем, известным киноактером и певцом Хорхе Негритом. Эти люди приходили часто, также бывали художники, писатели и политики, в том числе Тереса Проэнса (личный друг и секретарь Карденаса) и Элена Васкес Гомес (которая в то время работала в министерстве внешних сношений). Часто навещали Фриду ее сестры Матильда и Адриана; Кристина приходила каждый день, а ее дети — раз или два в неделю. В последний год жизни Фриды именно Кристина была с ней день и ночь, не оставляя сестру в одиночестве. Когда Кристина приходила, Фрида нежно встречала ее словами: «*Chaparrira* (круглолицая), что произошло?» И Кристина так же ласково отвечала, что надо присмотреть, чтобы все в доме было в порядке, и начинала вплетать Фриде в косы цветы.

Когда Фрида чувствовала себя получше, она развлекалась в гостиной или в столовой. В других случаях друзей угощали за маленьким столиком в ее спальне. Повариха, работавшая в доме с 1951 по 1953 год,

ХЕЙДЕН ЭРРЕРА

Элена Маринес, особенно вспоминает визиты Марии Феликс. Кинозвезда любила общество Фриды, потому что с ней она могла «распустить волосы», а не играть в примадонну; она начинала изображать придворного шута, танцевала и пела для больной Фриды и заставляла ее смеяться. «Мария Феликс была очень близкой подругой, она нередко ложилась на кровать рядом с Фридой, чтобы отдохнуть».

Случались и выходы, поездки в окрестности Мехико. Иногда доктор Веласко-и-Поло сажал Фриду в свой «Линкольн Континенталь», и Фрида отдавалась ощущению скорости и обдувающему ее ветру и обозревала окрестности. Они выходили из машины, шли несколько ярдов пешком, чтобы потом сесть и отдохнуть.

«Дайте мне двойной текилы», — просила Фрида.

Были случаи, когда Фрида вместе с медицинской сестрой проводила целый день или около того в близлежащих городах Пуэбло или Куэрнавака, где, если она могла ходить, не испытывая особого дискомфорта, они бродили на площади среди прилавков, на которых продавались предметы народного искусства.

«Куда бы она ни пошла, — вспоминает Юдит Феретто, — тут же за ней устремлялась толпа людей. Когда бы мы ни пошли в кино, сразу же набегали мальчики — чистильщики обуви или мальчишки-газетчики... [Она говорила:] «Им всегда хочется в кино. Я знаю, потому что я — одна из них, поэтому, пожалуйста, возьми их с нами и купи им сигарет». Ребята были еще малы, но она знала, что они курят... Мы могли видеть на лицах людей, как им нравится Фрида».

Иногда, когда у Фриды появлялись силы, чтобы выйти куда-нибудь вечером, Диего собирал компанию друзей — фотографа Берниса Колко, Долорес дель Рио, Марию Асунсуло (настоящую красавицу, которая запечатлена на портретах, сделанных разными мексиканскими художниками), поэта Карлоса Пеллисера и Сальвадора Ново — и вел всех в ресторан.

«Мы танцевали, и пели, и закусывали, и ели, и веселились, — вспоминает Бернис Колко, — мы усаживали ее за стол, и Диего обычно танцевал со мной или с кем-нибудь еще, и она бывала счастлива. Она всегда любила повеселиться».

Прислуга в Койоакане обожала Фриду, потому что она, когда чувствовала себя хорошо, рядом с ними работала на кухне и относилась к слугам как к своей семье. Чучо, который работал у нее почти двадцать лет, был почти влюблен в нее. Он любил выпить, она — тоже, поэтому они часто вместе опрокидывали рюмочку-другую.

«Я любила его по многим причинам, — говорила Фрида, — но первой из них было его умение делать самые прекрасные корзины, которые вам когда-либо приходилось видеть».

Чучо даже купал Фриду, когда она была слишком слаба, чтобы купаться самой. Он очень осторожно раздевал ее и опускал в ванну. Потом мыл и вытирал простынями, одевал ее, делал прическу и укладывал в постель, будто она была его ребенком.

С ухудшением здоровья интерес Фриды к политике, живописи, к друзьям и к Диего не угас, а, наоборот, все увеличивался. Ненавидя одиночество, когда рядом не было кого-то или ей нечего было делать и ей казалось, что она в вакууме, в котором летает страх, она вцеплялась во все, что связывало ее с миром.

«Я очень люблю вещи, жизнь, людей», — говорила она друзьям в 1953 году.

Шкафчик и туалетный стол в ее спальне были набиты коллекциями маленьких вещичек — куклами, кукольными домиками, игрушками, миниатюрными стеклянными зверюшками, доколумбовыми фигурками, драгоценностями, бижутерией, всевозможными корзиночками и коробочками. Она любила устанавливать и перекладывать их и, бывало, говорила:

«Я собираюсь стать маленькой старушкой, ходить вокруг дома и расставлять все вещи».

ХЕЙДЕН ЭРРЕРА

К подаркам она относилась как маленький ребенок, немедленно разрывала оберточную бумагу и, увидев содержимое упаковки, вскрикивала от восторга.

«Оттого, что она была лишена свободы движения, — вспоминает Фанни Рабел, — мир сам приходил к ней. Коробки, полные игрушек, содержались в чистоте и порядке. Она всегда знала, где что лежит».

Так же как Фрида выпрашивала подарки, так она и раздавала их. «Если кто-то отнекивался, она очень сердилась, так что вы должны были обязательно принять», — говорит Хесус Риос-и-Вальес. Если получение подарков было способом ощутить пришедший к ней мир, то, даря сама, она выводила в этот мир себя и тем подтверждала свои отношения с другими людьми.

Иным вариантом этого была политика. Фридина верность коммунистической партии, системе, которая претендовала на то, чтобы объяснить прошлое и направить в будущее человечество, стала безоговорочной. Ее дневник свидетельствует о том, что вера в связь всех вещей и событий росла все больше, чем слабее становилось тело, и теперь эта вера выражалась в размышлениях о партии.

«Революция есть гармония форм и цвета, и все существует и движется, подчиняясь единому закону — жизни», — писала она. И дальше, 4 ноября 1952 года:

«Сегодня, как и прежде, со мною те годы (25 лет). Я продолжаю оставаться коммунистом... Я прочитала историю моей страны и почти всех государств. Я знаю об их классовых конфликтах и знаю их экономику. Я четко представляю себе материалистическую диалектику Маркса, Энгельса, Ленина, Сталина и Мао Цзе. Я люблю их как опору нового коммунистического мира... Я всего лишь одна клеточка сложного революционного механизма людей мира и новых Советов: Китая — Чехословакии — Польши, людей, которые связаны по крови со мной и с народом Мексики. Среди всей огромной толпы азиатских народов всегда будет и мое лицо — мексиканские лица — с темной кожей и прекрасными чертами, с бесконечной элегантностью, так же будут раскрепощены черные, они такие прекрасные и храбрые».

4 марта 1953 года:

«С потерей Сталина я утратила равновесие — я всегда хотела быть лично с ним знакомой, но теперь это не имеет значения — ничего не останавливается, все революционизируется».

Перемежая подобные утверждения хаотически расположенными рисунками, Фрида делила их пополам — половина темных, половина светлых, — и многие из рисунков были зачеркнуты: глобус с серпом и молотом; Фрида, держащая глобус, при том что длинная ланцетообразная линия отсекает ее голову. Некоторые рисунки сопровождаются восклицаниями: «Мир, Революция!», «Вива Сталин, вива Диего!» или «Энгельс, Маркс, Ленин, Сталин, Мао!». (Фотографические портреты этих людей все еще висят на карнизе в ногах Фридиной кровати.)

В прошлом политика всегда привязывала ее теснее к Диего. Но теперь, когда она оказалась ближе к партии, чем Диего, ее положение стало более сложным. Она как кошка, выпустившая когти, набросилась на Троцкого, обвиняя умершего вождя во всех смертных грехах, начиная с трусости и кончая воровством, и утверждая, что только ее чувство гостеприимства не позволило ей возражать против того, что Диего пригласил Троцкого жить в их доме.

«Однажды, — говорила она в интервью, опубликованном в ведущей мексиканской газете «Эксцельсиор», — Диего сказал мне: «Я собираюсь послать за Троцким», и я ответила ему: «Слушай, Диего, ты совершишь страшную политическую ошибку». Он привел мне свои доводы, и я уступила. Все в моем доме было подготовлено. *El viejo* (старик) Троцкий и *la vieja* (старуха) Троцкая прибыли с четырьмя гринго, они заложили кирпичами все окна и двери моего дома. Он редко выходил из дому, потому что очень боялся. Он раздражал меня с момента прибытия своим высокомерием, своим педантизмом, потому что думал, что он величина...

Когда я была в Париже, безумец Троцкий однажды написал мне: «Диего очень недисциплинированный индивидуалист, который не хочет работать для мира, а лишь работает на войну. Будь добра, убеди его вернуться в партию». Я ответила ему: «Я вообще не могу влиять на Диего, пото-

ХЕЙДЕН ЭРРЕРА

му что Диего существует отдельно от меня, он делает то, что хочет, так же поступаю и я. Более того, ты обокрал меня, ты испортил мой дом, ты увез у меня четырнадцать кроватей, четырнадцать ружей и четырнадцать штук еще всякого добра». Он подарил мне только свою ручку, он даже увез лампу, он все стащил».

Потом Фрида заявила своей подруге, журналистке Розе Кастро:

«Я была членом партии еще раньше, чем встретила Диего, и думаю, что я лучший коммунист, чем он или каким он был. Они вышвырнули Диего из партии в 1929 году, во время нашего бракосочетания, потому что он был в оппозиции. Я только начинала разбираться в политике. Я последовала за ним. Это моя политическая ошибка. И только десять лет назад (на самом деле пять. — *Прим. авт.*) они восстановили меня. К сожалению, я не была активным членом из-за своей болезни, но никогда не отказывалась платить, не отказывалась от любой информации и от революций всего мира. И теперь я продолжаю быть коммунистом и антиимпериалистом, потому что такова наша линия в мире».

Живопись тоже была способом поддержания отношений с миром, и Фрида чувствовала себя более счастливой и более здоровой, когда писала.

«Многое в этой жизни теперь надоедает мне, — говорила она, — и я все боюсь, что устану от живописи. Но, правда, я все еще страстно влюблена в нее».

Прикованная к дому и нередко к постели, Фрида по большей части писала натюрморты — фрукты из своего сада или с ближайшего рынка, которые можно было положить на прикроватный столик. От того, что в этих натюрмортах видна большая связь фруктов с фоном, чем это было в натюрмортах 1930-х и 1940-х годов, можно почувствовать, что Фрида находится совсем близко от объектов своего изображения и обожания. В запертом мирке лежачей больной предметы, составляющие натюрморт, расположены на расстоянии вытянутой руки. Важно то, что ее фрукты, вполне созревшие и соблазнительные, при этом иногда хоть как-то, но повреждены. Даже если Фриду радует их чувственная красота и приводит в восторг их принадлежность ко всей природе, она осознает всю быстротечность этой прелести.

И всегда, когда пишет некий объект, делает его похожим на себя. Ее арбузы и гранаты взрезаны и открыты, сочные сердцевины, наполненные семенами, заставляют нас вспоминать ее автопортреты и ее ассоциации боли с сексом. Иногда она всего лишь слегка приоткрывает кожуру фрукта. Или втыкает в мякоть маленький флагшток, напоминая о стрелах, шипах и спицах, которые истязают ее собственную плоть в автопортретах. В одном «Натюрморте» 1951 года (ныне утерянном) флагшток с его острым кончиком неожиданно появляется в темной глубине фрукта; в другом — рана источает три-четыре капли сока, что также бывает на автопортретах Фриды, где по щеке бегут три слезы. В этом натюрморте рядом с дыней изображена одна из Фридиных керамических доколумбовых собак из Колимы, и, хотя пес сделан из глины, глаза его печально слезятся. Во многих поздних натюрмортах у кокосовых орехов появляются лица с круглыми глазами, которые залиты слезами. Идентификация художника с изображением настолько сильна, что фрукты, которые Фрида укладывает для натюрморта, плачут вместе с ней. Фриду начало тревожить содержание ее живописи в связи с тем, что возросла ее преданность коммунистической партии.

«Я очень огорчаюсь из-за своей живописи, — писала она в дневнике в 1951 году. — Главное, надо изменить ее так, чтобы она стала хоть чем-то полезной, поскольку до сих пор я писала всего лишь выражение собственных чувств, но это абсолютно не годится для того, чтобы мои картины служили партии. Я должна сражаться изо всех сил за то малое и позитивное, что позволяет мне сделать мое здоровье, во имя помощи Революции. Единственная причина, чтобы жить».

Фрида пыталась политизировать натюрморты, вводя в них флаги, политические лозунги и голубей,

ХЕЙДЕН ЭРРЕРА

устраивающих гнезда среди фруктов. (В эти годы Ривера тоже использовал голубя как символ; Сталин, например, держит голубя в «Ночном кошмаре войны и мечте о мире».) К концу 1952 года Фрида ощутила некий прогресс на пути к социалистическому искусству.

«Впервые в жизни моя живопись старается помочь линии, проводимой партией, — пишет она в дневнике. — *Революционный реализм*». Но на самом деле Фридины натюрморты — это гимн природе и жизни. Она понимала, насколько они специфически живые, когда назвала один из натюрмортов (написанный в 1952 году) *Naturalesa viva,* что означает «живая натура», в противовес обычному испанскому термину для натюрмортов — *Naturalesa morte,* или «мертвая натура». Неспокойны не только фрукты и манера письма, но даже надпись, проходящая понизу картины, пульсирует жизнью, слова образованы из ползущих усиков и завитков.

Натюрморты, написанные в 1951 году и раньше, искусны и точны по технике, они наполнены изысканными деталями, скрытым тонким остроумием. К 1952 году Фридин стиль радикально переменился, последние натюрморты не оживленные, а возбужденные. В них появляется какая-то дикая настойчивость, как будто Фрида бьется в поисках чего-то более прочного, будто ищет плот в бурном море непостоянства. Мазок становится более свободным, она потеряла особую точность миниатюриста. Ее характерные маленькие, любовные мазки уступили место беспорядочным и неистовым. Колорит больше не чистый, не вибрирующий, но резкий, режущий глаз. Моделирование объекта и его поверхности настолько приблизительны, что апельсин теряет свои очертания, становится некруглым; арбуз больше не выглядит сочным. В нескольких ранних натюрмортах Фрида среди фруктов рисовала своих попугаев. Хитро поглядывая на зрителя, они придавали картине особое очарование. Теперь попугаев сменили голуби, сделанные в грубой, торопливой манере.

И содержание поздних натюрмортов так же будоражит, как и манера письма, как их стиль. Фрукты больше не лежат на столе, теперь они разбросаны по земле или под открытым небом. Несколько натюрмортов делятся на ночь и день, где в солнце и в луне отражаются формы фруктов. Выбор натюрморта как темы для живописи не сочетается с чувством домашнего благополучия. Большинство художников пишут натюрморты с фруктами, потому что это наиболее удобные объекты, имеющие эмоционально нейтральные очертания и цвета, позволяющие свободно ими манипулировать, не то что, скажем, пейзаж или портрет. Фридины натюрморты, наоборот, обладают апокалиптическим звучанием. У солнца есть лицо, полная луна — нечто эмбриональное. На ее поверхности видно некое зайцеподобное создание, напоминающее о хорошо известном резном камне, представляющем собой ацтекского бога *pulque* (браги), которого Ривера написал на луне в своей фреске «Тласолтеотле, Бог созидания», в Госпитале де ла Раса (1952—1954).

Pulque, этот опьяняющий напиток, своего рода «сок забвения», так любимый страдающими мексиканскими бедняками, долгое время (вместе с текилой и бренди) служил для Фриды болеутоляющим средством. Но теперь, для того чтобы заглушить боль, она стала принимать все большие и большие дозы наркотических лекарств. Размашистые мазки кистью и ослабление ее художнического контроля над собой были симптомами воздействия этих «лекарств».

«Стиль ее последних картин показывает тревогу, — говорит доктор Веласко-и-Поло, — и констатирует именно то беспокойное возбуждение, которое возникает при наркотической зависимости». Фрида, занимаясь живописью, всегда была очень аккуратной, но теперь ее руки и одежда были покрыты пятнами краски, и это, как свидетельствует Юдит Феррето, приводило Фриду в отчаяние.

Стиль ее тоже пострадал, потому что Фрида торопилась. Она торопилась, поскольку ей нужно было заканчивать картины по заказу, чтобы иметь деньги и для наркотиков, и для финансовой помощи Диего. (Однажды, в трудную минуту, Диего решился продать подарок Марии Феликс. Фрида, хотя и была в этот момент очень больна, заявила своей медицинской сестре: «Завтра я должна писать. Не знаю, как это у меня получится... Я должна делать деньги. У Диего совсем нет баксов».) Или она спешила писать потому, что могла заниматься живописью совсем недолго, ибо приходилось уступать боли или вялости, которая наступала от переизбытка болеутоляющих лекарств. А самое главное, она торопилась, потому что чувствовала приближение смерти.

Но, даже когда ее живопись стала более небрежной и сумбурной, Фрида изо всех сил старалась сохранять равновесие и упорядоченность в своем искусстве. В дневнике 1953 года есть два наброска натюрмортов, в которых она пытается достигнуть гармонии, вводя золотое сечение. Чувствуя, как художническая точность ускользает из ее пальцев, она вводит точность абсолюта.

ХЕЙДЕН ЭРРЕРА

В это время Фрида больше всего дружила с Марией Феликс, Терезой Проэнсой, Еленой Васкес Гомес и с художницей Мачилой Армидой. Имена этих женщин, вместе с именами Диего и Ирены Бохус, написаны розовой краской на стене ее спальни. Фрида говорила, что ее дом — это их дом. Хотя ее посещали и мужчины-друзья, например Карлос Пеллисер или кто-то из качучас, она уже превратилась в такого инвалида, что ей была тяжела мужская компания.

Несколько старых друзей составляли интимный кружок, который существовал рядом с ней, как королевская гвардия. Но было что-то горькое в этом собрании женщин вокруг Фриды в ее последние годы. Выходило, что как женщины являются теми, кто дает жизнь, так же они традиционно провожают и на тот свет.

Диего теперь всячески убеждал Фридиных подруг, упрашивая их побыть с ней рядом, навещать ее, остаться с ней на ночь. Иногда Фрида становилась слишком безудержной в своем лесбиянстве. Одна подруга была в шоке, когда при прощании Фрида так страстно поцеловала ее в губы, что женщина оттолкнула Фриду и та упала на землю. Рэчел Тибол вспоминает Фридину ярость, когда отвергла Фридины предложения; в результате Рэчел, которая жила с Риверами в Койоакане, пришлось переехать в студию в Сан-Анхеле, что вызвало у Фриды недоумение. Подозревая, что у Диего любовная связь с Тибол, в припадке ревности Фрида пыталась повеситься и умерла бы, если бы ее не спасла медицинская сестра.

Тибол также рассказывает о самоубийстве девушки, которая перенесла трепанацию черепа, она была сестрой одного из Фридиных заказчиков, к ее предложениям Фрида отнеслась с презрением.

«Для девушки Фрида была навязчивой идеей, Фрида же ее отвергала. Когда я вернулась в студию в Сан-Анхеле, девушка воспользовалась моим отсутствием и, как звереныш, прокралась в дом, пытаясь вступить в физический контакт с Фридой. Будучи убежденной лесбиянкой, девушка сказала: «Если ты не подаришь мне свое внимание, я убью себя». Она спустилась в маленькую столовую, приняла яд, поднялась наверх и упала замертво у Фридиной кровати. Чучо позвал Диего, который начал неудержимо хохотать, а затем устроил так, чтобы тело тихо забрали и чтобы вся история не попала в прессу. В газетах так никогда и не появилось сообщения о том, что кто-то покончил жизнь самоубийством во Фридиной комнате».

По-другому, не как Кристина, Юдит Феррето была, вероятно, самой близкой для Фриды женщиной в последние годы. Алехандро Гомес Ариас вспоминает, что она была высокой, привлекательной, темноволосой женщиной, которая подчеркивала свою мужественность, надевая высокие черные сапоги. Но она была нежной. Как и многие личные медицинские сестры, Юдит испытывала к Фриде собственническую любовь. Она была убеждена, что знает, что лучше пациенту, а доктора, друзья, Диего — даже сама Фрида — этого не знают. Ее преданность временами была тиранической. Иногда Фрида бунтовала.

ХЕЙДЕН ЭРРЕРА

«Ты навязываешь мне вещи так, будто ты фашистский генерал», — протестовала Фрида. Время от времени сиделка настолько выводила Фриду из себя, что Фрида кричала на нее и даже била. Несколько раз Фрида выгоняла сиделку из дома, но только для того, чтобы потом позвать и сказать: «Ты — единственный человек, который сможет мне помочь». Юдит замечала, что, как правило, ее выгоняли, когда состояние больной резко ухудшалось.

Как и других людей, которых она любила, Фрида решила привязать медсестру к себе, но, когда ей это удалось, она почувствовала, что ее душит эта привязанность, и у нее возникло ощущение вины перед Юдит.

«Я думаю, что поддерживала твои чувства ко мне ради своей собственной выгоды, — говорила она Юдит. — Мне хотелось, чтобы ты меня любила, заботилась обо мне так, как ты это можешь делать, но при этом не слишком страдать... Многие мои друзья знают, что я мучаюсь всю свою жизнь, но никто не разделяет со мной этих мук, даже Диего. Диего понимает, насколько велики мои страдания, но это понимание не то же самое, что страдание вместе со мной».

Медицинская сестра стала почти частью Фриды, и это было еще одной возможностью вырваться во внешний мир и ввести этот мир в свое существование.

«Я начала работать у нее и по ночам, не только днем, — вспоминала Юдит, — потому что она была очень одинока, всегда, но особенно по ночам, даже тогда, когда ее окружало множество людей... В моих руках она была подобна ребенку, потому что она любила засыпать, как засыпают маленькие дети. Ей, как ребенку, нужно было петь песни, или рассказывать сказки, или что-нибудь читать. Наши кровати стояли в одной комнате. С Фридой вы не могли себя вести как обычная медицинская сестра, которая не ложится рядом спать и не сидит около кровати. Но с Фридой и Диего все было по-другому. Поэтому я всегда ложилась рядом с ней, чтобы поддерживать ее спину, и она называла меня своей «маленькой опорой». Иногда я пела для нее и для Диего. И таким образом она засыпала. Она всегда засыпала, приняв лекарства, прописанные доктором. Иногда они и два часа не действовали. Разумеется, это зависело от ее состояния. Пока Фрида не заснула, я все время была рядом с ней. Она просила меня дать ей еще одну сигарету, и, уже засыпая, всегда держала сигарету в руке. Когда я видела, что она едва держит сигарету, я спрашивала, забрать ли ее. Фрида протестовала только движением, она уже не могла говорить, хотя еще слышала. Ее всегда радовали сигареты.

Она всегда просила меня: «Пожалуйста, не покидай меня сразу же, как только я засну. Ты мне нужна рядом, и я чувствую тебя даже после того, как засну, так что сразу же не уходи». Я оставалась в кровати рядом с ней час или больше, пока не понимала, что она не почувствует моего ухода. И тогда я укладывала ее в правильное положение и подсовывала под спину специальную подушку, чтобы поддержать ее в положении на боку. Я всегда слышала, когда у нее менялось дыхание, и, просыпаясь, она иногда бывала в ярости и говорила: «Ты должна не спать и все время прислушиваться ко мне!» Но думаю, что это делало ее счастливой».

При таких обстоятельствах жизнь Фриды и Диего текла совершенно раздельно. Когда-то она могла быть ему матерью, готовить еду и потакать его капризам, заботиться о нем, когда он был болен; теперь она уже не могла ему помогать (в 1952 году у него обнаружили рак полового члена, развитие болезни приостановили при помощи рентгеновских лучей, поскольку Диего отказался от ампутации), и, чтобы привязать Диего к себе, у Фриды оставались только лишь ее страдания. Несколько попыток самоубийства были, вероятно, не чем иным, как способом показать Диего, как она страдает. Но, будучи человеком со страстным аппетитом ко всем проявлениям жизни, он не мог ограничить себя существованием, главным делом которого была бы забота о Фриде. Иногда нежный, иногда нечувствительный, он всегда был неверным, на него нельзя было положиться. Происходили ужасные сражения, были периоды полного отдаления друг от друга, и, хотя Фрида часто говорила друзьям, что она не придает значения его любовным историям, потому что «ему нужно, чтобы кто-то заботился о нем», и даже просила подруг «присмотреть» за Диего, подразумевая при этом романтические отношения, Фрида изливала свою боль в дневнике:

«Если бы только он заботился обо мне так, как воздух заботится о земле. Реальное его присутствие делает меня счастливой. Оно уводит меня от серой тоски, переполняющей мою жизнь. Тогда во мне не остается ничего, что напоминает о конце. Но как мне объяснить ему мою потребность в нежности? Мое многолетнее одиночество. Мне больно, но я адаптировалась к той дисгармонии. Я думаю, лучше идти, идти, идти, сбежать. Позволить всему закончиться в одну секунду. *Ojalá* (Дай Боже)».

«Я люблю Диего больше, чем когда-либо любила, — говорила Фрида своей подруге журналистке Бэмби незадолго до смерти, — и надеюсь быть ему в чем-то полезной и продолжать с радостью писать, и надеюсь, что с Диего ничего не случится, потому что в день, когда он умрет, я уйду вслед за ним. Нас сожгут вместе. Я уже говорила: «НЕ рассчитывайте на меня, после того как Диего уйдет». Я не собираюсь жить без Диего, да и не смогу. Для меня он мой ребенок, мой сын, моя мать, мой отец, мой любовник, мой муж, мое все».

Изоляция и боль, которые наполняли Фриду «серой тоской», в декабре 1952 года облегчились благодаря ее участию в новой росписи «Ла Розиты». Фрески ее студентов полиняли, Фрида решила, что их нужно восстановить. В этот раз в группу художников входили два «фридос» (Гарсия Бастос и Эстрада) плюс несколько помощников и протеже Риверы. Студенты сделали эскизы и с помощью Фриды выбрали лучший проект. Она всем этим руководила, ходила на костылях в бар, чтобы следить за работой учеников.

Стены были расписаны фресками за один день,

появились новые образы, более сентиментальные и общепринятые. Дважды нарисован портрет Марии Феликс. На одной панели она сидит на облаке, над группой мужчин, что поясняет название панели: *«El mundo de cabeza por la belleza»* («Разум склоняется перед красотой»). На другой панели была изображена Фрида в национальном платье рядом с Аркадием Бойтлером. Она держит голубя, и под ней свиток со словами: «Мы любим мир». Фрида сама выбрала группу, которая включала Риверу со стоящими рядом с ним Марией Феликс и Питой Амор.

Хотя Фрида говорила, что фрески пишутся «для полного удовольствия, для чистой *allegria* [радости] и для людей Койоакана» и что они воскрешают «мексиканский и критический дух, который поддерживал и вдохновлял наших лучших художников, и живописцев, и графиков в первой четверти века, среди которых Хосе Гуадалупе Посада и Сатурнино Эрран», новые росписи «Ла Розиты» (утраченные, когда бар снесли) были значительно менее аутентичны народному мексиканскому искусству, не то что версия 1943 года. Образы были лишены простоты, и известные персонажи, близкие друзья Риверы, вместо анонимных *campesinos* (крестьян) символизировали темы *pulque* (бражки) и роз. Возникли даже разговоры о переименовании *pulqueria* на что-то подобное «Любови Марии Феликс». Новая роспись «Ла Розиты» была скорее социальным действом для культурных людей, чем действием во имя обновления культуры «народа». Получалось так, будто Фрида и Диего забавляли себя, позаимствовав народные традиции у простых людей, и превратили кабачок рабочего класса в праздник для богемы высокого полета.

Открытие новых фресок совместили с празднованием дня рождения Риверы, ему в этот день исполнялось шестьдесят шесть лет. Фриде хотелось устроить традиционное рождественское гулянье *posada* с парадом гостей, которые с песнями шли бы по улицам к открытым дверям голубого дома; празднование должно было быть более пышным, чем просто открытие новой «Ла Розиты». Роза Кастро вспоминала блистательный, но гротескный день. Фрида рассказывала Розе о несчастье быть закованной в ортопедический корсет и вдруг внезапно, когда уже наступили сумерки, воскликнула: «Больше ни за что!» Она сорвала с себя корсет и бросилась на улицу, чтобы присоединиться к гостям, оставив Розу Кастро встречать все еще приходящих людей. Особенно памятна Розе сцена в спальне Фриды. Там на стропилах — тех самых, на которых была подвешена сама Фрида, пока дожидалась, когда высохнет новый гипсовый корсет, — болталось множество Иуд, одетых Фридой в ее собственные одежды и в костюмы Диего. Они покачивались и покручивались, их картонные кости поскрипывали от ветерка, который создавали входящие и выходящие гости.

Услышав выстрелы на улице, Роза Кастро бросилась к дверям дома. Это была Фрида, ее распущенные волосы развевались за плечами, у нее было дикое от возбуждения лицо, отчасти результат приема наркотиков, которые должны были приглушить боль, поскольку Фрида была без поддержки корсета. Фрида, покачиваясь, пробиралась к дому, она воздела руки над головой, голос ее слился с ревом сопровождавшей ее толпы. В тусклом вечернем свете над веселящимися людьми клубилась пыль. И среди шума, пения, смеха, свиста толпы разносился Фридин голос. «Больше никогда! — победно кричала она, думая о заключении в корсете. — Больше никогда, неважно, что бы ни случилось! Больше никогда!»

23

В ЧЕСТЬ ФРИДЫ КАЛО

Спустя несколько месяцев после второго открытия «Ла Розиты» весной 1953 года Лола Альварес Браво решила устроить выставку Фридиной живописи в своей галерее современного искусства на Амберес, 12, в фешенебельной части города, в Розовой зоне.

«Фриде как раз сделали трансплантацию костей, — вспоминала Лола, — к несчастью, кости разрушились, и нужно было снова их переставлять. Я догадывалась, что Фридина смерть близка. Думаю, что надо оказывать честь людям при жизни, тогда следует их радовать, а не когда они умирают».

Она высказала идею об открытии выставки картин Фриды Диего. Его это очень воодушевило, и они вместе рассказали об этом Фриде.

«Для нее это было очень радостным предложением, и за несколько дней ее здоровье стало улучшаться, потому что она начала строить планы и разговаривать о выставке. Доктора считали, что хуже ей от этого не будет, наоборот, может ее поддержать».

Вернисаж был первой персональной выставкой Фриды Кало на ее родной земле, и для Фриды, уничтожаемой болезнью, это было триумфом. Она разослала очаровательные приглашения в фольклорном стиле — маленькие буклеты, отпечатанные на цветной бумаге и перевязанные яркими шерстяными лентами. Послание было сделано в форме баллады, собственноручно написанной Фридой:

> С дружбой и любовью,
> рожденными в моем сердце,
> я имею удовольствие пригласить вас
> на мою скромную выставку.

В восемь часов вечера, не позднее, —
ведь, думаю, у вас есть часы —
я буду ждать вас в галерее
Лолы Альварес Браво.

Это на Амбересе, двенадцать,
и дверь ее открыта настежь.
Не бойтесь, вы не ошибетесь,
и это все, что я скажу.

Я жду, чтоб вы сообщили мне
ваш отзыв, добрый, честный.
Вы любящий знаток
и образованы прекрасно.

Картины эти
писала я собственноручно.
Они на стенах только и ждут,
чтобы понравиться моим собратьям.

Итак, мои любимые *cuates,*
дружа со всеми вами,
я благодарю вас от души.
Фрида Кало де Ривера.

Галерея тоже подготовила брошюру, в которой Лола Альварес Браво называла Фриду «великой женщиной и художницей» и высказывала всем очевидную истину, что Фрида давно заслужила подобный почет и уважение.

Когда наступил вечер открытия выставки, Фрида была в таком плохом состоянии, что доктора запретили ей двигаться. Но она не хотела пропустить свой вернисаж. В галерее не переставая звонил телефон. Будет ли Фрида? Не слишком ли она больна, чтобы прийти? Чтобы расспросить о выставке, звонили журналисты, занимающиеся искусством, и из Мексики, и из-за границы. За день перед открытием выставки Лола Альварес Браво поняла, что Фриде стало еще хуже, но она продолжала настаивать, чтобы Фрида появилась на торжественном открытии, и решила приставить для Фриды некое ложе, чтобы можно было лечь. Спустя несколько часов прибыла огромная кровать, и служащие галереи стали перевешивать картины так, чтобы включить кровать в экспозицию.

В день открытия напряжение возрастало. Служащие галереи выравнивали картины, проверяли этикетки, расставляли цветы, наполняли напитками бар, выстраивали ряды бокалов и готовили лед. Как принято на вернисажах, незадолго до назначенного открытия служащие закрывали двери, чтобы дать себе короткий отдых и убедиться в том, что все на месте, все устроено, все в порядке. Лола Альварес Браво вспоминает, что к этому моменту у галереи скопилась толпа в несколько сотен человек.

«На улице образовалась транспортная пробка, людей толкали к дверям, потому что толпа настаивала, чтобы их немедленно впустили в галерею. Я не хотела, чтобы они входили, пока не прибудет Фрида, потому что ей будет очень трудно протиснуться в галерею».

В итоге пришлось открыть двери галереи, поскольку стало страшно, что их просто выломают.

Через несколько минут после того, как толпа заполнила галерею, снаружи раздался звук сирены. Народ кинулся к дверям и в изумлении увидел машину «Скорой помощи», сопровождаемую эскортом мотоциклистов. И на больничных носилках из машины вынесли Фриду и внесли ее в галерею.

«Фотографы и репортеры были ошеломлены, — говорит Лола Альварес Браво, — они были почти в шоке. Они опустили свои камеры на пол. И не могли сделать ни одного кадра».

Но кто-то все-таки, к счастью, сделал фотографии этого чрезвычайного события Фридиной жизни. На снимках она в народном костюме, с украшениями, лежит на носилках. Когда ее вносят в галерею, со всех сторон ее приветствуют друзья. Старый, хромой, седобородый доктор Атл, легендарный художник, революционер, по профессии вулканолог, смотрит на Фриду с выражением сильнейших чувств. На лице Фриды горят широко раскрытые глаза, без всякого сомнения, она под сильным воздействием наркотиков.

Фриду устроили на кровати посреди галереи. Ухмыляющийся Иуда, прикрепленный к балдахину, смотрел на Фриду. Три фигурки Иуд меньшего размера покачивались на раме кровати, все стойки которой были обвешаны изображениями Фридиных политических героев, фотографиями членов семьи, друзей и Диего. В изножье висела одна из ее картин. Кровать оставалась в галерее и после открытия выставки, на ней лежала вышитая подушечка, от которой исходил аромат духов Скиапарелли «Потрясение».

«Мы просили людей продвигаться дальше, — говорила Лола Альварес Браво, — убеждали, поздравив Фриду, сосредоточиться на самой выставке, потому что боялись, что толпа задушит ее. Это действительно была толпа — не только люди из мира искусства, критики и друзья, но и огромное количество простых людей, чего мы не ожидали. Был момент, когда мы решили вынести кровать Фриды на террасу, на открытый воздух, потому что ей просто было нечем дышать».

Карлос Пеллисер работал как полицейский-регулировщик, оттесняя толпу, когда люди вплотную окружили Фриду, настаивая на том, чтобы гости соблюдали очередность и по одному подходили поздравить художницу. Когда к ее кровати подошли «фридос», Фрида сказала: «Останьтесь со мной, *chamacos* [милые]», — но им не удалось задержаться, потому что другие поклонники оттеснили их.

Спиртное лилось рекой. Шум разговоров пронзали звуки смеха, когда люди видели знакомые лица. Это был один из тех приемов, когда возбуждение достигает предела. Все признавали выставку важным событием. Карлос Пеллисер утирал слезы, читая свою поэму о Фриде, которая выпивала вместе со всеми и пела *corridos* (баллады) с гостями. Она попросила писателя Андреса Энестросу спеть «Ла Льорону» («Плачущую»), а Конча Мичел исполнила другую ее любимую песню. После того как большинство друзей перецеловали Фриду, все стали вокруг кровати и запели:

Esta noche m’emborachó
Niña de mi conazón
Mañnana será otro día
Verán que tendo razón.

(Сегодня вечером напьюсь,
дитя моего сердца.
Завтра будет другой день,
и ты увидишь, что я был прав.)

Когда доктор Веласко-и-Поло сказал Диего, что Фрида, должно быть, устала и ее нужно отвезти домой, Диего был слишком увлечен празднеством, чтобы придать этому значение. Он отмахнулся от доктора, почти выругавшись:

«Anda, hijo, te voy a dar!» (Проваливай, сынок, или я помогу тебе это сделать!)

Подобно сахарным черепам или улыбающимся Иудам, которых Фрида так любила, открытие ее выставки было столь же пугающим, сколь и веселым.

«Все калеки Мексики пришли поцеловать Фриду, — вспоминает Андрес Энестроса и описывает разных мексиканских художников, присутствовавших на выставке: — Прибыла Мария Искьердо, которую поддерживали ее друзья и родственники, потому что она была инвалидом. Гоития, больной, похожий на привидение в своей крестьянской одежде и с длинной бородой, добрался из своей хижины в Хочимилко. Среди гостей был сумасшедший Альсо Родригес Ловасо. Пришел восьмидесятилетний доктор Алт. У него была седая борода и костыли, потому что одну ногу ампутировали. Но он ничуть не печалился. Он наклонился над Фридой и принялся неистово хохотать по поводу того, как смешна смерть. Они с Фридой посмеялись над его ногой, и он попросил людей не смотреть на него с жалостью, потому что у него отрастет новая нога, гораздо лучше прежней. Смерть, говорил он, только выход, если вы потерпели неудачу в этой короткой жизни. Все это было похоже на карнавал монстров, как на картинах Гойи, или даже на празднество в доколумбовом мире, с его кровью, увечьями и жертвами».

«Фрида была очень сосредоточенная, но уставшая и больная, — вспоминает Монрой. — Нас так порадовало то, что можно увидеть все ее работы, собранные в одном месте, и то, что столько людей любит ее».

Но бывшие ученики почувствовали, как и многие Фридины друзья, что вернисаж был своего рода психологическим эксгибиционизмом.

«Это было, — вспоминает Рэчел Тибол, — словно бы спектаклем, несколько похожим на сюрреалистическое действо, с Фридой, которая возлежала, как Сфинкс ночи, показывая себя в галерее вместе с картинами. Все это напоминало театр».

«Там были все, — говорит Мариана Морильо Сафа. — Фрида трепетно приветствовала пришедших. Но это была другая Фрида: она была неестественна. Казалось, что она думает о чем-то другом. Она играла в счастье, но игра давалась ей с трудом».

Фрида была поражена успехом выставки. Так же была поражена и хозяйка галереи. Лола Альварес Браво вспоминает: «Мы были удивлены, что об этом слышали еще где-то за пределами Мексики».

Галерея продлила выставку на месяц, по требованию публики и прессы, превозносящей героическое присутствие Фриды на вернисаже с тем же восхищением, как и ее работы.

Живописец, поэт и серьезный критик Хосе Морено Вилья написал в «Новедада» статью, которая отдается эхом и до нынешнего дня: «Невозможно разделить жизнь и работу этого необыкновенного человека. Ее картины — это ее биография».

В журнале «Тайм» был опубликован отчет о Фридиной выставке, статья о ней называлась «Мексиканская автобиография». Заканчивается она зловещим утверждением по поводу ее физического и морального состояния:

«После того как Мехико на прошлой неделе посмотрел выставку Фриды Кало, все могли понять, насколько трудна ее реальная жизнь. И она становится все труднее. В последнее время ее состояние стало ухудшаться; друзья, которые помнят ее как пухленькую, энергичную женщину, были в шоке от ее изможденного вида. Теперь она не может стоять больше десяти минут, и надвигается угроза гангрены на ноге. Но каждый день Фрида Кало ведет войну, она садится в кресло, чтобы писать — хотя бы немного. «Я не больна, — говорит она, — я поломана. Но я счастлива, что жива и что это продлится столь долго, сколько я смогу писать».

ХЕЙДЕН ЭРРЕРА

Диего в автобиографии с гордостью и удовольствием вспоминал о Фридиной выставке: «Для меня самым волнующим событием 1953 года была персональная выставка Фриды в Мехико в апреле. Всякий, кто посетил выставку, не мог не восхититься ее великим талантом. Даже на меня произвело впечатление, когда я увидел все ее работы, собранные вместе». Но также он вспоминал, что на открытии Фриде трудно было даже говорить. «Без сомнений, она осознавала, что ей недолго жить».

Фрида, быть может, и была обессилевшей и «сломанной», но она прощалась с жизнью в своем жизнеутверждающем стиле. В дневнике Фрида составляет перечень, своего рода поэму, который висел на стенах выставки, там фигурируют некоторые образы — «Маленький олень», «Цветок жизни». Последним, отделенным от всех остальных, было «Дерево надежды».

Молчаливая жизнь...
дающая миры.
Раненый олень.
Одежды теуаны.
Лучи солнца,
скрытые ритмы.
«Маленькая девочка Мариана».
Фрукты, которые совсем как живые.
Смерть сохраняет их на расстоянии —
линии, формы, гнезда.
Руки строят,
открытые глаза
многих Диего, полные чувств.
Все слезы —
все очень чистые.
Космические правды,
которые живут беззвучно.

Дерево надежды
стоит прямо.

ХЕЙДЕН ЭРРЕРА

24
НОЧЬ НАКРЫВАЕТ МОЮ ЖИЗНЬ

«Я собиралась оставить колечко для нее, — Аделина Сендехас вспоминает день в августе 1953 года, когда после полугодовых колебаний доктора Фриды решили, что должны ампутировать ее правую ногу. — Она говорила мне, что всегда хотела иметь павлинье колечко. Я попросила нарисовать его. «Посмотри, — сказала она мне, — у меня есть здесь несколько маленьких камешков. Пойди на улицу и поищи еще». Я собрала кучку маленьких камешков и принесла их ей.

Прибыл доктор Фариль. Он очень торопился и сказал: «Давайте посмотрим ногу», — потому что к этому моменту боль стала невыносимой. Диего был в отчаянии, и она принимала ужасающее количество наркотиков.

Впервые за много лет я увидела ее ногу. Она была настолько искалеченной, сморщенной, изуродованной, что я не могла понять, как ей удается впихнуть ногу в ботинок. Двух пальцев не хватало. Доктор осмотрел ногу и задумался. Фрида спросила: «Что, доктор, вы собираетесь ее отрезать? Или другие пальцы? Эти два отрезайте сразу же». И он сказал ей: «Знаете, Фрида, бесполезно ампутировать пальцы, все из-за гангрены. Думаю, пришел момент, когда нужно удалять ногу».

Если бы вы слышали, как Фрида закричала! «Нет!» — это вырвалось из ее нутра. Душераздирающий крик! У нее были распущены волосы, она была одета в теуанское платье, она лежала под покрывалом, но из-под него высовывались ступни ног. Нога ее была очень худой. И тут она повернулась, посмотрела на меня и сказала: «Что ты думаешь? Скажи мне, *Тимида,* что ты думаешь?»

А я продолжала смотреть на Диего. Он уцепился за край кровати. Я ответила: «Что ж, Фрида, ты всегда, бывало, называла себя *«Frida la coja, pate de palo»*. (Фрида — хромуша, деревянная нога.) Значит, теперь будешь хромоножкой. Будешь страдающей овечкой. Тебе будет трудно ходить, но сейчас есть хорошие протезы, и есть человек, который знает, и очень хорошо, как превозмочь эти трудности. И, может быть, ты сможешь ходить гораздо лучше, чем с этой ногой, которая больше не годна. Так болит и делает тебя инвалидом. И болезнь перестанет распространяться. Так что теперь ты больше не будешь «Фридой-хромоножкой». Подумай об этом. Почему бы не согласиться на операцию?»

Фрида смотрела на Диего. Он чуть не плакал. Он не хотел встречаться со мной глазами. Доктор Фариль, взглянув на меня, сказал: «Спасибо». Фрида сказала: «Если ты так считаешь, я согласна». Она обернулась к доктору Фарилю: «Готовьте меня к операции». Когда Диего вез меня домой, он сказал: «Она в ожидании смерти. Это ее убьет».

За день до операции я послала Фриде маленького керамического олененка. На нем сидела обезьянка. Я послала и записку: «Вот твой олененок. Надеюсь, ты вернешься после операции такой же веселой, как он со своей обезьянкой». И она ответила: «Аделина, ты всегда внушала мне отвагу. Завтра я ложусь под нож. Теперь я буду Фрида-хромоножка, куриная нога, из города Койотов».

Фрида надела на себя маску храбрости. «Вы знаете, — говорила она друзьям, — что я собираюсь отрезать ногу?» Она ненавидела жалостливые взгляды. Но ее дневник за те шесть месяцев, которые предшествовали операции, свидетельствует: «Они снова и снова настаивают на ампутации ноги, а я хочу умереть».

В ужасных рисунках она изображает себя одноногой куклой, водруженной на то, что могло бы рассматриваться как иронический пьедестал для фигуры, совсем не соответствующей классическим идеалам равновесия и гармонии. Тело куклы покрыто пятнами, рука и голова отваливаются. Над мрачным автопортретом еще более мрачная надпись: «Я РАСПАДАЮСЬ».

Но в июле, за месяц до операции, пока она была в Куэрнаваке, куда ее отвезла медицинская сестра, чтобы Фрида в теплом климате поддержала свое здоровье и дух, она пишет:

«Точки опоры.

На все мое тело — только одна, а я хочу две. Для того чтобы было две, мне отрежут одну. Эта одна — то, чего у меня не было, но я должна это иметь, чтобы ходить, другая точка поддержки уже мертва! Для меня крылья — это более чем достаточно. Позвольте им это отрезать, и я полечу!»

На следующих страницах нарисована обнаженная, безголовая, крылатая фигура с голубиными перьями на том месте, где должна быть голова, а на месте позвоночника — разбитая мраморная колонна. Одна нога искусственная, другая собственная. Ноги подписаны: «Опора номер 1» и «Опора номер 2». Рисунок сопровождается словами: «Голубь заблудился. Он нечаянно... вместо того чтобы полететь на север, полетел на юг... Он думал, что пшеница — это вода. Он совершил ошибку». На другом рисунке тело обнаженной, крылатой Фриды покрыто жирными пятнами и пересекающимися штрихами. «Ты идешь? Нет» — написано над фигурой. Под фигурой — объяснение: «Сломанная нога». Будучи в другом настроении, Фрида нарисовала свою ступню на пьедестале. Правая нога отсечена по колено. И оттуда прорастает терн. Ноги окрашены желтым, а фон — цвета крови. Поверх рисунка надпись: «Стопу отдам им, если у меня будут крылья, чтобы летать. 1953».

В рисунке, который, возможно, больше всего бередит сердце, Фрида плачет под темной луной, ее лежащее тело растворяется в земле, превращаясь в клубок корней. Над ней написаны слова: «Цвет яда», что, может быть, обозначает гангрену. Солнце расположено под поверхностью земли и в небе, рядом с маленькой, отделенной от тела ногой Фрида написала: «Все движется назад, солнце и луна, нога и Фрида». Напротив — рисунок голого, ободранного бурей дерева; ветер сорвал с него все листья. Оно изодрано, склонилось, но не сломалось, и его корни проникли глубоко в землю.

Тема распада повторяется в картине «Круг», крошечном, не датированном автопортрете. Сделанный на круглом листочке металла, он показывает обнаженный торс Фриды, с трещиной в груди, распадающийся на фоне ночного пейзажа. Нижняя часть ног превратилась в грибы. Голова исчезла в массе зеленого мха, коричневых комьев земли, позади вьется дымок. Красные порезы пересекают ее грудь, а из того места, где должно быть исчезнувшее плечо, вырывается алое пламя. «Круг», подобно рисункам в дневнике, пугающий образ физического и психологического распада. Своему старому другу Андресу Энестросе Фрида сказала, что вместо своего девиза «Дерево надежды, стой прямо» она повесила другой: *«Esta anocheciendo en mi vida»* («Мою жизнь накрывает ночь»).

Когда в августе доктора приняли окончательное решение, с чем согласилась и Фрида, она написала в дневнике:

«Теперь уже точно мне ампутируют правую ногу. Я не знаю подробностей, но мнения очень серьезные. Доктор Луис Мендес и доктор Хуан Фариль. Я очень тревожусь, но в то же время чувствую, что это принесет освобождение. Надеюсь, когда начну ходить, отдавать все силы, что у меня остались, Диего. Все для Диего».

Накануне операции Фридин друг Антонио Родригес, историк искусств, который написал столько хвалебных статей о ее искусстве и героизме, находился около нее вместе с несколькими другими друзьями. Видя, как все нервничают, Фрида пыталась развеселить друзей разными историями и анекдотами. Родригес говорит:

«Мы чуть не плакали, видя эту изумительную, прекрасную и оптимистичную женщину, которая знала, что ей ампутируют ногу. Она, разумеется, заметила, что мы страдаем, и подбодрила нас: «Но что случилось? Посмотрите на себя, будто происходит какая-то трагедия! Что за трагедия? Мне собираются отрезать мою ногу. Ну и что?»

Позже она оделась в элегантное национальное платье, как будто шла на вечеринку, а на самом деле — под хирургический нож.

Но Юдит Феррето была там после того, как гости ушли, и Фрида сбросила напускное веселье. Юдит не покидала больницу, когда Фриду готовили к операции, была она с Фридой и тогда, когда все осталось позади.

«В ночь перед операцией, когда мы, Диего, Фрида и я, сидели в больничной палате, пришла медицинская сестра, чтобы подготовить ногу к операции. Все молчали... И все дни после операции тоже молчали. Даже если она и была в ярости — я очень боялась, что она придет в исступление, начнет протестовать, — ничего. Просто молчание. Ее даже не заинтересовал визит Диего, а Диего был всей ее жизнью. Пришел доктор и велел мне заставлять ее пойти со мной в парк Чапультепек, писать, писать, писать. После ухода доктора она была совершенно расстроена. Затем, немного погодя, пришел ее психиатр. Он сказал мне: «Юдит, пожалуйста, не надо заставлять ее что-либо делать. Она не хочет жить. Мы принуждаем ее жить».

Ампутация ноги была для Фриды ужасным ударом по чувству эстетизма, ощущению себя как чего-то цельного. Ее чувство собственного достоинства было на глубочайшем уровне связано с тщеславием, и тщеславие поколебалось. Она была настолько деморализована, что не хотела видеть людей, даже Диего. «Скажи им, что я сплю», — говорила она. Когда видела Диего, она игнорировала его присутствие, вела себя весьма отчужденно. Она была молчалива, равнодушна, ничем не интересовалась. «Последовав за потерянной ногой, — говорил Ривера в своей автобиографии, — Фрида впала в глубокую депрессию. Она больше не желала слушать истории о моих любовных делах, которые после нашего второго бра-

ХЕЙДЕН ЭРРЕРА

косочетания слушала с интересом. Она потеряла волю к жизни».

Когда пришло время покинуть больницу и отправиться домой, Фрида сначала отказывалась. Феррето вспоминала: «...у Диего в студии была какая-то особа. Фрида всегда признавала его право делать то, что он хочет. Она сказала: «Если я страдаю из-за этого, то сама виновата», потому что он всегда любил женщин, и Фрида просто принимала это. Но та персона, которая была в его студии, распоряжалась во Фридином доме. Следовало быть весьма деликатным, командуя в ее доме. Та женщина не обладала должным тактом, и это заставило Фриду страдать. Вот почему Фрида отказывалась вернуться домой.

Однажды утром у Фриды был кризис. Прошедшую ночь Диего пробыл с ней. Это было в те самые плохие дни в больнице. Она чувствовала себя счастливой с Диего. Но пришла медицинская сестра и сказала: «Мистер Ривера, вас там кое-кто дожидается, потому что вы должны идти на открытие выставки». Это была именно та персона, которая захаживала в студию Диего. Я видела, как это не понравилось Фриде, но Диего все равно ушел.

На следующее утро она пыталась покончить с собой».

При странной сосредоточенности на боли, одиночестве и самоубийстве в дневнике Фриды чувствуется и ее желание смерти, и сожаление о недавних мыслях о самоубийстве. Она называет смерть «огромным» и «очень тихим выходом».

Спокойно, боль.
Громче, страдание,
накопившее яд.
Любовь оставила меня.
Теперь я в странном мире —
заговор молчания
или настороженных чужих глаз,
ошибок дьяволов.
Мрачно днем,
ночами я не живу.
Ты убиваешь себя
отвратительным ножом
тех, кто наблюдает за тобой.

Разве это мой проступок?
Я принимаю свою великую вину,
такую же великую, как боль.
Это было огромным выходом,
через который я прошла, моя любовь.
Очень тихий выход,
который приблизил мою смерть.
Я смогла настолько забыться,
что это было моей самой большой удачей.
Ты убиваешь себя!!
ТЫ УБИВАЕШЬ СЕБЯ.
Есть те, кто *никогда не забудет тебя,*
Я принимаю их сильную руку.
Я — здесь, поэтому они будут жить.
Фрида.

ХЕЙДЕН ЭРРЕРА

Рефрен стихотворения «Ты убиваешь себя!», может быть, был тем, что Фрида говорила себе, или это могли быть слова, которые она слышала от Диего, приходившего в отчаяние от того количества наркотиков, которые ей давали для облегчения страданий. Когда Фрида говорит в конце стихотворения: «Я — здесь», кажется, что она принимает руку то ли смерти, то ли жизни.

Через два месяца после того, как «персона» выехала из студии Риверы (это была Эмма Уртадо, дилер Риверы с 1946 года, на которой он женился в 1955 году), Фрида вернулась домой в Койоакан. Ривера делал все, чтобы ей было хорошо и удобно. Юдит Феррето вспоминала, что он «очень помогал» ей. Хотя все знали, что он ненавидит, если прерывают его работу, но когда никто не мог успокоить Фриду или остановить ее слез, Феррето или сама Фрида звали его, и Диего приходил домой, сидел рядом с Фридой, развлекал ее историями о своих приключениях, громко читал стихи, иногда тихо пел баллады или просто держал ее руки в своих, пока она не засыпала. Он писал в своей автобиографии:

«Часто во время ее выздоровления медицинская сестра звонила мне и сообщала, что Фрида плачет и говорит, что хочет умереть. Я должен был немедленно бросать работу и мчаться домой, чтобы успокоить ее. Когда Фрида мирно засыпала, я возвращался к своей живописи и работал больше обычного, чтобы возместить потерянные часы.

Бывали дни, когда я так уставал, что засыпал прямо на лесах, на своем стуле.

Естественно, я нанял сестру на полные сутки, чтобы она исполняла все, что было необходимо Фриде. Стоимость этого, в сумме с другими медицинскими тратами, была столь высока, что съедала все, что я зарабатывал своими фресками, поэтому мне нужно было увеличить заработки, я стал писать акварели, иногда делая по две в день».

Частенько Ривера не возвращался в студию. Он сидел, подремывая, до полуночи, его огромный живот свисал с кресла, и лицо выражало печаль и усталость, это было лицо старой, мудрой, ушедшей в отставку, но не сдавшейся лягушки.

Сначала Фрида отказывалась надевать протез. Ей было больно, и казалось, носить протез — это ужасно. Когда она все-таки пыталась научиться ходить, то падала. Доктор Веласко-и-Поло вспоминает:

«Она послала заказать специальный ботинок, потому что ей не нравилась искусственная нога. Я говорил ей: «Никто этого не заметит, поскольку вы всегда носите длинные юбки». Она с бранью отвечала мне: «Вы... такой-то сын, не вмешивайтесь в то, что вас не касается! Вы отрезали мою ногу, а теперь я могу сказать все, что думаю!»

Но через три месяца Фрида научилась ходить на короткие расстояния и постепенно приободрилась, особенно после того, как снова начала писать. Она прятала ногу, у нее были ботинки, сделанные из роскошной кожи, с золотой китайской вышитой отделкой, украшенной маленькими колокольчиками. В этих ботинках, говорила Фрида, она «плясала от радости». Она крутилась перед друзьями, показывая им, насколько она свободна в движениях. Писательница Карлета Тибон вспоминает: «Фрида очень гордилась своими маленькими красными ботинками. Однажды я привела сестру Эмилио Пусси навестить Фриду, которая была в костюме теуаны и, вероятно, под воздействием наркотиков. Фрида сказала: «Эти изумительные ноги! И как прекрасно они мне служат!» — и стала пританцовывать *jarabe tapatio*».

Однажды днем, в воскресенье, Роза Кастро при-

ХЕЙДЕН ЭРРЕРА

шла навестить Фриду и попала на странный спектакль. Когда она открыла дверь Фридиной спальни, то увидела Фриду, одетую во все белое, в красных башмаках. Она натянула белые тонкие перчатки и унизала руки множеством колец. Помахивая руками в воздухе, она смеялась и говорила: «Они тебе нравятся? Это первые перчатки в моей жизни!» Еще она предлагала друзьям и другой, более мрачный спектакль. Как в 1951 году, она веселилась, показывая гостям свои незаживающие раны через дыру в гипсовом корсете, так и теперь призывала их посмотреть на культю ноги. Мариана Морильо вспоминает: «Фрида, бывало, шутила по поводу ампутации, но это был самый черный юмор. Однажды, когда я пришла к ней домой, она дала мне свою фотографию и надписала ее: *«Sie majestad es coja»* (в точном переводе: «Ее Величество хромоножка». — *Прим. пер.*). В этот момент она поссорилась со своей старинной подругой Долорес дель Рио и шутила: «Я пошлю ей мою ногу на серебряном подносе как акт мщения».

С точки зрения медицины ампутация была несложной процедурой, но, несмотря на красные башмачки и шуточки, Фрида не выздоравливала, не могла окончательно поправиться. Ее дневник 11 февраля 1954 года говорит:

«Мне шесть месяцев тому назад ампутировали ногу, меня мучили несколько столетий, и моментами я почти теряла «благоразумие». Я хотела убить себя. Диего — вот кто вернул меня обратно, потому что я тщеславно думала, что ему будет меня не хватать. Он говорил мне это, и я верила ему. Но никогда в своей жизни я не страдала так, как сейчас. Я еще немного подожду».

На следующей странице вспышка старой *alegria* (жизнерадостности):

> «Я добилась многого.
> Я смогу ходить,
> я смогу писать.
> Я люблю Диего больше,
> чем люблю себя.
> У меня сильная воля.
> Моя воля остается.

Спасибо волшебной любви Диего, благородной и умной работе доктора Фариля. Спасибо успехам честного и любимого доктора Рамона Парреса (Фридиного психиатра. — *Прим. авт.*) и самым дорогим людям всей моей жизни, [доктору] Дэвиду Глускеру и доктору Элоиссеру».

Среди последних рисунков в дневнике есть два автопортрета, где Фрида с искусственной ногой. Один рисунок подписан с любовью к ее «ребенку Диего». В другом нога — просто деревянная подпорка, *pata de palo*; стрелы, которые указывают на разные места ее тела и головы, подразумевают психические и физические страдания.

Однажды Фрида написала в дневнике, что смерть «не что иное, как стадия *существования*», потому что процесс умирания, происходящий с ней, — медленное разложение из-за остеомиелита и плохого кровообращения — не остановился, несмотря на все операции и лечение. 27 апреля 1954 года в дневнике написано, что она как раз поправляется после кризиса, возможно, после еще одной попытки самоубийства или просто после ухудшения здоровья. Кажется, что она находится в эйфории под влиянием наркотиков, но настойчивость ее возгласов благодарности намекает на скрытое отчаяние, она знает о неизбежном уходе из этого мира:

«Я выздоровела — я даю обещание и выполню его: никогда не возвращаться назад. Спасибо Диего, спасибо моей Тере (Тересе Проэнса. — *Прим. авт.*), спасибо Грасиелите и маленькой девочке, спасибо Юдит, спасибо Исауа Мино, спасибо Люпите Суньиге, спасибо доктору Фарилю, доктору Поло, доктору Армандо Наварро, доктору Варгасу, спасибо себе самой и моей огромной воле к жизни ради всех людей, которые любят меня, и тех, кого люблю я. Да здравствует *alegria,* жизнь, Диего, Тере, моя Юдит и все медицинские сестры, которые были у меня за мою жизнь, которые так великолепно лечили меня. Спасибо за то, что я коммунистка и была ею всю жизнь. Спасибо советским людям, китайцам, чехословакам и полякам и народу Мексики, а больше всего людям Койоакана, где появилась моя первая клетка, которую выходили в Оахаке, в чреве моей матери, которая там родилась и вышла замуж за моего отца, Гильермо Кало, — моей матери Матильде Кальдерон, черноволосой деревенской девушке из Оахаки. Изумительный день, который мы проводим здесь, в Койоакане, в доме Фриды, Диего и Тере. Сеньорита Капулина, сеньор Ксолотль, сеньора Кости (три последних имени — это клички Фридиных собак. — *Прим. авт.*).

Фрида уцепилась за идею благодарности, как будто в другом случае она бы утонула в горечи и отчаянии. Возможно также, она чувствовала, что благодарность и *alegria* были подобны *retablos,* или молитвам, в чем содержалась магическая сила: все это тоже могло привязать ее к тем людям, в которых она нуждалась, которых любила.

С Фридой творились ужасные вещи, потому что она теряла над собой контроль. Один случай произошел, когда она, лежа в кровати, потянулась за чем-то, чего не смогла достать. Ненавидя себя за то, что не может все делать сама, и не желая просить помощи, она встала. Фрида пишет в дневнике:

«Вчера, 7 мая... когда я упала на каменный пол, в мои ягодицы впилась иголка. Меня немедленно на машине «Скорой помощи» доставили в больницу. Я мучилась и кричала всю дорогу от дома до Английского госпиталя. Сделали рентген. Нашли иглу и собираются вытащить ее на этих днях при помощи магнита. Спасибо моему Диего, любви всей моей жизни. Спасибо докторам».

Когда Фрида не спала или не принимала наркотиков, она часто была такой нервной, что чуть не срывалась в истерику. Ее поведение было непредсказуемым. Она злилась из-за чепухи, из-за того, что обычно ее не раздражало. Она кидалась на людей, выкрикивала оскорбления даже Диего. Юдит Феррето вспоминает:

«Иногда простое слово, что-то сделанное неправильно, или что-то невычищенное, или даже просто обращение к ней приводили Фриду в ярость. Если они полюбили тебя, то любят до исступления, особенно Фрида. Если она любила тебя, ты мог бесконечно ощущать, что она тебя любит. Она никогда не изображала того, чего не чувствовала, и не могла ничего таить внутри, кроме своей боли и своих страданий».

Временами Фридина болезнь и ее дикое поведение становились для Диего невыносимыми. Рэчел Тибол рассказывает случай, когда Фрида была особенно слаба и лежала наверху в своей спальне почти в прострации из-за наркотиков.

«Мы с Диего сидели внизу в гостиной. Он пришел домой пообедать, но есть ему не хотелось. Он начал плакать, как ребенок, и сказал: «Если бы я мог, я бы убил ее. Я не в силах выносить ее страданий». Он плакал, как дитя, плакал и плакал. Это была жертвенная любовь».

Сострадание Диего к несчастной Фриде тем не менее разделяло их. Часто он несколько дней не появлялся дома, и Фрида от одиночества и нетерпимости приходила в отчаяние.

«Но в тот момент, когда Диего появлялся, — вспоминает Роза Кастро, — она тут же менялась и говорила: «Детка моя, где ты был, детка моя?» — самым мягким и любящим голосом. Тогда Диего подходил и целовал ее. Около кровати стояло блюдо с фруктами, и она говорила: «Мое дорогое дитя, хочешь фруктов?» Диего должен был ответить *«chi»,* вместо *«si»,* будто он был маленьким мальчиком».

Однажды, когда Аделина Сендехас и Карлос Пеллисер пришли на обед в Койоакан, Фрида в ярости швырнула в Диего бутылку воды. Он успел наклониться, и бутылка не задела его. Звон стекла отрезвил ее и вывел из состояния бешенства. Она начала плакать. «Зачем я это сделала? — спрашивала она. — Скажите мне, зачем я это сделала? Если все так будет продолжаться, то лучше умереть!»

Отвозя Аделину домой после ленча, Диего говорил: «Она должна оставаться в доме. Но надо передать кому-то заботу о ней. Так больше не может продолжаться». Как и все, кроме Кристины, Диего уходил от Фриды. Юдит Феррето пыталась объяснить Фриде, что Диего убегает из дома, потому что он ее любит и не может видеть, как она страдает. Иногда это объяснение принималось, но обычно Фрида горевала:

«Каждую ночь он не спит дома. Он не возвращается утром. Куда он ходит? Я даже не спрашиваю его ни о чем. Он может ходить в театр со своими друзьями архитекторами, на лекции. Каждый день [он появляется] в одиннадцать или двенадцать часов; в час или в четыре после полудня. Откуда? Кто знает! На следующее утро он встает, приходит поздороваться со мной: «Как ты, *linda* (миленькая)?» — «Прекрасно, а ты?» — «Неплохо». — «Ты придешь домой обедать?» — «Не знаю, я сообщу». Он чаще всего ест в студии. Ему посылают ленч с Освальдо. Я ем одна. По ночам и вечерам я его не вижу, он приходит очень поздно. Я принимаю свои пилюли и никогда не вижу его, его никогда нет со мной, и он — это ужас, и ему не нравится, когда я курю, он не любит, когда я сплю, он злится из-за всего. Ему нужна свобода, и она есть у него».

«Ее отношения с Диего в этот финальный и трагический период были очень неравномерными, — вспоминает писатель Лоло де ла Торрьенте. — Иногда легкими, нежными и даже страстными и тут же бурными и гневными. Терпеливый маэстро относился к этому с иронией, не обращал внимания на ее вспышки, прощал ее, но кончалось тем, что он вызывал доктора, который ее успокаивал. Она засыпала, и тогда дом становился похожим на могилу... В этот период Фрида очень мало разговаривала. Она лежала или сидела около большого окна своей спальни и смотрела на голубей, на ветки деревьев и струи фонтана в саду».

Фридины чувства к Диего менялись ежечасно, ежеминутно.

«Никто не знает, насколько сильно я люблю Диего, — говорила она. — Но никто и не знает, как трудно жить с этим сеньором. И его образ жизни настолько странен, что рискну задуматься, любит ли он меня, но все-таки думаю, что любит, по-своему. Я всегда употребляю это выражение, когда обсуждается наш брак. Нас связывает «голод, с желанием есть друг друга».

Предположительно она имела в виду, что сама была голодной, а Диего жадным; голодный берет то, что может получить, а жадный берет то, что ему хочется, везде, для своего собственного удовольствия.

Эмоциональные эксцессы, происходящие с Фридой, усиливались по мере увеличения доз наркотиков. У нее было официальное разрешение получать наркотики в государственных учреждениях, но ее мучения требовали все больших доз, и часто она обращалась к Диего, он всегда знал, где их найти.

Иногда Фрида становилась просто неуправляемой, в отчаянии она звонила друзьям, чтобы занять денег. Ривера пытался уменьшить ее зависимость от наркотиков, заменив их на алкоголь. Дальше было плохо. Для того чтобы не принимать наркотиков, Фрида в день выпивала два литра коньяка.

Она принимала огромные дозы и смешивала наркотики самым невероятным образом. Рэчел Тибол, когда помогала Кристине ухаживать за Фридой, несколько раз замечала, что та брала три и больше доз димедрола в большой шприц и добавляла туда жидкости из разных бутылочек с другими наркотиками. Фрида просила Тибол сделать ей укол, но, поскольку вся спина Фриды была в следах от предыдущих уколов и шрамов от операций, трудно было найти место для укола. Фрида начинала плакать: «Пробуй пальцем, пробуй пальцем, где найдешь мягкое место, туда и вкалывай!»

«Однажды мы с Люпе Марин пришли навестить ее, — вспоминает Хесус Риос-и-Вальес. — Фрида была совершенно не в себе. Она попросила меня сделать ей укол. Я спросил: «Куда нужно уколоть?» И сказал ей, что и Диего, и доктор предупреждали меня, что ей нельзя больше делать этих инъекций. Фрида будто обезумела. Она умоляла: «Пожалуйста! Пожалуйста!» Я спросил: «Что делать? Где мне это найти?» Она отвечала: «Открой тот шкафчик». В шкафчике, за рисунками Диего, была коробка с тысячами флакончиков димедрола».

За год Фрида почти ничего не написала; наконец весной 1954 года она заставила себя вылезти из постели и пойти в студию. Там, привязанная кушаком к инвалидной коляске так, чтобы поддерживать спину, она писала столько времени, сколько могла терпеть боль, затем переносила картину в кровать.

Теперь живопись стала неким божественным действом. Фрида писала картины, которые были связаны с ее политическими убеждениями, делала «живые натюрморты»; картины выражали нечто фантастическое и избыток чувств, что можно отнести на счет эйфории от димедрола. Один натюрморт 1954 года словно разделен на четыре части (земля и небо, день и ночь), и солнечные лучи представляют собою паутину сверкающих красных корней или вен, которые обнимают и фрукты, и голубя, гнездящегося в середине этой сети. Там, где корни заканчиваются (в нижней части картины), они образуют слово *LUZ* (свет) плюс имя Фриды. Хотя живопись груба по фактуре, резка по цвету и прямолинейна по своей идее, есть в этой картине что-то прекрасное, что можно ощутить благодаря страсти и надежде, с которой Фрида пишет апельсины и дыни. И при этом ясно видно, что в то время, как она пишет объятия света, она знает, что близка последняя ночь.

Чтобы найти способ для выражения своих политических убеждений, Фрида снова обращается к *retablos* (молитвенным картинам). На картине «Фрида и Сталин» она сидит перед громадным портретом Сталина, стоящим на мольберте; как и в картине «Автопортрет с портретом доктора Фариля», Сталин изображен в образе святого заступника в экс-вото. Точно так же в картине «Марксизм спасет страждущих» Фриду, в ортопедическом корсете и тем не менее красавицу, воскрешает «святой» в образе Карла Маркса (илл. 80). Его седобородая голова плывет в небе, а божественная длань душит карикатурного дядюшку Сэма. С другой стороны от Карла Маркса изображен белый голубь, раскинувший крылья, они защищают Фриду и земной шар, на котором громадный красный континент, несомненно, представляет Советскую Россию. Земля под ногами Фриды тоже политизирована. Под голубем и земным шаром протекают красные реки. Две огромные руки (одна с глазом мудрости на ладони) протягиваются с неба (поблизости от Маркса), чтобы поддержать Фриду. Как будто рука Маркса и красная книга, вероятно «Капитал», которую держит Фрида, позволяют ей отбросить костыли. Фрида сказала Юдит Феррето: «Впервые я больше не плачу».

Несмотря на то что в этих «идеологических» картинах развеваются красные флаги, летают голуби мира и герои марксизма оккупировали небеса, тем не менее последние Фридины работы остаются глубоко личными. Они никогда не могли служить политической пропагандой. Они, как молитвы, говорят о ее вере. Фрида понимала это, она жаловалась медицинской сестре, испытывая горькое сожаление по поводу того, что не может писать социально значимые картины: «Я не смогу, не могу, не могу!» В самом деле, она это сознавала, даже когда говорила Антонио Родригесу: «Я хочу, чтобы мои работы были вкладом в борьбу за мир и свободу, и, если я не могу вложить больше идей в мои картины, это потому, что мне нечего сказать, и я не чувствую, что имею право поучать, но не потому, что я думаю, будто искусство должно быть молчаливым, бессловесным».

Фридино искусство вовсе не было бессловесным. Картины Фриды с такой силой отражали ее личность, что в пропаганде уже не было нужды.

Картина со странным, безобразным пейзажем, названная «Печи для обжига кирпича», была навеяна в один весенний день, когда доктор Фариль вывез Фриду на машине в пригород Мехико. Они проезжали мимо нескольких печей для обжига кирпича, что-то в унылой, архаической красоте этих круглых печей привлекло внимание путешественников. Доктор Фариль подумал вслух, что неплохо бы эти печи написать. Фрида сказала, что она сможет. Когда доктор предложил ей сделать наброски, Фрида ответила, что в этом нет нужды — зарисовки уже в голове. На картине «Печи для обжига кирпича» изображены несколько печей и мужчина в сомбреро, сидящий рядом. Стиль картины свидетельствует о том, что Фрида уже не контролирует себя. Мазки беспорядочны, наложены грубо, колорит мрачен. Неприятное впечатление от всей сцены подчеркивается поломанными, безлистными деревьями и чудовищными облаками дыма, который вырывается из печей. Поскольку Фрида высказывала желание быть кремированной, вид печей для обжига кирпича на прогулке с хирургом, возможно, направил ее мысли к собственному концу. Без всякого сомнения, картина предвещает смерть.

ХЕЙДЕН ЭРРЕРА

Рэчел Тибол, которая находилась все время рядом с Фридой, вспоминает, что, когда Фрида закончила картину, она посмотрела на нее серьезным и одновременно отчаянным взглядом и спросила: «А ты не видела другую? Там в середине подсолнуха мое лицо. Это был заказ. Мне идея не нравится, мне кажется, что я утонула в подсолнухе». Тибол нашла картину, о которой Фрида говорила, и принесла ее. Она, как и «Печи для обжига кирпича», была сделана размашистыми, густыми мазками. Но в отличие от «Печей» в ней много движения и выражения радости. Тибол вспоминает:

«Раздраженная энергией, которую излучал предмет, ею же самой и созданный, энергией, которой она больше не обладала, она взяла нож из Мичоакана, с прямым и острым лезвием, и, превозмогая вялость, вызванную вечерними инъекциями, со слезами на глазах и искривив в усмешке дрожащие губы, начала медленно, очень медленно царапать картину. Шорох соприкосновения стали и плотной масляной краски звучал в это утро как горестная жалоба в Койоакане, в месте, где она родилась... Она царапала, уничтожала, разрушала себя; это была ее жертва и ее искупление».

Фриду могла отталкивать энергия, излучаемая автопортретом с подсолнухом, но, по мере того как густели сумерки ее жизни, ей хотелось быть ближе к свету. В июне она попросила, чтобы ее кровать передвинули из тесного угла спальни в соседний проход, ведущий в студию. Ей хотелось, как она сказала, видеть больше зелени; маленький коридор имел стеклянную дверь, которая открывалась на лестницу, ведущую прямо в сад. С этого места Фрида наблюдала за голубями, которые жили в керамических горшках, вделанных Риверой в каменную стену нового крыла дома. Когда начались летние дожди, Фрида проводила много времени, следя за игрой света на листьях, за движением ветвей деревьев на ветру, за дождем, который обрушивался на крыши и выливался из сточных труб.

Мариана Морильо Сафа вспоминает:

«В последние дни жизни она лежала совсем без движения. У нее жили только глаза. Я не могла на нее смотреть. Характер ее совершенно переменился. Она воевала со всеми. Поскольку я бывала у нее совсем недолго, со мной Фрида была мила, но казалось, будто думает о чем-то другом и только старается быть приятной. Она не выносила шума и большого количества людей рядом. Она не хотела видеть детей. Двигались только ее руки, и она швыряла в людей предметы. «Оставьте меня в покое! Отстаньте!» И могла заплакать, ударив человека своей тростью. Эта трость стояла около ее кровати, и, если вы немедленно не исполняли ее просьбу, она пускала трость в дело. Фрида была очень нетерпелива, потому что ничего не могла сделать сама. Все, что ей оставалось, так это укладывать волосы и красить губы. Раньше она только красила губы и больше не наносила никакого грима; в конце жизни она стала сильно краситься, злоупотребляя косметикой. Это выглядело так жалко. Она стала ужасающей имитацией прежней Фриды Кало».

Юдит Феррето:

«В течение тех дней она быстро катилась вниз... Думаю, она догадывалась, что станет деградировать... В то утро Фрида позвала меня. Я всегда по ее голосу узнавала, как она себя чувствует, легко понять по голосу, когда человек в полном отчаянии, а в тот день она и была в полном отчаянии. И она сказала:

«О, пожалуйста, Юдит, подойди! Можешь подойти сюда и помочь мне? Я ничего не могу сделать, я никуда не гожусь. Пожалуйста, иди, помоги мне».

Я подошла и провела с ней большую часть дня. Она писала в студии... она всегда была так прекрасна, в этих красивых платьях. Но этот день был другим. Волосы оставались неубраны, глаза вылезали из орбит. Она писала, и руки, колени, все было перепачкано краской... Я со всей моей любовью уложила ее на кровать и спросила: «Хочешь, чтобы я тебя посадила?» Она сказала: «Да». Я спросила: «Какое платье ты хочешь надеть?» — «Пожалуйста, принеси мне то, которое ты приготовила, прежде чем собралась уйти, потому что все те вещи были сделаны с любовью, а здесь вокруг теперь нету любви. А ты понимаешь, что только ради любви и стоит жить. Поэтому принеси то, которое было сделано с любовью».

ХЕЙДЕН ЭРРЕРА

Я привела в порядок ее волосы и все остальное, и она отдыхала... такая милая, такая сердитая, такая уже плохая».

Визит заканчивался ссорой и примирением. Некоторые гости задерживались слишком надолго, и Юдит, видя, как они утомляют Фриду, просила гостей уйти. Фрида приходила в ярость. Ей казалось, что Юдит командует в ее доме. Но потом у них все налаживалось, и Фрида пыталась заставить медсестру принять в подарок кольцо или платье, от чего Юдит отказывалась. Как она объясняла свой отказ: «Я в тот день вышла из себя, потому что понимала как медицинская сестра, что помочь Фриде Кало невозможно. Я видела ее во многих кризисах, которые она пережила в своей жизни. По большей части я ей могла помочь, но тогда у Фриды было две ноги, и я теперь понимала, что ей помочь невозможно.

В эти дни в дом иногда приходили какие-то дети, чтобы навестить Фриду... даже и дети ее сестры, которых она очень любила. И когда они уходили, она говорила: «Ох, Юдит, я больше не люблю детей. Я их не хочу. Я не могу сказать им, чтобы они не приходили, потому что это нехорошо, но я предпочитаю больше никогда не видеть детей».

После ампутации она возненавидела детей... Операция разрушила ее личность. Она любила жизнь, действительно любила жизнь, но все стало совсем по-другому, после того как ей ампутировали ногу.

В конце дня появился Карлос Пеллисер. И я была так счастлива, потому что уже хотела скорее уйти, день был ужасным. В последний момент Фрида взяла безногую куклу и сказала: «Это я без ноги». Это был ее последний подарок, а также маленький букет очень красивых цветов в небольшом стакане. Она сказала: «Возьми их с собой». Я села в такси и по дороге выбросила цветы. Я злилась на жизнь, и это был последний день, когда я видела ее».

К концу июня здоровье Фриды, казалось, улучшилось.

«Чем вы меня наградите, если мне станет лучше? — спрашивала она. И, не дожидаясь ответа, продолжала: — Больше всего мне понравилась бы кукла». Она была очень деспотична по отношению к друзьям, настаивая, например, чтобы они пообещали прийти. «Скоро» — было ей недостаточно, они должны были заверить ее, что придут именно сегодня. Она умоляла людей провести с ней ночь. Даже приглашала Люпе Марин, с которой они, плача, помирились. Люпе отвергала приглашения.

Фрида была полна надежд и планов на будущее. Она уверяла, что хочет усыновить ребенка. Говорила о том, как тоскует по путешествиям. Она получила приглашение в Россию, но не хотела ехать туда без Риверы, который не был восстановлен в коммунистической партии, несмотря на свои неоднократные просьбы. Фрида была очень возбуждена, раздумывая о путешествии в Польшу, где рассчитывала получить медицинскую помощь по рекомендации доктора Фариля. Диего, говорила она, находит, что это хорошая идея; он предложил сопровождать ее. Фрида предвкушала празднование серебряной свадьбы. Двадцать пять лет назад, 21 августа, они с Диего поженились. Она говорила друзьям:

«*Traigan mucha raza*» (приведите побольше народу), потому что будет грандиозная мексиканская фиеста!»

Она уже приготовила подарок для Диего. Это был прекрасный античный золотой перстень. Она хотела, чтобы празднование годовщины стало общедоступным праздником. Должна была прийти уйма людей из Койоакана.

Был холодный день сырого дождливого сезона. 2 июля 1954 года Фрида не послушалась доктора и встала с постели, чтобы участвовать в коммунистической демонстрации. Хотя она еще не оправилась после бронхопневмонии, она хотела выразить свои чувства солидарности с толпой из более чем тысячи мексиканцев, которые вышли на улицы и прошли от площади Санто-Доминго до Зокало, протестуя против реакционного режима генерала Кастильо Армаса. Это было последнее появление Фриды на публике, и она устроила себе героический спектакль. Диего толкал перед собой ее инвалидное кресло, и знаменитости из мира искусства Мексики следовали за ней.

Как и на многих фресках Риверы, Фрида была живым примером моральной стойкости, образцом революционного рвения. На фотографиях, сделанных во время демонстрации, она со знаменем в руках, ее мрачное, усталое лицо кажется старше, напоминая поле битвы с ее страданиями. Слишком слабая, чтобы думать о кокетстве, она не убрала волосы в обычную корону из косы. Фрида просто покрыла голову старой, мятой косынкой. Единственным знаком ее обычной пышности были многочисленные кольца, которые сверкали, когда она взмахивала рукой, как скипетром. Фрида старалась стойко выдержать четырехчасовое сидение в инвалидной коляске и вместе с толпой кричала *«Gringos, asesinos, fuera!»* («Янки-убийцы, убирайтесь вон!») Когда она в конце концов оказалась дома, то чувствовала удовлетворение, зная, что ее присутствие много значило для демонстрантов. Она убеждала друзей:

«В жизни мне нужны только три вещи: жить с Диего, писать и принадлежать к коммунистической партии».

Ей оставалось недолго обладать этим. В результате участия в демонстрации пневмония вспыхнула вновь, состояние Фриды резко ухудшилось. Спустя несколько дней она, пренебрегая приказом доктора, встала с постели и приняла ванну, и после этого ей стало совсем плохо.

Фрида понимала, что умирает. На одной из последних страниц дневника она нарисовала скелет в стиле художника — певца смерти Посады. Заглавными буквами она написала: *«MUERTOS EN RELAJO»* («Пляска смерти»); для Фриды смерть была последней главой жизни, частью неизменного цикла, которую надо встретить лицом к лицу.

«Мы ищем покоя или мира», — писала она в дневнике, — потому что предвидим смерть, поскольку постепенно умираем каждый момент жизни».

Когда качуча Мануэль Гонсалес Рамирес пришел навестить Фриду незадолго до ее смерти, она откровенно обсуждала детали своей кончины. «Не было никакой неловкости в разговоре о ее смерти, — вспоминал он, — потому что она этого не боялась». Печалила ее лишь мысль о том, что в могилу ее опустят в лежачем положении. Она столько перестрадала, лежа в разных больницах, что не хотела лежать и в могиле. По этой причине она попросила, чтобы ее кремировали.

За день до своего дня рождения Фрида сказала Тересе Проэнсе:

«Давайте начинать праздновать мой день рождения. Я хочу, чтобы в качестве подарка ты осталась со мной и разбудила меня завтра утром». Тереса согласилась и рано утром поставила пластинку «Лас Маньянитас», мексиканскую песню к дню рождения, чтобы Фрида проснулась под музыку. Фрида провела утро в постели, не просыпаясь из-за принятых наркотиков. Когда она проснулась, у нее было несколько визитеров.

Позже, надев тяжелую белую хлопчатобумажную *huipil* (шаль) с кистями цвета лаванды, подкрасив лицо, она захотела в столовую; ее туда перенесли. Там, в окружении подаренных к дню рождения цветов, она развлекала друзей. Люди приходили и уходили. Наверное, не менее сотни человек угощались мексиканскими блюдами — *mole* (рагу) из индейки, чили и *tamales* (пироги с мясом). Фрида была оживленной, как прежде. В восемь часов вечера она поднялась наверх и продолжала принимать гостей в спальне. Ей доставило огромное удовольствие письмо от женщины, члена коммунистической партии. Также ее обрадовал сонет, присланный Карлосом Пеллисером.

На последних страницах дневника — странная женская фигура, которая нарисована гораздо более небрежно, чем крылатый автопортрет, сделанный несколькими месяцами раньше. Последний рисунок изображает ангела, черного ангела, поднимающегося в небо, — разумеется, это ангел смерти. Такой образ обнаруживает желание сверхъестественного, что дополняет желание земного в других рисунках Фриды; ведь даже ее размышления о смерти колебались между католическими и языческими традициями. Последние слова в дневнике наиболее остро обнажают ее мучительное желание с готовностью принять самую черную реальность:

«Я надеюсь, что уход радостен, — и я надеюсь, что никогда не вернусь обратно. Фрида».

Эти слова и последний рисунок дают право предполагать, что Фрида совершила самоубийство, однако причиной ее смерти 13 июля 1954 года признана «легочная эмболия». Разумеется, мнение Риверы о причинах смерти его жены позволяет думать и о возможности самоубийства. Но в то же время Ривера поддерживает образ жены как человека, упорно сражавшегося за жизнь. Он говорил, что в ночь перед смертью пневмония Фриды достигла критического уровня.

«Я сидел около ее кровати до 2.30 ночи. В четыре часа утра она жаловалась, что ей очень плохо. Когда утром приехал доктор, он констатировал, что незадолго до его приезда она умерла от эмболии легких.

Когда я вошел в комнату посмотреть на нее, лицо ее было спокойным и еще более прекрасным, чем всегда. Предыдущей ночью она отдала мне кольцо, которое купила в подарок на двадцатипятилетнюю годовщину, за семнадцать дней до этой даты. Я спросил ее, почему она делает подарок так рано, и она ответила: «Потому что я чувствую, что очень скоро покину тебя».

Но, хотя Фрида понимала, что умирает, она все равно должна была бороться за жизнь. Иначе зачем бы смерть отняла у нее дыхание, пока она спала?»

ХЕЙДЕН ЭРРЕРА

Многие Фридины друзья не верили, что она могла покончить с собой. До последнего мгновения, говорят они, у нее оставалась надежда и сильная воля. Другие подозревали, что она умерла от передозировки наркотика, что могло — или не могло — быть случайным. Правда то, что у нее была плохая циркуляция крови и что предыдущий приступ бронхопневмонии очень ее ослабил.

После того как Фрида умерла, ее друг Бэмби опубликовал в «Эксцельсиоре» отчет о ее последних часах. В нем говорилось, что в день, предшествовавший смерти, у Фриды не было посетителей, потому что она была обессилена страшной болью. Днем с ней совсем недолго побыл Диего. Они болтали и смеялись, и она сказала ему, что проспала почти все утро, потому что доктор Веласко-и-Поло велел ей спать. Фрида шутила по поводу чашки, из которой кормят инвалидов, ее принесла сеньора Майет (которая снова работала у нее), чтобы накормить ее жидкой пищей. Это, сказала Фрида, был «год бульонов». Ей казалось, что организм не усвоит ничего, кроме супов.

В тот вечер она отдала Диего перстень, подарок к годовщине свадьбы, и сказала, что хочет попрощаться с ним и еще с несколькими ближайшими друзьями. В десять часов вечера Диего позвонил доктору Веласко-и-Поло.

«Фрида очень плоха, я бы хотел, чтобы вы посмотрели ее».

Доктор приехал и нашел, что из-за бронхопневмонии состояние Фриды очень тяжелое. Когда доктор спустился вниз, Ривера сидел и разговаривал с другом. Доктор сказал: «Диего, Фрида очень плоха». Диего ответил: «Да, я знаю». — «Но она действительно очень плоха, у нее высокая температура», — настаивал доктор. «Да», — только и сказал Диего.

В 11 часов вечера Фрида выпила сок и заснула, Диего сидел рядом с ней. Уверенный, что она быстро заснет, он ушел, чтобы провести остаток ночи в студии в Сан-Анхеле. В четыре часа Фрида проснулась и пожаловалась на сильную боль.

Сиделка успокоила ее и расправила простыни. Она оставалась у постели Фриды, пока та снова не заснула. В шесть часов утра было еще темно, сеньора Майет услышала, как что-то стукнуло, она встала, подошла к кровати и подоткнула простыни. Глаза Фриды были открыты, они смотрели прямо на сиделку. Сиделка потрогала руку Фриды. Руки были холодными. Сеньора Майет позвала шофера Диего, Мануэля, и сказала ему, что произошло. Старый шофер, который работал еще у Гильермо Кало и знал Фриду с рождения, отправился с новостью к Диего.

«Сеньор, — сказал шофер, — *murió la niña Frida*» (Маленькая Фрида умерла).

25

VIVA LA VIDA (ДА ЗДРАВСТВУЕТ ЖИЗНЬ)

Когда Фрида скончалась, лицо Диего, обычно округлое и живое, стало серым и изможденным. «За несколько часов он превратился в бледного, безобразного старика», — вспоминает один из друзей. Появился репортер из «Эксцельсиора», но Диего не разрешил фотографировать и отказался давать интервью.

«Умоляю вас, не спрашивайте меня ни о чем», — сказал он, повернулся лицом к стене и замолчал.

Новость о Фридиной смерти распространилась повсюду и очень быстро. Рано утром Диего позвонил Люпе Марин, и она с Эммой Уртадо, скоро ставшей четвертой женой Риверы, приехала в дом.

«Диего был совершенно один, — вспоминала Люпе. — Я осталась с ним, держала его за руку. В 8.30 утра начали прибывать Фридины друзья, и я попрощалась и уехала».

Фрида лежала на своей кровати в черной юбке и в белой шали из Ялалага. Подруги убрали ее волосы лентами и цветами, вдели серьги в уши, украсили ожерельями из серебра, кораллов и нефрита, скрестили на груди руки, на каждом пальце было надето по кольцу. Ее лицо обрамляли мексиканские кружева подушки. Рядом с головой стояла ваза с розами. Из-под края юбки виднелась единственная нога с ногтями, покрашенными красным лаком. Из полога над кроватью выглядывали китайские куклы и доколумбовы идолы.

В тот день мимо Фриды прошло множество людей, которые не могли сдержать слез. Среди первых скорбящих была Ольга Кампос:

«Для меня это было ужасно. Когда я приехала в дом, между десятью и одиннадцатью утра, Фрида еще была теплой. Когда я поцеловала ее, почувствовала на ее коже мурашки. «Она жива! — крикнула я. — Она жива!» Но она была мертва».

В 6.30 вечера все украшения, кроме колец, цепи из Теуантепека и нескольких простых блестящих ожерелий, были сняты с тела Фриды, ее положили в серый гроб и повезли во Дворец изящных искусств.

«Диего один ехал в машине с шофером, — рассказывала Бернис Колко. — Он не хотел, чтобы хоть кто-нибудь был рядом с ним».

Там, в главном культурном центре Мексики — зале неоклассической архитектуры, — лежала неподвижная Фрида, рядом сидел взволнованный Диего. Он попросил доктора Веласко-и-Поло дать свидетельство о смерти, чтобы можно было предать тело Фриды кремации, но доктор отказал ему. Тогда Ривера получил свидетельство от своего друга и бывшего родственника, доктора Марина. Но, даже имея свидетельство, он все еще не понимал, что его жена мертва.

Роза Кастро излагает свою историю:

«Когда она лежала во дворце, Диего стоял с доктором Федерико Марином, братом Люпе. Я спросила: «Что случилось?» Диего ответил: «Мы просто не совсем уверены, что Фрида умерла. Меня приводит в ужас то, что еще действуют капилляры: у нее до сих пор подняты волоски на коже». Диего не хотел верить в то, что она умерла, он ужасно не хотел расставаться с ней. Он очень ее любил. Когда Фрида умерла, он выглядел так, будто душу его рассекли надвое».

Всю ту ночь и следующее утро Фрида лежала в огромном, высоком зале. Гроб ее стоял на постаменте, покрытом черным покрывалом, спадающим на пол, вокруг него была масса красных цветов.

Разрешение на то, чтобы оказать Фриде такие почести, было дано Андресом Идуарте, ее старым школьным приятелем, тогда директором Государственного института изящных искусств, он лишь по-

ХЕЙДЕН ЭРРЕРА

ставил условие, чтобы Ривера пообещал не примешивать политики в церемонию.

«Никаких политических знамен, никаких лозунгов, речей, никакой политики», — предупредил он. Диего кивнул: «Да, Андрес».

Но, когда первый почетный караул, состоящий из Идуарте и нескольких других чиновников из Департамента изящных искусств, вошел в вестибюль, гроб оказался покрыт атласным красным флагом, на котором были вышиты серп и молот в середине белой звезды.

Идуарте и его сопровождающие в ужасе отступили и ушли. Идуарте из своего офиса послал Ривере сообщение с напоминанием о его обещании. В воспоминаниях также говорится, что Ривера настолько был убит горем, что его опасались тревожить. К сожалению для Идуарте, президента Руиса Кортинеса в это время не было в столице, и директор института обратился за советом к секретарю президента. Ему сказали, что он должен убедить Риверу убрать красный флаг, но при этом нужно избежать скандала. Ривера, окруженный своими единомышленниками, оставил все как есть и пригрозил, что если кто-нибудь тронет флаг, то он вынесет тело Фриды на улицу и поставит вокруг него охрану.

Идуарте вздохнул с облегчением, когда в почетный караул около Фриды встал бывший президент Ласаро Карденас; если человек такого высокого ранга проявил толерантность к красному флагу, то, в конце концов, все это не так уж неприлично. Телефонный звонок от секретаря президента подтвердил его мнение.

«Если генерал Карденас в почетном карауле, — сказали ему, — то и вы тоже можете стать там».

Таким образом, любимица нации превратилась, по крайней мере временно, в коммунистическую героиню. Единственным печальным результатом «русофильского фарса», как назвала это пресса, было то, что Идуарте потерял свой пост директора института (он вернулся в качестве профессора латиноамериканской литературы в Колумбийский университет). Со своей стороны, Ривера был вознагражден восстановлением в коммунистической партии спустя два с половиной месяца после смерти Фриды.

Всю ночь и все следующее утро у четырех углов Фридиного гроба стоял почетный караул. Там были и коммунистические деятели, и близкие друзья, и родственники. Там были Лола Альварес Браво и Хуан О'Горман, Аурора Рэйес, Мария Асунсуло и монументалист Хосе Чавес Морадо, три Фридины сестры и дочери Диего, Люпе и Рут. Два представителя советского посольства заехали на несколько минут. Диего, одетый в официальный черный костюм, с удрученным и усталым лицом стоял рядом с гробом весь вечер. Он смог взять себя в руки, чтобы отвечать на рукопожатия и беседовать с прессой. Он сообщил одному репортеру, что Фрида умерла от легочной эмболии в присутствии врача между тремя и четырьмя часами ночи. Он горделиво заявил, что Фрида была единственным испано-американским живописцем, представленным в Лувре, и что ее последней картиной, которую она сделала за месяц до смерти, был натюрморт с арбузом, полным цвета и *alegria*.

В последнем почетном карауле стояли Диего, Идуарте, Сикейрос, Коваррубиас, Энестроса, агроном и политик Сесар Мартино, бывший президент Карденас и его сын Куаутемок. К полудню 14 июля у гроба Фриды собралось более шестисот человек. В 12.10 Кристина Кало попросила присутствующих спеть национальный гимн, а затем «Корридо де Кананеа», балладу, в которой сплелись жалобы на несправедливость страданий мексиканского народа и любовная история. Ривера, Сикейрос, Идуарте и другие подняли гроб на плечи и понесли вниз по широкой мраморной лестнице Дворца изящных искусств на улицу, под дождь. За гробом Фриды вниз по Авениде Хуарес медленно двинулась процессия из пятисот человек.

Крематорий в Пантеоне Сивиль де Долорес (городском кладбище) был маленьким и весьма простым. В крошечной душной комнате собрались друзья, родственники, представители разных социалистических стран, секретари Мексиканской комму-

ХЕЙДЕН ЭРРЕРА

нистической партии и молодежной коммунистической организации, а также светила мирового искусства и литературы. Снаружи, среди могильных камней, под проливным дождем стояли сотни людей. Гроб принесли в первую комнату и открыли его. Фрида лежала в венке из красных гвоздик и с народным платком на плечах. Кто-то положил огромный букет у ее головы. Затем, стоя рядом с Фридой и Диего, Андрес Идуарте произнес торжественную надгробную речь:

«Фрида умерла. Фрида умерла.

Блистательное и своевольное создание, она скончалась... Поразительный художник ушел от нас; тревожный дух, великодушное сердце, чувствительность в живой плоти, любовь до последнего к искусству, она — одно целое с Мексикой... Друг, сестра людей, великая дочь Мексики, ты все равно жива... Ты осталась жить».

Карлос Пеллисер прочел свой сонет Фриде, вот несколько строк из него:

«Ты всегда будешь живой на земле, / ты всегда будешь мятежной зарей, / героическим цветком всех следующих рассветов».

Аделина Сендехас говорила о Фриде еще в Начальной школе и о Фридиной жизни и работе как примере «железной воли к жизни». Хуан Пабло Сай, член Центрального комитета Мексиканской коммунистической партии, говорил от имени партии, использовав случай, чтобы поднять проблемы современного мира.

В четверть второго Ривера и другие члены семьи подняли Фриду из гроба и переложили ее на самодвижущуюся тележку, которая должна была везти ее в печь крематория. Ривера стоял рядом с Фридой, сцепив руки, погрузившись в печаль. Он встал на колени и поцеловал Фриду в лоб. Друзья склонились в последнем прощании.

Ривера хотел проводить Фриду с музыкой. Собравшиеся, подняв руки со сжатыми кулаками, запели «Интернационал», затем государственный гимн, «Молодую гвардию» и другие политические песни. Потом провожающие пели прощальные баллады:

«Адос, Ми Чапарита», «Адос, Марикита Линда», «Ла Эмбаркасьон» и «Ла Барка де Оро», в которой говорится:

> Я сейчас отбываю в порт, где стоят золотые корабли,
> Которые ждут, чтобы унести меня прочь.
> Сейчас я покидаю вас, это прощание.
> Прощай, моя любовь, прощай навсегда.
> Ты никогда больше меня не увидишь, не услышишь моих песен,
> Но море переполнится моими слезами.
> Прощай, моя любовь... прощай.

«Ривера стоял, сцепив руки, — вспоминает Монрой. — Когда двери печи раскрылись, чтобы впустить тележку с Фридой, из печи дохнуло таким чудовищным жаром, что он заставил нас отпрянуть к стенам комнаты, потому что мы не могли выдержать этого адского пекла. Но Диего не двинулся».

В этот момент произошло нечто жутковатое, напоминающее «Капричиос» Гойи. Аделина Сендехас вспоминает:

«Когда тележка начала увозить тело Фриды к печи, все бросились к ее рукам. Ее хватали за пальцы, чтобы снять дешевенькие кольца. Людям хотелось оставить на память что-то принадлежавшее ей».

Люди плакали. С Кристиной случилась истерика. Ее вывели наружу.

В старом крематории требовалось четыре часа, чтобы огонь сделал свое дело. Толпа не разошлась, люди пели. Диего плакал и так вонзил в ладони ногти, что закапала кровь. В конце концов двери печи раскрылись, и раскаленная тележка с прахом Фриды выехала наружу. Невыносимый жар снова заставил людей отпрянуть к стенам комнаты и, защищаясь от него, закрыть лица руками. Только Ривера и Карденас неподвижно стояли на своих местах.

Пепел Фриды еще несколько минут до того, как разрушиться под дуновением воздуха, сохранял ее очертания. Когда Ривера это увидел, он вытащил маленький альбом для эскизов и зарисовал серебристый силуэт из пепла Фриды. Затем нежно собрал пепел в кусок красной ткани и положил в кедровую шкатулку. Диего попросил, чтобы, когда он умрет, его прах был смешан с прахом Фриды. (Его просьба не была удовлетворена, такому великому монументалисту больше пристало лежать в месте упокоения самых знаменитых людей Мехико — в Ротонде великих людей.)

В своей автобиографии Диего писал:

«13 июля 1954 года было самым трагическим днем моей жизни. Я потерял мою любимую Фриду навсегда... Теперь слишком поздно, я понимаю, что самой замечательной частью моей жизни была моя любовь к Фриде».

Вскоре после смерти Фриды в доме в Койоакане крестили внучку Риверы. В этот день Диего нарядил фигурку Иуды в платье Фриды и положил в колыбель ребенка Фридин прах и ее гипсовый корсет. Это был жест, которому Фрида могла поаплодировать, нечто сугубо мексиканское, говорящее о дуализме — рождение, как колыбель смерти, и смерть, как податель жизни.

Когда в июле 1958 года открыли Музей Фриды Кало, ее прах был помещен на кровати, над ним висела ее гипсовая посмертная маска, обернутая одним из ее платков.

Позже прах положили в доколумбов сосуд округлых очертаний, напоминающий женский торс на подставке, над этой урной разместили бронзовую отливку посмертной маски. Казалось, урна наполнена жизнью, как и глиняный идол в «Четырех жителях Мексики».

Сегодня, как и при жизни Фриды, дом ее открыт для посетителей. Ривера отдал дом со всей коллекцией произведений искусства, включая картины самого Риверы и другие, которые принадлежали Фриде, и со всем фольклорным убранством и мебелью мексиканскому народу. Это произошло в 1955 году.

«Я поставил только одно условие, — говорил Диего, — там должен быть оставлен для меня укромный угол, чтобы, когда бы я ни пожелал, я смог прийти и побыть в атмосфере, которая воссоздавала бы присутствие Фриды».

В музей приходили друзья Фриды. Но не только они, были и посетители, которые никогда ее не

ХЕЙДЕН ЭРРЕРА

знали, но, уходя из дома, чувствовали, будто были с ней знакомы, поскольку реликвии, выставленные там, — костюмы Фриды, украшения, игрушки, куклы, письма, книги, краски, ее любовные записки к Диего, изумительная коллекция народного искусства — создавали живую картину ее жизни. В музее прекрасно развесили те картины и рисунки, которые висели в ее гостиной. Наверху, в студии, инвалидную коляску придвинули к мольберту. Один из гипсовых корсетов, изукрашенный растениями и цветными кнопками, положили на Фридину кровать. Китайские куклы все так же таращатся с полки на зрителей. Около постели Фриды стоит кукольная кроватка, пустая.

Последняя Фридина картина висит на стене гостиной (цв. илл. XXXV). На ней на фоне сияющего голубого неба, разделенного на две половины — более темную и более светлую, изображены арбузы, самый любимый мексиканский фрукт, арбуз целый, арбуз, разрезанный пополам, и еще — на четыре части, и изрезанный на куски. Живопись гораздо более тщательна, чем в других поздних натюрмортах, очертания точные, удачная композиция. Похоже, что Фрида собрала все силы, что оставались от ее жизнелюбия, чтобы написать последнее свидетельство своей *alegria*. Изрезанные арбузы говорят о приближении смерти, но их сверкающая красная плоть празднует полноту жизни. За восемь дней до смерти, когда дни ее были омрачены дурным настроением, Фрида Кало обмакнула кисть в кроваво-красную краску и написала на алой плоскости куска арбуза, лежащего на переднем плане, свое имя, дату и место — Койоакан, Мехико.

Затем большими заглавными буквами она написала свое последнее приветствие жизни: VIVA LA VIDA.

СОДЕРЖАНИЕ

Литературно-художественное издание

Хейден Эррера

ФРИДА КАЛО

Ответственный редактор *Е. Басова*
Художественный редактор *Е. Савченко*
Технический редактор *Н. Носова*
Компьютерная верстка *Г. Дегтяренко*
Корректор *И. Ларина*

ООО «Издательство «Эксмо»
127299, Москва, ул. Клары Цеткин, д. 18/5. Тел. 411-68-86, 956-39-21.
Home page: **www.eksmo.ru** E-mail: **info@eksmo.ru**

Подписано в печать 01.02.2007.
Формат 84×108 $^{1}/_{32}$. Гарнитура «Таймс».
Печать офсетная. Бум. тип. Усл. печ. л. 28,56 + вкл.
Тираж 4000 экз. Заказ 7075.

Отпечатано с электронных носителей издательства.
ОАО "Тверской полиграфический комбинат". 170024, г. Тверь, пр-т Ленина, 5.
Телефон: (4822) 44-52-03, 44-50-34, Телефон/факс (4822)44-42-15
Home page - www.tverpk.ru Электронная почта (E-mail) - sales@tverpk.ru